LA NATURE DE LA BÊTE

Armand Gamache enquête
chez Flammarion Québec

En plein cœur

Sous la glace

Le mois le plus cruel

Défense de tuer

Révélation brutale

Enterrez vos morts

Illusion de lumière

Le beau mystère

La faille en toute chose

Un long retour

La nature de la bête

Un outrage mortel

Maisons de verre

Au royaume des aveugles

Louise Penny

LA NATURE DE LA BÊTE

Armand Gamache enquête

Traduit de l'anglais (Canada)
par Lori Saint-Martin et Paul Gagné

Flammarion

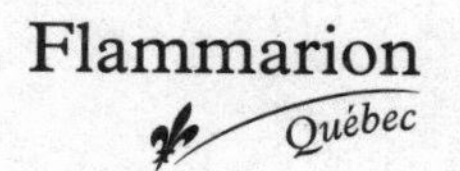

Catalogage avant publication de Bibliothèque et Archives nationales du Québec et Bibliothèque et Archives Canada

Titre : La nature de la bête / Louise Penny ; traduit de l'anglais (Canada) par Lori Saint-Martin et Paul Gagné.

Autres titres : Nature of the beast. Français

Noms : Penny, Louise, auteur. | Saint-Martin, Lori, traducteur. | Gagné, Paul, traducteur.

Collections : Penny, Louise. Armand Gamache enquête.

Description : Mention de collection : Armand Gamache enquête | Traduction de : The nature of the beast. | Édition originale : [Montréal] : Flammarion Québec, [2016].

Identifiants : Canadiana 2019001721X | ISBN 9782890778764

Classification : LCC PS8631.E572 N3714 2019 | CDD C813/ .6—dc23

COUVERTURE
Photo : © Darin Stoyanov/Arcangel Images
Conception graphique : Antoine Fortin

INTÉRIEUR
Mise en pages : Michel Fleury

Titre original : The Nature of the Beast
Éditeur original : Minotaur Books

Œuvres citées :

Extraits de « L'attente » et de « Une enfant triste », poèmes de Margaret Atwood publiés dans *Matin dans la maison incendiée*, 2004, traduction de Marie Évangéline Arsenault. Reproduits avec l'autorisation des Écrits des Forges.

Extrait de William Butler Yeats, « La seconde venue », traduction d'Yves Bonnefoy.

ISBN 978-2-89077-876-4
Dépôt légal : 2e trimestre 2019

Imprimé au Canada

www.flammarion.qc.ca

Pour nos amis et voisins – notre famille du cœur

1

Courir, courir, trébucher. Courir.

Un bras levé pour repousser les branches souples qui lui cinglaient le visage. Dans le noir, il ne vit pas la racine. Il tomba, ses mains ouvertes s'enfonçant dans la mousse et la boue. Son fusil d'assaut lui échappa, rebondit et roula hors de sa vue. Les yeux exorbités, Laurent Lepage, affolé à présent, balaya le sous-bois du regard et, à tâtons, fouilla dans les feuilles mortes et pourrissantes.

Il entendait des pas derrière lui. Des bottes qui martelaient le sol. Fort. Il sentait presque la terre tanguer à leur approche, tandis que, à quatre pattes, il écartait les feuilles.

– Allez, allez, supplia-t-il.

Et alors ses mains couvertes d'égratignures et de crasse se refermèrent sur le canon du fusil d'assaut et, se relevant, il se remit à courir. Penché. Haletant.

Il avait l'impression que sa fuite durait depuis des semaines, des mois. Toute une vie. Et, pendant qu'il sprintait à travers bois, évitant les troncs des arbres, il sut que sa cavale prendrait bientôt fin.

Mais, dans l'immédiat, il courait, si grande était sa volonté de survivre. Si grand son besoin de protéger sa découverte. S'il ne pouvait pas mettre cet objet à l'abri, peut-être pourrait-il s'assurer, au moins, que ses poursuivants ne le trouveraient pas.

Il n'avait qu'à le cacher. Ici, dans cette forêt. Et le lion dormirait ce soir. Enfin.

Bang. Bangbangbang. Autour de lui, des arbres explosèrent, taillés en pièces par les balles.

Il plongea et boula et atterrit derrière une souche, ses épaules en appui sur le bois pourri. Sans protection.

Durant les derniers instants, ses pensées ne se tournèrent pas vers ses parents, chez eux dans leur petit village du Québec. Non plus que vers son chiot, adulte désormais. Il ne songea ni à ses amis, ni aux jeux organisés dans le parc du village en été, ni aux glissades étourdissantes sur la colline, ni à la vieille poète folle qui les menaçait du poing en hiver. Il ne songea pas non plus au chocolat chaud qui, à la fin de la journée, les attendait devant la cheminée, au bistro.

Il ne pensait qu'à descendre ceux qui entreraient dans son champ de vision. Et à gagner du temps. Peut-être, peut-être réussirait-il ainsi à cacher la cassette.

Et alors, peut-être, peut-être les habitants du village seraient-ils en sécurité. Et ceux des autres villages aussi. L'idée qu'il servirait à quelque chose lui procurait un certain réconfort. Son sacrifice profiterait à tous, en particulier à ses êtres chers et à son chez-lui bien-aimé.

Il souleva son arme, visa et appuya sur la détente.

– *Bang*, fit-il en sentant le fusil d'assaut pousser contre son épaule. *Bangbangbangbangbang.*

En première ligne, ses poursuivants furent fauchés.

Il bondit et roula derrière un arbre robuste sur lequel il s'appuya, si fort que l'écorce rugueuse entama la chair de son dos. Il se demanda si l'arbre risquait de se renverser. Il serra son fusil contre sa poitrine. Son pouls était affolé. Il sentait son cœur dans ses oreilles. Ses battements menaçaient d'enterrer tous les autres sons.

Celui des pieds qui s'approchaient rapidement, par exemple.

Laurent tenta de se stabiliser. De calmer sa respiration. Ses tremblements.

On s'en était déjà pris à lui, se rappela-t-il. Et il s'en était toujours sorti. Toujours. Cette fois-là aussi, il y arriverait. Et il aurait droit à une boisson chaude et à une viennoiserie. Et à un bon bain.

Et toutes les horreurs qu'il avait commises et s'apprêtait à commettre s'écouleraient avec l'eau du bain.

Sa main s'enfonça dans la poche de son blouson déchiré et boueux. Ses doigts aux jointures éraflées jusqu'à l'os et couverts de sang cherchèrent à tâtons. Et ils la trouvèrent, la cassette. Elle était en sécurité.

Au moins autant que lui, en tout cas.

Instinctivement, ses sens aiguisés, exacerbés, percevaient l'odeur musquée du sol forestier, les colonnes de lumière. Il sentit les mouvements frénétiques des suisses dans les branches au-dessus de sa tête.

Ce qu'il ne décelait plus, en revanche, c'étaient les bruits de pas.

Avait-il tué ou blessé tous ses adversaires ? Pourrait-il rentrer chez lui, en fin de compte ?

Puis il l'entendit. Le craquement révélateur d'une brindille. Tout près.

Ils avaient cessé de courir et, à pas de loup, s'avançaient vers lui. L'encerclaient.

Laurent s'efforça de compter les pieds, d'en estimer le nombre par le bruit. Il en fut incapable. De toute façon, il était perdu. Il ne s'en tirerait pas, cette fois.

Il eut dans la bouche un goût inédit. Aigre.

Celui de la terreur.

Il inspira à fond. Au cours de ses derniers instants, Laurent Lepage contempla ses doigts sales refermés sur le fusil d'assaut. Et il les imagina, roses et propres, tenant un hamburger, une poutine, un épi de maïs ou un de ces pets de sœur sucrés et comiques offerts à la fête du village.

Tenant le chiot. Harvest. Nommé d'après le disque favori de son père.

Et, au dernier moment, Laurent, son fusil serré contre lui, se mit à fredonner. Un air que son père lui chantait tous les soirs à l'heure du coucher.

– *Old man look at my life*, chanta-t-il tout bas. *Twenty-four and there's so much more.*

Laissant tomber le fusil, il prit la cassette. Le temps lui manquait. Il avait échoué. Et, à présent, il devait la cacher. S'agenouillant, il découvrit un enchevêtrement de plantes rampantes, vieilles et ligneuses. Indifférent désormais aux bruits qui se rapprochaient, Laurent Lepage écarta les plantes. Dans un élan de panique, il comprit qu'elles étaient plus épaisses et plus lourdes qu'il l'avait d'abord cru.

Avait-il trop attendu ?

Il arracha, déchira et gratta jusqu'à l'apparition d'une petite fente. Y glissant la main, il laissa tomber la cassette dans le trou.

Ceux qui en avaient besoin risquaient de ne jamais la retrouver. Mais ceux qui s'apprêtaient à tuer pour mettre la main dessus non plus, se dit-il.

– *But I'm all alone at last*, chuchota-t-il. *Rolling home to you.*

Une lueur au milieu des ronces attira son attention.

Il y avait quelque chose, là-dedans. Un objet qui n'avait pas poussé là, qu'on avait au contraire déposé à cet endroit. D'autres mains que les siennes étaient passées par ici.

Laurent Lepage, oubliant ses poursuivants, avança les genoux, agrippa les plantes rampantes à deux mains et tira de toutes ses forces. Comme soudées, elles se cramponnaient les unes aux autres. Des années, des décennies, des lustres de croissance. Et de dissimulation.

Laurent arracha, arracha encore, déchira. Puis une colonne de lumière, pénétrant la canopée et le sous-bois, lui révéla ce qui se trouvait là. Ce qu'on avait caché là avant même sa naissance.

Il écarquilla les yeux.

– *Waouh.*

2

– Alors ?

Isabelle Lacoste posa son verre de cidre sur la vieille table en bois et regarda fixement l'homme assis en face d'elle.

– Vous savez très bien que je ne peux pas répondre à ça, dit Armand Gamache, qui lui sourit en saisissant sa bière.

– Bon, maintenant que vous n'êtes plus mon supérieur, je peux vous dire le fond de ma pensée.

Gamache rit. Sa femme, Reine-Marie, se pencha vers Lacoste et murmura :

– Dites, Isabelle.

– Je pense, madame Gamache, que votre mari ferait un excellent directeur de la Sûreté.

Reine-Marie se cala dans son fauteuil. Par les fenêtres à meneaux du bistro, elle voyait un assemblage hétéroclite d'enfants et d'adultes, y compris sa fille Annie et le mari d'Annie, Jean-Guy, jouer au soccer. On était à la mi-septembre. L'été avait pris fin et l'automne était imminent. Les feuilles commençaient tout juste à changer de couleur. Des érables rouge vif, jaune et ambre parsemaient les jardins et la forêt. Beaucoup de feuilles étaient déjà tombées sur l'herbe du parc du village. C'était un moment idyllique : les fleurs tardives de l'été persistaient, les feuilles changeaient de couleur et l'herbe restait verte ; en même temps, les nuits étaient fraîches, les gros chandails s'imposaient et on avait commencé à allumer des feux. Le soir venu, les âtres, étourdis, brillants et invitants, ressemblaient aux forêts diurnes.

Bientôt, tous rentreraient en ville après le week-end, sauf Armand et elle. Ils étaient déjà chez eux.

D'un geste de la tête, Reine-Marie salua M. Béliveau, l'épicier, qui venait de prendre place à une table voisine, puis elle tourna son attention vers la femme venue passer la fin de semaine avec eux. Isabelle Lacoste. L'inspectrice-chef Lacoste, directrice par intérim de la section des homicides de la Sûreté du Québec. Le poste que le mari de Reine-Marie avait occupé pendant plus de vingt ans.

Dans l'esprit de Reine-Marie, elle avait toujours été la « jeune Isabelle ». Pas de manière paternaliste ni même « maternaliste », du moins l'espérait-elle, mais seulement parce qu'elle était très jeune lorsque Armand l'avait remarquée, recrutée et formée.

À présent, Isabelle avait des rides et ses cheveux s'étaient mis à grisonner. Du jour au lendemain, semblait-il à Reine-Marie. Armand et elle avaient rencontré le fiancé d'Isabelle et assisté à ses noces ainsi qu'au baptême de ses deux bébés. Pendant très longtemps, elle avait été la jeune agente Lacoste ; et, soudain, elle était l'inspectrice-chef Lacoste.

Et Armand avait pris sa retraite. Une retraite anticipée, certes, mais une retraite tout de même.

Reine-Marie regarda de nouveau par la fenêtre. L'âge d'ambre, pour eux.

Ou peut-être pas.

Reine-Marie tourna son attention vers Armand, assis dans un fauteuil à oreillettes du bistro à siroter une bière de microbrasserie. Détendu, à l'aise, amusé. Sa charpente d'un mètre quatre-vingt-trois avait épaissi. Il n'était pas corpulent pour autant. Solide, plutôt. Un pilier dans la tempête.

Sauf qu'il n'y avait pas de tempête en vue, se rappela Reine-Marie. Ils pouvaient enfin cesser d'être des piliers et se contenter d'être des gens ordinaires. Armand et Reine-Marie. Deux villageois de plus. C'était tout. C'était suffisant.

Pour elle.

Mais pour lui ?

Les cheveux d'Armand, plus gris que jamais, se recroquevillaient autour de ses oreilles et tombaient sur son col. Ils étaient plus longs, juste un peu plus longs qu'à l'époque de la Sûreté. Par distraction plutôt que par négligence.

Ici, à Three Pines, ils remarquaient la migration des oies blanches, les châtaignes à l'écorce épineuse qui mûrissaient dans les arbres et les rudbeckies en fleur dont la tête hirsute se balançait. Ils remarquaient les pommes que M. Béliveau offrait gratuitement dans un tonneau placé devant le magasin général. Ils remarquaient les produits frais proposés par le marché agricole et les nouveaux arrivages à la librairie de livres neufs et usagés de Myrna. Ils remarquaient les plats du jour d'Olivier au bistro.

Reine-Marie remarquait qu'Armand était heureux. Et qu'il se portait bien.

Et Armand remarquait que Reine-Marie était heureuse et qu'elle se portait bien, elle aussi, dans le petit village au creux de la vallée. Three Pines ne les mettait pas à l'abri des tribulations du monde, mais il les aidait à panser leurs plaies.

Sur la tempe d'Armand, la cicatrice croisait les autres rides qui barraient son front. Certains des sillons étaient attribuables au stress, à l'inquiétude et à la tristesse. Mais la plupart, comme ceux qui ressortaient en cet instant, avaient été creusés par l'amusement.

– Je croyais que vous alliez me dire ce que vous pensez vraiment de lui en tant que personne, dit Reine-Marie. Tous les défauts que vous avez observés au fil de vos années de collaboration.

Se penchant, elle adopta une posture de conspiratrice.

– Allez, videz votre sac, Isabelle.

Dans le parc, les deux enfants de Lacoste disputaient le ballon à Jean-Guy Beauvoir. Avec application et un désespoir grandissant, l'homme d'âge mûr semblait faire de gros efforts pour dominer le jeu. Lacoste sourit. L'inspecteur Beauvoir n'aimait pas perdre, même contre des enfants.

– Sa cruauté constante, vous voulez dire ? demanda Isabelle Lacoste en tournant de nouveau son attention vers l'intérieur douillet. Son incompétence ? Le fait qu'il fallait le réveiller chaque fois que nous avions résolu une affaire pour qu'il puisse s'attribuer tout le mérite ?

– C'est vrai, Armand ?

– Pardon ? Je m'étais assoupi.

Lacoste rit.

– Et maintenant, c'est moi qui hérite de votre bureau et de votre canapé.

Elle devint grave.

– Je sais qu'on vous a offert le poste de directeur, patron. La directrice générale Brunel me l'a dit en confidence.

– En confidence, vraiment ? dit Gamache.

Mais il ne semblait pas fâché.

La directrice générale Thérèse Brunel, nommée à la tête de la Sûreté dans la foulée des scandales et du grand réaménagement qui en avait résulté, était venue à Three Pines une semaine plus tôt. C'était, en principe, une visite de courtoisie. Puis, pendant qu'ils se détendaient sur la galerie, un matin, en prenant leur café, elle lui avait offert le poste.

– Directeur, Armand. Vous superviseriez la section chargée des homicides, des crimes graves et de la fête de Noël.

Il haussa un sourcil.

– Nous procédons à une restructuration, expliqua-t-elle. Dorénavant, c'est la section de lutte contre le crime organisé qui s'occupe du pique-nique de la Saint-Jean-Baptiste.

Il sourit et elle l'imita avant d'aiguiser de nouveau son regard et de l'étudier de près.

– Que faudrait-il pour vous convaincre de revenir ?

Il aurait été malhonnête de la part de Gamache de feindre la surprise. Il s'attendait à une proposition de la sorte depuis que la direction de la Sûreté était sens dessus dessous et que, grâce à lui, l'ampleur et la profondeur de la corruption qui y régnait avaient été étalées au grand jour.

Bref, l'organisation avait besoin de leadership et d'une nouvelle orientation. Et le plus tôt serait le mieux.

– Laissez-moi y réfléchir, Thérèse, avait-il dit.

– Ne tardez pas trop.

– Naturellement.

Après avoir embrassé Reine-Marie, Thérèse avait pris Armand par le bras, et les deux vieux amis et collègues avaient marché jusqu'à sa voiture.

– On a débarrassé la Sûreté de la pourriture, dit-elle en baissant la voix. Il faut maintenant la reconstruire. Correctement, cette fois. Nous savons tous les deux que la pourriture peut réapparaître. Vous ne voudriez pas nous aider à faire en sorte que la Sûreté redevienne forte et saine, qu'elle s'engage sur la bonne voie ?

Elle examina son ami. Il s'était remis des agressions physiques, c'était évident. Il irradiait la force, le bien-être et une sorte d'énergie calme et contenue. Sauf qu'Armand Gamache n'avait pas pris sa retraite à cause des blessures physiques, aussi graves aient-elles été. Il avait fini par vaciller sous le poids d'un lourd fardeau émotif. Il en avait eu assez de la corruption, des trahisons, des coups de poignard dans le dos, du travail de sape et de la vénalité omniprésente. Assez de la mort, aussi. L'inspecteur-chef Gamache avait exorcisé la pourriture au sein de la Sûreté, mais les souvenirs, profondément enfouis, le poursuivaient.

Disparaîtraient-ils avec le temps ? se demanda Thérèse Brunel. Disparaîtraient-ils avec la distance ? Ce joli village les chasserait-il, de la même façon que le baptême lavait les péchés ?

Peut-être.

– Le pire est fait, Armand, dit-elle devant sa voiture. Il reste la partie amusante. Rebâtir. Et vous refuseriez d'en être ? À moins, dit-elle en balayant les environs des yeux, que ceci soit… suffisant ?

Elle vit les vieilles maisons qui encerclaient le parc. Elle vit le bistro et la librairie et la boulangerie et le magasin général. Elle vit, comprit Gamache, un trou perdu, charmant mais ennuyeux. Là où lui discernait un havre. Un lieu où se reposer enfin après un naufrage.

Armand avait parlé à Reine-Marie de la proposition, bien sûr, et ils en avaient discuté.

– Tu en as envie, Armand ? avait-elle demandé en s'efforçant de garder un ton neutre.

Il la connaissait trop bien pour être dupe.

– C'est trop tôt, je pense. Pour nous deux. Mais Thérèse a soulevé une question intéressante. Que ferons-nous après ?

Après ? s'était dit Reine-Marie quand, une semaine plus tôt, il avait posé la question. Et elle y réfléchit de nouveau, en plein bistro, dans le murmure des conversations, sorte de courant qui l'enveloppait. Ce mot incongru s'était échoué sur son rivage et y avait planté des racines, des vrilles. Mot liseron.

Après.

Lorsque Armand avait pris sa retraite et qu'ils avaient quitté Montréal pour Three Pines, jamais elle n'avait songé à un après. Elle était encore étonnée et ravie par l'existence d'un maintenant.

Et voilà que l'après avait envahi le maintenant.

Armand n'avait pas encore soixante ans et elle-même avait renoncé à une brillante carrière à la Bibliothèque nationale.

Après.

À vrai dire, elle savourait encore l'ici et maintenant. Mais, sur la ligne d'horizon, l'après s'approchait lentement.

– Vous êtes encore là ?

Gabri, massif et volubile, traversa le bistro qu'il possédait avec Olivier, son partenaire. Il fit un câlin à Isabelle Lacoste.

– J'étais certaine que vous seriez déjà partie, dit Myrna qui, arrivée en même temps que lui, serra la femme délicate dans ses amples bras.

– Je pars bientôt. Je suis passée à votre librairie, dit Isabelle à Myrna. Vous n'étiez pas là. J'ai laissé l'argent près de la caisse.

– Vous avez trouvé un livre ? s'étonna Myrna. Lequel ?

Elles causèrent livres pendant un moment, tandis que Gabri, revenant avec des bières, s'arrêta pour bavarder avec des clients. Les cheveux de Gabri, qui n'avait pas encore quarante ans, avaient commencé à blanchir, et son visage se creusait de rides quand il riait, ce qui lui arrivait souvent.

– Les répétitions se passent bien ? demanda Reine-Marie à Gabri et à Myrna. La pièce avance ?

– Il faut poser la question à Antoinette, répondit Gabri en désignant avec sa bière une femme d'âge moyen, assise à une autre table.

– Qui est-ce ? demanda Isabelle.

Aux yeux de Lacoste, cette femme ressemblait à sa fille. Sauf que sa fille avait sept ans et que cette femme devait en avoir quarante-cinq. Elle portait des vêtements qui auraient mieux convenu à une enfant. Il y avait un nœud dans ses cheveux violets hérissés. Elle portait une jupe à fleurs, courte et serrée sur son généreux postérieur, et un tricot sans manches, sous un pull rose vif, épousait sa généreuse poitrine. Si une confiserie vomissait, Antoinette en serait le résultat.

– Antoinette Lemaître et son compagnon, Brian Fitzpatrick, répondit Reine-Marie. C'est la directrice artistique du théâtre de Knowlton. Ils viennent souper, ce soir.

– Nous aussi, dit Gabri. Nous tentons de convaincre Armand et Reine-Marie de se joindre à nous.

– Joindre ? fit Isabelle. Nous ?

– La Troupe de l'Estrie, répondit Myrna. J'ai aussi tenté de persuader Clara de participer. Pas nécessairement pour jouer la comédie. Elle pourrait peindre des décors, peut-être. N'importe quoi pour la faire sortir de son atelier. Elle passe ses journées à contempler ce portrait à moitié terminé de Peter. Je crois qu'elle n'a pas soulevé son pinceau depuis des semaines.

– Il me donne le frisson, ce tableau, avoua Gabri.

– C'est un peu culotté, non ? fit Reine-Marie. Demander à l'un des plus grands artistes du Canada de peindre des décors pour une production amateur ?

– Picasso a peint des décors, riposta Myrna.

– Pour les Ballets russes, souligna Reine-Marie.

– S'il vivait ici, je gage qu'il s'occuperait de nos décors, dit Gabri. Si quelqu'un pouvait le convaincre, ce serait elle.

Il gesticula en direction d'Antoinette et de Brian, qui s'avançaient vers la table.

– Bonne répétition ? demanda Reine-Marie après leur avoir présenté Isabelle Lacoste.

– Ça irait mieux si celui-ci, répondit Antoinette en désignant Gabri d'un geste sec de la tête, suivait mes directives.

– Je dois être libre de mes choix artistiques.

– Tu le joues gai, dit Antoinette.

– Mais je suis gai, dit Gabri.

– Le personnage ne l'est pas, lui. Il sort tout juste d'un mariage en ruine.

– Justement. Il en sort. Parce qu'il est..., fit Gabri en se penchant vers elle.

– Gai ? risqua Brian.

Antoinette rit. C'était un rire franc, cordial et sans retenue. La femme plut à Isabelle.

– D'accord, joue-le comme tu veux, dit Antoinette. La pièce va être un triomphe. Tu ne réussiras pas à la gâcher, malgré tous tes efforts.

– C'est écrit sur l'affiche, leur confia Brian. « La pièce que même Gabri ne peut pas gâcher. »

Il écarta les mains devant lui pour désigner une énorme bannière imaginaire.

Reine-Marie rit et sut que c'était sans doute la plus stricte vérité, voire une excellente façon d'attirer des spectateurs.

– Quel rôle jouez-vous ? demanda Isabelle à Myrna.

– Celui de la propriétaire d'une pension. J'avais l'intention de la jouer comme un homme gai, mais, comme Gabri m'a prise de vitesse, j'ai choisi une autre approche.

– Elle la joue comme une grosse femme noire, dit Gabri. C'est très inspiré.

– Merci, mon chéri, dit Myrna.

Ils se firent deux bises théâtrales, sans se toucher.

– Vous auriez dû voir leur production de *La ménagerie de verre*, dit Armand.

Il écarquilla les yeux pour montrer à Isabelle que la pièce avait été exactement comme elle l'imaginait.

– Au fait, vous avez parlé à Clara? demanda Antoinette à Myrna. Elle va accepter?

– Je ne crois pas, répondit Myrna. Elle a besoin de temps.

– Elle a besoin de se changer les idées, a dit Gabri.

Isabelle jeta un coup d'œil au texte dans la main d'Antoinette.

– *Elle était assise et elle pleurait*, lut-elle. Une comédie?

Antoinette rit et lui tendit la pièce.

– C'est moins sombre qu'on pourrait le croire.

– En fait, c'est merveilleux, confirma Myrna. Et très drôle.

– Gai, diraient certains, lança Gabri.

– Bon, c'est l'heure, dit Isabelle en se levant. Je constate que la partie de soccer est terminée.

Dans le parc du village, les adultes et les enfants avaient cessé de jouer, et ils s'étaient tournés vers le pont enjambant la rivière Bella Bella, où un enfant s'approchait à toute vitesse en criant.

– Oh non, fit Gabri pendant qu'ils regardaient tous par la fenêtre. Pas encore.

Le garçon s'arrêta à l'entrée du parc et gesticula follement avec un bâton. Voyant que personne ne réagissait, il se dirigea vers le bistro.

– Cachez-vous, fit Myrna. Les hordes sauvages débarquent.

– Mon Dieu. Ne me dites pas que Ruth sera de la partie, elle aussi, lança Gabri en regardant frénétiquement autour de lui.

Mais il était trop tard. Le garçon franchit la porte, balaya la salle comble du regard. Et ses yeux clairs s'arrêtèrent. Sur Gamache.

– Vous êtes là, patron, fit le garçon en courant vers la table. Venez vite.

Agrippant la main de Gamache, il essaya de tirer l'homme imposant de sa chaise.

– Une minute, dit Armand. Du calme. Que se passe-t-il ?

Le garçon était si débraillé qu'on l'aurait dit recraché par les bois. Il avait de la mousse et des feuilles et des brindilles dans les cheveux, ses vêtements étaient déchirés et, dans ses mains égratignées et crasseuses, il tenait un bâton de la taille d'une canne.

– J'ai trouvé quelque chose dans les bois. Vous n'en croirez pas vos yeux. Venez vite. Dépêchez-vous.

– Qu'est-ce que c'est, cette fois-ci ? demanda Gabri. Une licorne ? Un vaisseau spatial ?

– Non, répondit le garçon d'un air contrarié.

Il se tourna ensuite vers Gamache.

– Il est énorme. Gigantesque.

– Quoi donc ? demanda Gamache.

– Oh, ne l'encouragez surtout pas, Armand, dit Myrna.

– C'est un canon, expliqua le garçon, qui décela chez Gamache une lueur d'intérêt. Un canon géant, chef. Grand comme ça.

Il étira les bras et le bâton, atteignant la table voisine, fit voler des verres sur le sol.

– OK, dit Gabri en se levant. Ça suffit. Donne-moi ça.

– Non, répondit le garçon en protégeant le bâton.

– Tu me le donnes ou tu sors d'ici. Désolé, mais tu vois des clients avec des branches, toi ?

– Ce n'est pas une branche, répondit le garçon. C'est un fusil qui peut se changer en épée.

Il fit mine de le brandir, mais Olivier, qui s'était approché, l'attrapa dans sa main. Dans l'autre, il tenait un balai et une pelle à poussière.

– Nettoie-moi ça, dit-il sans acrimonie, mais avec fermeté.

– Bon. Comme vous voulez, répliqua le garçon en tendant le bâton à Gamache. Si quelque chose m'arrive, vous saurez quoi faire.

Il regarda Gamache avec le plus grand sérieux.

– J'ai confiance en vous, dit-il.

– Compris, dit Gamache d'un air grave.

Le garçon se mit à balayer. Armand, appuyant le bâton sur sa chaise, constata qu'il était encoché et gravé et que le garçon y avait inscrit son nom.

– Que voulait-il, ce coup-ci ? demanda Jean-Guy.

Annie et lui s'étaient approchés de la table. Avec les autres, ils observèrent les mouvements irrités du balai.

– Vous prévenir d'une invasion d'extraterrestres ?

– Non. Ça, c'était la semaine dernière.

– Oui. J'oubliais. Les Iroquois sont sur le pied de guerre ?

– De l'histoire ancienne, répondit Gamache. La paix a été rétablie. Nous leur avons restitué le territoire.

Il se tourna vers le garçon. Ayant interrompu son travail, Laurent avait enfourché le balai comme un destrier et se servait de la pelle à poussière comme d'un bouclier.

– Je le trouve plutôt mignon, dit Annie.

– Mignon ? Godzilla est mignon. Lui, c'est un danger public, dit Olivier après avoir obligé le garçon à descendre de sa monture pour se concentrer de nouveau sur les tessons de verre.

– Au début, nous l'avons trouvé amusant, nous aussi, expliqua Olivier. Un sacré petit personnage. Jusqu'au jour où il est entré ici en courant pour nous dire que sa maison était en flammes.

– Elle ne l'était pas ? demanda Annie.

– À votre avis ?

– Nous avons rameuté les pompiers volontaires qui, à leur arrivée, ont trouvé Al et Evie dans leur jardin.

– Nous avons essayé de leur parler, ajouta Gabri. Mais Al a ri et a dit qu'il ne réussirait pas à changer Laurent, même s'il le voulait. C'était dans la nature du garçon.

– C'est sans doute vrai, dit Myrna.

– Ouais, eh bien, les tornades et les tremblements de terre font partie de la nature, eux aussi, dit Gabri.

– Vous pensez donc qu'on ne réussira pas à convaincre Clara de nous donner un coup de main pour les décors ? demanda Brian. Il ne reste que quelques semaines avant la première et nous avons besoin d'aide. C'est une excellente pièce, même si personne ne sait qui l'a écrite.

– Comment ? s'étonna Isabelle Lacoste en baissant les yeux sur le texte et en remarquant pour la première fois que le nom de l'auteur ne figurait pas sous le titre.

– Personne ne sait ? s'étonna-t-elle. Même pas vous ?

– Eh bien, oui, nous savons, avoua Antoinette. Seulement, nous gardons le secret.

– Croyez-moi, dit Gabri, ce n'est pas faute d'avoir essayé de percer le mystère. Pour ma part, je pense qu'elle est de David Beckham.

– Mais c'est…, commença Jean-Guy avant que Myrna lui coupe la parole.

– Inutile. La semaine dernière, il a décidé qu'elle était de Mark Wahlberg. Laissez-le à ses fantasmes. Et moi aux miens, dit-elle d'une voix rêveuse. Il assisterait à la première. Seul. Victoria et lui auraient eu une grosse dispute.

– Il séjournerait dans notre gîte, continua Gabri. Il sentirait le cuir et l'Old Spice.

– Il aurait besoin d'un livre à lire à l'heure du coucher, dit Myrna. Je lui en apporterais plusieurs et…

– Bon, ça suffit, lança Jean-Guy.

– Je veux en entendre plus, dit Reine-Marie.

Armand la regarda, amusé.

– Vous ne devinerez jamais qui l'a écrite, cette pièce, enchaîna Brian en riant et en tapotant l'endroit où le nom avait été recouvert de correcteur liquide. De toute manière, vous ne le connaissez pas. C'est un certain John Fleming.

– Brian ! fit sèchement Antoinette.

– Quoi ?

– Nous avions convenu de ne pas en parler.

– Personne ne le connaît, de toute façon.

– Là n'est pas la question, répondit Antoinette, vexée, en gesticulant dans sa direction. Pff! Tu es arpenteur-géomètre. Tu t'y connais en marketing, peut-être ? Je voulais créer un mystère, un suspense. Obliger les gens à se poser des questions. Et s'il s'agissait d'une pièce de Michel Tremblay ou d'un chef-d'œuvre égaré de Tennessee Williams ?

– Ou de George Clooney, risqua Gabri.

– Oooh, George Clooney, répéta Myrna, le regard à nouveau rêveur.

– John Fleming ? fit Gamache. Vous permettez ?

Il tendit la main, prit le texte sur la table et étudia le titre. *Elle était assise et elle pleurait.*

– Nous avons communiqué avec le service des droits d'auteur pour savoir comment obtenir les permissions et à qui verser les redevances, mais on n'avait aucune information sur la pièce ou son auteur, dit Brian, comme s'il devait s'expliquer devant des policiers.

Les pages qu'Armand tenait dans ses mains étaient cornées, tachées de café et couvertes de notes.

– C'est vieux, constata Reine-Marie.

La police de caractères était irrégulière, sans l'aspect lisse des textes produits par ordinateur. On reconnaissait plutôt la lourde empreinte d'une machine à écrire.

Armand hocha la tête.

– Qu'y a-t-il ? demanda-t-elle à voix basse.

– Rien.

Il sourit, sans que les rides de rire apparaissent au coin de ses yeux.

– Je joue aussi dans la pièce, dit Brian en brandissant son exemplaire du texte.

– Mon colocataire gai, leur expliqua Gabri.

– Il n'est pas gai et toi non plus, décréta sèchement Antoinette, exaspérée.

– Surtout, ne dites rien à Olivier, lança Myrna. Il risque d'être déçu.

– Et très surpris, ajouta Gabri.

Des feuilles en décomposition encore accrochées à son manteau et à son jean déchirés, le garçon fit disparaître le dernier tesson de verre et s'approcha de la table.

– Pour votre information, dit-il en tendant le balai et la pelle à poussière à Olivier, je suis presque certain qu'il y a des diamants, là-dedans.

– *Thanks*, fit Olivier.

– Allez, dit Armand en se levant et en rendant son bâton au garçon. Il se fait tard. Va chercher ton vélo. Je vais le mettre dans le coffre de ma voiture et te ramener chez toi.

– Il est vraiment très, très gros, ce canon, patron, insista le garçon en sortant du bistro sur les talons de Gamache. Aussi gros que cet immeuble. Et il y a un monstre dessus. Avec des ailes.

– Évidemment, acquiesça Armand. Je vais m'arranger pour qu'il ne te fasse pas de mal.

– Et je vais vous protéger, dit le garçon en brandissant le bâton si violemment qu'il atteignit Armand au genou.

– J'espère que vous avez un autre mari dans les coulisses, dit Antoinette. Celui-ci risque de ne pas survivre au trajet jusqu'à la voiture.

Ils virent Armand mettre la bicyclette dans le coffre de la Volvo, puis le bâton sur la banquette arrière, mais le garçon, avec fermeté, le récupéra. Il n'irait nulle part sans son arme. Après tout, le monde était dangereux.

Armand capitula, mais pas avant d'avoir exposé quelques règles de base.

– À votre place, dit Myrna, je m'inscrirais tout de suite à match.com.

Au bout de quelques kilomètres, le garçon se tourna vers Gamache.

– Qu'est-ce que vous fredonnez ?

– Je fredonnais, moi ? s'étonna Armand.

– *Yes.*

Et le garçon reproduisit l'air à la perfection.

– Ça s'appelle « By the Waters of Babylon », expliqua Armand. C'est un hymne.

John Fleming. John Fleming. Il associait l'hymne à cet homme, sans savoir pourquoi.

« Impossible qu'il s'agisse de la même personne », se dit-il. C'est un nom banal. Il voyait des fantômes là où il n'y en avait pas.

– On ne va pas à l'église, nous, dit le garçon.

– Nous non plus, avoua Armand. Pas souvent, en tout cas. Encore que j'aime bien, parfois, aller m'asseoir dans la petite église de Three Pines, quand il n'y a personne.

– Pourquoi ?

– Parce que c'est tranquille.

Le garçon fit signe que oui.

– Des fois, je vais m'asseoir dans les bois parce que c'est tranquille. Ensuite, les extraterrestres débarquent.

D'une voix fluette, haut perchée, le garçon recommença à fredonner un air que Gamache reconnut en puisant dans des souvenirs très anciens.

– Comment se fait-il que tu connaisses cette chanson ? demanda Gamache. Ce n'est pas du tout de ton temps.

– Mon père me la chante tous les soirs à l'heure du coucher. C'est de Neil Young. Il dit que c'est un génie.

Gamache hocha la tête.

– Je suis d'accord avec ton père.

Le garçon serra le bâton.

– J'espère que le cran de sûreté est mis, au moins, dit Gamache.

– Oui, dit Laurent en se tournant vers Gamache. Le canon est réel, patron.

– *Yes*, dit Gamache.

Mais il n'écoutait plus. Il observait la route en songeant à la chanson qui s'incrustait dans sa tête.

By the waters, the waters of Babylon,
We sat down and wept.

Mais la pièce s'appelait autrement. Elle s'intitulait *Elle était assise et elle pleurait.*

Elle ne pouvait pas être l'œuvre de ce John Fleming là. Il n'avait pas écrit de pièce. Et même s'il l'avait fait, aucun metteur en scène digne de ce nom n'aurait songé à la produire. C'était sûrement un homonyme.

À côté de lui, le garçon contemplait le paysage du début d'automne et serrait le bâton juste en dessous de l'endroit où son père avait gravé son nom sur la poignée.

Laurent. Laurent Lepage.

3

Lorsque Armand rentra, les invités étaient déjà arrivés et sirotaient un verre en mangeant des chips au maïs avec de la trempette à la pomme et à l'avocat.

– Tu as ramené Laurent chez lui sans incident, alors ? fit Reine-Marie en l'accueillant à la porte. Pas d'invasion d'extraterrestres ?

– Nous avons tué la tentative dans l'œuf.

– Pas tout à fait, dit Gabri, debout dans la porte de leur bureau. L'un d'eux a franchi les défenses terrestres.

Armand et Reine-Marie jetèrent un coup d'œil dans la petite pièce attenante au salon, où une vieille femme anguleuse, avec des bas filés et un chandail rapiécé, lisait dans un fauteuil.

– Le vaisseau-merde, dit Gabri.

Une forte odeur de gin les assaillit. Un canard était assis sur les genoux de la vieille femme et Henri, le berger allemand des Gamache, recroquevillé à ses pieds, levait sur le volatile des yeux adorateurs.

– Surtout, ne te sens pas obligé de venir m'accueillir à la porte, dit Armand à Henri. Tout va bien. Je t'assure.

Il regarda le chien en secouant la tête. L'amour prenait toutes sortes de formes. C'était quand même une évolution par rapport au bras du canapé, le béguin précédent de l'animal.

– Les relents de gin ont été les premiers signes de l'infestation, expliqua Gabri. Tout indique qu'il s'agit du carburant des représentants de sa race.

– Qu'est-ce qu'on mange ? demanda leur voisine, Ruth Zardo, en s'extirpant avec difficulté du fauteuil.

– Vous êtes là depuis longtemps ? demanda Reine-Marie.

– On est quel jour ?

– Et moi qui croyais que tu étais partie tuer des bébés phoques à coups de gourdin, dit Gabri en prenant Ruth par le bras.

– Non, ça, c'est la semaine prochaine. Tu n'as pas lu les mises à jour de mon statut Facebook ?

– Chameau.

– Homo.

Ruth entra en boitant dans le salon. Rose la cane la suivit au pas de l'oie, Henri derrière elle.

– Autrefois, j'étais chef de la section des homicides de la Sûreté du Québec, déclara Gamache avec mélancolie à la vue de ce défilé.

– Je n'en crois pas un mot, dit Reine-Marie.

– *Hi*, Ruth, dit Antoinette.

Ruth, qui n'avait pas noté la présence d'autres personnes, se tourna vers Antoinette et Brian, puis vers Myrna.

– Qu'est-ce qu'ils font ici ?

– Contrairement à toi, nous avons été invités, espèce de vieille ivrogne démente, répondit Myrna. Comment peut-on être poète et faire complètement abstraction des événements et des personnes autour de soi ?

– On se connaît ? demanda Ruth.

Elle se tourna ensuite vers Reine-Marie.

– Où est couille molle ? demanda-t-elle.

– Lui et Annie sont rentrés en ville avec Isabelle et les enfants, répondit Reine-Marie.

Elle aurait dû reprocher à Ruth l'usage du terme « couille molle » pour désigner leur gendre, mais, à vrai dire, Ruth l'employait depuis si longtemps que les Gamache ne le remarquaient plus. Jean-Guy lui-même répondait à ce nom. Mais seulement quand c'était Ruth qui l'utilisait.

– J'ai encore vu le petit Lepage sortir des bois en courant, dit Ruth. Qu'est-ce que c'était, cette fois-ci ? Des zombis ?

– En fait, je crois qu'il a dérangé un nid de poètes, dit Armand en prenant la bouteille de vin rouge pour remplir les verres avant de se servir de trempette à la pomme et à l'avocat. Il a eu la peur de sa vie.

– Les poèmes terrifient la plupart des gens, dit Ruth. Les miens, en tout cas.

– C'est vous qui faites peur aux gens, Ruth. Pas vos poèmes.

– Si vous le dites. C'est encore mieux. Alors qu'est-ce qu'il aurait vu, ce coup-ci ?

– Un canon géant avec un monstre dessus.

Ruth hocha la tête, impressionnée.

– L'imagination n'est pas une mauvaise chose, dit-elle. Il me fait penser à moi à son âge. Et regardez ce que je suis devenue.

– L'imagination n'y est pour rien, riposta Gabri. Ce sont de fieffés mensonges, point à la ligne. Je ne suis pas convaincu que le petit sache faire la différence, désormais.

Il se tourna vers Myrna.

– Qu'est-ce que tu en penses ? C'est toi, la psychiatre.

– Je ne suis pas psy, dit Myrna.

– T'es pas p'tite non plus, grogna Ruth.

– Je suis psychologue, précisa Myrna.

– Tu es bibliothécaire, dit Ruth.

– Pour la dernière fois, dit Myrna, ce n'est pas une bibliothèque. C'est une librairie. Cesse de te servir sans payer. Oh, et puis, laisse tomber.

Elle gesticula en direction de Ruth, qui souriait dans son verre, et se tourna de nouveau vers Gabri.

– Où en étions-nous, déjà ?

– Laurent. Il est fou ou pas ? Je me rends compte que, en ce qui concerne la raison, la barre n'est pas très élevée par ici, dit-il en regardant Ruth et Rose conférer à voix basse.

– C'est difficile à dire. Dans ma pratique, j'ai vu des tas de gens qui avaient plus ou moins perdu le contact avec la réalité. Mais c'étaient des adultes. Chez les enfants, la frontière entre le réel et l'imaginaire est floue. Elle se précise au fur et à mesure qu'ils grandissent.

– Pour le meilleur et pour le pire, dit Reine-Marie.

– Moi, en tout cas, j'ai vu le pire, poursuivit Myrna. Les délires de mes clients étaient souvent de nature paranoïde. Ils entendaient des voix, ils voyaient des choses horribles. Ils faisaient des choses horribles. Laurent semble un garçon heureux. Équilibré, même.

– On ne peut pas être à la fois heureux et équilibré, déclara Ruth en riant à cette idée.

– Je ne crois pas qu'il soit équilibré, dit Antoinette. Écoutez, je n'ai rien contre l'imagination. Au contraire. Le théâtre s'en nourrit. Il en dépend. Mais je suis d'accord avec Gabri. Dans le cas de Laurent, c'est autre chose. Ne devrait-il pas en être revenu, à son âge ? Comment appelle-t-on quelqu'un qui ne comprend rien aux conséquences de ses actes ou s'en moque complètement ?

– Ruth Zardo ? risqua Brian.

Il y eut un silence étonné, suivi de rires. Ruth s'y joignit de bon cœur.

Brian Fitzpatrick était un homme de peu de mots. Mais ceux qu'il prononçait en valaient la peine.

– À mon avis, Laurent n'est pas psychotique, si c'est ce que vous laissez entendre, dit Myrna. Pas plus que les autres gamins de son âge. Chez certains, l'imagination est si forte qu'elle l'emporte sur la réalité. Mais, je le répète, ils finissent par en sortir.

Elle jeta un coup d'œil à Ruth qui caressait sa cane en lui chantant une chanson.

– Enfin, pour la plupart.

– Il nous a raconté un jour qu'une de ses camarades de classe avait été enlevée, dit Brian. Vous vous en souvenez.

– Ah bon ? s'étonna Armand.

– Oui. Nous avons mis une minute à nous rendre compte que c'était une fabulation. Mais quelle longue minute ! Les parents de la fillette étaient attablés au bistro quand il est entré en courant avec cette histoire. Je ne pense pas qu'ils s'en soient encore remis. Ni qu'ils lui aient pardonné. Dans le coin, il ne gagnerait pas de concours de popularité.

– Qu'est-ce qui le pousse à dire de telles faussetés ? demanda Reine-Marie.

– Vos enfants ont dû inventer des choses, eux aussi, dit Myrna.

– Oui, bien sûr, mais rien d'aussi dramatique que…

– Ni d'aussi bien imaginé, lança Antoinette. Il est très convaincant.

– Il a sans doute seulement besoin d'attention, dit Myrna.

– Mon Dieu, j'ai horreur de ce genre de personnes, déclara Gabri en essayant de faire tenir une carotte en équilibre sur son nez.

– Tiens, voici justement un phoque en attente d'un bon coup de gourdin, dit Myrna.

Ruth s'esclaffa.

– Au fait, tu ne devrais pas être dans la cuisine ? fit-elle.

– Et toi, tu ne devrais pas être en train de découper des yeux dans un drap ? demanda Myrna.

– Je l'aime bien, cet enfant, dit Ruth, mais regardons les choses en face. Il était foutu dès sa conception.

– Que voulez-vous dire ? demanda Reine-Marie.

– Eh bien, vous n'avez qu'à regarder ses parents.

– Al et Evelyn ? fit Armand. Je les aime bien. Tiens, ça me fait penser…

Il alla prendre un fourre-tout resté près de la porte.

– Al m'a donné ça.

– Mon Dieu, s'écria Antoinette. Ne me dites pas que ce…

– Ce sont des pommes, fit Armand en brandissant le sac.

Gamache sourit. Lorsqu'il avait déposé Laurent, son père, sur la galerie, triait des betteraves destinées à des paniers de légumes biologiques.

Al Lepage avait une apparence très particulière. Si une montagne s'animait, elle ressemblerait au père de Laurent. Solide, escarpé. Il portait ses cheveux longs et gris en une queue de cheval qu'il n'avait sans doute pas dénouée depuis les années 1970.

Sa barbe, également grise et broussailleuse, lui couvrait presque toute la poitrine. On distinguait à peine la chemise à carreaux cachée dessous. Selon les jours, cette barbe était libre, tressée ou, comme cet après-midi, nouée en une deuxième queue de cheval. On aurait dit que la tête d'Al allait bientôt recevoir une teinture *tie-dye*.

Al ressemblait, comme l'avait un jour déclaré Ruth, à un cheval à deux culs.

– Salut, poulet, avait dit Al lorsque Armand avait immobilisé la voiture et que Laurent en était sorti en courant.

– Salut, hippie, avait répondu Armand en se dirigeant vers l'arrière de la voiture.

– Qu'est-ce qu'il a encore fait ? demanda Al en aidant Gamache à sortir la bicyclette.

– Rien. Il a juste causé un peu de grabuge au bistro.

– Des zombis ? Des vampires ? Des monstres ? risqua le père de Laurent.

– Un monstre, répondit Armand en refermant le coffre. Au singulier.

– Tu baisses, dit Al à son fils.

– C'était un énorme canon, papa. Plus gros que la maison.

– Va te décrotter un peu avant le repas. Tu fais peur à voir. Grouille-toi avant que ta mère t'attrape.

– Trop tard, dit une voix de femme.

Armand leva les yeux et vit Evelyn qui, debout sur la galerie, les mains sur ses amples hanches, secouait la tête. Elle était beaucoup plus jeune qu'Al. D'au moins vingt ans, ce qui lui donnait plus ou moins quarante-cinq ans. Elle portait une chemise à carreaux, elle aussi, et une jupe évasée qui descendait jusqu'à ses chevilles. Ses cheveux étaient noués, comme ceux de son mari, mais quelques mèches folles encadraient son visage rougi.

– Qu'est-ce que c'est, cette fois ? a-t-elle demandé à Laurent avec un mélange d'amusement et de tolérance lasse.

– J'ai trouvé un canon dans les bois.

– Ah bon ?

Evelyn semblait inquiète et Gamache fut une fois de plus stupéfait de constater que cette femme croyait ce que racontait son fils. « Est-ce un effet de l'amour ? se demanda-t-il, ou est-elle atteinte du même délire que Laurent ? D'un redoutable cocktail de folie et de propension à prendre ses désirs pour des réalités ? »

– Juste de l'autre côté du pont. Dans les bois.

Laurent pointa avec son bâton et faillit atteindre Gamache en plein visage.

– Où est-il maintenant ? demanda-t-elle. Tu penses qu'on devrait aller jeter un coup d'œil, Al ?

– Attends, Evie, dit son mari d'une voix grave et profonde.

– Il est énorme, maman. Plus gros que la maison. Et il y a un monstre dessus. Avec des ailes.

– Ahhh, fit Evelyn. Merci de l'avoir ramené, Armand. Vous êtes sûr de ne pas vouloir le garder chez vous un petit moment ?

– Maman…

– Rentre vite te laver. J'ai préparé des écureuils.

– Encore ?

Armand sourit. Il se demandait toujours si les Lepage mangeaient vraiment ce qu'ils disaient. À son avis, ils étaient plutôt végétariens. Il les savait autosuffisants, en tout cas, dans la mesure du possible, grâce notamment à la vente de paniers de produits biologiques à des abonnés, dont Reine-Marie et lui.

L'hiver, ils joignaient les deux bouts en donnant des cours sur le mode de vie durable. Que ces deux-là se soient trouvés tenait du miracle absolu. Comme Rose et Henri. Et comme l'enfant qu'Al et Evie avaient eu sur le tard. Un miracle en engendrant un autre. Un enfant sauvage.

– Pourquoi ce sont toujours des armes ? demanda Al.

– C'est toi qui lui as fait cadeau de ce bâton pour son anniversaire, répondit Evie. Maintenant, il passe tout son temps à plonger derrière des meubles pour tirer sur des monstres. Vous n'avez pas idée du nombre de fois où j'ai été fauchée, confia-t-elle à Armand.

– C'était une baguette magique, se défendit Al. Une épée, tout au plus. Mais pas un fusil. Je ne lui aurais jamais offert un fusil. J'ai horreur des armes à feu.

– Tu lui as donné un bâton et de l'imagination, dit Evie. Qu'est-ce que tu voulais qu'un garçon de neuf ans en fasse ?

– C'était une baguette magique, expliqua Al à Gamache.

Armand sourit. S'il avait offert un bâton à son fils pour son neuvième anniversaire, Daniel, vingt ans plus tard, pleurerait encore. Quel genre d'enfant se contente d'un bâton comme cadeau d'anniversaire et, en plus, apprend à le chérir ?

– Saluez Reine-Marie de ma part, dit Evie. Le prochain panier est presque prêt. Nous finissons tout juste la récolte. Prenez ça, en attendant.

Elle lui tendit le sac rempli de pommes McIntosh.

– Merci, dit-il en feignant la surprise et la sincérité.

Evie rentra et Al la suivit. Sur le pas de la porte, il se retourna vers Gamache et dit :

– Merci de l'avoir ramené.

– Ça m'a fait plaisir. C'est un gentil garçon.

– Il est fou, mais nous l'aimons.

Al secoua la tête.

– Un canon…

« Un monstre », songea Armand sur le chemin du retour.

Sauf que le monstre auquel il pensait n'était pas le fruit de l'imagination de Laurent. Il était réel, celui-là. Et il avait un nom et un pouls, mais pas, à la connaissance de Gamache, de cœur.

– Pourquoi n'aimez-vous pas les parents de Laurent, Ruth ? demanda Reine-Marie en posant sur la table le ragoût de poulet accompagné de boulettes de pâte aux fines herbes.

Dans la grande cuisine champêtre, ils avaient pris place autour de la table en pin. Antoinette trancha la miche, tandis que Gabri mélangeait la salade.

– Ce n'est pas elle, c'est lui, dit Ruth en posant son verre sur la table et en les regardant. C'est un lâche.

– Al Lepage ? s'étonna Brian. J'ai entendu dire qu'il avait été objecteur de conscience, mais ça ne fait pas de lui un lâche pour autant, non ?

Ruth et Rose le fusillèrent du regard, mais sans rien dire.

– Lorsqu'ils ont été conscrits pour prendre part à une guerre qu'ils ne voulaient pas faire, ils étaient eux-mêmes des enfants, dit Armand. Ils ont renoncé à leur pays, à leur famille et à leurs amis pour venir ici. Pas vraiment facile, comme choix. Ils ont pris position. Je ne les considère pas du tout comme des lâches. Et j'aime bien Al.

– Ils ont pris position en fuyant ? rétorqua Ruth. Il a fallu qu'un autre garçon prenne la place de ce type. Vous croyez qu'il y pense, à ça ?

– Tout le village a été peuplé par des hommes et des femmes qui fuyaient une guerre à laquelle ils ne croyaient pas, souligna Myrna. Les trois pins sont un code ancien désignant un sanctuaire.

– Plutôt un asile, précisa Gabri.

– Je connais l'histoire du village, dit Ruth.

– Changeons de sujet, proposa Brian en se tournant vers Reine-Marie. Il paraît que vous allez vous joindre à la Troupe de l'Estrie ?

– Pardon ? fit Armand en regardant sa femme.

– Je me suis dit que ce serait peut-être amusant.

– De fait, c'est amusant, confirma Gabri. Venez à la répétition de demain et vous verrez. Je vais vous laisser mon exemplaire du texte.

– Très bien. Je serai là. À quelle heure ? demanda Reine-Marie.

– Dix-neuf heures, répondit Brian. Portez de vieux vêtements. On va faire de la peinture. Et vous, Ruth ?

– Oui, tu serais parfaite, dit Gabri. Depuis des années que tu fais semblant d'être humaine…

– Mais pas toujours de façon convaincante, dit Myrna. Pour ma part, je n'y ai jamais cru.

Ruth, perdue dans ses pensées, avait sombré dans un état de stupeur.

– Passons au salon, proposa Reine-Marie après le repas. Laissez les assiettes où elles sont. Henri va les laver avec sa langue.

En se levant de table, les invités échangèrent des regards et constatèrent que Reine-Marie souriait. Dans le salon, Armand jeta une autre bûche dans le feu et tendit les paumes vers les flammes.

– Tu as froid ? demanda Reine-Marie. Tu couves quelque chose ?

Elle posa la main sur le front de son mari.

– Non, c'est juste un frisson, expliqua-t-il.

Antoinette s'avança et désigna le feu d'un geste de la tête.

– En septembre, ils sont sympathiques, non ? Joyeux. En juin, par contre, ils sont juste déprimants.

Reine-Marie rit et alla trouver Ruth. Antoinette fit le geste de s'éloigner, mais Armand la rappela.

– À propos de la pièce…, fit-il.

– Oui ?

– Brian a dit qu'elle était de John Fleming.

Immobile, elle l'étudia de ses yeux clairs.

– Il n'aurait pas dû dire ça.

– Mais il l'a fait. Pourquoi tenez-vous tellement au secret ?

– C'est une question de marketing, je l'ai déjà dit. Comme c'est une nouvelle pièce, nous devons tout faire pour piquer la curiosité.

– Une pièce secrète a peu de chances de susciter l'intérêt des médias.

– Au début, peut-être. Mais cette pièce n'est pas l'œuvre banale d'un inconnu, Armand. C'est un travail brillant. Je monte des pièces de théâtre amateur et professionnel depuis des années, et c'est l'une des meilleures.

– Pour un amateur, dit Armand.

– Pour n'importe qui. Attendez de la voir. Je n'hésiterais pas à la comparer à des œuvres de Miller, de Stoppard et de Tremblay. Comme si l'auteur avait croisé *Notre petite ville* et *Les sorcières de Salem*.

Gamache, qui avait l'habitude de l'hyperbole, en particulier chez les gens de théâtre, ne fut pas surpris.

– Je ne mets pas en doute les qualités de la pièce, dit-il d'une voix à peine audible dans le crépitement des flammes qui attaquaient le bois sec. Je m'interroge sur le dramaturge.

– Je ne peux rien vous dire de lui.

– Vous l'avez rencontré ? demanda Gamache.

Antoinette hésita.

– Non. Brian a trouvé le texte dans les papiers de mon oncle, après sa mort.

– Pourquoi avez-vous recouvert le nom de l'auteur de correcteur liquide ?

– Je vous l'ai déjà dit. Je voulais piquer la curiosité des gens. Dès que la pièce sera présentée, tout le monde se demandera qui en est l'auteur.

– Et qu'allez-vous dire ?

Antoinette, à ce stade de la conversation, semblait tendue.

– Qui a écrit *Elle était assise et elle pleurait* ? demanda Gamache à voix basse.

– Un certain John Fleming, comme l'a dit Brian.

– Je connais un John Fleming, dit Gamache. Et vous aussi. Tout le monde le connaît, d'ailleurs.

Il la regardait fixement.

– C'est bien ce John Fleming là ?

– Je ne sais pas, répondit-elle après un long silence.

– Si, vous savez.

Il continua de la scruter jusqu'à ce qu'elle rougisse.

– Elle sait quoi ? demanda Gabri en leur apportant des cafés.

Il perçut trop tard la tension entre les deux.

– Dites-moi que ce n'est pas le même homme, je vous en prie, implora Gamache en cherchant du regard le visage d'Antoinette.

Puis celui de Gamache sembla s'effondrer.

– Mon Dieu, c'est lui, n'est-ce pas ? murmura-t-il.

– Qu'est-ce qui se passe ? demanda Gabri qui, tout en sachant que c'était impossible, aurait donné n'importe quoi pour battre en retraite.

– Vous le lui dites ? demanda Gamache. Ou je m'en charge ?

– Dire quoi ? demanda Myrna en se joignant à eux.

Armand se dirigea vers la table située près de la porte où Gabri avait laissé son texte.

– Dites-leur qui a écrit ceci, dit-il en tendant le document à Antoinette. Dites-leur pourquoi vous tenez tant à leur cacher l'identité de l'auteur. La vraie raison.

En entendant la voix d'Armand, Reine-Marie leva les yeux. Il frôlait l'impolitesse envers leurs invités. Depuis qu'ils se connaissaient, c'est-à-dire très longtemps, cela lui était rarement arrivé. Il n'avait pas apprécié tous leurs invités et n'avait pas toujours été d'accord avec eux, certes, mais il s'était toujours montré courtois.

En ce moment, c'était limite. Il dépassa les bornes en pressant la pièce entre les mains d'Antoinette.

– Dites-leur, alors.

Elle la prit et se tourna vers les autres invités.

– Elle est de John Fleming.

– Ça, on le sait déjà, dit Myrna. Brian nous l'a dit au bistro. Tu te souviens ?

– C'est ça qui va faire sensation ? s'étonna Gabri. C'est ça, ton plan de marketing génial ? Ce n'est pas exactement un grand nom.

– Si, pourtant, dit Armand. Au Canada, tout le monde le connaît. Partout, en Amérique du Nord, en fait. Il est célèbre. Tristement célèbre.

Ils semblaient tous perplexes, déconcertés par le comportement et l'insistance d'Armand. Mais alors Myrna se laissa tomber. Si le canapé ne s'était pas trouvé là, elle se serait peut-être écroulée par terre. Brian attrapa sa tasse juste avant qu'elle se renverse.

– Ce John Fleming là ? murmura Myrna.

Gabri, au lieu de s'effondrer, donna plutôt l'impression de se pétrifier en regardant Antoinette. Méduse parmi eux.

– Tu n'as pas fait ça ? dit-il. Dis-moi que tu n'as pas fait ça.

De retour chez elle, Ruth tourna la clé dans la serrure et s'appuya contre la porte, le cœur battant, la respiration haletante. Serrant Rose contre sa poitrine, elle s'adossa au bois de la porte. C'était tout ce qui les séparait, Rose et elle, du monde étranger qui avait produit John Fleming.

Ensuite, elle tira les rideaux et sortit de son sac le texte qu'elle avait volé.

Après s'être préparé une tasse de thé, Ruth ouvrit la pièce et commença à lire.

La soirée prit fin et Armand entra dans la cuisine. Reine-Marie entendit l'eau couler, les assiettes et les couverts tinter.

Puis le tintement s'interrompit et elle n'entendit plus que le bruit de l'eau. Elle se dirigea vers la cuisine, mais s'arrêta à la porte. Penché au-dessus de l'évier, serrant le comptoir de ses grosses mains, Armand donnait l'impression d'être sur le point de vomir.

– Vas-tu aller à la répétition, demain ? demanda Gabri à Myrna pendant qu'ils rentraient chez eux.

– Oui, je suppose. Je ne sais pas. Je… Je…

– Je sais. C'est pareil pour moi.

Gabri lui souhaita bonne nuit en l'embrassant sur les joues et entra dans le bistro pour aider Olivier à terminer le service du soir. Myrna grimpa les marches du loft qu'elle occupait au-dessus de la librairie, enfila son pyjama et se rendit compte qu'elle était à la fois épuisée et complètement réveillée. Jetant un coup d'œil par la fenêtre, elle vit de la lumière chez Clara.

Il était vingt-trois heures.

Drapant un châle sur ses épaules, elle mit des bottes de caoutchouc et longea le parc du village avant de frapper chez son amie. Puis elle ouvrit.

– Clara ?

– Ici.

Myrna la trouva dans son atelier, assise devant la toile inachevée. Peter Morrow, spectral, lui rendit son regard. À moitié achevé. Un demi-homme dans une vie inachevée.

Clara portait un survêtement et tenait un pinceau dans sa bouche, telle une version féminine de FDR. Ses cheveux, dans lesquels elle n'arrêtait pas de passer les mains, se dressaient à des angles improbables.

– De la pizza ? fit Myrna en prenant un morceau de champignon dans la tignasse de son amie.

– Oui. Reine-Marie m'a invitée à la soirée, mais je n'étais pas d'humeur à ça.

Myrna examina le chevalet et comprit pourquoi. Clara était de nouveau obsédée par le portrait. Et Peter, bien que disparu, parvenait encore à saboter le travail de sa femme.

– Tu veux qu'on en parle ? proposa Myrna en tirant un tabouret.

Clara posa le pinceau et peigna ses cheveux grisonnants avec ses doigts, si fort que des bouts de pepperoni et des miettes en tombèrent.

– Je ne sais plus ce que je fais, dit Clara en gesticulant devant le portrait. Comme si je n'avais jamais peint de ma vie. Oh, mon Dieu. Et si je ne pouvais plus jamais peindre ?

En proie à la panique, elle regarda fixement Myrna.

– Ça va revenir, promit Myrna. Mais ce n'est peut-être pas le bon portrait. Il est peut-être trop tôt pour faire celui de Peter, non ?

Peter semblait les observer. Un fin sourire sur son beau visage. Myrna se demanda si Clara se rendait compte qu'elle avait déjà saisi l'essence de l'homme. Myrna était très attachée à Peter, mais elle savait aussi qu'il pouvait être un sacré numéro. Ce numéro-ci, en l'occurrence. Et Myrna se demanda si Clara avait ajouté des éléments au portrait ou si elle en avait au contraire retranché. Devenait-il de moins en moins substantiel ?

Elle se détourna et écouta Clara parler de ce qui était arrivé. À Peter. Cette histoire, Myrna la connaissait bien. Elle avait été aux premières loges.

Mais elle écouta, écouta encore. Et encore.

Avec chaque récit, Clara se délestait d'un fragment de son insupportable douleur. De son sentiment de culpabilité. De son chagrin. Clara émergeait de l'océan, toute ruisselante de souffrance, mais, au moins, elle ne se noyait plus.

Clara se moucha et s'essuya les yeux.

– Tu t'es bien amusée chez les Gamache ? demanda-t-elle. Quelle heure est-il ? Qu'est-ce que tu fais en pyjama ?

– Il est vingt-trois heures trente, répondit Myrna. On peut aller dans la cuisine ?

« Loin de cette foutue peinture », songea-t-elle.

– Du thé ? proposa Clara.

– Une bière ? rétorqua Myrna en allant prendre deux bouteilles dans le réfrigérateur.

– Qu'est-ce qui ne va pas ? demanda Clara.

– Tu sais que je fais partie de la Troupe de l'Estrie ?

– Tu ne vas tout de même pas me redemander d'aller peindre des décors ?

Voyant que son amie ne répondait rien, Clara lui prit la main.

– Qu'est-ce qu'il y a ?

– La pièce que nous montons… *Elle était assise et elle pleurait…*

– La comédie musicale ?

La repartie n'arracha même pas un sourire à Myrna.

– Antoinette a enlevé le nom de l'auteur de la couverture. Elle tenait à garder le secret.

Clara hocha la tête.

– Vous étiez tout énervés, Gabri et toi. Et si c'était une œuvre de Michel Tremblay ou encore de Leonard Cohen ?

– Gabri misait plutôt sur Wayne Gretzky.

– C'est un joueur de hockey, dit Clara.

– Tu connais Gabri, fit Myrna. Quoi qu'il en soit, Antoinette a dit que c'était pour piquer la curiosité, susciter l'intérêt des gens. Les faire jaser.

– Mais ce n'était pas la vraie raison ? risqua Clara, consciente de la direction que prenait la conversation.

– Il s'avère que le dramaturge est célèbre, expliqua Myrna, mais pas comme on pourrait l'espérer. Il s'agit de John Fleming.

Clara secoua la tête. Le nom ne lui disait rien. Et pourtant, elle sentait une sorte de picotement. De mordillement, en réalité.

Myrna attendit.

Clara détourna les yeux dans l'espoir de reconnaître le nom. L'homme. John Fleming.

– C'est quelqu'un que nous avons rencontré ? demanda-t-elle.

Myrna secoua la tête.

– Mais nous le connaissons.

Myrna hocha la tête.

Puis la lumière se fit dans l'esprit de Clara. Les manchettes. Des images, vues à la télévision, de photographes jouant du coude afin d'immortaliser pour la postérité un petit homme, vêtu d'un costume impeccable, qu'on faisait entrer dans le tribunal.

Comme les vrais monstres étaient différents de ceux qu'on voyait dans les films !

John Fleming était effectivement célèbre.

Ruth termina la dernière page et posa une main veinée de bleu sur la liasse de feuilles.

Puis, d'un geste décidé, elle alluma les bûches dans l'âtre et tint le texte au-dessus d'elles jusqu'à ce que sa peau mince commence à roussir. Elle ne put toutefois se résoudre à aller jusqu'au bout.

– Reste là, ordonna-t-elle à Rose, qui l'observait du fond de son nid de flanelle.

Ayant déniché une petite pelle, Ruth sortit et, s'agenouillant, se mit à charcuter la terre. À découper l'herbe. À creuser de plus en plus profondément, luttant pour chaque centimètre, comme si le sol, au fait de ses intentions, lui opposait une vive résistance. Ruth, cependant, n'abandonna pas. Si elle avait pu creuser jusqu'à la roche-mère, elle l'aurait fait. Au bout d'un moment, le trou fut assez profond pour ses fins.

Saisissant le texte, Ruth le déposa au fond. Puis elle le recouvrit en déplaçant la terre à deux mains. Assise sur ses talons, à genoux sous le ciel nocturne, elle se demanda s'il fallait prononcer quelques mots. Une mince prière ? Une imprécation ?

– *Et maintenant c'est maintenant*, murmura-t-elle, citant son propre poème au-dessus de la terre fraîchement retournée.

et la chose sombre est là,
et après tout, ce n'est rien de nouveau ;
il ne s'agit après tout que d'un souvenir :

Elle se releva et baissa les yeux et songea à ce qu'elle avait fait. Et à ce qu'il avait fait, lui.

le souvenir d'une peur

Peut-être devrait-elle dire quelque chose à Armand. Peut-être aussi que tout s'arrangerait. Que tout resterait enfoui.

Ruth rentra chez elle en ayant soin de verrouiller la porte.

4

– Je songe à abandonner la pièce, dit Gabri.

Au bistro, la course folle du déjeuner avait pris fin et les clients du gîte étaient repartis après le week-end. À présent, Gabri était assis dans un fauteuil confortable près de la fenêtre en saillie de la librairie de livres neufs et usagés de Myrna. Cette dernière avait pris place en face de lui, dans son propre fauteuil, impossible à rater puisque, avec les années, il avait épousé ses amples formes. À côté d'elle, par terre, se trouvait une pile de livres qui attendaient d'être étiquetés et rangés sur les tablettes.

Vus de l'extérieur, ils auraient pu passer pour des mannequins dans une vitrine, à condition de faire abstraction de leurs mines sinistres.

– J'ai décidé de me retirer, lui confia Myrna.

– Est-ce la bonne attitude ? demanda Gabri. La première est imminente. Que va faire Antoinette si nous désertons le navire ?

– Ce qu'elle aurait dû faire depuis le début, dit la voix de Clara en provenance du centre du magasin.

Elle examinait la tablette des « Nouveautés », terme, en l'occurrence, tout relatif.

– Elle va tout annuler.

– Ce livre a été interdit, tu sais, dit Myrna en voyant le roman que Clara tenait à la main. *Fahrenheit 451*.

– A-t-il aussi été brûlé ? demanda Clara en venant les rejoindre. Le feu de l'enfer, c'est peut-être ça. Des livres consumés par les flammes. Je me demande s'ils sont conscients de l'ironie de la situation.

– J'en doute, répondit Myrna. Mais faisons-nous la même chose ?

– Nous n'incendions pas la pièce, dit Gabri. Nous refusons simplement de la soutenir. Comme des objecteurs de conscience.

– Si nous sommes décidés à nous désister, dit Myrna, nous devons voir clair dans nos agissements et nos motivations. Nous exigeons le retrait d'une pièce. Pas parce qu'elle renferme des horreurs, mais bien parce que son auteur nous déplaît.

– À t'entendre, on croirait qu'il s'agit d'un conflit de personnalités, dit Gabri. Le problème, c'est ce qu'a fait John Fleming et non la haine que nous avons pour lui.

– *Toc-toc,* fit une voix familière à la porte de la librairie.

Ils levèrent les yeux sur Reine-Marie, Armand et Henri.

– Nous étions sortis faire une promenade et nous vous avons vus par la fenêtre, expliqua Armand.

– Nous tombons mal ? demanda Reine-Marie en examinant leurs visages.

– Non, répondit Clara. Je gage que vous pouvez deviner de quoi nous parlions.

Reine-Marie hocha la tête.

– De la même chose que nous. La pièce.

– La pièce maudite, fit Myrna. Je vais me retirer. La crise qu'Antoinette va piquer… Je me sens mal à chier.

– Vous avez remarqué les rimes ? demanda Gabri. Retirer. Piquer. Chier. On jurerait un sonnet de Shakespeare.

– Vous avez l'impression de trahir une amie, dit Reine-Marie.

– En partie, oui. Mais je possède une librairie, dit Myrna en balayant des yeux les rangées de livres qui longeaient les murs et découpaient des allées au centre de la pièce. Tant de livres ont été interdits et brûlés. Celui-ci, dit-elle en désignant l'exemplaire de *Fahrenheit 451* que Clara tenait toujours à la main. *Ne tirez pas sur l'oiseau moqueur. Les aventures de Huckleberry Finn.* Même le *Journal d'Anne Frank*. Tous ces livres ont été bannis par des gens qui croyaient posséder la vérité. Et si nous nous trompions ?

– Vous ne bannissez rien du tout, dit Clara. Il a le droit d'écrire et vous de lui retirer votre soutien.

– C'est du pareil au même. Si Gabri et moi abandonnons et que nous en informons les autres, la production est fichue. Et vous savez quoi ? C'est en plein ce que je souhaite. Antoinette, du moment qu'elle a su qui était l'auteur de la pièce, n'aurait jamais dû la monter. N'est-ce pas, Armand ?

– Absolument.

S'ils espéraient de sa part une réponse hésitante, tourmentée, ils furent déçus. Sa réaction avait été rapide et sans équivoque.

Armand Gamache ne nourrissait aucun doute. Cette pièce n'aurait jamais dû voir la lumière du jour. De la même façon que son auteur ne devrait plus jamais voir la lumière du jour.

– D'autres tueurs ont écrit des livres et même des pièces de théâtre, dit Myrna.

– John Fleming est différent, rétorqua Clara. Nous le savons tous.

– Vous êtes une artiste, dit Reine-Marie. Croyez-vous vraiment qu'il faille juger une œuvre par son auteur ? Ne devrait-elle pas plutôt être évaluée au mérite ?

Clara laissa entendre un énorme soupir.

– La bonne réponse, je la connais. Et je suis consciente de ce que je ressens. Aurais-je envie de posséder un tableau peint par Jeffrey Dahmer ou de servir un repas fait à partir des recettes familiales de Staline ? Non.

– Là n'est pas la question, dit Gabri. C'est une affaire de choix, de libre arbitre. Peut-être vaut-il mieux laisser Antoinette produire la pièce et permettre aux gens de décider s'ils ont envie de la voir ou pas.

– Tu remets en question ta démission ? demanda Myrna.

– Jamais de la vie, répondit-il. Je ne m'approcherai plus jamais de cette pièce. Elle a été écrite par un tas de merde et il y a de la merde dessus. Juste ou pas, c'est comme ça.

– Prenez l'exemple de Wagner, dit Reine-Marie. On l'associe tellement aux nazis et à l'Holocauste que, pour plusieurs, sa musique, aussi brillante soit-elle, est irrémédiablement gâchée.

– Que Wagner ait été violemment antisémite n'arrange rien, dit Gabri.

– Est-ce une raison suffisante pour ne pas jouer une musique sublime? demanda Reine-Marie.

– La raison n'y est pas pour grand-chose, fit Myrna. Je suis la première à admettre que je perdrais tout débat sur la question de savoir si la pièce de Fleming devrait être jouée ou pas. Je sais qu'il avait le droit de l'écrire et que n'importe quelle compagnie théâtrale a le droit de la produire. Seulement, je ne veux pas y être associée. Je ne peux pas défendre mes sentiments: ils sont ce qu'ils sont.

– Je reviens à la question initiale, dit Reine-Marie. La création est-elle indissociable de son créateur? Est-ce important de faire la différence?

– C'est important, dit Gamache. Dans certains cas, cependant, la censure se justifie.

Ils se tournèrent vers lui, étonnés par son ton convaincu. Même Reine-Marie semblait renversée.

– Et moi qui t'avais toujours pris pour un défenseur de la liberté d'expression, Armand, même quand on s'en sert contre toi.

– Dans une société libre, il y a des exceptions, répondit Armand. Il y a toujours des exceptions.

Et John Fleming, il le savait, était un cas exceptionnel.

– Est-il question de meurtres dans la pièce? demanda Clara.

– Non, admit Gabri. C'est plutôt drôle, en fait. C'est l'histoire d'un type qui gagne sans arrêt à la loterie et gaspille les chances qui lui sont données. Il aboutit toujours dans la même pension, avec les mêmes personnes.

– Par moments, c'est carrément hilarant, acquiesça Myrna. Et puis, on est incroyablement ému. Je ne sais pas comment il a fait.

– Rien à voir, donc, avec Fleming et ses crimes ? demanda Reine-Marie. Rien à voir avec lui en tant qu'homme ?

– Au contraire, dit Armand d'une voix sèche, tendue, la pièce a tout à voir avec lui.

Ils se tournèrent vers lui. Jamais encore ils ne l'avaient vu si proche de se fâcher contre sa femme.

– Si John Fleming est l'auteur de cette pièce, elle est forcément grotesque. Le contraire est impossible. Ça ne saute peut-être pas aux yeux, mais il est présent dans chaque mot, dans chaque geste des personnages. Le créateur et sa créature ne font qu'un.

Il croisa les doigts.

– C'est sa façon de s'évader. Par le truchement du verbe et par la décence des autres. C'est comme ça que John Fleming s'immisce dans votre tête. Et vous ne voulez pas le trouver là. Croyez-moi.

Pendant un moment, il sembla possédé. Et puis le moment passa, s'estompa. À la fin, Armand Gamache avait simplement l'air hanté. Le silence se fit dans la librairie. Seul l'entrecoupait le tintement du collier du chien qui, passant derrière Armand, se blottit contre sa jambe.

– Désolé, fit Armand en se frottant le front et esquissant un mince sourire. Pardonnez-moi.

Il prit la main de Reine-Marie et la serra.

– Je comprends, dit-elle, tout en sachant que ce n'était pas tout à fait exact.

Elle avait suivi l'affaire Fleming dans les médias, mais c'était la seule dont Armand ne lui parlait jamais.

– Plus vite nous préviendrons Antoinette, mieux ça vaudra, dit Gabri. J'ai un brin de ménage à faire au bistro. Je passe te prendre dans une heure, Myrna? Nous ferons le trajet ensemble.

Myrna accepta. Gabri sortit, suivi de Clara, qui les salua en agitant son livre.

– Je vais au magasin général, dit Reine-Marie en laissant Armand et Henri dans la librairie.

Myrna se cala dans son fauteuil et regarda Armand, qui s'était assis à la place libérée par Gabri.

– Vous voulez encore parler de la pièce? demanda Myrna.

– Mon Dieu, surtout pas!

Elle était sur le point de lui demander pourquoi il était resté, mais elle se ravisa.

– Que savez-vous que nous ignorons? demanda-t-elle plutôt.

Il mit du temps à répondre.

– Vous avez une certaine expérience des psychopathes, commença-t-il en pétrissant les énormes oreilles d'Henri.

Il avait parlé sans que son regard se détache du berger gémissant.

Mais alors il leva la tête et Myrna décela de la tristesse dans ses yeux brun foncé. Une authentique douleur.

Il s'accrochait au chien comme à un radeau après un naufrage.

Myrna hocha la tête.

– J'avais ma pratique privée, mais, comme vous le savez, je travaillais aussi à temps partiel au pénitencier.

– Vous avez déjà travaillé à l'Unité spéciale de détention?

– L'USD? Là où on emprisonne les criminels les plus dangereux? fit Myrna. On m'a proposé de m'occuper de quelques cas. J'y suis allée une fois, mais je ne suis même pas sortie de ma voiture.

– Pourquoi?

Elle ouvrit la bouche, puis la referma, le temps de mettre de l'ordre dans ses idées. Elle chercha des mots pour exprimer ce qui, tout bien considéré, n'était pas une pensée.

– Vous connaissez l'expression «*godforsaken*»? «Abandonné par Dieu», littéralement.

Il hocha la tête.

– C'est pour ça. J'étais assise dans le stationnement de l'USD et je scrutais ces murs.

Elle secoua la tête.

– Je n'ai pas pu me résoudre à entrer dans un lieu abandonné par Dieu.

En esprit, ils voyaient tous deux cette bâtisse, ce terrible monolithe qui semblait surgir de la terre.

– Vous avez continué à conseiller des détenus dans d'autres établissements, dit-il. Des meurtriers, des violeurs. Mais vous avez fini par vous arrêter et venir vivre ici. Pourquoi?

– Parce que c'était trop. Leurs échecs devenaient les miens. Ils étaient trop abîmés. Je ne pouvais pas les aider.

– Peut-être certains d'entre eux ne peuvent-ils pas être réparés parce qu'ils n'ont pas été endommagés, risqua-t-il.

Par la fenêtre, il voyait des éclats de couleur fulgurants dans la forêt qui recouvrait la montagne. Les érables, les chênes et les pommiers changeaient de teinte. Se préparaient. C'est là que l'automne débutait. En hauteur. Puis il descendait, finissait par les atteindre au creux de la vallée. L'automne était, évidemment, inévitable. Armand le sentait venir.

– Café? proposa-t-il en s'extirpant du fauteuil et en enjambant Henri.

– Oui, s'il vous plaît.

Il prit la parole pendant qu'il versait.

– John Fleming a été arrêté et traduit en justice il y a dix-huit ans.

– Des crimes comme les siens ne s'effacent pas, n'est-ce pas? dit Myrna en acceptant la tasse et en complétant la pensée de l'homme. Vous l'avez connu?

– J'ai suivi l'affaire, répondit Gamache en reprenant sa place. Il a commis ses crimes au Nouveau-Brunswick, mais il a été jugé ici, où on estimait qu'il aurait de meilleures chances de subir un procès juste et équitable.

– Je me souviens. Il est encore ici?

Gamache hocha la tête.

– À l'Unité spéciale de détention.

– C'est ce qui vous a fait penser à l'USD?

Gamache hocha de nouveau la tête.

– Il reçoit de l'aide? demanda Myrna.

– Il est irrécupérable.

– Je ne dis pas qu'on pourrait faire de lui un citoyen modèle, croyez-moi. Je ne dis pas non plus que je lui confierais la garde de mon enfant…

Ce fut subtil. Pourtant, Myrna, qui connaissait le visage d'Armand dans ses moindres détails, fut certaine d'y déceler un mouvement. Un tressaillement.

– … mais c'est un être humain et, après tout ce qu'il a fait, il est sans doute tourmenté. Avec du temps et des moyens thérapeutiques, on pourrait peut-être lui venir en aide. Pas pour le remettre en liberté. Mais pour le libérer de certains de ses démons.

– John Fleming n'ira jamais mieux, dit Gamache à voix basse. Et nous ne voudrions surtout pas que ses démons soient libérés, je vous prie de me croire.

Elle s'apprêta à le contredire, mais elle se ravisa. Si quelqu'un croyait aux deuxièmes chances, c'était bien l'homme qu'elle avait devant elle. Elle était son amie et sa psychothérapeute officieuse. Elle l'avait entendu parler de ses secrets les plus intimes, de ses croyances les plus profondes, de ses peurs les mieux refoulées. À cet instant, elle se demanda toutefois si elle les avait tous entendus. Et elle se demanda quels démons nichaient au plus profond de cet homme, dont la spécialité était le meurtre.

– Que savez-vous que nous ignorons, Armand?

– Je ne peux pas en parler.

– J'ai suivi l'affaire judiciaire…

Elle s'interrompit et le regarda.

Puis elle comprit. Ce qu'il disait par son silence.

– Nous n'avons pas tout entendu, n'est-ce pas, Armand? Fleming a subi un autre procès, un procès privé?

Un procès dans un procès.

Myrna savait, en raison de ses contacts avec la justice, que le système autorisait de telles exceptions, mais elle n'avait jamais entendu parler d'un seul cas particulier.

On tenait un procès public, mais, derrière des portes closes et verrouillées à double ou même à triple tour, on en organisait un autre. Où des preuves jugées trop horribles pour la collectivité étaient révélées.

Comment imaginer un mal si effroyable, songea Myrna, qu'il va à l'encontre des croyances fondamentales de notre société? Comment imaginer des atrocités telles qu'il faille cacher la vérité au public? Seuls l'accusé, le juge, le procureur, l'avocat de la défense, un gardien, un greffier seraient présents. Et aussi quelqu'un d'autre.

On désignait une personne, non mêlée à l'affaire, pour représenter les Canadiens. Cette personne absorbait l'horreur. Elle entendait et voyait des choses qui la marqueraient à jamais. Et ensuite, une fois le procès terminé, elle avait l'obligation d'emporter ce secret dans la tombe. Elle avait délesté la population de ce fardeau, s'était sacrifiée pour le bien commun.

– Vous ne vous êtes pas contenté de lire le dossier, n'est-ce pas? dit Myrna. Un procès s'est tenu à huis clos, non?

Armand la regardait fixement, ses lèvres légèrement comprimées.

Gamache et Henri quittèrent la librairie et firent le tour du parc du village en sentant sur leur visage l'air frais de l'automne. En respirant le parfum des pommes trop mûres et du gazon fraîchement coupé, en piétinant les feuilles tombées.

Il n'avait rien dit à Myrna, évidemment. Impensable. C'était confidentiel. Et même s'il pouvait lui parler de ce qu'il savait des crimes commis par John Fleming, il tiendrait sa langue.

Lui-même aurait préféré ne pas savoir.

Chaque jour, après qu'on eut déverrouillé la porte et qu'on l'eut autorisé à sortir, Armand était rentré à son bureau de la Sûreté du Québec à Montréal et, par la fenêtre, il avait regardé les gens en contrebas. Ils attendaient que le feu passe au rouge ou au vert. Ils allaient chez le dentiste ou prendre un verre. Ils songeaient aux courses à faire, aux factures ou à leur patron.

Ils ne savaient pas. Ils lisaient les journaux et voyaient les reportages à la télévision et considéraient Fleming comme un monstre. Et pourtant, ils n'en savaient pas la moitié.

Armand Gamache serait éternellement reconnaissant au juge qui avait eu le courage d'appliquer l'article de loi le plus extrême qui soit. Et il se demanda si la salle d'audience avait été récurée après coup. Désinfectée. Purifiée par les flammes.

Avaient-ils fermé la porte derrière eux avant de réintégrer leur existence antérieure et, à la nuit tombée, prié un Dieu qu'ils espéraient tout-puissant ? Prié pour oublier, prié pour sombrer dans un sommeil sans rêve ? Prié pour remonter dans le temps jusqu'à une époque où ils ignoraient tout de cette affaire ?

Savoir ne rimait pas toujours avec pouvoir. Savoir était parfois paralysant.

Myrna avait laissé entendre qu'un psychothérapeute aurait pu, avec le temps, débarrasser Fleming de ses démons. Armand Gamache savait que c'était faux. Parce que John Fleming était lui-même le démon.

Et voilà que, du fond de son cachot, il avait réussi à s'évader. À se faufiler entre les barreaux. Par le verbe.

John Fleming avait réintégré le monde.

Il voulait jouer.

5

– Qu'est-ce que vous voulez ? demanda Antoinette, tournée vers la salle sombre.

Debout sur la scène violemment éclairée, la main en visière, elle scrutait la salle comme un marin à la recherche de la terre ferme.

– Vous parler, répondit la voix d'Armand des profondeurs du théâtre.

– Vous ne trouvez pas que vous en avez déjà assez fait ?

Brian sortit des coulisses avec une lampe destinée à servir d'accessoire.

– À qui parles-tu ?

Armand gravit les marches qui menaient sur la scène.

– À moi. *Hi*, Brian.

– Vous êtes content ? demanda Antoinette en s'avançant vers lui. Myrna et Gabri ont quitté la production. Brian doit reprendre le rôle principal abandonné par Gabri.

– Ah bon ?

– Il est déjà assez difficile de monter une pièce sans que les acteurs se mettent à se désister, dit-elle.

– Vous allez continuer quand même ?

– Bien sûr, fit-elle. Malgré tous vos efforts. Les autres acteurs seront là dans quelques minutes. J'aimerais que vous partiez avant de causer plus de dommages.

– Avez-vous l'intention de leur dire qui a écrit la pièce ?

– Parce que, si je ne le fais pas, vous vous en chargerez, vous ? C'est pour ça que vous êtes venu ? Pour être bien certain de détruire la production ? Tabarnac, vous êtes fasciste, en fin de compte.

– Je n'ai pas envie de me lancer dans un débat, dit Gamache.

– Bien sûr que non, dit Antoinette. Le débat repose sur la liberté d'expression.

Brian restait près du canapé, la lampe à la main. Tel un Diogène raté.

– Gabri et Myrna ont décidé par eux-mêmes, dit Gamache. Mais je n'ai rien fait pour les dissuader. Je pense que vous commettriez une erreur en présentant cette pièce.

– Oui. Ça, je l'ai bien compris. Mais nous allons quand même le faire. Vous savez pourquoi ? Parce que, si l'homme est horrible, sa pièce est extraordinaire. S'il n'en tenait qu'à vous, personne ne la lirait et ne la verrait jamais. Quel beau défenseur de la société libre !

– La liberté a un prix, répondit-il sèchement avant de se ressaisir.

Elle sourit.

– J'ai touché une corde sensible, hein ? De quoi avez-vous si peur, Armand ? Il est en prison, cet homme, depuis des années. Il n'en sortira jamais.

– Je n'ai pas peur.

– Vous êtes terrorisé, dit Antoinette. Si je cherchais quelqu'un pour jouer un homme mû par la crainte, je vous supplierais d'accepter le rôle.

– J'aimerais vous parler, dit Gamache en ignorant les derniers mots. On peut s'asseoir ?

– D'accord. Mais vite, avant l'arrivée des autres.

– C'est privé ? demanda Brian, ou je peux me joindre à vous ?

– Oui, répondit Armand. Ça vous concerne aussi.

Il s'installa dans un fauteuil élimé qui faisait partie du décor. Il lui était rarement arrivé de monter sur une scène, mais, chaque fois, il avait été étonné par l'aspect miteux des accessoires. De la salle où les spectateurs prenaient place, les acteurs avaient l'air de rois et de reines, de magnats des affaires. Vus de près, les costumes étaient bon marché, usés, parfois puants. Les châteaux s'écroulaient.

L'illusion volait en éclats. Voilà ce qui arrivait quand on examinait les choses de trop près.

À titre d'enquêteur, il avait, pendant toute sa carrière, étudié des objets, des gens. Derrière la façade, là où se cachait la vérité. Les intérieurs minables, élimés, râpés.

Mais parfois, parfois, en regardant au-delà de l'illusion, il découvrait quelque chose de lustré, de brillant, de loin supérieur au décor.

Il scruta Antoinette. D'âge moyen, elle se cramponnait peut-être un peu trop à l'illusion de la jeunesse. Ses cheveux étaient teints en violet et sa tenue, moins étudiée, aurait pu passer pour bohémienne.

Il aimait sincèrement Antoinette et l'admirait beaucoup. L'admirait de défendre ses idéaux, même dans les circonstances présentes. Après tout, elle ignorait une partie de la vérité concernant Fleming.

– Je suis ici parce que nous sommes amis, commença-t-il. Je ne veux pas de désaccord entre nous.

– Vous n'avez même pas lu la pièce, Armand, dit Antoinette d'une voix d'où la colère s'échappait peu à peu. Comment pouvez-vous la condamner sans appel ?

– La vie de l'auteur ne devrait peut-être pas avoir d'importance, dit-il d'un ton radouci. Mais elle en a pour moi. Dans ce cas particulier.

– Je ne vais pas retirer la pièce, dit-elle. Pour le moment, c'est de la merde, avec Brian dans le rôle-titre…

– Hé ! protesta Brian.

– Désolée. Tu t'en tireras très bien, mais tu n'as pas eu beaucoup de temps pour répéter. Comme tu étais en retard aujourd'hui, j'ai cru que peut-être…

– Je n'abandonnerais jamais, répondit-il, interloqué, indigné. Comment peux-tu imaginer une chose semblable ?

Gamache se demanda si Antoinette se rendait compte de la chance qu'elle avait de compter sur un compagnon aussi loyal. Il s'interrogea aussi sur Brian, moralement aveuglé par l'amour.

– Franchement, Armand, dit-elle. À vous voir, on jurerait que c'est notre survie à tous qui est en jeu. Ce n'est qu'une simple pièce de théâtre.

– Si c'est une pièce comme les autres, répondit-il, annulez tout.

Retour à la case départ.

Elle le regarda fixement. Il la regarda fixement. Brian, lui, avait juste l'air malheureux.

– Où avez-vous déniché la pièce de Fleming ?

– Je vous l'ai déjà dit. Brian l'a trouvée dans les affaires de mon oncle, répondit-elle.

– Comment votre oncle s'appelait-il ?

– Guillaume Couture.

– Il était metteur en scène ? Acteur ? demanda Armand.

– Pas du tout. À ma connaissance, il n'a jamais mis les pieds dans un théâtre. Il construisait des ponts. Des petits. Des sauts-de-mouton, en réalité. C'était un homme discret, gentil.

– Pourquoi avait-il la pièce en sa possession ? Connaissait-il Fleming ?

– Bien sûr que non, répondit-elle. Il n'a pratiquement jamais quitté Three Pines. Il a dû la trouver dans une vente de débarras. Mais nous ne vous devons pas d'explications. Nous n'avons pas commis de crime et vous n'êtes pas policier.

Elle se leva.

– Maintenant, avec votre permission, nous avons du travail.

Elle se leva et lui tourna le dos. Brian l'imita, mais pas avant d'avoir gratifié Armand d'une grimace légèrement contrite.

En roulant sur la route de terre qui menait à Three Pines, Armand Gamache, éprouvant les cahots familiers et presque confortables de la route, en vint à un constat. Constat, du reste, auquel il en était sans doute arrivé à l'instant où il avait appris qui était l'auteur de *Elle était assise et elle pleurait.*

Il devrait lire la pièce.

Armand s'engagea dans l'allée et grimpa sur le perron branlant. Puis il frappa.

– Qu'est-ce que vous voulez? demanda Ruth à travers la porte close.

– Lire la pièce.

– Quelle pièce?

– Pour l'amour du ciel, Ruth, ouvrez.

Sans doute Ruth s'était-elle laissé toucher par une note dans le ton de Gamache, la lassitude peut-être. Elle tira le verrou et entrouvrit la porte.

– Depuis quand fermez-vous votre porte à clé? demanda-t-il en se faufilant à l'intérieur.

Elle referma avec tant d'empressement que le veston d'Armand se coinça dans la porte et qu'il dut tirer dessus pour se dégager.

– Depuis quand ça vous intéresse? répliqua-t-elle. Qu'est-ce qui vous fait croire que j'ai la pièce?

– Je vous ai vue la prendre en sortant, hier soir.

– Pourquoi voulez-vous la lire?

– Je pourrais vous demander la même chose.

– Ça ne vous regarde pas! lança-t-elle sèchement.

– Je pourrais vous dire la même chose.

Il entrevit l'ombre d'un sourire qui disparut aussitôt.

– Très bien, Clouseau. Si vous la trouvez, vous pouvez l'avoir, cette pièce maudite.

Il secoua la tête.

– Donnez-la-moi.

– Elle n'est pas ici.

– Où est-elle, alors?

Ruth et Rose boitillèrent jusqu'à la cuisine, d'où la vieille femme désigna le jardin. Dans les massifs de fleurs, on voyait encore quelques roses tardives ainsi que des hydrangées couleur crème, teintées de rose. Sur les treillis poussaient des liserons.

– Ils viennent de votre jardin, poussés par le vent, se plaignit Ruth. Ce sont des mauvaises herbes, vous savez.

– Envahissants, vulgaires, accaparants. Ils siphonnent toutes les substances nutritives, dit-il en baissant les yeux sur la vieille poète. Nous sommes au courant, mais nous les aimons quand même.

Une fois de plus, le sourire apparut fugitivement, mais il s'effaça aussitôt. Ruth posa les yeux sur un énorme pot de fleurs au milieu de la pelouse.

Gamache suivit son regard, puis il sortit sur le perron et se dirigea vers le récipient. Il était vide. Sans un mot, il le déplaça de quelques pas et aperçut le carré de terre fraîchement retournée. Riche et sombre.

– Tenez, dit Ruth en lui tendant la pelle.

À genoux, il creusa.

Sur le perron, Ruth et Rose l'observaient.

Gamache dut travailler plus longtemps qu'il l'avait escompté. Il se tourna vers Ruth, si minuscule et si frêle. Et pourtant, elle avait creusé, creusé encore. Profondément. Le plus profondément possible. Il jeta une pelletée de terre sur le tas derrière lui avant de poursuivre.

Il finit par toucher quelque chose. Repoussant la terre, il se pencha et vit les lettres noires sur le papier blanc.

Elle était assise et elle pleurait.

Il regarda fixement et du sol montèrent des enregistrements sonores entendus lors du procès. Des appels à l'aide. Des supplications. Des voix implorant cet homme de s'arrêter.

– Armand ?

La voix de Reine-Marie se surimposa à ces sons. Avant même de se retourner, il comprit que quelque chose n'allait pas. Il s'était passé quelque chose.

Tenant le texte dans une main et la pelle dans l'autre, il se releva et vit la silhouette de Reine-Marie se découper dans la lumière de la porte de Ruth.

– Qu'est-ce qu'il y a ? demanda-t-il.

– C'est Laurent. Il n'est pas rentré pour souper, ce soir. Evie vient de téléphoner pour demander s'il était avec nous.

Gamache sentit le poids de la pièce dans sa main. Comme si elle était aimantée par la terre. Tu es poussière, et tu retourneras à la poussière.

Laurent n'était pas rentré à la maison.

Il laissa tomber la pièce.

6

Au terme d'une nuit de recherches, le père et la mère de Laurent trouvèrent leur fils. Dans un fossé. Où il avait été projeté, non loin de sa bicyclette. Le guidon lustré avait réfléchi le soleil matinal et guidé ses parents jusqu'à lui.

Les autres participants aux recherches, venus de villages des quatre coins des Cantons-de-l'Est, entendirent le cri perçant.

Armand, Reine-Marie et Henri interrompirent leurs efforts. Cessèrent d'appeler Laurent. Cessèrent de lutter contre la végétation dense en bordure des routes. Cessèrent d'encourager Henri à s'enfoncer de plus en plus profondément au milieu des ronces et des toques.

Reine-Marie, interloquée, se tourna vers Armand, comme si les cris s'étaient transformés en coups de poing. Elle se blottit dans ses bras et il la serra contre lui. Elle enfouit son visage dans la poitrine de son mari. Les vêtements, l'épaule et les bras d'Armand étouffèrent presque ses sanglots.

Elle respira son parfum de bois de santal, avec une touche d'eau de rose. Et, pour la première fois, elle n'y trouva pas de réconfort. Si accablant était son chagrin. Si déchirant le cri.

Henri, couvert de toques et troublé par le bruit, faisait les cent pas sur la route de terre en gémissant et en levant le regard vers eux.

Reine-Marie se libéra et s'essuya les yeux avec un mouchoir. Puis, à la vue du miroitement des larmes dans ceux d'Armand, elle se blottit de nouveau contre lui. Cette fois, elle le serra aussi fort qu'il l'avait serrée.

– Il faut que je..., commença-t-il.

– Vas-y, dit-elle. Je te suis.

Elle prit la laisse d'Henri et se mit à courir. Déjà, Armand avait disparu dans le tournant. Il sprintait, suivait la piste du chagrin.

Et puis les cris s'arrêtèrent.

Au sortir du tournant, Armand vit Al Lepage, au bas de la colline, debout au milieu de la route de terre, le regard perdu dans le vide.

Armand dévala la pente raide, glissa un peu sur le gravillon. Au loin, il aperçut Gabri et Olivier qui arrivaient en sens inverse.

Des broussailles montaient des gémissements, des froissements cadencés.

– Al ? fit Armand en ralentissant pour s'immobiliser à quelques pas de l'homme imposant, pétrifié.

Lepage gesticula dans son dos, le visage détourné.

Avant même de jeter un coup d'œil, Gamache sut ce qu'il allait découvrir.

Derrière lui, il entendit les pas de Reine-Marie ralentir, s'arrêter. Puis il l'entendit gémir. Une mère vivant par procuration le cauchemar d'une autre. Celui de toutes les mères.

Et Armand regarda Al. Le cauchemar de tous les pères.

D'un regard rapide, exercé, Armand nota la position de la bicyclette, des ornières dans la chaussée, des buissons cassés et des herbes courbées. La disposition des pierres. Détails brutaux qui se gravèrent à jamais dans son esprit.

Puis Armand se laissa glisser dans le fossé, au milieu des hautes herbes et des arbustes qui avaient dissimulé Laurent et son vélo. Derrière lui, il entendit Gabri et Olivier parler à Al. Lui offrir des paroles de réconfort.

Le père de Laurent, cependant, était inconsolable. Il ne voyait, n'entendait rien. Privé de sens dans un monde insensé.

Evie se cramponnait à Laurent, son corps enveloppant le sien. Elle le berçait. Des mèches de ses cheveux châtain clair, détachés de la bande élastique, tombaient sur ses joues, où ils formaient comme un voile. Cachant son visage. Cachant celui du garçon.

– Evie ? chuchota Armand en s'agenouillant à côté d'elle. Evelyn ?

Doucement, lentement, il écarta le rideau.

Dans sa vie, Gamache s'était trouvé sur assez de scènes d'accident pour savoir quand il n'y avait plus rien à faire.

Malgré tout, il tendit la main pour toucher le cou froid du garçon.

Les lamentations d'Evie se transformèrent en un fredonnement et, pendant un instant, Armand crut entendre Laurent. C'était l'air qu'il avait chantonné deux jours plus tôt quand Gamache l'avait ramené chez lui.

Old man look at my life, twenty-four and there's so much more.

Derrière eux, en haut du talus, sur la route, un hoquet retentit, si fort qu'il noya l'air fredonné par Evie.

Un halètement, puis un haut-le-cœur. Suivi d'un autre. La gorge serrée par le chagrin, Al Lepage cherchait son souffle.

Au-delà des bruits du malheur, Armand entendit Olivier appeler une ambulance. D'autres arrivèrent, formèrent un demi-cercle autour d'Al. Incertains de la conduite à tenir en présence d'un incommensurable chagrin.

Puis Al se laissa tomber à genoux et, lentement, posa son front sur la terre. Il mit ses bras musclés sur sa tête grise et entrecroisa les doigts. On aurait dit une pierre, un rocher sur la route.

Armand se tourna de nouveau vers Evie. Elle avait cessé de se balancer. Elle semblait pétrifiée, elle aussi. En la voyant, il songea aux cadavres exhumés des ruines de Pompéi, ensevelis pour l'éternité dans un moment d'horreur.

Armand ne pouvait rien pour eux. Il fit donc quelque chose pour lui. Il prit la main de Laurent dans les siennes, tenta inconsciemment de la réchauffer. Il resta avec eux jusqu'à l'arrivée de l'ambulance. Elle rappliqua vite dans un hurlement de sirène. Et repartit lentement. En silence.

Un peu plus tard, Armand et Reine-Marie tirèrent les rideaux de leur maison pour empêcher le soleil d'entrer. Ils débranchèrent le téléphone. Ils retirèrent délicatement les toques du pelage d'Henri, qui les laissa faire, patient. Puis, dans le noir et le calme de leur foyer, ils s'assirent et ils pleurèrent.

– Je suis désolé, patron, dit Jean-Guy. Je sais que vous étiez très attaché à ce garçon.

– Tu n'étais pas obligé de te déplacer, dit Gamache en pivotant pour entrer dans la maison. Nous aurions pu nous parler au téléphone.

– J'ai préféré vous apporter ceci plutôt que de vous l'envoyer par courriel.

Gamache regarda ce que Jean-Guy tenait à la main.

– Merci, dit-il.

Jean-Guy posa la chemise en papier kraft sur la table basse à côté du canapé.

– La Sûreté a conclu à un accident. Laurent rentrait chez lui à bicyclette et, dans la côte, la roue avant s'est enfoncée dans une ornière. Vous savez de quoi elle a l'air, cette route. On pense qu'il roulait à vive allure et que, sous la force de l'impact, il a été projeté par-dessus le guidon et a fini sa course dans le fossé. Je ne sais pas si vous avez vu les rochers tout près.

Gamache hocha la tête et passa sa grande main sur son visage dans l'espoir de chasser la lassitude. Reine-Marie et lui avaient dormi pendant quelques heures à peine et avaient été tirés du sommeil par le martèlement de la pluie sur les carreaux.

L'après-midi tirait à sa fin, et Jean-Guy était venu de Montréal pour apporter le rapport préliminaire sur les circonstances de la mort de Laurent.

– Oui, je les ai vus. La police n'a pas perdu de temps, dit Gamache en chaussant ses lunettes et en ouvrant la chemise.

– Ce ne sont que des données préliminaires, dit Jean-Guy en venant s'asseoir à côté de lui sur le canapé.

Dehors, il tombait des cordes. Une pluie glaciale qui s'insinuait dans les os. Un feu brûlait dans la cheminée ; sous les bûches, les braises crépitaient et craquaient. Mais les hommes, leurs têtes rapprochées, étaient indifférents à cette gaieté pourtant toute proche.

– Ici, fit Jean-Guy en se penchant pour indiquer une ligne du rapport de police. D'après la médecin légiste, il est mort en touchant le sol. Il n'est pas…

Resté allongé là, en proie à d'atroces souffrances. Tandis que la noirceur descendait. Le froid aussi.

Au moins, Laurent, neuf ans, n'était pas mort dans la terreur en se demandant où était tout le monde.

Jean-Guy vit Gamache hocher sèchement la tête, ses lèvres se pincer. À vrai dire, les événements offraient peu de réconfort. Il prendrait ce qu'il pouvait. Au même titre qu'Al et Evie, avec le temps. La seule chose pire que de perdre un enfant, c'est de penser qu'il a souffert.

– Ses blessures vont dans le sens des observations de la police, dit Jean-Guy en se calant dans le canapé pour regarder son beau-père en face. Qu'est-ce qui vous laisse croire qu'il pourrait y avoir anguille sous roche ?

Gamache poursuivit sa lecture, puis leva les yeux au-dessus de ses lunettes de lecture en demi-lune.

– Qu'est-ce qui te laisse croire que j'ai de tels soupçons ?

Jean-Guy esquissa un mince sourire et désigna le rapport d'un geste de la tête.

– Votre visage pendant que vous lisiez. Vous cherchez des indices. J'ai passé vingt ans en face de vous, patron. Je la connais, cette expression. Pourquoi pensez-vous que j'aie tenu à être présent pendant que vous en preniez connaissance ?

Jean-Guy tapota le rapport.

– Je l'aimais bien, moi aussi, ce garçon, vous savez. C'était un drôle de petit bonhomme.

Il vit Gamache hocher la tête et sourire.

– Tu as raison, admit Gamache. Je me suis dit que quelque chose clochait dès que nous l'avons trouvé. Toutes sortes de petits détails. Et un truc énorme. Les enfants passent leur vie à tomber à vélo. Tu n'as pas idée du nombre de fois où Annie est tombée tête première. D'ailleurs, seuls des coups répétés sur le crâne peuvent expliquer son attirance pour toi.

– Merci.

– Sauf qu'un nombre étonnamment limité d'entre eux en meurt. La plupart du temps, Laurent portait un casque. Pourquoi pas hier ? Il l'avait avec lui. Attaché au guidon de sa bicyclette.

– Laurent portait sans doute son casque à son départ de chez lui et à son arrivée à destination. Mais, entre-temps, pendant que personne ne le voyait, il l'a ôté. Comme la plupart des enfants. Moi-même, en plein hiver, j'avais l'habitude de retirer ma tuque dès que ma mère ne pouvait plus me voir. J'aimais mieux me geler le coco que d'avoir l'air idiot. Ne dites rien, surtout, dit Jean-Guy, pressentant la repartie.

Gamache secoua la tête.

– Ça ne colle pas, Jean-Guy. Quelque chose cloche. La trajectoire, la distance qu'il a parcourue. La distance franchie par son vélo…

– … tout est expliqué ici.

– Dans un rapport produit à la va-vite. Et c'est sans parler de la position du vélo et du cadavre de Laurent.

Jean-Guy prit les photos du rapport de police et les étudia avant de les tendre à Armand, qui les remit dans le dossier.

Il avait vu ce visage, ce corps, toute la journée. Ils étaient gravés dans sa mémoire. Inutile de recommencer.

– On dirait qu'ils ont été lancés à cet endroit, dit Gamache.

– Oui. Quand la roue s'est enfoncée dans une ornière, répondit Jean-Guy en s'efforçant d'être patient.

– Dans ma vie, j'ai enquêté sur assez d'accidents, Jean-Guy, pour savoir que ceci n'en est pas un.

– Mais oui, patron. Pour tout le monde, sauf vous.

Il avait parlé gentiment, mais avec fermeté. Gamache retira ses lunettes et étudia Beauvoir.

– Tu penses que je préfère qu'il ne s'agisse pas d'un simple accident ? demanda-t-il.

– Non. Mais je pense que notre imagination nous joue parfois des tours. Résultat d'un mélange de chagrin, d'épuisement et de culpabilité.

– De culpabilité ?

– D'accord, peut-être pas de culpabilité, mais je pense que vous vous sentiez responsable de ce garçon. Vous l'aimiez bien et lui vous admirait. Et quand un truc comme celui-ci se produit...

Beauvoir désigna les photos d'un geste.

– Je comprends, patron. Vous voulez faire quelque chose, mais il n'y a rien à faire.

– Et c'est pour cette raison que j'invente un meurtre ?

– Vous soulevez des questions, répondit Jean-Guy en s'efforçant de désamorcer une situation étonnamment tendue. C'est tout. Sauf que les conclusions ne laissent pas beaucoup de place au doute.

– C'est trop préliminaire, trancha Gamache en fermant et en repoussant le dossier. Les enquêteurs ont sauté aux conclusions parce que c'est la solution de facilité. Ils doivent creuser davantage.

– Pourquoi ? demanda Jean-Guy.

– Parce que je dois être sûr. Ils doivent être sûrs.

– Non, ce n'est pas ce que je voulais dire. Mettons, pour les besoins de la démonstration, que ce n'était pas un accident.

C'était un enfant. Il n'a pas été agressé sexuellement. Il n'a pas été torturé. Dieu merci. Pourquoi le tuer ?

– Je ne sais pas.

Gamache évita de regarder la liasse toute sale qui reposait sur la table près de la porte, où elle se trouvait depuis qu'il l'avait exhumée. Mais il sentait la présence de ces pages. La présence de John Fleming qui, tapi là, tendait l'oreille, observait.

– Parfois, il y a un mobile ; parfois, c'est juste un coup de malchance, dit-il. Le meurtrier a une intention et la victime est choisie au hasard.

– Vous pensez que c'est un tueur en série qui a supprimé Laurent ? demanda Jean-Guy, franchement incrédule à présent. Un meurtrier ordinaire n'est pas suffisant ?

– Suffisant ? répéta Gamache en fusillant son cadet du regard. Que veux-tu dire ?

Sa voix, d'abord explosive, descendit de registre jusqu'à ne plus être qu'un dangereux murmure. Puis il se ressaisit.

– Désolé, Jean-Guy. Je sais que tu cherches à te rendre utile. Je n'invente rien. Je ne sais pas du tout pourquoi quelqu'un aurait décidé de tuer Laurent. Tout ce que je dis, c'est que je ne suis pas convaincu qu'il s'agisse d'un simple accident. C'est peut-être un délit de fuite. Mais quelque chose cloche.

Gamache rouvrit le dossier. La liste des objets retrouvés dans la poche de Laurent. Une petite pierre traversée par une ligne de pyrite. L'or des fous. Une tablette de chocolat. Brisée. Des éclats de pomme de pin, de la terre et un biscuit pour chien.

Puis Gamache examina la section du rapport consacrée aux mains de l'enfant. Elles étaient sales, égratignées. La médecin légiste avait trouvé de la résine de pin et des fragments de matière végétale sous ses ongles. Pas de chair. Ni de sang.

Pas de lutte, donc. S'il avait été assassiné, Laurent n'avait eu aucune chance de se défendre. Cette idée réconforta Gamache. Dans les dernières heures, les dernières minutes de sa vie, le garçon s'était occupé à des choses de garçon. Au lieu de lutter pour sa vie, il en avait profité. Jusqu'à la toute fin.

Gamache leva ses yeux bruns sur Jean-Guy.

– Tu veux bien fouiller un peu ?

– Bien sûr, patron. Je serai de retour pour les funérailles. J'essaierai d'avoir des réponses définitives d'ici là.

Beauvoir se demandait par où commencer. Les pistes étaient limitées. Quand un enfant meurt, où cherche-t-on en premier ?

– Vous avez dit que son père refusait de le regarder, de regarder son cadavre. Serait-il possible que…

Gamache prit un moment pour réfléchir. Il se souvint du visage buriné et meurtri d'Al Lepage. Tournant le dos à son fils mort et à sa femme qui hurlait.

– C'est possible.

– Mais ?

– S'il avait tué Laurent dans un accès de rage, il aurait tenté de le cacher. Ç'aurait été plus simple, je pense. Il n'aurait eu qu'à l'enterrer quelque part. Ou à l'emmener loin dans les bois. Et à laisser la nature faire son œuvre. S'il s'agit d'un meurtre, on s'est plutôt donné du mal pour faire croire à un accident.

– Ça s'est vu, évidemment, acquiesça Jean-Guy. La meilleure façon d'éliminer quelqu'un en toute impunité, c'est de cacher le fait qu'un meurtre a été commis.

Ils étaient entrés dans la cuisine, où ils se servirent du café avant de s'asseoir à la table en pin, les mains refermées sur leur tasse respective.

Beauvoir regrettait cette époque. Les heures et les heures passées en compagnie de l'inspecteur-chef Gamache. À éplucher les preuves, à parler aux suspects. À parler des suspects. À comparer leurs impressions. Assis face à face dans des casse-croûte, des voitures ou dans des chambres d'hôtel miteuses. À passer une affaire au peigne fin.

En cet instant, l'inspecteur Beauvoir, assis à la table de la cuisine à Three Pines, se demanda si, en acceptant d'examiner une affaire qui, presque à coup sûr, n'existait que dans l'imagination de Gamache, il cherchait surtout à obliger le chef. Peut-être aussi le faisait-il pour son propre plaisir.

– Si c'est un meurtre, pourquoi l'assassin n'a-t-il pas enterré le cadavre dans la forêt, justement ? Il aurait été pratiquement impossible de le retrouver. Et, comme vous l'avez vous-même laissé entendre, les loups et les ours…

Gamache hocha la tête.

Il jeta un coup d'œil à Jean-Guy. Son cadet, les sourcils froncés, réfléchissait. Suivait le fil d'un raisonnement. Combien de fois, se demanda Gamache, avaient-ils tenté ensemble – dans des villages de pêcheurs, des champs cultivés, des cabanes ensevelies sous la neige en pleine nature – de démêler l'écheveau complexe d'une affaire ? De débusquer un meurtrier qui tentait désespérément de rester dans l'ombre ?

Cet aspect du travail lui manquait.

Était-ce ce qui le motivait, dans ce cas-ci ? Avait-il transformé la mort tragique d'un petit garçon en meurtre pour des raisons purement égoïstes ? Forçait-il Jean-Guy à voir des choses inexistantes ? Parce qu'il s'ennuyait ? Parce que son statut de grand inspecteur-chef lui manquait ?

Parce que les applaudissements lui manquaient ?

Pourtant, Jean-Guy avait soulevé une question pertinente. Pourquoi l'assassin de Laurent, à supposer qu'il existe, ne s'était-il pas contenté d'enfouir le cadavre au plus profond de la forêt, dense et impénétrable ? Pourquoi se donner tant de mal pour faire croire à un accident ?

Il y avait une seule réponse possible.

– Il voulait qu'on trouve Laurent, dit Jean-Guy avant que Gamache ait eu le temps de parler. Si Laurent avait disparu, nous l'aurions cherché. Nous aurions mis toute la région sens dessus dessous.

– Et nous aurions peut-être trouvé une chose que le meurtrier voulait nous cacher, dit Gamache.

– Mais quoi ? demanda Jean-Guy.

– Quoi ? répéta Gamache.

En rentrant, une heure plus tard, Reine-Marie, qui avait fait un saut chez Clara, les trouva tous deux dans la cuisine, le regard perdu dans le vide.

Elle comprit tout de suite.

Les funérailles de Laurent Lepage se tinrent deux jours plus tard.

La pluie avait cessé, le ciel s'était découvert et, sous le soleil, il faisait étonnamment chaud pour septembre.

Le pasteur, qui semblait ne pas connaître les Lepage, fit de son mieux. Il évoqua la gentillesse de Laurent, sa douceur, son innocence.

– Qui enterrons-nous, au juste ? demanda Gabri au moment où les fidèles s'agenouillaient une fois de plus pour prier.

Le pasteur invita le père de Laurent à s'avancer. Al s'exécuta, vêtu d'un costume noir mal ajusté, ses cheveux tirés vers l'arrière, sa barbe bien peignée. Sa guitare à la main, il prit place sur la chaise qu'on avait prévue pour lui.

La guitare était posée sur sa cuisse, prête à jouer. Mais Al resta là, immobile, à contempler les parents et amis venus pleurer son fils. Il était paralysé. Et puis, avec l'aide d'Evie, il revint à sa place sur le premier banc.

L'inhumation, dans le cimetière qui dominait Three Pines, se déroula en privé. Seuls y assistèrent Evelyn et Al Lepage, le pasteur et les préposés du salon funéraire.

Dans le sous-sol de l'église, les professeurs de Laurent, ses camarades de classe et des enfants du village picoraient le buffet.

– Je peux vous dire un mot, patron ? demanda Jean-Guy.

– Qu'est-ce qu'il y a ? fit Armand pendant que Jean-Guy et lui se rangeaient un peu à l'écart.

– Nous avons revu le dossier de A à Z. Rien ne laisse croire qu'il puisse s'agir d'autre chose qu'un accident.

Beauvoir étudia l'homme imposant devant lui, essaya de déchiffrer l'expression de son visage. Du soulagement, peut-être ? Oui. Mais aussi autre chose.

– Vous restez troublé, constata Jean-Guy. Je peux vous faire voir nos conclusions.

– Pas la peine, dit Gamache. Merci. C'est très aimable.

– Vous êtes convaincu ?

Gamache hocha lentement la tête.

– Oui.

Puis il fit une chose que n'attendait pas Beauvoir. Il sourit.

– On dirait bien que Laurent n'était pas le seul à avoir une vive imagination. À voir des choses inexistantes…

– Vous n'allez tout de même pas signaler une invasion d'extraterrestres ?

– Maintenant que tu m'y fais penser…

Gamache indiqua le buffet d'un geste de la tête et Beauvoir sourit.

Ruth versait le contenu d'une flasque dans son verre de punch en carton.

– Merci, Jean-Guy. Je suis très reconnaissant.

– Remerciez plutôt Lacoste. Elle a approuvé la démarche et y a même affecté une équipe. Le garçon est mort des suites d'un accident, patron. Il est tombé de vélo.

Une fois de plus, Gamache hocha la tête. Ils partirent retrouver les autres et, au passage, croisèrent Antoinette et Brian.

Brian dit bonjour, mais Antoinette se détourna.

– Toujours fâchée, à ce que je vois, dit Jean-Guy.

– Et ça ne fait que s'aggraver.

– De quoi parliez-vous, tous les deux ? demanda Reine-Marie lorsque Armand et Jean-Guy arrivèrent à sa hauteur.

– D'Antoinette, répondit Jean-Guy.

– Elle m'a regardée avec haine, dit Myrna.

– Pareil pour moi, renchérit Gabri en s'avançant avec une assiette où trônait une énorme part de tarte aux pommes.

Dans celle d'Olivier, il y avait de la salade de quinoa et de pomme avec de la coriandre.

– La pièce bat de l'aile ? demanda Jean-Guy.

– En apprenant l'identité de l'auteur, la plupart des autres acteurs se sont retirés, eux aussi, expliqua Gabri. Je pense qu'Antoinette a été sincèrement étonnée par cette réaction.

Myrna observait Antoinette en secouant la tête.

– Elle semble incapable de comprendre le malaise des gens.

– Le spectacle est donc annulé ? fit Jean-Guy.

– Non, dit Clara. Justement. Elle s'y refuse. Je pense que Brian va finir par jouer tous les rôles. Elle s'obstine à ne pas voir la réalité en face.

– C'est contagieux, on dirait, laissa tomber Armand.

– Vous faites allusion à Laurent ? demanda Olivier. En voilà un qui avait compris que la réalité est insaisissable.

– Vous vous rappelez la fois où il a dit avoir vu un dinosaure dans l'étang ? demanda Gabri en riant.

– Tu as failli le croire, dit Olivier.

– Ou la fois où il a prétendu que les trois pins se promenaient dans le village ? demanda Myrna.

– Ils n'arrêtent pas de le faire, affirma Ruth en se faufilant entre Olivier et Gabri.

– Ils carburent au gin, dit Clara. Ils ne sont pas les seuls.

– Ça me fait penser qu'il n'y a plus de gin. Quelqu'un a dû le boire. Va en chercher, ordonna Ruth à Myrna.

– Va donc…

– On est à l'église, là, lança Clara.

– Aux funérailles d'un enfant, rappela Olivier à Ruth. Il n'y a pas d'alcool.

– S'il y a un bon moment pour boire, c'est bien celui-ci, dit Ruth.

Elle tenait Rose un peu comme Evelyn Lepage avait tenu Laurent. Serrée contre sa poitrine. Pour la protéger.

– C'était un petit garçon étrange, ajouta-t-elle. Il me plaisait bien.

On eut alors droit à la véritable oraison funèbre de Laurent Lepage. À des récits de ses récits. Du drôle de petit bonhomme qui, partout où il allait, semait la pagaïe avec son bâton. Engendrait le chaos et inventait des monstres et des extraterrestres et des canons et des bombes et des arbres qui marchaient.

Tel était le garçon qu'ils avaient mis en terre.

– Combien de fois avons-nous vu Laurent caché derrière le banc du parc du village, occupé à repousser des envahisseurs avec son « fusil » ? demanda Clara.

Ils étaient sortis de l'église et marchaient sur la route de terre sinueuse qui descendait vers le village.

– Ou à lancer des pommes de pin comme si c'étaient des grenades, ajouta Gabri.

– *Ra-ta-ta-ta-ta,* fit Olivier en épaulant une mitraillette imaginaire et en imitant le bruit que faisait Laurent lors de ses engagements avec l'ennemi.

Clara jeta une grenade imaginaire qui fit *baoum* en explosant.

– Il était toujours prêt à défendre le village, dit Reine-Marie.

– C'est vrai, confirma Olivier.

Gamache se souvint des éclats de pomme de pin qu'on avait retrouvés dans la poche de Laurent. Il avait pour mission de sauver le monde. Armé jusqu'aux dents. Quand il était mort.

– En fait, j'ai cru que sa mort n'était pas accidentelle, confia Armand à Myrna, tandis que les autres marchaient devant dans le parc. J'ai songé à un meurtre.

Myrna, s'arrêtant, le dévisagea.

– Ah bon ? Pourquoi ?

Ils s'assirent sur le banc sous le soleil de l'après-midi.

– Je me pose la même question. Se pourrait-il que je côtoie des meurtriers depuis si longtemps que je vois des crimes là où il n'y en a pas ?

– Que vous inventiez des monstres ? demanda Myrna. Comme Laurent ?

– Oui. Jean-Guy pense qu'une partie de moi souhaite que ce soit l'œuvre d'un meurtrier. Question de me divertir.

– Je suis certaine qu'il n'a pas présenté les choses de cette façon.

– Non. C'est ma façon à moi de les présenter.

– Et que répondez-vous à votre question ?

– Cette théorie n'est pas dénuée de fondement, je suppose. Je ne m'ennuie pas, ça non, et les homicides ne m'amusent pas. Ils me font horreur, en fait. Mais…

– Je vous écoute.

– La semaine dernière, Thérèse Brunel est venue me voir et m'a proposé le poste de directeur des sections chargées des crimes graves et des homicides.

Myrna haussa les sourcils.

– Et ?

– La vérité, c'est que je ne me suis jamais senti aussi en paix, aussi chez moi qu'en ce moment. Je n'ai pas du tout envie de reprendre du service. Mais je m'y sens obligé.

Myrna rit.

– Je vous comprends parfaitement. Quand j'ai renoncé à être psychologue, je me suis sentie coupable. Mais ce n'est plus la génération de nos parents, Armand. De nos jours, les vies comportent plusieurs chapitres. Quand j'ai cessé de prendre des patients en thérapie, je me suis posé une seule question. Qu'est-ce que j'ai vraiment envie de faire ? Pas pour mes amis ni pour les membres de ma famille. Pas pour de parfaits inconnus. Seulement pour moi. Enfin. Mon tour, mon moment privilégié. C'est maintenant le vôtre, Armand. Le vôtre et celui de Reine-Marie. De quoi avez-vous vraiment envie ?

Il entendit le bruit que faisaient les pommes de pin en tombant et se retint de chercher du regard le drôle de petit bonhomme qui avait lancé les « grenades ». *Baoum !*

Puis une autre heurta le sol. Et encore une autre. On aurait dit que les trois énormes pins interpellaient la terre. Lui enjoignaient d'accueillir Laurent. L'enfant magique qui leur avait permis de marcher.

Armand ferma les yeux et respira le parfum de l'herbe fraîchement coupée, sentit le soleil sur son visage tendu vers le ciel.

« Qu'est-ce que je veux ? » se demanda-t-il.

Il entendit, portées par la brise, les premières notes timides. *Harvest* de Neil Young. Armand leva les yeux sur le petit cimetière au sommet de la colline. La silhouette d'un homme imposant, tenant une guitare, se découpait contre le ciel bleu clair de l'après-midi.

Les mots dévalèrent la côte… *and there's so much more.*

7

– Vous voici, fit Olivier au moment où Gabri et lui prenaient place à la table des Gamache au bistro. Nous vous cherchions.

– Pas avec beaucoup de conviction, répondit Reine-Marie. Où auriez-vous voulu que nous soyons ?

– Chez vous ? risqua Gabri.

– Nous ne sommes pas chez nous, ici ? chuchota Gamache à l'oreille de Reine-Marie.

– Mais oui, mon beau, fit-elle en tapotant la cuisse de son mari d'un air rassurant.

Ils étaient toujours habillés pour les funérailles. Reine-Marie portait une robe bleu marine et Armand un costume foncé, une chemise blanche et une cravate. Du classique, du sobre.

Ils n'étaient pas encore prêts à enlever ces vêtements. C'était comme si, en se changeant, ils allaient se départir de leur chagrin et laisser Laurent derrière.

Olivier et Gabri devaient sentir la même chose. Ils arboraient toujours leur costume foncé et leur cravate.

Olivier fit signe à un serveur et deux bières et un bol de noix mélangées apparurent comme par magie.

Gabri et Olivier sirotèrent leurs bières en s'épiant réciproquement, comme si chacun voulait pousser l'autre à parler.

– Vous nous cherchiez pour une raison particulière ? demanda enfin Armand.

– Vas-y, dit Gabri.

– Non, vas-y, toi, dit Olivier.

– C'était ton idée, dit Gabri.

– Que l'un de vous lâche le morceau, je vous en prie, dit Armand en promenant son regard de l'un à l'autre.

Il n'était vraiment pas d'humeur à jouer aux devinettes.

– Un détail insignifiant, dit Olivier.

– Une broutille, renchérit Gabri. Nous nous posons la question, c'est tout.

Gamache écarquilla les yeux pour les inviter à plus de précision.

– C'est le bâton, se décida enfin à dire Olivier.

– Le bâton de Laurent, précisa Gabri.

Ils regardèrent fixement Gamache. Devant l'incompréhension manifeste de celui-ci, Olivier se lança.

– Pendant la réception, nous avons parlé de Laurent. Tous, nous nous souvenons de lui avec ce bâton.

– Son fusil, confirma Reine-Marie.

– Son fusil, son épée, sa baguette magique, acquiesça Olivier. Combien de fois l'avons-nous vu dévaler la pente à vélo et entrer dans Three Pines en brandissant ce bâton devant lui comme un chevalier sa lance ?

– Une véritable terreur, dit Gabri en souriant au souvenir du garçon intrépide et redoutable qui chargeait à fond de train Dieu seul savait quoi, résolu à sauver le village et les villageois.

Les Gamache regardaient Olivier et Gabri dans l'attente de la suite.

– Il n'allait nulle part sans ce bâton, dit Gabri. Nous nous sommes dit qu'Al et Evie aimeraient peut-être le récupérer.

– Oui, c'est juste, fit Armand. Vous avez sûrement raison.

Il s'en voulait de ne pas y avoir pensé, mais se réjouit de la présence d'esprit d'Olivier et Gabri.

– La police a dû le prendre, conjectura Olivier. Vous avez une idée du moment où elle en aura fini ? Pouvons-nous le récupérer dès maintenant ?

Armand ouvrit la bouche pour dire que la police avait sans doute déjà rendu toutes les possessions de Laurent, mais il se ravisa. Et réfléchit, essaya de se remémorer le rapport de la Sûreté. Il n'avait rien lu au sujet d'un bâton. Les enquêteurs, à supposer qu'ils l'aient vu, ne l'auraient probablement pas ramassé. À leurs yeux, il se serait agi d'une branche comme une autre.

Il interrogea aussi ses souvenirs de la scène.

La colline, le gravier, l'herbe haute, la bicyclette avec le casque encore accroché au guidon. Il eut beau sonder les moindres recoins de sa mémoire, il ne vit pas de bâton. Pas de branche. Qu'un fossé et de l'herbe et les lamentations d'une mère et un enfant froid.

Il se leva.

– La police ne l'a pas ramassé. Il faut qu'on retourne sur place. Allons nous changer et retrouvons-nous ici.

Vingt minutes plus tard, ils s'entassèrent dans la voiture des Gamache, en pantalon, chandail, blouson et bottes de caoutchouc. Ils se laissèrent glisser le long du talus, tous les quatre, et entreprirent les recherches.

Le bâton de Laurent n'était nulle part.

Ni dans le fossé. Ni au bord de la route de terre. Ni dans les herbes hautes, ni dans le cercle d'herbes aplaties, ni à l'orée de la forêt.

Armand monta jusqu'au sommet de la colline et imagina Laurent la dévaler sur sa bicyclette. Il reconstitua les derniers instants du petit garçon.

Plus bas, toujours plus bas. Laurent aurait pris de la vitesse, ses jambes pompant furieusement, le bâton presque certainement pointé devant lui. Telle une lance brandie pour un assaut héroïque.

Et puis il était arrivé quelque chose. Il avait frappé une ornière, un trou ou une bosse. Ce que les vieux anglophones des Cantons-de-l'Est appelaient un *cahoo*. Un cahot.

Armand se campa devant un suspect possible, un nid-de-poule. Laurent avait-il eu peur en décollant ? Gamache en doutait. Sans doute avait-il été ivre d'excitation. Peut-être même avait-il crié « Caaaaa-hooot ! ».

Il était parti en vol plané. Et puis son vol s'était interrompu.

« Traumatisme contondant », avait-on écrit dans le rapport. L'autopsie, en revanche, ne pouvait pas rendre compte du traumatisme persistant subi par ceux qui aimaient l'enfant.

Dans le nid-de-poule, Armand se hissa sur la pointe des pieds et étira les bras devant lui. Mimant un décollage. Il s'imagina voler dans les airs. Monter, monter, avant de redescendre. Dans le fossé.

Et où le bâton avait-il atterri, lui ? Peut-être assez loin de Laurent. Libéré par sa petite main, il avait fendu l'air, à la façon d'un javelot.

Reine-Marie, Olivier et Gabri imitèrent les actions d'Armand et cherchèrent dans les endroits les plus probables. Et puis dans les endroits les plus improbables.

– Toujours rien, dit Reine-Marie.

Levant les yeux, elle constata que son mari n'était plus avec elle. Il examinait le sol à l'endroit où s'était achevée la course de Laurent. Puis il dirigea de nouveau son regard vers le haut de la colline.

– Tu as trouvé quelque chose ? demanda Olivier.

– Non, répondit Gabri en s'approchant des bois. Que de l'herbe et de la vase.

Il souleva sa botte et on entendit un bruit de succion, comme si le sol ne l'avait libéré qu'à contrecœur.

De retour sur la route, Armand s'éloignait de la colline. Reine-Marie, avec Gabri et Olivier sur les talons, le rattrapa.

– Pas de bâton ? demanda-t-il.

Ils secouèrent la tête.

– Al et Evie l'ont peut-être trouvé, risqua Olivier.

Ils en doutaient. Les parents de Laurent n'étaient pas en état de trouver quoi que ce soit.

– Il l'a peut-être perdu, dit Gabri.

Ils savaient pourtant que Laurent ne l'aurait lâché que s'il avait perdu sa main. Pour lui, c'était beaucoup plus qu'un bâton.

Al Lepage sortit de la grange en entendant le bruit de la voiture. Ayant remis ses vêtements de travail, il s'essuyait les mains.

– Armand.

– Al.

Les hommes se serrèrent la main, tandis que Reine-Marie fit un rapide câlin à Al.

– Evie est là ? Je lui ai apporté un petit plat.

D'un geste, Al désigna la maison. Après le départ de Reine-Marie, il se tourna vers Gamache.

– C'est une visite amicale ?

– Non, pas vraiment.

Avant de rouler jusqu'à la ferme, les Gamache avaient fait un crochet par Three Pines pour déposer Gabri et Olivier. À présent, Armand contemplait l'homme d'âge mûr devant lui. Al Lepage faisait penser à un sac en papier kraft qu'on froisse avant de le jeter à la poubelle. Pour la première fois, Armand étudia son visage et remarqua, au lieu de la barbe et du visage buriné, les yeux d'un bleu profond, en forme d'amande. Les yeux de Laurent. Et le nez de l'homme. Fin et légèrement trop long pour son visage. Le nez de Laurent.

– J'ai une question.

Al désigna une auge. Les deux hommes s'assirent côte à côte.

– Vous avez le bâton de Laurent ?

De toute évidence, Al soupçonna son interlocuteur d'avoir perdu la raison.

– Son bâton ?

– Il ne s'en séparait jamais. Pourtant, nous n'avons pas réussi à le trouver. Nous nous demandions si vous l'aviez.

Al sembla mettre une éternité à répondre. Armand pria silencieusement pour l'entendre dire « Oui. Oui, je l'ai ». Ensuite, Armand et Reine-Marie pourraient rentrer chez eux et entreprendre un long processus : se souvenir du garçon vivant et laisser aller le garçon mort.

– Non.

L'homme ne regarda pas Armand dans les yeux. Il en était incapable. Il regardait plutôt droit devant lui, ses yeux en forme d'amande durcis par les efforts qu'ils déployaient pour ne pas montrer de faiblesse. Cependant, ses lèvres tremblèrent et son menton se plissa.

– Ce serait bien de le ravoir, parvint-il enfin à dire.

– Nous allons tenter de le retrouver.

– C'est moi qui l'ai fait pour son anniversaire.

– Oui.

– J'y ai travaillé pendant des soirs et des soirs, après son coucher. Il voulait un iPhone.

– Mais non, dit Armand.

– Il a neuf ans.

Gamache hocha la tête.

– Neuf ans, murmura Lepage.

Et les deux hommes regardèrent au loin, dans des directions différentes. Le père de Laurent perdu dans un monde où des garçons de neuf ans meurent dans des accidents, Gamache perdu dans un monde où se produisent des choses bien plus terribles.

– Il devrait être là-bas, dit enfin Al. À l'endroit où nous l'avons trouvé. Sinon, ce sont les policiers qui l'ont pris.

– Non. Nous avons regardé sur les lieux. Et la police ne l'a pas non plus. S'il n'est pas ici et qu'il n'est pas là où on a trouvé Laurent, où est-il ?

– Pourquoi ?

Gamache n'hésita pas. Il savait qu'il n'y avait pas de bon moment pour ce genre de révélation.

– Laurent a peut-être été tué ailleurs et déposé dans ce fossé seulement après coup.

La bouche d'Al esquissa un mot. « Pourquoi », peut-être. Ou encore « Quoi ». Mais il mourut sur ses lèvres. Et Gamache vit le père de Laurent vider sa maison, emballer toutes ses affaires et partir. Vers cet autre monde. Un monde où des garçons de neuf ans sont tués. Un monde où des garçons de neuf ans sont assassinés.

Armand Gamache était le déménageur, le passeur qui l'y avait conduit.

Une fois de l'autre côté, plus moyen de revenir en arrière.

– Un bâton, patron ?

À l'autre bout du fil, la voix de Jean-Guy Beauvoir était devenue stridente.

– Oui, répondit Gamache.

Par la fenêtre du salon, il regardait, au-delà de la galerie, le parc du village. Assises sur le banc, Clara et Myrna bavardaient avec M. Béliveau.

– Vous voulez que j'aille voir l'inspectrice-chef Lacoste pour lui dire que nous devons rouvrir l'enquête sur la mort de Laurent Lepage – enquête que nous avons menée uniquement à titre de faveur personnelle pour vous – à cause d'un bâton manquant ?

Armand Gamache comprenait désormais comment Laurent devait se sentir lorsqu'il tentait de convaincre quelqu'un qu'il avait vu un monstre. Gamache n'avait pas encore vu le monstre, mais il le savait là, quelque part. Il ne lui restait qu'à convaincre les autres de son existence.

– Je me rends bien compte que ça peut paraître ridicule, Jean-Guy.

– Je n'en suis pas certain, patron. Sinon, vous n'insisteriez pas.

– Fais-le, je t'en prie.

– Mais quoi, au juste ? Nous avons déjà mené une enquête approfondie. C'était un accident.

– Non, c'est faux, répondit Gamache d'une voix bourrue. Et il n'y a pas que le bâton. Nous nous sommes rendus sur place, hier, et nous avons fouillé partout. Un autre détail m'a frappé. La position de son corps. S'il dévalait la colline à vélo et que sa roue a heurté une bosse – comme nous l'avons supposé –, il aurait décollé tête première, non ?

– Exactement. Et il s'est cogné la tête. Excusez-moi, patron, mais où voulez-vous en venir, au juste ?

– Il pointait dans la mauvaise direction, Jean-Guy. Les photos de la police le prouvent.

– Quoi ?

Gamache entendit Jean-Guy s'affairer et taper sur le clavier de son ordinateur pour récupérer le dossier et les photos.

Silence.

– Tabarnac, fit-il enfin en exhalant le mot comme un soupir. Vous êtes sûr ?

– Va sur place et tu comprendras aussitôt. Quand il est tombé, Laurent ne pouvait pas descendre la côte.

– Et l'autre direction ?

– La route est plate comme la main. Il aurait pu tomber à cause d'une pierre ou d'un nid-de-poule, mais il se serait écorché le genou ou, au pire, cassé le bras. Il n'aurait jamais pu atterrir si loin.

– Doux Jésus. Il y a peut-être du vrai dans ce que vous dites. Mais où est-ce que ça nous mène ?

– Le meurtrier, s'il s'agit d'un meurtre, a commis une très grosse erreur. Il a déplacé le corps, mais pas le bâton. Si nous retrouvons le bâton, nous saurons peut-être où Laurent a été tué.

– Et qui a fait le coup, ajouta Jean-Guy. Mais même si c'était vrai, comment diable allons-nous retrouver un bâton dans la forêt ?

Par la fenêtre, Gamache laissa son regard porter au-delà du parc, au-delà des vieilles maisons. Jusqu'aux bois. Jusqu'à la forêt. Elle irradiait sur des centaines de kilomètres carrés à partir du village. Des millions de bâtons jonchaient le sol.

Sauf que Laurent avait neuf ans et que les garçons de neuf ans, même à vélo, ne parcourent pas des centaines de kilomètres carrés. Et ils ne s'enfoncent pas trop profondément dans la forêt.

S'il avait été assassiné, c'était tout près.

– Lorsque Laurent a déboulé dans le village, l'autre jour, tu jouais au soccer dans le parc du village, n'est-ce pas ?

– Exact, confirma Jean-Guy.

– Par où est-il arrivé ?

– Il a longé l'ancienne gare, répondit Beauvoir.

– En passant par le pont, confirma Gamache. Je me souviens de l'avoir entendu en parler. Nous allons commencer par là.

– Pourquoi par là ?

– L'autre jour, tu m'as demandé ce qui aurait pu pousser quelqu'un à tuer un enfant de neuf ans, dit Armand. Et je peux songer à seulement deux raisons. Pour rien ou pour le simple plaisir, si nous avons affaire à un psychopathe. Ou pour un motif particulier.

– D'accord, concéda Jean-Guy, mais je vous repose la question. Quel motif ?

– Pense à Laurent, dit Armand. Que faisait-il ? Il inventait des histoires. Toutes sortes d'histoires. Elles étaient le fruit de son imagination. Selon Myrna, il avait besoin d'attention. Comme le garçon qui criait au loup. Mais ce garçon a fini par dire la vérité. Et si c'était pareil pour Laurent ?

– L'invasion des extraterrestres ?

– Le canon.

– Avec le monstre dessus ? demanda Jean-Guy.

Gamache soupira.

– Il avait une propension à exagérer, admit-il. Et c'est là qu'il nous a perdus. S'il s'en était tenu à l'histoire du canon…

– … celui qui était plus gros qu'une maison ?

– … nous l'aurions peut-être pris au sérieux. En l'occurrence, personne ne l'a écouté. Il m'a supplié de l'accompagner et je n'ai même pas envisagé cette possibilité, dit Gamache. Si j'étais allé là-bas avec lui…

Sa voix s'estompa. Depuis le début de la journée, ce constat s'imposait à lui avec de plus en plus de force, mais c'était la première fois qu'il le verbalisait.

– J'arrive, dit Jean-Guy.

– Pas la peine. J'ai déjà mobilisé quelques personnes, dit Armand. Ça risque de prendre du temps. Nous n'allons peut-être rien trouver.

– Qu'est-ce que je peux faire pour vous aider ?

– Demande à la médecin légiste de revoir les preuves médicales. Demande-lui si les blessures pourraient avoir été causées par autre chose qu'un accident.

– D'accord. De mon côté, je vais réexaminer les photos et les autres preuves, dit Jean-Guy avant de marquer une pause. Vous croyez vraiment que quelqu'un a tué cet enfant ? Vous vous rendez compte de ce que ça signifie ?

Armand Gamache en était pleinement conscient.

Les tueurs d'enfants sont d'une espèce particulière. Au fil de sa longue carrière, l'inspecteur-chef Gamache en avait traqué quelques-uns. Il avait lutté pour trouver le coupable, mais aussi pour surmonter sa propre répugnance, sa propre rage. Lutté aussi pour éviter de mêler la pensée de ses propres enfants à un cocktail déjà complexe et explosif.

C'est là que résidait le problème. Ces meurtriers étaient les plus difficiles à trouver, pas simplement parce qu'ils étaient disposés à tuer un enfant et donc prêts à tout, mais aussi parce que les émotions de la famille, des témoins, des amis, du grand public et des enquêteurs étaient décuplées. Volcaniques. Et risquaient d'occulter la vérité, de fausser les perceptions.

Le meurtrier jouissait par conséquent d'un énorme avantage.

C'était en plein le genre de meurtre qui risquait de déchirer une collectivité. En voyant par la fenêtre les villageois qui vaquaient à leurs occupations, lui-même n'avait plus qu'une idée en tête.

Et si c'était l'un d'eux ?

Venus de kilomètres à la ronde, des volontaires participèrent aux battues organisées dans les bois afin de retrouver le bâton du petit garçon. Armand n'expliqua pas pourquoi ils cherchaient cet objet. Il n'en donna pas la vraie raison, en tout cas. Il raconta plutôt qu'il était très important pour Al et Evie de récupérer cet objet, auquel Laurent tenait par-dessus tout.

Ils mirent deux jours à ratisser la forêt avant de trouver enfin. Pas le bâton. Du moins pas dans un premier temps. D'abord, ils trouvèrent le monstre.

8

Jean-Guy Beauvoir était venu à Three Pines afin de participer à la deuxième journée de recherches.

Dans la forêt sombre, humide et glaciale, c'était un travail abrutissant et éreintant. Pourtant, aucun villageois ne se désista. Ils travaillaient selon une rotation, deux heures à la fois, et à peu près tout le monde s'était porté volontaire pour au moins une période.

– La légiste confirme que les blessures auraient pu être causées par un coup plutôt que par une chute, dit Jean-Guy. Il était petit, même pour un garçon de neuf ans. Une victime facile, en somme. Prendre la vie d'un enfant… C'est horrible.

– Oui.

– J'ai aussi jeté un coup d'œil aux photos et ensuite à la scène, à mon arrivée. Vous avez peut-être raison.

– Merci, dit Gamache en saisissant un bâton et en le rejetant après l'avoir examiné sommairement.

– Comme vous m'avez supplié de vous aider, je n'ai pas pu dire non.

Armand sourit.

– Sans toi, je serais perdu.

Jean-Guy regarda autour de lui. Ils entendaient le bruissement des autres participants à la battue, même s'ils ne les voyaient pas.

– Il est possible que, même avec moi, vous soyez perdu.

Depuis des décennies, voire des siècles, des feuilles s'étaient desséchées et décomposées sur le sol de la forêt. Sous leurs pas, elles exhalaient une odeur musquée et boisée qui n'avait rien de déplaisant.

Au-dessus de leurs têtes, les feuilles changeaient de couleur et, dans l'éclat du soleil, ils avaient la sensation de marcher sous un gigantesque dôme tapissé de vitraux.

– Par ici ! cria quelqu'un.

Gamache et Beauvoir s'immobilisèrent avant d'obliquer vers la voix.

– J'ai trouvé quelque chose.

C'était M. Béliveau, l'épicier du village. Grand et élancé, il gesticulait au milieu des bois. Gamache et Beauvoir pressèrent le pas, puis se mirent à courir au petit trot.

D'autres volontaires convergeaient aussi vers la voix.

– Stop ! cria Gamache qui, accélérant, galopa entre les arbres afin de devancer la cavalcade. Arrêtez ! Tout de suite ! Stop !

Et ils obéirent. Pas en même temps, mais tous, sensibles à l'autorité dans la voix de Gamache, finirent par s'immobiliser.

– Vous avez trouvé le bâton de Laurent ? demanda Beauvoir en s'approchant de l'épicier.

– Non, répondit M. Béliveau. J'ai trouvé ça.

– Quoi ? demanda Antoinette.

Elle se tenait sous le couvert des arbres, Brian à ses côtés. Bien visible et reconnaissable entre tous avec son tricot rose vif parsemé de feuilles mortes et de bouts d'écorce. On l'aurait dite sortie tout droit d'un livre du Dr Seuss. Évadée du pays des œufs verts au jambon.

M. Béliveau désignait un objet invisible.

– Qu'est-ce que c'est ? demanda doucement Gamache en s'avançant à son tour.

– Vous ne voyez donc pas ? murmura M. Béliveau.

Sa main décrivit un cercle. Gamache ne distinguait qu'une section particulièrement dense de la forêt.

– Nom de Dieu, dit-on derrière lui.

Il crut reconnaître la voix de Clara, mais il ne se retourna pas. Armand Gamache s'arrêta. Puis il recula. Et recula encore.

Et il leva les yeux.

– Merde, murmura Jean-Guy.

Ils regardèrent ce que M. Béliveau indiquait. Une petite ouverture au milieu des plantes rampantes. Au-delà, que du noir.

– Tu as ta lampe de poche ? demanda Gamache à Jean-Guy en tendant la main.

– Oui, mais je passe en premier, patron.

Beauvoir enfila des gants, s'agenouilla sur le sol, alluma la lampe de poche et glissa sa tête dans le trou. Même si Gamache n'aurait jamais osé le lui dire en plein visage, Jean-Guy lui fit un peu penser à Winnie l'Ourson, la tête coincée dans le pot de miel.

Lorsqu'il émergea de nouveau, son expression, cependant, n'avait rien de puéril.

– Qu'est-ce que c'est ? demanda Gamache.

– Je n'en suis pas certain. Venez voir par vous-même.

Cette fois, Beauvoir, en rampant, s'enfonça dans le trou et disparut. Armand le suivit, mais pas avant d'avoir intimé aux villageois l'ordre de ne pas bouger. Ils ne furent d'ailleurs pas difficiles à convaincre. En se faufilant par l'ouverture, Gamache remarqua les fragments d'un filet de camouflage.

Il pénétra alors dans un monde sans soleil. Sombre et silencieux. Pas même le trottinement d'un rongeur. Rien, sinon le faisceau lumineux de la lampe de poche de Beauvoir.

Il sentit sur son bras la poigne ferme de son cadet qui l'aidait à se relever.

Ils observaient tous deux le silence.

Gamache avança et sentit une toile d'araignée se coller à son visage. Il l'écarta et fit un pas précautionneux.

– Qu'est-ce que c'est que cet endroit ? demanda Jean-Guy.

– Je ne sais pas.

Les deux hommes parlaient à voix basse, comme pour ne pas déranger ce qui pouvait encore se cacher là. Son instinct dictait pourtant à Gamache qu'il n'y avait rien. Rien de vivant, en tout cas.

Au début, Jean-Guy agita le faisceau de sa lampe de poche pour leur permettre de s'orienter. Puis les cercles, amples et rapides, ralentirent.

Le halo éclairait çà et là. Et puis il s'arrêta, et Beauvoir eut un mouvement de recul, heurta Gamache et laissa échapper la lampe de poche.

– Qu'est-ce que c'est ? demanda Armand.

Vite, Jean-Guy se pencha pour ramasser la lampe.

– Je ne sais pas.

Mais il savait qu'il y avait autre chose avec eux sous la terre.

Beauvoir leva le faisceau lumineux. Plus haut. Tout en haut. Et Armand resta bouche bée.

– Mon Dieu, chuchota-t-il.

C'était incroyable, inconcevable.

Les plantes rampantes et le filet de camouflage dissimulaient un vaste espace. Creux. Mais pas vide. À l'intérieur se trouvait un canon. Une pièce d'artillerie géante. Dix fois, cent fois plus grande que tout ce que Gamache avait vu jusque-là. Que ce dont il avait entendu parler. Que ce qu'il aurait cru possible.

Et, se déployant à partir de la base, une silhouette semblait jaillir du sol.

Un monstre ailé. Qui se tortillait.

Gamache s'avança, puis s'arrêta lorsque sa botte heurta un objet.

– Jean-Guy, fit-il en montrant le sol.

Beauvoir braqua la lampe de poche et là, dans le faisceau de lumière, apparut un bâton.

La nouvelle se répandit comme une traînée de poudre. Quelques minutes plus tard à peine, tous les habitants du village savaient qu'on avait fait une découverte.

Al et Evie avaient été de toutes les rotations, avaient écumé la forêt à la recherche du bâton de leur fils, ne se reposant que quand l'humidité et le froid qui pénétraient leurs os les empêchaient de continuer.

Ils profitaient d'un rare moment de répit au bistro lorsque Jean-Guy Beauvoir passa devant l'établissement à grandes enjambées, en route vers la maison des Gamache. Ils le suivirent et, sur le pas de la porte, l'entendirent téléphoner au détachement local de la Sûreté.

Ils entendirent aussi son deuxième appel. Au bureau de Montréal. Il réclama une équipe de police scientifique.

– Qu'avez-vous trouvé ? demanda Evie, devant la porte du bureau.

Al, campé derrière elle, bloquait le passage.

– Le bâton de Laurent, répondit Jean-Guy.

Il avait parlé doucement, gentiment, clairement. Confirmé leurs pires craintes. Il y avait réellement un fantôme dans le grenier, un monstre sous le lit, un vampire dans le sous-sol.

Les monstres existaient. Leur fils avait été tué par l'un d'eux.

– Je veux voir, déclara Al.

Evie et lui avaient suivi Jean-Guy jusque dans la forêt et, à présent, ils défiaient Gamache. Beauvoir était redescendu dans le trou pour amorcer l'enquête préliminaire, laissant à Armand le soin de repousser d'éventuels intrus.

Gabri et Olivier étaient rentrés au village afin d'attendre les policiers et de les guider dans les bois.

– Je ne peux pas vous laisser entrer. Pas encore. Désolé.

Al Lepage, toujours imposant, avait pris beaucoup de volume sous l'effet de la colère. Il bombait le torse, les épaules rejetées en arrière. Même sa barbe semblait plus sauvage qu'à l'accoutumée.

S'il comptait sur Evelyn pour être la voix de la raison, Armand se trompait royalement. Elle avait beau être plus petite que son mari, sa rage était tout aussi immense.

– Poussez-vous de là, lança-t-elle sèchement en lui fonçant dessus.

Armand la prit par la taille et la retint. Se penchant sur elle, il chuchota dans ses cheveux longs et fous :

– Non, Evie, s'il vous plaît. Arrêtez.

Inutile, comprenait-il, de tenter de la raisonner. De lui dire qu'elle risquait de compromettre la scène du crime. De lui expliquer que l'équipe de la police scientifique devait d'abord faire son travail.

La raison, dans ce cas, était supplantée par l'instinct à l'état pur. Quelque chose de primal. Ce qu'elle voulait voir, c'était l'endroit où son fils avait été vivant pour la dernière fois, et non celui où il était mort.

Et Armand devait la retenir. Les retenir tous les deux.

– Qu'est-ce qu'il y a d'autre, là-dedans, Armand ? demanda Al en prenant sa femme par la main. Qu'est-ce que vous nous cachez ?

Gamache ne répondit pas.

– Nous avons entendu Jean-Guy téléphoner pour demander de l'aide, dit Al. Il a réclamé des lampes de poche et des projecteurs puissants. Et aussi des échelles.

Quittant Armand des yeux, Al Lepage regarda les plantes rampantes entremêlées qui créaient un mur presque infranchissable. Elles formaient aussi une sorte de trompe-l'œil, donnaient l'illusion qu'il s'agissait d'un banal buisson touffu. Un passant éventuel y aurait vu un simple prolongement de la forêt.

De toute façon, personne ne passait par là. Ils se trouvaient à cinq cents mètres à l'intérieur des bois, derrière Three Pines. De la route du village, on ne voyait qu'un vieux sentier envahi par la végétation, qui disparaissait lui-même au bout d'une centaine de mètres.

– Qu'est-ce qu'il y a là-dedans ? demanda de nouveau Al.

Gamache se tourna vers les parents de Laurent et les autres participants à la battue, y compris Reine-Marie. Tous se posaient la même question.

– Je ne peux pas encore vous le dire, répondit-il.

Il vit l'angoisse se peindre sur le visage de Reine-Marie.

– Vous n'êtes pas obligé de tout nous dire, répliqua Antoinette. Dites-nous simplement s'il y a lieu de s'inquiéter.

La question était raisonnable, mais il n'avait pas la réponse. Pas encore.

Ils entendirent des bruits de pas dans les feuilles mortes et trois hommes apparurent entre les arbres. Gabri et deux agents de la Sûreté.

– À nous de jouer, dit l'un des jeunes agents en congédiant Gabri.

Il se dirigea ensuite vers les autres villageois, manifestement soulagés par l'arrivée des forces de l'ordre.

– Qu'est-ce qu'on fout ici ? demanda-t-il en regardant autour de lui. C'est une blague ou quoi ?

– Pas du tout, répondit Gamache en s'avançant, la main tendue. Je m'appelle Armand...

– Je t'ai demandé ton nom, toi ? Ce que je veux savoir, c'est ce que nous faisons au milieu des bois, mon partenaire et moi.

L'uniforme vert olive du jeune homme était raide et frais. Pas parce qu'il venait d'être nettoyé, mais bien parce qu'il était neuf.

Gamache songea que c'était peut-être son premier jour de travail. Sûrement son premier mois, en tout cas. Beauvoir avait téléphoné plus d'une heure plus tôt. De toute évidence, les deux jeunes hommes avaient pris leur temps.

L'agent semblait contrarié et peu impressionné. La main sur la poignée de son arme, il eut son premier aperçu de l'autorité qu'il exerçait.

Gamache lut son nom sur le côté supérieur gauche de l'uniforme.

Favreau.

Le nom lui disait quelque chose. Puis Armand se souvint. Il figurait dans le rapport sur le décès de Laurent. Celui qui avait conclu à un accident.

– On nous a demandé de venir voir un truc bizarre.

Il se tourna vers Gamache.

– Ils parlaient de toi, mon vieux ? fit-il.

Son partenaire laissa entendre une sorte de grognement amusé.

– Avez-vous une idée de…, commença Gabri.

Armand le fit taire d'un geste.

– Une idée de quoi ? demanda l'agent de la Sûreté.

– Je pense qu'il vaut mieux que vous rentriez chez vous, dit Armand aux autres villageois. Olivier attend l'inspectrice-chef Lacoste ?

Gabri hocha la tête.

– Oui. Il va conduire l'équipe jusqu'ici.

Gamache s'adressa à M. Béliveau.

– L'inspectrice-chef Lacoste va venir avec des échelles, mais je suppose que vous en avez ?

– Des échelles ? fit l'épicier. Oui. La mienne, pour commencer. Et je sais où en trouver d'autres.

– Des échelles, Armand ? répéta Reine-Marie en scrutant le visage de son mari avant de regarder derrière lui.

– Oui. Au fait, monsieur Béliveau, il faudrait de grosses échelles.

– D'accord.

Bien que d'un naturel imperturbable, M. Béliveau semblait légèrement perturbé.

– Un instant, dit l'agent Favreau. Qu'est-ce que vous racontez ? Personne ne bouge. J'exige d'abord des explications.

Gamache s'avança vers lui. L'agent fit un pas en arrière et posa la main sur sa matraque.

Notant le geste, Gamache inclina la tête. Puis il se détourna des agents et s'adressa aux villageois qui observaient la scène avec un malaise évident.

– Rentrez, dit-il.

– Armand ? fit Reine-Marie.

– Je serai bientôt de retour, répondit-il avec un sourire rassurant.

Et ils se mirent en route en jetant des coups d'œil derrière eux à l'homme imposant et aux deux jeunes agents qui s'affrontaient dans la vieille forêt. On aurait dit deux jeunes loups se rapprochant d'un cerf. Deux jeunes loups n'ayant aucune idée du danger que représente parfois un cerf.

Les parents de Laurent n'avaient pas bougé, comme Gamache s'y attendait. Ils constituaient désormais l'exception.

Gamache ramena son attention sur les deux jeunes hommes.

– Vous voyez ces gens ?

Devant le mutisme des agents, il poursuivit :

– Je vous présente Evelyn et Al Lepage. Ils ont perdu leur fils, Laurent, il y a quelques jours. Je crois que c'est vous qui avez produit le rapport.

– Oui, confirma l'agent Favreau. Un accident. Une sortie de route à vélo. Où est le lien ?

– Il n'est pas mort de cause accidentelle.

Il baissa la voix pour éviter aux Lepage d'entendre ce qu'ils savaient déjà.

– Il a été tué ici, puis son corps a été jeté dans le fossé. Les preuves sont là-dedans.

Gamache regarda derrière lui.

– Où ça ? demanda l'agent Favreau.

– C'est difficile à voir. Un filet recouvre l'ouverture.

– Montre, dit l'agent en faisant mine de contourner Gamache, qui se planta devant lui.

– Pas un pas de plus, je vous prie, dit Armand en regardant le jeune agent droit dans les yeux. Vous risquez de compromettre une scène de crime.

– Et toi, tu risques de faire entrave à notre enquête.

– Je vous ai fait venir pour préserver la scène de crime jusqu'à l'arrivée de l'équipe de la section des homicides de Montréal.

– Tu nous as fait venir, toi ? dit l'agent en riant. On n'est pas tes invités. Maintenant, dégage.

– Non, répondit Gamache. Vous n'êtes pas formés pour ce genre de travail. J'ai fait partie de la Sûreté, moi aussi. Laissez les spécialistes de la section des homicides faire leur travail et contentez-vous de faire le vôtre.

– Pousse-toi. Sinon, je vais te régler ton cas.

Il sortit sa matraque.

Sous l'effet de la stupeur, Gamache écarquilla les yeux. Expression que l'agent prit, à tort, pour de la peur. Il esquissa un large sourire.

– Vas-y, pépère. Donne-moi une bonne raison de cogner, dit-il en regardant Gamache d'un air furieux.

– Mon Dieu. Et vous avez été formé à l'école de police ?

– Ne me parle pas sur ce ton. Sinon, je vais te montrer comment l'école de police nous a appris à traiter les gens qui importunent un agent dans l'exercice de ses fonctions.

– Favreau, murmura l'agent Brassard.

Son collègue, cependant, fit celui qui n'avait rien entendu.

– Tu vas être la première personne que j'arrête. Et j'ai comme l'impression que tu vas résister.

Gamache l'observait d'un air si consterné que l'homme éclata de rire.

– Tu pisses dans tes culottes, mon vieux ? Maintenant, débarrasse.

L'agent s'avança malgré Gamache.

– Arrêtez, ordonna ce dernier en lui barrant la route. Reculez.

Et l'agent, étonné par le ton autoritaire de son aîné, obéit.

– Vous êtes nouveaux, non ? demanda Gamache.

Brassard hocha la tête, mais Favreau resta immobile.

– Je sais que vous tenez à faire votre marque, mais votre tâche ne consiste pas à brutaliser les citoyens. Ni à recueillir des preuves. Votre rôle est de les protéger, les preuves. Vous avez beaucoup de chance. Vous allez voir comment se mène une enquête pour homicide dans la vraie vie. La plupart des agents attendent une telle occasion pendant des années.

Il baissa le ton.

– Mais pour Evelyn et Alan Lepage, ce n'est pas une affaire criminelle. Il s'agit de leur fils. De leur enfant. Ne l'oubliez pas.

– Ne me dis pas comment faire mon travail, lança Favreau.

– Il faut bien que quelqu'un s'en charge. Vous m'avez entendu dire que le garçon avait été assassiné ? Votre nom figure dans le rapport qui conclut à un accident. Vous avez commis une grosse erreur. C'était votre première affaire et vous avez bâclé le travail. Vous n'avez pas remarqué que la position du cadavre contredisait vos conclusions.

Il plongea son regard dans les yeux du jeune homme. Des yeux où se lisait désormais plus qu'un soupçon d'agressivité.

– Vous êtes jeune, inexpérimenté. Tout le monde commet des erreurs. L'essentiel, c'est d'en tirer des leçons. Allez voir les parents du garçon et avouez que vous vous êtes trompé. Présentez-leur des excuses. Pas parce que je vous le demande, mais bien parce que c'est la chose à faire.

Sa voix se radoucit et il observa l'agent Favreau avec une inquiétude sincère.

– Quelqu'un vous l'a appris, j'espère ?

L'agent Brassard, qui avait écouté attentivement, fit mine de s'avancer vers les Lepage, mais l'agent Favreau le retint.

– On n'a pas besoin qu'un vieux policier fini nous donne des leçons, déclara-t-il.

– Content de vous voir, messieurs, dit Beauvoir en émergeant du trou au milieu des plantes rampantes.

Il sortit sa carte d'identité et la leur fit voir.

– Inspecteur Beauvoir, section des homicides. Vous avez déjà rencontré M. Gamache ?

– Oui, monsieur, répondit Favreau. J'étais justement en train de lui expliquer la chaîne de commandement. Je sais qu'il a fait partie de la Sûreté. Il devrait donc savoir ce que prévoit la loi en cas d'entrave au travail des policiers.

Beauvoir haussa les sourcils.

– Il faisait entrave, lui ?

Il se tourna vers Gamache.

– Et on a dû vous expliquer le fonctionnement d'une enquête ? Je suppose pourtant que les choses n'ont pas tellement changé.

– À quelques différences notables près, répondit Gamache.

– Ah bon ? Et pourtant, vous étiez à la tête de la section des homicides, il n'y a pas si longtemps.

Beauvoir se tourna vers les agents et vit Brassard écarquiller les yeux.

– Eh oui, fit Beauvoir en se penchant vers eux. Merde.

Gamache et Beauvoir s'éloignèrent un peu des agents et penchèrent la tête pour conférer à voix basse.

– Espèce de trou de cul, siffla l'agent Brassard à Favreau. Tu sais qui c'est, ce monsieur ? L'inspecteur-chef Gamache. Celui qui a révélé le scandale de corruption. Tu ne l'as pas vu aux nouvelles, pendant les procès ? Pendant l'enquête ?

Il regarda Gamache et Beauvoir, penchés, côte à côte. L'inspecteur Beauvoir parlait et l'ex-inspecteur-chef écoutait en hochant la tête.

– L'ex-chef de la section des homicides, dit Favreau en insistant sur le « ex ». Oui, je l'ai vu aux nouvelles. Mais il a quitté la Sûreté. C'est un vieux bonhomme lessivé, un type pathétique qui est venu se réfugier dans ce trou perdu parce qu'il ne supportait plus la pression.

À quelques pas de là, Gamache, tout comme Beauvoir, entendit ses paroles.

– Vous voulez que je…, commença Beauvoir.

Gamache sourit et fit signe que non.

– Fais comme s'il n'était pas là. Tu as trouvé quelque chose ?

Jean-Guy jeta un rapide coup d'œil aux Lepage, qui les surveillaient de près.

– Un truc glissé au bord de l'ouverture. Je l'ai laissé là pour la police scientifique.

– Qu'est-ce que c'est ?

– Je pense qu'il vaut mieux que vous voyiez par vous-même.

Gamache suivit de nouveau Beauvoir par l'ouverture et vit ce que celui-ci avait trouvé. À moitié enfouie sous des feuilles décomposées, une cassette. Armand se pencha pour lire les mots.

– Pete Seeger, dit-il en se redressant. De toute évidence, il s'agit d'un vieil enregistrement.

Il sortit ses lunettes de sa poche de poitrine et regarda de plus près.

– Mais je ne crois pas qu'elle soit là depuis très longtemps. Il y a un peu de terre dessus, mais pas de mousse ni de moisissure.

– C'est exactement ce que je pense, dit Beauvoir. Comment a-t-elle abouti là ? Et qui écoute encore des cassettes ? Et qui est Pete Seeger ?

Accroupi, Gamache contemplait la cassette, illuminée par la lampe de poche. Il était conscient des ténèbres qui les entouraient et plus encore de ce qui se profilait derrière eux.

– Un chanteur folk. Américain. Très influent dans les mouvements pour les droits civils et pacifiste.

– Ahhh, fit Jean-Guy.

« Ahhh », songea Gamache.

Des voix familières leur parvinrent de la surface. Les deux hommes sortirent du trou en rampant. Ils trouvèrent là l'inspectrice-chef Lacoste, qui offrait ses condoléances aux Lepage. Derrière eux, Olivier déposait une échelle sur le sol et des membres de l'équipe de police scientifique disposaient des projecteurs, des échelles, déroulaient un gros câble d'alimentation.

Isabelle Lacoste se tourna vers Beauvoir et Gamache, apparus comme par magie.

– D'où sortez-vous, tous les deux ?

– De là, répondit Beauvoir en faisant un geste vers l'arrière.

– Où ça ?

Lacoste regarda de près et écarquilla les yeux, le visage lissé par la stupéfaction.

– Qu'est-ce que c'est ? demanda-t-elle.

– Un filet de camouflage recouvert par la végétation.

– Et que camoufle-t-il, au juste ?

– Vous devez venir voir par vous-même, dit Beauvoir.

L'inspectrice-chef Lacoste regarda Gamache.

– Vous voulez... ? commença-t-elle en désignant l'ouverture.

Celui-ci secoua la tête et sourit légèrement.

– Non, merci. C'est votre enquête. Je vais rentrer chez moi, si vous n'y voyez pas d'inconvénient.

– D'accord. Au fait, patron ?

Gamache s'immobilisa après quelques pas. Lacoste s'approcha.

– Je suis désolée. J'ai eu tort à propos de Laurent. J'aurais dû examiner les choses de plus près.

– Je sais que vous allez trouver le coupable. C'est tout ce qui compte.

Gamache attendit qu'elle ait disparu par le trou avant de se diriger vers les deux agents.

– Vous allez croire que c'est indigne de vous, je sais bien, et que je suis un vieillard fini, mais, je vous en supplie, soyez vigilants. Ouvrez l'œil. Ce n'est pas une plaisanterie. Vous comprenez ?

– Oui, monsieur, répondit l'agent Brassard.

– Agent Favreau ?

– Tu ne fais plus partie de la Sûreté. Tu n'as aucune autorité sur moi.

Gamache plongea son regard dans les yeux empreints de défi.

– On verra.

Lacoste regarda autour d'elle, prit le temps de s'acclimater à ce nouvel environnement. L'inspecteur Beauvoir donnait des directives aux équipes chargées des scènes de crime et de l'expertise scientifique. Une fois la machine en marche, il s'avança vers elle.

Ensemble, ils se dirigèrent vers l'endroit où des agents délimitaient un périmètre à l'aide du ruban jaune de la police. Le faisceau immatériel de la lampe de poche de Beauvoir balaya le sol pour enfin se fixer sur le bâton, à un peu plus de trois mètres de l'entrée.

– C'est ici qu'il a été tué ? demanda Lacoste.

– Je pense que oui, répondit Beauvoir.

Il la vit hocher la tête, puis le faisceau de sa propre lampe, décrivant des arcs plus amples et plus larges, éclaira le sol avant de remonter. L'inspecteur Beauvoir lui fit gagner du temps. Les projecteurs industriels que les agents avaient apportés venaient tout juste d'être branchés. En allumant un, il le braqua droit devant lui.

Isabelle Lacoste eut un mouvement de recul instinctif et même Beauvoir, qui savait pourtant ce qui l'attendait, sentit son cœur s'affoler. Autour d'eux, l'activité bien orchestrée de l'équipe chargée des scènes de crime s'interrompit, les agents chevronnés regardant devant eux.

Mon Dieu, entendirent-ils une voix murmurer, les mots étouffés dans l'espace confiné.

Sous ce violent éclairage, le canon leur sembla encore plus massif que dans la pénombre. Ils commençaient à se faire une idée de sa taille.

Les agents pointèrent leurs lampes de poche, comme des armes. On alluma d'autres projecteurs. La lumière caressait l'objet sans en révéler toute l'énormité.

– Il disait la vérité, constata Lacoste à voix basse. Mon Dieu. Laurent disait la vérité, en fin de compte.

Devant eux se dressait l'arme géante, une pièce d'artillerie dont le long canon, s'étirant au-delà de la portée de leurs lampes, se perdait dans les ténèbres.

Jean-Guy Beauvoir baissa le faisceau de la lampe de poche pour révéler la base du canon. Et là, gravé sur le métal, un monstre sembla jaillir du sol en se tortillant. Il déployait ses ailes. Ses multiples têtes de serpent s'enroulaient, s'entremêlaient à la manière des plantes rampantes qui les avaient dissimulées pendant des décennies.

– Il nous faut plus de lumière, déclara Isabelle Lacoste. Et des échelles plus longues.

9

Les Lepage avaient laissé leur camionnette sur la route, non loin du bistro, et Gamache marcha quelques pas avec eux.

– Je vais veiller à ce qu'on ne vous cache rien, dit-il en se penchant sur la vitre au moment où Al mettait le contact.

– Jusqu'ici, on ne nous a rien dit du tout, dit Evie. Sauf qu'on a trouvé le bâton de Laurent à cet endroit. Qu'est-ce qu'il faisait là ?

– On sait ce qu'il faisait là, Evie, dit Al. C'est à cet endroit que Laurent a été tué et on l'a déplacé après, non ?

Gamache hocha la tête.

– L'inspectrice-chef Lacoste et son équipe en sauront plus dans quelques heures. Mais tout indique que c'est bien ça.

– Que faisait Laurent à cet endroit ? demanda Evie. A-t-il surpris quelqu'un ? Qu'est-ce qui est caché là ? Une fabrique de méthamphétamine, une culture de marijuana ? Il est tombé sur des trafiquants de drogue ? Pourquoi a-t-il été tué, Armand ?

– Je ne sais pas.

– Mais vous savez ce qu'il y a là-dedans, dit Al. Qu'a trouvé Laurent, au juste ?

– Je ne peux pas encore vous le dire.

– Bien sûr que vous pouvez, dit-il. Mais vous choisissez de vous taire. Vous empirez les choses avec vos secrets, vous savez.

– Désolé, dit Armand en s'éloignant alors qu'Al démarrait en trombe.

Gamache vit la vieille camionnette cabossée contourner le parc, puis remonter la route qui quittait le village. Ensuite, il rentra chez lui, perdu dans ses pensées.

Toutes ces choses, il les savait. Mais il en savait aussi une autre.

En se penchant sur la vitre ouverte de la camionnette des Lepage, il avait vu, sur la console entre les sièges, une pile de cassettes.

— Où est Ruth ?

Myrna n'aurait jamais imaginé qu'elle poserait un jour cette question.

– Sais pas, répondit Clara en parcourant des yeux le bistro bondé. Normalement, elle est ici, à cette heure-ci.

Il était dix-sept heures trente et toutes les places étaient prises. Dans le brouhaha, elles s'entendaient à peine.

Clara vit M. Béliveau devant la porte qui reliait la boulangerie de Sarah au bistro. Il balayait la salle du regard.

– Je vais lui demander s'il l'a vue, dit Clara en se levant avant de se faufiler avec grâce parmi la foule.

En passant de table en table, elle saisissait des bribes de conversation. Les mots étaient légèrement différents, la langue changeait d'un groupe à l'autre. Le sens, lui, était toujours le même.

– *Murder*, dit une voix étouffée.

Meurtre.

Puis, sur un ton encore plus bas :

– *But who ?*

Qui, en effet ?

Et puis le regard, le coup d'œil furtif. Embrassant amis, connaissances, voisins, inconnus. Sur qui les soupçons, tel un couperet, tomberaient-ils ?

Clara avait toujours trouvé du réconfort au bistro, plus encore après avoir perdu Peter. Ce jour-là, bien qu'apaisante, l'atmosphère lui pesait. Des mots qu'elle avait laborieusement tenté d'exorciser étaient de retour, frais, renouvelés et puissants. « Meurtre », « blâme », « tuer » chassaient la sérénité.

Laurent était mort, et il y avait de fortes chances pour que l'un des leurs ait fait le coup.

– Vous avez vu Ruth ? demanda Clara à l'épicier.

– Non, pas encore. Elle n'est pas ici ?

– Non.

– J'ai des provisions à lui livrer. Je vais y aller tout de suite. Comme ça, on sera fixés.

En retournant à sa table, Clara entendit d'autres bribes de conversation.

– … drogues. Un cartel…

– … de l'alcool, vestige de la prohibition.

Les clients réunis autour d'une autre table écoutaient un homme leur parler avec passion de la zone 51 et des preuves irréfutables du débarquement d'extraterrestres au Nouveau-Mexique. Et, selon lui, au Québec.

– Croyez-moi, c'est un vaisseau spatial qui se cache là-dessous. Le gamin passait son temps à annoncer une invasion, non ?

Fait incroyable, les autres personnes attablées, que Clara savait être raisonnables et réfléchies, opinaient du bonnet. Cette explication les mettait moins mal à l'aise que l'autre : l'un d'eux était devenu une sorte d'extraterrestre et avait tué un petit garçon.

Clara s'assit à côté de Myrna, qui arborait une mine d'enterrement.

– Tu as entendu ce que racontent les gens ? demanda Clara.

– Oui. C'est moche. À cette table, les clients commandent sans cesse de nouveaux verres. Ils disent qu'ils vont aller dans les bois et investir de force l'endroit que nous avons trouvé.

Myrna repoussa son verre de vin rouge. La nature, elle le savait, a horreur du vide, et les villageois, face à un vide d'information, y engouffraient leurs propres peurs. La ligne de démarcation entre les faits et l'invention, le réel et l'imaginaire, devenait floue. Les amarres qui retenaient chacun aux bonnes manières s'effritaient. On les voyait, les entendait, les sentait se désagréger.

Ils étaient plusieurs à avoir connu Laurent. À avoir eux-mêmes des enfants. Ils étaient fatigués, ils avaient froid, ils étaient remplis de crainte et d'alcool, manquaient de faits à se mettre sous la dent. C'étaient de bonnes personnes, des personnes effrayées. À juste titre.

Olivier se pencha et déposa un bol de noix mélangées sur la table.

– Je vais bientôt cesser de servir certains clients, chuchota-t-il.

– Je pense que c'est une bonne idée, fit Myrna.

Clara se leva.

– Je crois qu'il faut qu'Armand vienne. Il a dû rester à l'écart pour éviter d'envenimer la situation, mais nous avons dépassé ce stade.

Dans le coin, des voix s'élevèrent autour d'une table où Gabri expliquait qu'il ne servirait plus d'alcool.

Clara alla au bar et composa le numéro des Gamache.

– C'est vrai, ce que j'entends, Clément ? demanda Ruth au moment où l'épicier prenait place dans son salon.

– Qu'est-ce que tu entends, au juste ? demanda-t-il.

– Que l'enfant a été assassiné.

Elle avait prononcé le mot comme s'il était dépourvu de toute charge émotive, un mot comme les autres. Sauf que ses mains délicates tremblaient et qu'elle serrait de petits poings puissants.

– Oui.

– Et les policiers ont trouvé quelque chose dans les bois, à l'endroit où Laurent a été tué ?

– Oui. Je les ai guidés, dit-il. Le sentier. Personne d'autre ne le voyait. Évidemment. Il a été envahi par la végétation.

Ruth hocha la tête. Elle aurait cru les souvenirs enfouis, eux aussi, cachés sous de nombreuses strates d'événements. Poèmes écrits, livres publiés, prix obtenus. Repas et discussions. Nouveaux voisins. Nouveaux amis. Rose.

Une couche arable riche et fertile, accumulée au fil des ans.

Et voilà qu'elle était de retour, qu'elle remontait vers la surface en grattant. La chose sombre.

– Qu'est-ce qu'il y a là-dedans, Clément ? Qu'est-ce qu'ils ont fait ?

Le brouhaha s'éteignit à l'instant où Armand et Reine-Marie entrèrent dans le bistro. Le silence se fit dans la salle animée, avec son plafond aux poutres apparentes et ses âtres en pierres des champs où sautillaient des flammes qui contrastaient vivement avec l'expression furieuse des clients.

– Un problème? demanda Armand en promenant calmement son regard d'un visage familier au suivant.

– Oui, répondit un homme au fond. Nous voulons savoir ce que vous avez trouvé dans les bois.

Gabri, Olivier et leurs serveurs profitèrent de la distraction pour débarrasser les tables des verres qui les jonchaient et y déposer du pain et du fromage sur des planches.

– Nous avons le droit de savoir, affirma un autre client. C'est chez nous, ici. Nous avons des enfants. Nous voulons savoir.

– Vous avez raison, dit Gamache. Vous avez le droit de savoir. Vous avez besoin de savoir. Vous avez des enfants et des petits-enfants à protéger. Un enfant a déjà perdu la vie et nous devons veiller à ce que ça ne se reproduise pas.

La colère des villageois s'évapora à l'instant où ils comprirent qu'il leur donnait raison.

– Voyez-vous, le problème, dit Armand d'une voix calme et raisonnable en s'avançant dans la pièce, c'est qu'il est possible que l'un de vous ait tué Laurent.

– Armand? murmura Reine-Marie, à côté de lui.

Mais elle vit son visage de profil, résolu. Ses yeux qui, pendant qu'il regardait ses voisins en face, ne cillaient pas.

Ils irradiaient le calme et la certitude.

Elle se tourna vers les clients du bistro. Ils étaient sérieusement refroidis, à présent. Tranquilles. Les paroles d'Armand les avaient heurtés de plein fouet, vidés de l'alcool, de la colère et de leur énergie mauvaise.

Quelques-uns se rassirent. Puis d'autres les imitèrent. Bientôt, ils étaient tous assis.

Gamache prit une longue, une profonde inspiration.

– Je ne vous apprends rien. Vous y avez songé. Vous avez sûrement regardé autour de vous en vous demandant qui a fait le coup. Lequel d'entre vous a tué un garçon de neuf ans.

Et ils se regardèrent de nouveau, baissant les yeux à la vue d'un ami, d'un voisin qui les épiait aussi.

– Je sais ce qui se cache dans les bois, ajouta-t-il. Mais je ne vous en dirai rien. Pas parce que je tiens à vous cacher des choses. Ce n'est pas le cas. Seulement, en vous en parlant, je risquerais de compromettre le travail des policiers. Le meurtrier de Laurent compte sur votre aide. Il ronge son frein, caché parmi nous peut-être, et espère que vous foncerez dans les bois. Il prie pour que vous piétiniez des preuves, fassiez dérailler l'enquête. Pour un tueur, le chaos est un refuge. Ne lui conférez pas cet avantage.

– Que devons-nous faire, alors ? demanda une femme.

– N'allez pas dans les bois. Empêchez vos enfants d'y aller. Lorsque des enquêteurs vous interrogeront, soyez d'une ouverture et d'une honnêteté absolues. Plus il y aura de lumière, moins il y aura de cachettes possibles. Laurent n'a pas été assassiné par un tueur en série ni par un fou de passage. Le tueur poursuivait un but bien précis. Ni vous ni vos enfants ne devez vous mettre en travers de son chemin. De celui des enquêteurs non plus.

Il leur laissa le temps de digérer ses propos en croisant le regard de plusieurs d'entre eux.

– Reine-Marie et moi sommes fiers de vous avoir comme voisins. Et comme amis. Nous aurions pu vivre n'importe où, mais nous avons choisi de nous établir ici. Grâce à vous.

Il prit la main de sa femme et ils s'avancèrent dans le bistro silencieux.

– Vous permettez ? demanda-t-il à Clara et à Myrna.

– Je vous en prie, répondit Clara en indiquant les chaises libres.

Lentement, la rumeur des conversations s'éleva autour d'eux. Les voix avaient repris un ton modéré, la raison ayant été rétablie. Pour le moment.

En face d'elle, Clara vit Armand fermer brièvement les yeux et inspirer à fond.

– Je parie que vous avez cru que toutes ces histoires de meurtre étaient derrière vous quand Armand a quitté la Sûreté, dit Myrna.

– Nous avons déménagé à Three Pines, répondit Reine-Marie. Disons que nous n'y comptions pas absolument.

– Patron, dit Olivier en se penchant pour parler à l'oreille de Gamache. Isabelle a téléphoné de la vieille gare. Elle aimerait vous parler.

– Tu permets ? demanda-t-il à Reine-Marie.

En s'éloignant, il entendit Clara demander à sa femme :

– Alors, il vous l'a dit, à vous, ce qu'ils ont trouvé ?

Ruth ouvrit son cahier de notes usé, aux pages cornées, à la page qu'elle lisait avant l'arrivée de M. Béliveau.

Il était retourné au bistro. Elle lui avait promis de le retrouver plus tard. Dans le but de préserver un semblant de normalité, à supposer qu'une telle chose existe pour Ruth. Pour Three Pines. Pour quiconque.

Elle lissa la page, réfléchit un moment, puis lut.

Eh bien, tous les enfants sont tristes
mais certains s'en remettent.
Estime-toi heureuse. Mieux encore,
achète un chapeau, un manteau ou un animal de compagnie.

Ruth jeta un coup d'œil à Rose, qui ronflait dans son nid de flanelle en faisant un bruit qui ressemblait à *merdemerdemerde*. Ruth sourit.

Suis des cours de danse pour oublier.

10

La Sûreté établit une fois de plus son poste de commandement dans l'ancienne gare ferroviaire, depuis longtemps abandonnée et convertie à un nouvel usage. De l'autre côté de la rivière Bella Bella, face au village, le bâtiment en briques, long et bas, abritait le service de pompiers volontaires de Three Pines, dont Ruth Zardo était la chef. Après tout, se disaient les villageois, personne ne connaissait mieux qu'elle les feux de l'enfer.

Et voilà qu'on utilisait cet édifice à des fins plus sinistres.

La vieille gare bourdonnait d'activité : des techniciens et des agents mettaient en place le matériel nécessaire au traitement d'une affaire de meurtre des temps modernes. Des bureaux, des ordinateurs, des imprimantes, des numériseurs. Des lignes téléphoniques. Beaucoup de lignes téléphoniques. Le village était si profondément enfoui au creux de la vallée que ni l'Internet haute vitesse ni même les signaux satellites ne l'atteignaient. Les agents devaient se satisfaire de modems.

Ces appareils étaient d'une lenteur exaspérante, frustrante. Mais c'était mieux que rien.

Armand Gamache trouva le lieu en désordre. Quand il avait débuté à la Sûreté, lui qui aurait bientôt soixante ans, il n'y avait pas encore de télécopieurs. Que des téléscripteurs.

Isabelle Lacoste, qui l'observait, se rappela avoir mené avec Gamache l'une de ses premières enquêtes pour meurtre. Ils s'étaient retrouvés dans un pavillon de chasse avec un cadavre et des empreintes digitales, sans moyen de transmettre l'information.

L'inspecteur-chef Gamache avait décroché le vieux combiné téléphonique, dévissé la portion du bas et retiré le microphone pour se brancher directement à la ligne téléphonique.

– Vous avez trafiqué le téléphone ? avait-elle demandé.

– En quelque sorte, avait-il répondu.

Et il lui avait montré comment faire.

– Je parie que c'était dur, dans le temps, avait-elle dit. Quand c'était tout ce que vous aviez.

– On avait plus de temps pour réfléchir, avait-il expliqué.

Et puis ils étaient restés assis près du poêle à bois et ils avaient réfléchi. Et lorsque l'information avait fini son trajet poussif le long de la ligne téléphonique, l'affaire avait été pratiquement réglée.

À présent, elle était l'inspectrice-chef Lacoste. Et elle examina la technologie que ses troupes déployaient, convaincues qu'elle serait essentielle à l'élucidation de l'affaire.

Elle-même n'était pas dupe. Jean-Guy Beauvoir non plus.

Pas davantage, au reste, que l'homme qui venait d'entrer.

– Merci d'être venu, monsieur, dit Isabelle Lacoste en se frayant avec les deux hommes un chemin au milieu des boîtes et des fils.

– À votre service, répondit Gamache. En quoi puis-je vous être utile ?

Elle désigna la table de conférence, dressée tout au fond de la vieille gare.

– Le moment est venu de réfléchir, dit-elle.

Elle vit Gamache esquisser un sourire.

Près de la chaise posée au bout de la table, elle hésita, en proie à un malaise. Jusque-là, cette place avait toujours été réservée à l'inspecteur-chef Gamache. Cette fois, cependant, il passa tout près sans s'arrêter et s'installa à la gauche de l'inspectrice-chef. L'inspecteur Beauvoir hérita donc de la chaise rangée à sa droite.

Armand Gamache était conscient de la place qui lui revenait. Il l'avait lui-même choisie, en fait.

– Voici ce que nous savons, commença Lacoste. Un canon géant est caché dans la forêt et un garçon a été tué à cet endroit, puis son corps a été déplacé. Vous connaissiez Laurent mieux que nous, monsieur. Que s'est-il produit, à votre avis ?

– De toute évidence, il a trouvé le canon, répondit Gamache. On dirait que quelqu'un a voulu l'empêcher de nous en dire plus à son sujet.

– Sauf qu'il en avait déjà parlé à plusieurs personnes, dit Jean-Guy. À nous tous, pour commencer. Tous les clients du bistro l'ont entendu, cet après-midi-là.

– Le meurtrier n'en savait peut-être rien, répondit Gamache. Il n'était peut-être pas dans le bistro quand Laurent y a fait irruption.

– Vous pensez donc qu'il en a parlé à quelqu'un d'autre après nous avoir quittés ? demanda Lacoste. Et ce quelqu'un l'aurait tué pour l'empêcher de parler ?

Gamache hocha la tête.

– Il y a une autre possibilité. Il est retourné là-bas tout seul et a interrompu quelqu'un. Même si le site a l'air abandonné…

– Nous en saurons plus dès que les expertises seront terminées, dit Lacoste. Mais c'est aussi mon impression.

– Alors où en sommes-nous ? demanda Beauvoir.

– Je pense que la personne qui a tué Laurent ne le connaissait pas bien, dit Gamache.

– Pourquoi ? demanda Jean-Guy.

– Eh bien, d'abord, il a pris Laurent au mot. C'était un super garçon, mais aussi un fabulateur. Tout le monde savait qu'il inventait des histoires de toutes pièces et que celle-ci était aussi tirée par les cheveux que les autres. Un canon dans les bois, plus grand qu'une maison.

– Avec un monstre dessus, rappela Lacoste.

Le garçon, tel un spectre, apparut. Maigrichon. Couvert de boue et de feuilles mortes et habité par un sentiment d'urgence. Les yeux brillants. Les bras écartés au maximum. Débitant son histoire à dormir debout. Si invraisemblable que personne n'a voulu le suivre.

Mais quelqu'un l'avait entendue, cette histoire. Et y avait cru.

– Le tueur a tout de suite su que Laurent disait la vérité, dit Beauvoir.

– Exactement, confirma Gamache en hochant la tête.

– Vous pensez que quelqu'un était au courant de l'existence du canon et a gardé le silence pendant des années, voire des décennies ? demanda Lacoste.

– Peut-être même cette personne veillait-elle sur lui, dit Jean-Guy, de plus en plus séduit par cette théorie. Et puis Laurent le découvre. Catastrophe. Il doit faire taire le garçon et il n'a d'autre solution que de le tuer.

– Qui savait que le canon était là ? demanda Lacoste.

– La personne qui l'a mis à cet endroit, répondit Gamache.

– Vous pensez que le créateur de ce canon est encore dans les parages ? demanda Lacoste.

– C'est possible, dit Gamache en se penchant vers eux.

– À qui d'autre Laurent a-t-il parlé de sa découverte ? demanda encore Lacoste. Où est-il allé après nous en avoir parlé à nous ?

– Chez lui, répondit Beauvoir en regardant Gamache. C'est vous qui l'avez reconduit, n'est-ce pas ?

– Oui. Vous permettez ?

Gamache désigna d'un geste la preuve qu'ils avaient recueillie. Elle reposait sur la table, dans des sacs.

– Oui, fit Lacoste. On a effectué les prélèvements et relevé les empreintes.

Gamache saisit la cassette. *The Very Best of Pete Seeger.*

Il lut la liste des chansons.

« Where Have All the Flowers Gone ? », « Michael Row the Boat Ashore », « Wimoweh ». Il sourit. C'était la chanson favorite d'Annie quand elle était bébé. Il était fan de Pete Seeger, lui aussi. Du moins il l'avait été jusqu'à ce que sa fille passe la première année de sa vie à écouter « The lion sleeps tonight ». Jour et nuit.

Il étudia les autres titres. Que des airs folkloriques, y compris « Turn ! Turn ! Turn ! ». Gamache avait oublié que Seeger avait écrit cette chanson en s'inspirant de L'Ecclésiaste.

– *To everything there is a season*, dit-il.

– Pardon ? fit Lacoste. Qu'avez-vous dit ?

– Al Lepage a des cassettes dans sa camionnette.

Il lui tendit la cassette et se demanda si, en ramenant Laurent chez lui, il avait livré le garçon à son meurtrier.

– Général Langelier ? Inspectrice-chef Lacoste de la Sûreté du Québec à l'appareil.

– Bonsoir, inspectrice-chef.

La voix du militaire dénotait une certaine réserve. Manifestement, il n'appréciait pas beaucoup qu'on dérange les forces armées à des heures indues. Elle l'imagina presque consulter sa montre et se dire que cet appel était importun, à moins que les États-Unis aient envahi le pays.

Il était vingt heures trente et elle était seule dans le poste de commandement. Ils s'étaient fait livrer des sandwichs et des boissons par le bistro et avaient travaillé pendant le souper.

Elle avait chargé Jean-Guy d'aller leur retenir des chambres au gîte pendant qu'elle s'occupait de la paperasse. Combien de fois avait-elle laissé l'inspecteur-chef Gamache seul dans un lointain poste de commandement, une remise, une grange, une usine abandonnée ? Une unique lumière scintillant dans la nuit.

Et il faisait nuit, à présent. Et c'était sa lampe à elle qui brillait.

Calée sur sa chaise, elle avait regardé fixement les photos sur son ordinateur. Puis elle avait cherché un numéro de téléphone et passé le coup de fil à la base des Forces canadiennes à Valcartier.

Elle avait dû recourir à l'intimidation et à des menaces voilées pour obtenir le numéro personnel du commandant.

– Que puis-je faire pour vous, inspectrice-chef?

– J'enquête sur un meurtre et j'ai besoin de votre aide.

Après un silence, l'homme, d'un ton sec, demanda :

– Y a-t-il un lien avec la base de Valcartier? Un de mes soldats serait-il en cause?

– Non, monsieur. Pas à notre connaissance. Le meurtre a été commis dans les Cantons-de-l'Est, non loin de la frontière du Vermont.

– Dans ce cas, quel est le but de votre appel? Vous savez, j'en suis sûr, que nous sommes très loin de là.

– Oui, monsieur. Votre base se trouve à proximité de la ville de Québec. Mais nous avons trouvé une chose susceptible de vous intéresser.

– Quoi donc?

Dans la voix de l'homme, elle sentit l'angoisse céder la place à la curiosité.

– Un énorme lance-missiles. J'ai eu beau faire des recherches, je n'ai rien trouvé d'approchant.

– Un lance-missiles? Dans les Cantons-de-l'Est? s'étonna le général Langelier, manifestement perplexe. Les forces armées n'ont pas de base là-bas. Elles n'en ont jamais eu. Qu'est-ce qu'il fait là?

Elle faillit rire, mais se retint.

– C'est la raison de mon appel. Nous ne le savons pas. Et il ne s'agit pas non plus d'un lance-missiles ordinaire. Je vous répète qu'il est énorme.

– Eh bien, oui, c'est vrai qu'ils le sont. Vous êtes bien certaine de ce que vous avancez? C'est peut-être une machine agricole ou forestière.

– Je vous envoie des photos, si vous voulez.

– D'accord.

Déjà, son intérêt fléchissait.

Il lui communiqua une adresse électronique sécurisée.

– Merde, dit-il tout bas dans le combiné après un moment.

Elle sut alors que les photos étaient arrivées.

Il les examina un moment en silence.

– C'est une personne, là, à côté ? demanda Langelier dès qu'il eut recouvré la faculté de tenir un discours poli.

– Oui.

– Tabarnac, jura-t-il. Vous êtes sûre ?

– J'ai moi-même pris cette photo cet après-midi. C'est un lance-missiles, non ? Et non une trayeuse ?

– Oui.

Il semblait distrait, perdu dans ses pensées.

– Je ne sais pas quoi vous dire, inspectrice-chef. C'est du jamais-vu, en ce qui me concerne. C'est un truc énorme, mais, franchement, on dirait aussi une antiquité. Une arme qui aurait pu servir pendant la Seconde Guerre mondiale.

– Vous pensez qu'elle date de cette époque-là ? Qu'elle a été utilisée pour la défense et abandonnée là ?

– Nous ne laissons pas des armes traîner dans les bois, répondit-il. Et les pièces d'artillerie étaient pointées vers la mer, et non vers l'intérieur des terres. L'arme est-elle fonctionnelle ?

– Nous n'en savons rien. C'est pour cette raison que je vous appelle. Nous avons besoin d'aide pour faire le point.

– Y a-t-il des missiles ? demanda-t-il. Le canon est-il armé ?

– Nous n'avons encore rien trouvé, mais nous cherchons. Jusqu'ici, tout indique qu'il y a seulement le lance-missiles. Vous pourriez nous envoyer quelqu'un ?

Un soupir se fit entendre à l'autre bout du fil. Elle put presque voir le général se gratter légèrement la tête.

– Franchement, nos spécialistes de la balistique et de l'armement lourd s'y connaissent surtout en technologies modernes.

Les missiles balistiques intercontinentaux. Les systèmes de pointe. On dirait plutôt un dinosaure, votre truc.

Lacoste examina la photo sur son écran. Le général avait raison. Littéralement. Ils avaient exhumé une sorte de béhémot.

Mais pourquoi était-il caché ? Et qui, au nom du ciel, l'avait construit ? À quoi servait-il ?

Et pourquoi Laurent avait-il été assassiné pour le garder secret ?

– Laissez-moi réfléchir et je vous rappelle, dit-il.

– Bien sûr, tout ceci est strictement confidentiel, dit-elle.

– Je comprends. Laissez-moi voir ce que je peux faire.

Elle raccrocha après l'avoir remercié. Elle ne lui avait pas parlé de l'autre chose. De la gravure à la base de l'engin.

Elle se redressa. Si seulement la vieille gare n'était pas aussi sombre et silencieuse et solitaire. Elle ouvrit une autre photo et étudia le monstre ailé. Même sur une photo, même de loin, il était frappant. Terrorisant, en fait.

Elle l'observa et se demanda ce qui l'avait retenue de parler de l'hydre au commandant de la base de Valcartier. La pensée du garçon qui était entré dans le bistro en courant, peut-être. Avec cette histoire de canon géant.

Comme l'avait dit Gamache, si Laurent s'en était tenu au canon, peut-être, peut-être l'auraient-ils cru. Mais il en avait rajouté, avait basculé dans l'impossible. Dans l'inconcevable.

Lacoste savait que le général Langelier n'appréciait sans doute pas à sa juste mesure la taille de l'engin. Aucune image ne pouvait en rendre compte, malgré la présence d'un agent utilisé à des fins de comparaison. Elle soupçonna l'officier d'avoir cru qu'elle exagérait. Et elle soupçonna aussi que la mention du monstre ailé n'aurait pas contribué à sa crédibilité, bien au contraire.

Isabelle Lacoste contempla la gravure. Elle était, elle dut en convenir, proprement incroyable.

Jean-Guy Beauvoir finit de vider son sac de voyage, d'accrocher ses chemises et ses pantalons dans la garde-robe du gîte, de ranger ses autres vêtements bien pliés dans la commode. Puis il alla déposer sa trousse de toilette dans la grande salle de bains.

Il s'était entendu avec Gabri pour que Lacoste et lui puissent rester aussi longtemps que nécessaire. Gabri lui avait attribué sa chambre habituelle avec le grand lit, les draps frais et le duvet moelleux. Le parquet aux larges planches de pin et les tapis orientaux.

Il ouvrit les rideaux et vit de la lumière à la fenêtre de la vieille gare.

Le poste de commandement était opérationnel. Les preuves recueillies avaient été expédiées au laboratoire de Montréal. Le détachement local de la Sûreté avait accepté d'assurer la protection du canon géant, bien que nul n'ait été particulièrement impressionné par la qualité des agents à qui on avait confié cette mission.

– Des types frais émoulus de l'école de police, avait observé Isabelle Lacoste. Ils apprendront.

– Peut-être.

– Nous avons été comme eux, nous aussi.

– Absolument pas, avait répliqué Beauvoir. C'est facile à calculer, Isabelle. Ils passent trois ans à l'école de la Sûreté. Ces deux-là, comme tous ceux de leur promotion, ont été recrutés au plus fort de la corruption.

– Tu crois qu'ils sont corrompus ?

– Je pense que, à l'époque, on cherchait d'autres qualités chez les recrues.

« Et à présent, songea-t-il en ouvrant la fenêtre pour laisser entrer la brise fraîche, on a une promotion complète sur les bras. Voire plus d'une. Réparties dans toute la Sûreté. Dans toute la forêt. »

La monstruosité qu'ils avaient mise au jour était gardée, au mieux, par des incompétents, au pire, par des agents qu'on avait recrutés parce qu'ils étaient facilement corruptibles.

Il saisit la bible qu'il avait trouvée sur une tablette de la chambre et chercha l'Ecclésiaste. Les paroles de la chanson de Pete Seeger avaient piqué sa curiosité.

Par la fenêtre, il vit les lumières allumées chez les Gamache et les imagina en train de lire près du feu.

Il y a une saison pour tout, lut-il.

Et chez Clara, de l'autre côté du parc, une seule lampe était allumée.

Un temps de pleurer, et un temps de rire.

Il vit les trois hautes flèches des pins se balancer doucement dans la brise automnale. Il vit deux silhouettes sombres sortir du bistro. L'une grande, voûtée. L'autre, qui marchait avec une canne, serrait quelque chose contre sa poitrine.

Les deux silhouettes traversèrent lentement le parc du village, dépassèrent le banc, l'étang, les pins.

Jean-Guy vit M. Béliveau raccompagner Ruth jusque chez elle. Ruth gravit les marches du perron. L'épicier, cependant, eut une initiative presque inconcevable. Il entra chez elle.

Il se faisait tard, mais Beauvoir n'était pas fatigué.

Un temps de se taire, et un temps de parler.

Il téléphona chez lui et bavarda avec Annie. Ils évoquèrent la possibilité d'acheter une maison, avec un jardin, située près des écoles et d'un parc. Et puis ils se racontèrent leurs journées respectives. Jean-Guy s'allongea sur le lit familier du gîte et sut qu'elle-même était couchée dans leur lit, les pieds relevés.

Détectant le sommeil dans la voix d'Annie, il lui souhaita bonne nuit avant de raccrocher à contrecœur.

Il y a un temps de naître, et un temps de mourir.

Sa main s'attardant sur le combiné, il pensa à Laurent. Et aux Lepage. Au fait d'avoir un enfant et de le perdre.

Enfilant son peignoir, il descendit au rez-de-chaussée et raccorda son ordinateur à une prise téléphonique.

Il était toujours là lorsqu'on éteignit les lumières du bistro. Il était toujours là lorsque Olivier et Gabri rentrèrent. Il était toujours là lorsque les lumières des maisons de Three Pines disparurent une à une et que les villageois sombrèrent dans le sommeil.

Jean-Guy Beauvoir resta là, le visage baigné par la lueur de son ordinateur, jusqu'à ce qu'il trouve enfin ce qu'il cherchait. Alors seulement se cala-t-il sur sa chaise, courbaturé et las, pour regarder fixement le nom que sa recherche avait mis au jour.

Il passa un coup de fil, laissa un message, grimpa les marches et se glissa sous l'édredon. Et s'endormit. Pelotonné contre le lion en peluche qu'il prenait avec lui chaque fois qu'il s'absentait de la maison.

Un temps de guerre, et un temps de paix.

– Bienvenue au gîte, chantonna la voix au téléphone.

– *Hi*. Je m'appelle Rosenblatt. Michael Rosenblatt.

– C'est pour une réservation ?

– Non. Je vous retourne votre appel. C'est au sujet des missiles.

Rosenblatt entendit des rires au bout du fil.

– Désolé, fit l'homme. Vous vous trompez de numéro. C'est un gîte, ici. Nous n'avons pas de missiles. Même pas des missels. Seulement des bibles.

« Hum », songea Michael Rosenblatt.

– Désolé, dit-il. J'ai dû mal noter.

Il raccrocha et vérifia le numéro, secoua la tête et se remit à son déjeuner. Le matin même, il avait reçu, de son ex-département à l'Université McGill, un coup de fil fort embrouillé. Quelque chose à propos d'un message laissé la veille au soir. Et de vieux missiles.

Lorsque le téléphone sonna une demi-heure plus tard, il entendit, en décrochant, une voix inconnue.

– Professeur Rosenblatt ? demanda l'homme en anglais avec un accent québécois.

– Oui.

– Je m'appelle Jean-Guy Beauvoir, inspecteur à la Sûreté du Québec. J'ai obtenu votre numéro par l'Université McGill. J'espère que vous ne m'en voudrez pas.

– La Sûreté ? s'étonna l'homme.

– Oui.

Beauvoir décida de ne pas préciser qu'il faisait partie de la section des homicides. Le professeur semblait déjà ébranlé. Et âgé. Il ne voulait surtout pas se retrouver avec un autre mort sur les bras.

– C'est vous qui avez laissé un message à McGill ? demanda Rosenblatt. J'ai essayé de répondre à votre appel, mais l'homme a dit que j'avais joint un gîte.

Beauvoir s'excusa.

« Il a l'air gentil, songea Rosenblatt. Désarmant. »

Le professeur émérite savait à quoi s'en tenir. Selon son expérience, les personnes les plus dangereuses étaient désarmantes. Il se campa aussitôt sur la défensive.

– Là où je suis, mon téléphone cellulaire ne fonctionne pas, expliqua l'inspecteur Beauvoir. Je vous ai donc laissé le numéro principal. Je loge dans un gîte dans le cadre d'une enquête. Nous avons trouvé une chose dans les bois. Une chose inexplicable.

– Ah bon ? fit Rosenblatt qui, sa curiosité piquée, en oublia ses préventions. Quoi donc ?

– Tout indique qu'il s'agit d'une arme de grande taille.

La curiosité du professeur s'évanouit aussi sec.

– Je ne m'intéresse pas à ce genre de choses, dit Rosenblatt. Mon domaine est – était – la physique.

– Oui, je sais. J'ai lu votre article sur le changement climatique et la trajectoire.

Le professeur se pencha sur sa table de cuisine.

– Ah bon?

Beauvoir décida de ne pas ajouter qu'il avait moins «lu» que «regardé», perplexe, l'article en question. Pourtant, ses navigations de la veille lui avaient permis de déterrer le nom de Rosenblatt et son article, et Beauvoir en savait désormais assez pour avoir la conviction que cet homme se spécialisait dans les grosses pièces d'artillerie.

Et il en avait justement une sur les bras.

– Je doute de pouvoir vous être utile, dit le professeur Rosenblatt. Cet article date d'il y a vingt ans. Je suis à la retraite. Si c'est un fusil que vous avez trouvé, adressez-vous plutôt à un club de tir.

Il entendit un rire bas au bout du fil.

– J'ai bien peur de m'être mal expliqué, dit Beauvoir. Je ne possède pas tout le vocabulaire voulu, en particulier en anglais. En français non plus, remarquez. Il ne s'agit ni d'un fusil ni d'une arme de poing. Je vous parle d'un lance-missiles, mais d'une conception pour moi inédite. Au milieu d'une forêt, dans les Cantons-de-l'Est.

Le professeur se rencogna sur sa chaise, comme sous l'effet d'une bourrade.

– Dans les Cantons-de-l'Est?

– Oui. Caché sous un filet de camouflage envahi par la végétation. Il semble ancien, ajouta Beauvoir. Je dirais qu'il est là depuis quelques dizaines d'années. Professeur?

Le silence était tel que Jean-Guy se demanda si la ligne était morte. La ligne ou encore Rosenblatt lui-même.

– Je suis là. Je vous écoute.

Beauvoir prit une profonde inspiration avant de se lancer de nouveau.

– C'est un truc énorme. Plus grand que toutes les armes que j'aie vues jusqu'ici. Dix fois, peut-être cent fois plus grand.

Nous avons eu besoin d'échelles pour monter dessus. Et même, elles se sont révélées trop courtes.

La communication, une fois de plus, sembla coupée.

– Professeur ?

Beauvoir n'attendait plus de réponse. Il escomptait plutôt une tonalité.

– Je suis là, dit Rosenblatt. L'arme a-t-elle des caractéristiques qui permettent de l'identifier ?

– Pas de numéro de série ni de nom, répondit Beauvoir. Mais il se peut que nous ayons raté un élément. Il faudra du temps pour examiner en profondeur chaque centimètre carré.

Rosenblatt laissa entendre une sorte de bourdonnement, comme si son cerveau vrombissait.

– Il y a tout de même un détail, fit Jean-Guy.

– Oui ?

– Je ne sais pas si c'est vraiment une marque distinctive, mais c'est inhabituel. Un motif, disons.

Michael Rosenblatt se leva devant la table de sa cuisine et renversa son café sur la *Gazette* de Montréal.

– Une gravure ? demanda-t-il.

– Oui, fit Beauvoir en se levant lentement derrière son bureau du poste de commandement.

– À la base ?

– Oui, dit Beauvoir d'une voix de plus en plus circonspecte.

– Une bête ? demanda Rosenblatt, qui respirait avec difficulté.

– Une bête ?

– Un monstre, dit le professeur en français.

Sa prononciation était médiocre, mais, en l'occurrence, suffisante.

– Oui. Un monstre.

– À sept têtes.

– Oui, confirma l'inspecteur Beauvoir.

Il se rassit derrière son bureau du poste de commandement.

Rosenblatt se rassit devant la table de sa cuisine.

– Comment le savez-vous ? demanda Beauvoir.

– Il s'agit d'un mythe, répondit Rosenblatt. Du moins, c'est ce que nous pensions.

– Nous avons besoin de votre aide, dit l'inspecteur Beauvoir.

– En effet.

11

– Il y a quelqu'un ?

Michael Rosenblatt ouvrit la porte en bois et, sans grand optimisme, glissa la tête par l'entrebâillement.

« C'est sûrement une erreur », songea-t-il.

L'endroit semblait abandonné, comme d'ailleurs la plupart des vieilles gares du Québec. Pourtant, le type du bistro l'avait orienté vers ce bâtiment.

– Hou ! Hou ! fit-il à voix plus haute, cette fois.

Pendant que ses yeux s'acclimataient à l'obscurité, il distingua le contour d'un objet volumineux qui le retint de s'avancer davantage dans le bâtiment plongé dans la pénombre.

Il l'examina de plus près. C'était sans doute ses yeux qui lui jouaient des tours, mais on aurait dit un camion de pompiers. Garé au beau milieu d'une ancienne gare ferroviaire. Qui, lui avait-on dit, servait de bureau de la Sûreté. Du pur délire.

Il se retourna, incertain de la conduite à tenir.

– Vous avez fait vite, dit une voix masculine.

Un homme contourna le camion de pompiers et s'avança en tendant le bras.

– Professeur Rosenblatt ? Jean-Guy Beauvoir. Nous nous sommes parlé au téléphone.

– Comment allez-vous ? demanda Rosenblatt en serrant la main vigoureuse.

Devant lui se tenait un agent de la Sûreté dans la trentaine avancée. Séduisant et soigné. Svelte sans être maigre, il donnait l'impression de posséder une immense énergie à peine contenue. Un lance-pierres sur le point de catapulter son projectile.

Jean-Guy Beauvoir vit un vieux monsieur arborant un veston en tweed et un nœud papillon. Ses cheveux blancs étaient fins et clairsemés sur le sommet de son crâne et il avait un ventre généreusement rebondi.

D'une main douce, le professeur Rosenblatt remonta ses lunettes sur son nez. Dans l'autre, il tenait une mallette en cuir qui avait connu des jours meilleurs.

Mais les yeux de l'homme, vifs, curieux, évaluaient Beauvoir. Malgré son apparence, il n'avait rien de confus, rien d'embrouillé.

– Merci d'être venu. Je ne vous attendais pas si tôt, dit Beauvoir en se tournant vers la vieille gare.

– Je n'habite pas très loin d'ici.

– Ah bon ?

– Oui. Je me suis établi dans le coin après mon départ à la retraite. Mais je dois avouer que ce village m'a un peu pris au dépourvu. Je n'en avais jamais entendu parler.

– Il est difficile à trouver, convint Beauvoir. J'espère que vous n'avez pas eu trop de mal.

– J'ai bien peur d'être affligé d'un déplorable sens de l'orientation, avoua Rosenblatt en suivant Beauvoir. C'est plutôt gênant, en fait. Je soupçonne que ma crédibilité en tant que spécialiste des missiles téléguidés en souffre un peu.

Il expliqua qu'il avait roulé sur des petites routes, s'était arrêté pour consulter des cartes et son GPS. Le village de Three Pines semblait ne pas exister. De plus en plus angoissé, il avait tourné à gauche, à droite, au hasard, essayé cette route-ci, puis cette route-là, abouti dans des impasses.

– Three Pines, fit Rosenblatt. Même le nom semble ridicule dans une région dominée par les pins.

Mais alors, au moment où il allait renoncer, il avait atteint le sommet d'une colline, sur une route de terre creusée d'ornières, et freiné.

En contrebas, telle une apparition, un petit village. Au centre, trois hauts pins. Qui lui faisaient signe.

Il avait consulté son GPS. Selon l'appareil, il se trouvait au beau milieu de nulle part. Au sens propre. Pas de route. Pas d'agglomération. Pas même de forêt. Que du néant. Comme si, au volant de sa voiture, il avait dépassé les limites du monde.

Le professeur Rosenblatt sortit de sa voiture. Il devait faire le point, mettre de l'ordre dans ses idées avant d'affronter ce désarmant officier de la Sûreté. Il se dirigea vers un banc placé au sommet de la colline et allait s'y asseoir lorsqu'il remarqua, gravées dans le bois, deux lignes, l'une au-dessus de l'autre :

Un homme courageux dans un pays courageux
Surpris par la joie

Le professeur Rosenblatt se tourna vers le village et vit des gens dans leur jardin, sur leur galerie, en train de promener leur chien. De s'arrêter pour faire un brin de causette. Tout semblait à la fois paisible et ordonné.

Il s'interrogea sur ces gens qui avaient choisi de vivre au milieu de nulle part. Pour qui ces énoncés étaient si signifiants qu'ils les avaient gravés à l'entrée du village.

Dans l'immédiat, Michael Rosenblatt suivit l'officier de la Sûreté dans la salle principale de la vieille gare, où des hommes et des femmes parlaient au téléphone, consultaient des écrans d'ordinateur, conféraient entre eux, penchés sur des documents. Peu à peu, des tableaux noirs et des babillards se tapissaient de photographies et de schémas. On avait punaisé au mur une carte géante des environs immédiats.

L'inspecteur Beauvoir s'avança vers une jeune femme assise à un bureau.

– Voici l'homme dont je vous ai parlé, inspectrice-chef Lacoste. Le professeur Rosenblatt est physicien, spécialiste de la balistique et de la haute altitude.

– Professeur Rosenblatt, dit Lacoste en se levant pour saluer le vieil homme. La haute altitude ? Vous êtes astrophysicien ?

– J'ai bien peur de voler un peu plus bas, répondit Rosenblatt en lui serrant la main. Non, physicien ordinaire, au ras des pâquerettes. Et votre collègue aurait dû parler au passé, en fait. Je suis un ancien universitaire.

– Ça tombe bien, notre canon est ancien, dit Lacoste en souriant.

Il sentit toutefois qu'elle le jaugeait du regard. Se demandait s'il n'était pas un peu gaga.

– Inspecteur, vous voulez bien téléphoner à l'inspecteur-chef et lui demander s'il souhaite nous accompagner ?

– Je croyais que c'était vous, l'inspectrice-chef, dit Rosenblatt.

Cramponné à sa mallette en cuir, il s'ordonna de se détendre.

– Je le suis. Lui, c'est l'homme que j'ai remplacé. Il a pris sa retraite ici.

– Comme moi, dit Rosenblatt. C'est paisible.

– Tout dépend de l'endroit précis où vous habitez, je suppose, dit Lacoste en s'assoyant et en indiquant la chaise d'en face. Avant que nous allions dans les bois, vous devez savoir une chose. L'emplacement du canon est aussi la scène d'un crime. Un garçon y a été assassiné. Nous pensons qu'il a été tué parce qu'il a découvert l'arme. Quelqu'un tenait à ce que son emplacement reste secret.

– Navré de l'entendre, dit Rosenblatt en s'assoyant à son tour.

À contrecœur. Il était impatient de se mettre en route.

– Vous ne paraissez pas étonné, dit-elle en l'observant de près.

– Si c'est bien le canon auquel je pense, il n'en est pas à sa première victime.

– Vous n'allez tout de même pas me dire qu'il est maudit ?

– Pas plus que les autres canons.

« Bon, songea-t-il. Peut-être un peu plus. » Pour un canon qui n'avait jamais servi, il avait fait un nombre stupéfiant de victimes. Dont le garçon était la plus récente, certes, mais peut-être pas la dernière.

– Qu'avons-nous trouvé, au juste ? demanda-t-elle.

– Je dois le voir d'abord, répondit-il. Pour confirmer.

– À quoi avons-nous affaire, à votre avis ? insista-t-elle.

Par les fenêtres à meneaux, le professeur Rosenblatt vit un homme dans la cinquantaine franchir le pont de pierre qui menait à la vieille gare. Grand et plus robuste que corpulent. En cette fraîche matinée de septembre, il portait une casquette, un pantalon, des bottes de caoutchouc et un chaud ciré.

Et il semblait familier.

Isabelle Lacoste se tourna vers l'homme que le professeur scrutait avec intensité.

– Monsieur Gamache, expliqua-t-elle.

« Gamache, songea Rosenblatt. L'inspecteur-chef Gamache. De la Sûreté. »

Oui, il le remettait, à présent. Il avait fait les manchettes.

En voyant l'homme s'approcher d'un pas énergique et résolu, Rosenblatt comprit que Gamache n'était pas plus retraité que lui-même.

Dans les bois, ils suivirent les rubans jaunes noués aux arbres. Telles des miettes de pain conduisant au gros canon de grand-maman.

Le professeur Rosenblatt n'avait pas l'habitude des forêts. Des champs. Des lacs. De la nature sous toutes ses formes. Au bout de quelques minutes, il était déjà fatigué. Une énième fois, il glissa sur une pierre moussue et dut s'accrocher à un tronc pour éviter de tomber.

– Ça va ? demanda Gamache en tendant la main.

Une fois de plus, Gamache ramassa la mallette. Il avait proposé de la porter, mais le professeur avait décliné l'offre, poliment mais avec fermeté. Une fois de plus, il la reprit.

Leur progression dans la forêt devint donc une sorte de menuet, le professeur Rosenblatt s'élançant d'arbre en arbre, à la façon d'un ivrogne qui titube sur une piste de danse.

Loin devant, Lacoste et Beauvoir avaient presque été avalés par les arbres.

– Ce n'est pas mon habitat naturel, s'excusa inutilement le professeur. Je préfère être entre quatre murs, devant un ordinateur et une assiette de madeleines.

Gamache sourit.

– Personnellement, je préfère les chocolatines.

– Oui. Elles peuvent dépanner en cas d'urgence, je suppose. Vous n'en…

– Hélas, non, répondit Gamache en souriant.

Loin devant, Rosenblatt, entre deux râles, pouvait entendre les deux officiers qui discutaient. Des mots qu'il connaissait pour les avoir entendus dans des séries télévisées parvenaient jusqu'à lui.

ADN. Police scientifique. Analyse sanguine.

Il se demanda comment le garçon était mort, même si, dans l'immédiat – tandis que, entre deux chutes évitées de justesse, il progressait dans la forêt en soufflant comme un bœuf –, sa principale préoccupation était de rester en vie.

Et puis, dans l'obscurité, Rosenblatt vit une chose qui emballa son cœur. Un arbre s'anima. S'immobilisant, il retira ses lunettes et essuya la sueur de ses yeux du revers de la main.

En tant que scientifique, le professeur Rosenblatt savait bien que les arbres ne marchaient pas. Mais il savait aussi que cette forêt recelait quantité de mystères inexplicables.

Et puis sa vision se précisa et il comprit que l'arbre n'en était pas un. C'était un officier de la Sûreté vêtu d'un habit vert mousse. Et, à côté de lui, il y en avait un autre.

Et, descendant de la colline, encore un autre.

Et puis sa vision s'aiguisa encore un peu et il se concentra sur la chose que ces personnes encerclaient. Autour de laquelle elles montaient la garde.

Il s'était dit qu'il était prêt, mais, à la vue de l'enchevêtrement de plantes grimpantes qui leur faisait face, il fut pris de vertige, incapable de toute réflexion rationnelle.

– On y va? demanda Isabelle Lacoste.

Ils entrèrent à la queue leu leu. D'abord l'inspecteur Beauvoir, puis l'inspectrice-chef Lacoste. Ce fut ensuite au tour du professeur Rosenblatt.

Il hésita et se rendit compte, non sans surprise, qu'il avait peur. Peur de ce qu'il allait trouver. Peur de ne pas trouver ce qu'il escomptait. Peur du contraire, aussi.

Gamache retint les épaisses plantes rampantes qui bloquaient l'ouverture pour permettre au professeur de s'y glisser à quatre pattes en poussant la mallette devant lui.

Les officiers de la Sûreté avaient allumé leurs lampes de poche, mais elles ne fournissaient pas beaucoup de lumière. Puis on entendit un bruit sourd et de puissants projecteurs entrèrent en action.

Michael Rosenblatt porta les mains à son front pour protéger ses yeux de l'éclat aveuglant. Puis son regard s'éleva. S'éleva encore.

Et sa bouche s'ouvrit toute grande. Il retint son souffle et poussa un long, un très long soupir qui se conclut par quelques mots presque inaudibles.

– Il n'a pas fait ça.

Et alors le professeur Rosenblatt laissa échapper sa mallette.

12

– Mon Dieu, murmura Rosenblatt.

Gamache, campé tout près du vieux professeur, n'eut pas l'impression que celui-ci venait de voir son Dieu. Plutôt le contraire, en fait.

– Je peux m'approcher ? Je peux y toucher ?

– Oui, mais soyez prudent, répondit Lacoste.

Rosenblatt tendit à Gamache sa mallette, soudain beaucoup moins importante, et s'avança vers le canon. Lentement, précautionneusement. Les mains devant lui, comme s'il craignait de l'effaroucher.

– Ce que nous devons surtout savoir, c'est si le canon est en état de tirer, dit Lacoste. Nous devrions alors le mettre hors d'usage.

– Oui, fit Rosenblatt, rêveur.

Il s'immobilisa près de la gravure. Il examina le monstre. Puis il posa ses paumes dessus. Éprouva la froideur du métal. On aurait dit qu'il cherchait un pouls.

Il s'appuya contre le canon. Gamache crut l'entendre parler à voix basse, mais il ne saisit pas les mots.

Ensuite, le professeur Rosenblatt recula d'un pas. Puis d'un autre. Et d'un autre encore. Il étira le cou, pencha la tête vers l'arrière. La bouche grande ouverte, les yeux exorbités, il s'efforçait d'appréhender l'ampleur de la vision. Au-delà de la taille de l'engin, sa simple existence.

Il suivit du regard le canon de l'arme qui se perdait dans les ténèbres. Même les projecteurs n'éclairaient pas jusque-là.

Gamache vit le professeur fermer les yeux, prendre deux ou trois grandes inspirations, puis, après avoir vidé ses poumons, se tourner vers ses compagnons.

– Je dois trouver la chambre de combustion pour déterminer s'il est armé.

Il avait retrouvé son sens pratique.

– De ce côté, dit-il en se dirigeant vers l'arrière de l'engin. Vous avez ouvert ?

Il désignait une porte en métal ronde, assez grande pour laisser passer un homme debout.

– Nous avons essayé, répondit Lacoste, mais sans succès. Nous n'avons pas insisté, par crainte de provoquer un tir accidentel.

Le professeur Rosenblatt hocha la tête.

– Pas de danger. Le percuteur est ailleurs. Là, c'est la culasse. S'il y a un missile, c'est ici.

Ils virent le professeur promener ses mains sur les loquets, les poignées et les boutons.

– Attention, fit Beauvoir.

Rosenblatt ne répondit pas. Il était trop concentré.

– Est-on sûr qu'il sait ce qu'il fait ? demanda Lacoste à Beauvoir.

Avant que ce dernier ait pu répondre, ils virent le professeur tendre la main et empoigner un levier. En s'arc-boutant, le vieil homme tira, en vain.

– J'ai besoin d'aide, dit-il. C'est coincé.

Beauvoir se joignit à lui. À eux deux, ils tirèrent, tirèrent encore, jusqu'à ce que le levier cède, si brusquement que les deux hommes eurent un mouvement de recul.

On entendit un vrombissement, un grincement, puis un sifflement sonore.

Gamache se crispa. Craignant que Rosenblatt ait déclenché quelque chose, mais incertain de la conduite à tenir, le cas échéant.

Puis la porte massive s'ouvrit, comme une bouche. Comme une gueule. Les invitant à l'intérieur.

Ils regardaient intensément, tous les quatre. Gamache entendait un halètement et comprit qu'il venait de Jean-Guy. Non pas parce que le gros effort qu'il venait de faire l'avait laissé sans souffle, mais bien parce qu'il avait son cauchemar devant les yeux.

Si Gamache avait le mal des hauteurs, Beauvoir, lui, était terrifié par les trous. Armand s'avança vers lui.

– Reste là, dit-il. Si la porte se referme, rouvre-la.

Beauvoir ne répondit pas. Il continua de regarder fixement devant lui.

– Tu as besoin de noter ce que j'ai dit ? demanda Gamache.

– Hein ? Pardon ? fit Jean-Guy en émergeant de sa rêverie. Bien sûr. Attendez. Vous allez entrer là-dedans ?

Il gesticula en direction de l'ouverture, où le professeur Rosenblatt s'était déjà engagé.

– Oui. Et s'il faut grimper sur quelque chose ?

– Je le ferai, moi, répondit Beauvoir en souriant.

– Ce serait peut-être préférable, en effet.

Gamache suivit Rosenblatt et Lacoste dans la chambre.

Dans les faisceaux de leurs lampes de poche, Armand distinguait le visage du professeur. Ses yeux. Brillants, mais pas surexcités. Il semblait presque calme, maître de lui-même.

C'était son environnement naturel. Le ventre de la bête. Là, le petit professeur était chez lui.

– Incroyable, murmura Rosenblatt en secouant la tête. Pas la moindre composante électronique.

Il se tourna vers ses compagnons.

– On dirait un jeu de Meccano.

– Le canon est-il armé ? demanda Lacoste.

Elle commençait à se sentir nerveuse. Elle n'avait jamais souffert de claustrophobie, mais, naturellement, elle n'avait jamais encore été enfoncée dans la chambre de combustion d'une arme géante en compagnie de deux de ses semblables.

– Non, répondit Rosenblatt en montrant le tube long et large qui s'étirait devant eux.

Il contemplait la paroi interne du canon de l'engin.

– Vide. Il n'y a jamais eu de missile ici. On ne voit aucune marque.

Tendant la main, Gamache toucha à son tour la paroi, légèrement graisseuse.

– Mais on l'a préparé.

Rosenblatt étudia l'homme et hocha la tête.

– Vous vous y connaissez en armes à feu.

– Oui, hélas, répondit Gamache. Nous nous y connaissons tous. Mais je n'ai jamais rien vu qui se compare à ceci.

– Parce que c'est du jamais-vu, dit Rosenblatt.

Dans la faible lueur, Gamache discerna l'émerveillement dans les yeux du professeur.

– Il pourrait tirer ? demanda Lacoste.

– Pour vous répondre, je dois trouver le percuteur. Sortons de là.

Lacoste ne se fit pas prier. Elle sortit en vitesse et alla retrouver le professeur sur le flanc de l'engin.

– Tiens, c'est intéressant. La détente devrait se trouver ici, dit-il en enfonçant le poing dans un trou. Mais elle est absente.

– Elle est peut-être ailleurs ? risqua Beauvoir.

– Non. Étant donné la configuration intérieure, elle ne peut être qu'ici.

Il jeta un coup d'œil au mur formé, au fond, par le filet de camouflage et secoua la tête.

– L'essentiel, résuma Lacoste, c'est qu'il n'est pas armé et que, même s'il l'était, il ne pourrait pas tirer.

– Sans le mécanisme, non, en effet.

– À quoi ressemblerait-il ?

– La détente serait munie de rouages adaptés à la roue qu'on voit ici, dit le professeur en désignant un cercle dentelé d'environ trente centimètres de diamètre. Cet engin est entièrement dépourvu d'éléments électroniques. Il n'y a même pas de système de guidage. Tout se fait manuellement.

– La détente aurait-elle pu tomber ? demanda Beauvoir en regardant par terre.

– Ce n'est pas un jeu LEGO. Les pièces ne tombent pas pour un oui ou pour un non. On a affaire à un engin d'une grande complexité, d'une confection irréprochable, où tout s'emboîte à la perfection.

– Donc, non, fit Beauvoir.

– Non, confirma Rosenblatt. Si la pièce manque, c'est que quelqu'un l'a prise. À première vue, je dirais que c'était il y a longtemps. Je dois revoir cette gravure.

Le vieil homme avait parlé avec détermination. Gamache comprit que, si lui-même avait peur des hauteurs et Beauvoir des espaces confinés, le professeur Michael Rosenblatt, lui, avait peur de la gravure.

Ils retournèrent de ce côté et Rosenblatt prit un peu de recul pour embrasser d'un seul coup d'œil le monstre ailé qui se cabrait et se tortillait. Ses sept têtes s'étiraient, ses longs cous s'entremêlaient à la façon de serpents. Une femme, montée sur son dos, tenait les rênes. Maîtrisait la bête. Elle les regardait avec une expression étrange. « Mais pas de colère, songea Gamache. Ni de désir de vengeance. Ni de soif de sang. » C'était encore plus sinistre. Un sentiment que Gamache ne parvint pas à définir.

Le professeur Rosenblatt dit quelques mots à voix basse.

– Qu'avez-vous dit ? demanda Gamache, plus proche du scientifique que les autres.

Rosenblatt désigna des objets qui, sur le corps du monstre, avaient l'apparence d'écailles.

Gamache s'avança et, en mettant ses lunettes, se pencha. Il se tourna vers le professeur en se redressant.

– De l'hébreu ?

– Oui. Vous pouvez déchiffrer l'inscription ? demanda Rosenblatt.

– J'ai bien peur que non.

Rosenblatt jeta un nouveau coup d'œil à la créature. Aux détails qui étaient non pas des écailles, finalement, mais bien des mots. Il lut à haute voix :

"עַל נַהֲרוֹת בָּבֶל–שָׁם יָשַׁבְנוּ, גַּם בָּכִינוּ."

Il fit ensuite face à ceux qui l'accompagnaient en ce lieu sombre. Il semblait à la fois triomphant et terrifié. Comme si son vœu le plus cher et sa crainte la plus profonde ne faisaient qu'un. Et se réalisaient en même temps.

– *Sur les bords des fleuves de Babylone,* dit-il, *nous étions assis et nous pleurions.*

Gamache sentit le sang abandonner son visage. Devant lui, le canon luisait de façon étrange, surnaturelle, dans la lumière des projecteurs. Des ombres se projetaient sur la canopée, le faux ciel au-dessus de leurs têtes, où elles formaient une grotesque constellation.

– Maintenant, déclara le professeur Rosenblatt, je suis en mesure de vous dire de quoi il s'agit.

Ils prirent place dans le salon des Gamache, autour de l'âtre où les flammes bondissaient et dansaient et projetaient des éclats gais sur des mines sombres.

Après le froid de la forêt, ils avaient décidé de se réunir dans un endroit chaud. Et discret.

Ils avaient à portée de main des tasses de thé bouillant et réconfortant ainsi que des assiettes de madeleines. Armand avait fait un saut à la boulangerie de Sarah.

– Ce que vous avez découvert, commença le professeur Rosenblatt, c'est le Projet Babylone. Lorsque vous m'avez décrit l'engin au téléphone, ce matin, j'ai eu peine à vous croire. Le Projet Babylone est une histoire que les physiciens se racontent entre eux pour se flanquer la trouille. Un conte à la mode des frères Grimm pour scientifiques, en somme.

Il prit une profonde inspiration et essaya de cacher son malaise en tendant le bras vers une autre pâtisserie. Seulement, il fut trahi par le tremblement de sa main.

Gamache n'arrivait pas à décider si ce tremblement était causé par la peur ou par l'enthousiasme.

– Ce que vous avez là, c'est un Supercanon. Non, pas « un » Supercanon. « Le » Supercanon. Unique en son genre. Au sein de la communauté des armements, il tient de la légende. Pendant des années, on a entendu dire qu'il était en voie de construction. Certains ont essayé de le trouver, puis ont renoncé. Avec le temps, les rumeurs se sont tues.

– En le voyant pour la première fois, dit Armand, vous avez murmuré : « Il n'a pas fait ça. » De qui parliez-vous ?

Armand se pencha, les avant-bras sur les genoux, ses grandes mains formant une sorte d'arc devant lui. Semblables à la proue d'un navire fendant la mer.

– Je voulais parler de Gerald Bull, dit Rosenblatt.

Il semblait escompter une réaction de la part de ses interlocuteurs. Un tressaillement, peut-être. Il n'eut droit qu'à une attention soutenue.

– Gerald Bull ? répéta Rosenblatt en les dévisageant tour à tour.

Ils secouèrent la tête.

– *Contemplez mes œuvres, Ô Puissants,* déclama Rosenblatt en tirant vers lui sa mallette en cuir élimée, *et désespérez !*

– Ah non, soupira Beauvoir. Nous en avons deux, à présent.

– « Ozymandias », expliqua Gamache en regardant Jean-Guy avec désespoir. Le professeur a cité un sonnet de Shelley…

– … naturellement.

– … dans lequel il est question de l'arrogance, de l'orgueil démesuré. D'un roi qui croyait ses réalisations capables de survivre pendant des milliers d'années, alors qu'il ne reste de lui qu'une statue cassée au milieu du désert.

– Et pourtant, il a fini par être immortalisé, ajouta Rosenblatt. Non pas par son pouvoir, mais bien par un poème.

Beauvoir considéra les deux hommes, visiblement sur le point de faire une remarque insolente, mais il se retint. Et réfléchit.

– Qui était Gerald Bull ? demanda-t-il enfin.

Le professeur Rosenblatt ouvrit sa mallette, fouilla un instant et en sortit quelques papiers.

– Après vous avoir parlé, j'ai retrouvé ces documents. Je me suis dit qu'on en aurait peut-être besoin.

Il déposa les pages, retenues par une agrafe, sur la table basse.

– Voici M. Bull.

Isabelle Lacoste saisit la liasse. Les documents apportés par le professeur étaient jaunis et tapés à la machine. Elle trouva aussi une photo en noir et blanc granuleuse, celle d'un homme portant un costume et une cravate mince, l'air accablé.

– Il était ingénieur en armement. Selon les uns, Bull était un visionnaire ; selon les autres, un marchand d'armes amoral. Ce qui est sûr, en tout cas, c'est que c'était un concepteur de génie.

– Il a construit cet engin dans les bois ? demanda Lacoste.

– Je le crois, oui. Dans le cadre, je pense, de ce qu'il appelait le Projet Babylone. Il avait pour but de concevoir et de construire un canon si puissant qu'il pourrait lancer un missile en orbite basse autour de la Terre, comme un satellite. De là, il pourrait parcourir des milliers de kilomètres jusqu'à sa cible.

– Ces armes-là n'existent pas ? demanda Beauvoir. Je veux parler des missiles balistiques intercontinentaux ?

– Oui, mais le Supercanon est différent, répondit Rosenblatt.

– C'est un jeu de Meccano, se rappela Lacoste. Pas de composantes électroniques.

– Exactement, dit le professeur en la gratifiant d'un large sourire. Pas de système de guidage informatisé. Rien qui dépende d'un logiciel ni même de l'électricité. Une bonne vieille arme à l'ancienne, semblable aux pièces d'artillerie utilisées pendant la Première Guerre mondiale.

– Mais qu'a donc cette invention de si particulier ? demanda Gamache. On dirait qu'elle marque un recul plutôt qu'une avancée. L'inspecteur Beauvoir a raison : s'il existe des missiles balistiques intercontinentaux capables de transporter des ogives nucléaires sur des milliers de kilomètres, avec une précision chirurgicale de surcroît, pourquoi quelqu'un aurait-il envie ou besoin du Supercanon de Gerald Bull ?

– Pensez-y un peu, répondit Rosenblatt.

Ils obéirent, mais ne trouvèrent rien.

– Vous êtes embourbés dans le présent, convaincu que la nouveauté est gage de qualité, dit Rosenblatt. Mais voilà un élément du génie de Gerald Bull : il a compris que les conceptions anciennes sont non seulement fonctionnelles, mais, dans certains cas, plus efficaces.

– Il a aussi conçu un lance-pierres géant ? demanda Beauvoir. Devrait-on se mettre à sa recherche ?

– Réfléchissez, ordonna Rosenblatt.

Gamache réfléchit et jeta un coup d'œil autour de la maison. Le téléphone intelligent inutile. La ligne commutée pratiquement inutilisable.

Il regarda le feu crépitant, éprouva sa chaleur et songea au poêle à bois dans la cuisine. Dans la cuisine de Clara. Dans la librairie de Myrna.

En cas de panne de courant, ils auraient encore de la chaleur et de la lumière. Ils pourraient faire la cuisine. Pas grâce à la technologie moderne, qui ne servirait plus à rien. Grâce plutôt à des outils vieux, voire antiques. Des poêles à bois. Des puits.

À maints égards, Three Pines était un lieu primitif, mais, contrairement au monde extérieur, le village pourrait survivre longtemps sans électricité. Ce qui lui conférait une puissance toute particulière.

– Cette arme fonctionne sans source d'énergie, énonça lentement Gamache en prenant peu à peu conscience des implications. Elle a la capacité d'envoyer un missile en orbite sans même une batterie.

Le professeur Rosenblatt hochait la tête.

– Exactement. Le génie et le cauchemar.

– Quel cauchemar ? demanda Beauvoir.

– Parce que, grâce au Supercanon de M. Bull, une cellule terroriste, un extrémiste ou un dictateur fou représenterait une menace à l'échelle internationale, dit le professeur. Pas besoin de technologie, de scientifiques ni même d'électricité. Tout ce qu'il faudrait, c'est le Supercanon lui-même.

Il les laissa digérer cette affirmation. Tout d'un coup, les flammes gaies de l'âtre furent impuissantes à les réchauffer et à dissiper l'inquiétude sur leur visage.

– Sauf qu'il n'en est peut-être rien, dit Lacoste. Il a peut-être échoué. Bull a pu renoncer parce que l'arme ne fonctionnait pas.

– Non, riposta le professeur Rosenblatt. Il a abandonné parce qu'il a été tué.

Les autres le dévisagèrent.

– C'était en 1990. Un assassinat, selon certains. Il vivait à Bruxelles, à l'époque. Cinq balles dans la tête.

– Du travail de professionnels.

Rosenblatt hocha la tête.

– Les tueurs sont toujours au large.

Gamache plissa les yeux pour mieux se concentrer.

– Je crois me rappeler un détail, dit-il. Gerald Bull était québécois…

– En fait, il est né en Ontario et a fait ses études à l'Université Queen's. Tout est là, fit Rosenblatt en agitant les documents qu'il avait apportés. Mais il a surtout travaillé au Québec. Du moins, au début.

– Vous l'avez connu ? demanda Gamache.

– Pas vraiment. Il a passé un moment à McGill. Il était considéré comme un excentrique. Un homme difficile.

– Contrairement aux physiciens ? fit Gamache.

La remarque arracha un sourire à Rosenblatt.

– J'ai bien peur de ne pas être assez brillant pour pouvoir me montrer difficile, admit-il. C'est le privilège des génies. Pour ma part, j'étais un simple universitaire. Je donnais des cours sur la trajectoire. J'essayais, en tout cas. Avec l'apparition des systèmes perfectionnés, les étudiants ont vite compris que de telles connaissances étaient superflues. Des programmes informatiques étaient en mesure de faire ce travail à leur place. J'aurais tout aussi bien pu me servir d'une règle à calcul et d'un boulier.

– Bull n'est jamais venu vous consulter ? insista Gamache.

Cette fois, Rosenblatt s'esclaffa sans retenue.

– Me consulter ? Gerald Bull ? Non. Il ne se serait jamais adressé à moi, de toute façon. Je faisais partie du menu fretin.

Les deux hommes se dévisagèrent un moment avant que Gamache baisse enfin les yeux en souriant. Sauf que Michael Rosenblatt se rappela qu'il devait être sur ses gardes et se demanda s'il n'en avait pas un peu trop fait.

– Après sa mort, dit-il, le bruit a couru qu'il avait effectivement construit le Supercanon. Et qu'il était prêt à en faire l'essai. Sauf que personne ne savait où il était. Et ce n'était jamais que des cancans. Les gens aiment les effets dramatiques, même s'ils n'y croient pas vraiment.

– Pourquoi a-t-il été tué ? demanda Gamache.

– Personne ne le sait avec certitude, répondit Rosenblatt. L'hypothèse, c'était qu'on l'avait supprimé pour l'empêcher de construire son engin.

– *Sur les bords des fleuves de Babylone,* cita Gamache sans quitter le vieux scientifique des yeux, *nous étions assis et nous pleurions.* Vous ne nous dites pas tout, professeur. Nous finirons par comprendre, vous savez. Pourquoi cette bête gravée à la base de l'engin ? Pourquoi Gerald Bull l'a-t-il mise là ? Et pourquoi cette citation ?

Le professeur Rosenblatt jeta autour de la pièce des regards qui auraient pu passer pour ridiculement furtifs s'il n'avait pas été question entre eux d'un canon dont la seule existence avait entraîné la mort d'au moins deux personnes. Son créateur et Laurent. D'un canon dont la raison d'être était de faire encore plus de victimes.

Michael Rosenblatt se rendit compte, trop tard, qu'il les avait grossièrement sous-estimés. Gamache, en particulier. Ils finiraient bien par découvrir certains éléments.

« Mais, songea-t-il, l'esprit affolé, peut-être pas tous. »

Aussi bien leur raconter. « Mais, se dit-il, en retenant certains détails. »

– Gerald Bull était un esprit universel, dit-il. Ce qu'on appelle parfois un homme de la Renaissance.

Beauvoir accueillit l'affirmation par un grognement. Le professeur se tourna vers l'inspecteur.

– La Renaissance a produit des œuvres d'art stupéfiantes. Elle a été source de nombreuses innovations. C'était aussi une époque très brutale. Je suis bien conscient que nous avons affaire à une arme.

– À une arme de destruction massive, compléta Gamache, qui n'appréciait pas du tout, lui non plus, cette glorification d'un concepteur et d'un marchand d'armes.

Le professeur Rosenblatt l'étudia dans le but de déterminer si les mots qu'il venait de prononcer cachaient d'autres intentions. Rien ne le laissait croire.

– C'est juste. Mais c'était aussi un amoureux des lettres classiques. Un homme qui prisait la musique, l'art et l'histoire. M. Bull était parfaitement conscient de ce qu'il faisait. Selon certains récits qui circulaient dans la communauté des armements, il avait construit le Supercanon et gravé dessus l'hydre, la bête aux sept têtes, en référence à l'Apocalypse.

Il les examina. Isabelle Lacoste était perdue dans ses pensées, occupée à se souvenir de ce qu'on lui avait appris de la Bible à l'école. Beauvoir secoua la tête avec impatience. Et Gamache continua de regarder fixement devant lui, de cette façon que Rosenblatt jugeait déconcertante.

– La grande prostituée ? fit Rosenblatt. La putain de Babylone, si vous préférez.

– Racontez-nous donc, dit Beauvoir, à bout de patience.

Le professeur sortit son iPhone, toucha l'écran, puis posa l'appareil sur la table. À côté des madeleines dorées apparut un monstre qui se cabrait, sept têtes se balançant au bout des longs cous serpentins qui jaillissaient de son corps.

Et, chevauchant le monstre, une femme qui regardait non pas vers l'avant, dans la direction prise par la bête, mais bien derrière, vers ceux qui l'observaient.

– Qui est cette grande prostituée ? demanda Beauvoir.

Le professeur Rosenblatt allait répondre, mais il se tourna plutôt vers Gamache.

– Quelque chose me dit que vous connaissez la réponse.

Gamache détacha ses yeux de l'image.

– L'Antéchrist.

Beauvoir fut si amusé qu'il en postillonna.

– Allons donc, dit-il, son beau visage mince se creusant de profondes rides de rire. Sans blague ?

Il les regarda, ses yeux se posant enfin sur le vieux scientifique.

– Êtes-vous sérieusement en train de nous dire que cette chose dans la forêt est le diable ?

– Je n'ai rien dit de tel, mais vous avez posé une question sur la grande prostituée et c'est la réponse. Vous n'avez qu'à vérifier vous-même ou à consulter le premier exégète venu. Il existe toutes sortes d'interprétations de la bête et de ses sept têtes, mais la plupart d'entre elles en arrivent à la même conclusion : elle se dirige vers Armageddon.

– Comme Gerald Bull, laissa tomber Isabelle Lacoste. En construisant le Supercanon, il flirtait avec la fin du monde.

– Hum ! dit Rosenblatt en regardant ses pieds avant de lever les yeux sur elle. Sur ce point, la communauté est divisée. Plusieurs, la plupart sans doute, sont d'avis que Bull était un mercenaire. Un marchand d'armes. Un service à guichet unique. Il concevait, construisait et vendait n'importe quelle arme au plus offrant.

– Et les autres ? demanda Gamache. La minorité ?

– Ils voient en Bull un héros. Il n'a jamais précisé pourquoi il construisait le Supercanon ni à qui il le destinait. Selon eux, la bête qu'il a gravée était une sorte de signe. De la même façon que les pilotes de la Seconde Guerre mondiale peignaient des images effrayantes sur leurs avions.

– Pourquoi « Projet Babylone » ? demanda Gamache.

Rosenblatt répondit par une autre question.

– Qui incarnait le mal à la fin des années 1980 ?

– L'Union soviétique, dit Lacoste en se remémorant ses notions d'histoire.

– La guerre froide s'essoufflait, dit Gamache, parce qu'Eltsine et le président Gorbatchev imposaient la glasnost.

– Exactement, dit Rosenblatt. Mais il y avait quelqu'un d'autre. Un allié qui était rapidement en voie de se transformer en ennemi. Un loup déguisé en berger, pour avoir recours à une autre image biblique.

– Babylone ? dit Gamache. Voulez-vous dire que Gerald Bull a construit cet engin pour Saddam Hussein ?

Il n'essaya même pas de dissimuler son incrédulité. Il n'avait aucun mal à imaginer l'expression de Jean-Guy.

– Vous ne me croyez pas ? demanda le professeur Rosenblatt.

Les mots tombèrent dans le silence et, de là, dans l'âtre, où les flammes les consumèrent.

– Et vous ? demanda Isabelle Lacoste.

Elle considéra le vieil homme et se demanda s'il était tombé sur la tête. Déjà, le canon était une découverte invraisemblable, mais, au moins, elle pouvait le voir, le toucher. Elle le savait réel. Là, il exagérait.

– Peu importe que vous me croyiez ou non, je suppose, dit-il en réunissant ses papiers. Vous m'avez demandé de venir vous raconter ce que je sais. Voilà, c'est fait.

Il se leva et Gamache l'imita.

– Vous n'avez pas cru le garçon non plus, dit doucement Rosenblatt. Et regardez le résultat.

Pendant un moment, Gamache éprouva une sensation d'étourdissement. Comme si la vie l'avait abandonné d'un coup. Il prit une grande inspiration et se rassit.

– Je vous en prie, fit-il en indiquant la place à côté de la sienne.

Le professeur Rosenblatt hésita, puis se laissa fléchir.

– Dites-nous ce que vous savez sur le Projet Babylone et Gerald Bull.

Le professeur Rosenblatt les scruta tour à tour. Ils donnaient encore des signes d'incrédulité, mais ils semblaient à tout le moins disposés à essayer de comprendre. À envisager qu'il s'apprêtait à leur dire la plus stricte vérité.

– Tout le monde savait que Saddam caressait le rêve de détruire Israël, dit Rosenblatt. Et de déclencher une guerre totale. Il souhaitait soumettre toute la région.

Gamache hocha la tête en se souvenant de la fin des années 1980 et du début des années 1990. Pour Beauvoir et Lacoste, c'était de l'Histoire ; pour Rosenblatt et lui, des souvenirs.

– En toute justice, je dois admettre qu'il existe toutes sortes de théories à propos du Projet Babylone, dit-il. Dont certaines sont franchement extravagantes.

Personne ne se tourna vers Beauvoir qui, au prix d'efforts considérables, tenait sa langue.

– Certains ont même cru que Bull construisait le Supercanon pour les Israéliens. Afin qu'ils soient les premiers à frapper l'Irak. Ce sont des pragmatiques. Ils croient en Dieu, mais comment affronter le diable ? Avec des prières ? Gerald Bull était en quelque sorte la réponse à une prière.

– Pourtant, les Israéliens disposent de toutes sortes d'armements de pointe, dit Lacoste. Pourquoi auraient-ils eu besoin du Supercanon ?

– Eux, non, répondit Gamache. Saddam Hussein, oui.

En face de lui, Armand vit les sourcils de Beauvoir se froncer, la logique ayant peu à peu raison de l'incrédulité.

– Oui, confirma le scientifique. Une arme de destruction massive qui pouvait être assemblée n'importe où. Au milieu du désert, par exemple. Sans composantes électroniques ni expertise particulière.

– Comment les missiles étaient-ils orientés vers leurs cibles ? demanda Gamache.

Ils se rappelaient des images de la guerre du Golfe : des Israéliens qui portaient des masques et se terraient dans leurs maisons, alors que les sirènes retentissaient.

– Il y a un système de guidage, précisa le professeur Rosenblatt. Mais sans composantes électroniques, il est difficile de viser avec précision, surtout sur de très longues distances. C'est peut-être la seule faille de l'engin de Bull.

– Une faille ? s'étonna Gamache. Vous ne dites pas tout, il me semble.

Sous son regard scrutateur, le professeur rougit.

– C'est-à-dire ? insista Gamache.

– Sur de longues distances, Bull ne pouvait pas garantir que le Supercanon n'atteindrait que des cibles militaires.

– En fait, c'est un peu plus que ça, non ? fit Gamache. L'arme n'a pas été conçue pour détruire des cibles militaires.

– Pour quel genre de cibles a-t-elle été conçue, alors ? demanda Lacoste.

– Pour les villes, répondit Gamache. Les cibles les plus grandes, les plus faciles à atteindre. Tel-Aviv et Jérusalem. L'arme avait pour but de tuer des hommes, des femmes et des enfants. Des instituteurs, des barmen, des chauffeurs d'autobus. Elle avait pour but de les oblitérer jusqu'au dernier. De ramener Israël à l'âge de pierre, à force de bombardements.

– Ou de ramener Bagdad à l'âge de pierre, dit Lacoste. Dans l'hypothèse où ce seraient les Israéliens qui auraient acheté l'arme. Après tout, l'inscription qui accompagne la gravure est en hébreu.

Beauvoir n'avait rien dit, exception faite de ses grognements initiaux. Après, il avait fait de gros efforts pour retenir ses commentaires mordants.

– À quoi penses-tu ? lui demanda Armand.

– À Armageddon, répondit-il.

– Le film ? demanda Lacoste.

Elle le vit sourire.

– Non. Si le truc dans la forêt fonctionne, ce Bull a construit un canon capable de lancer un missile en orbite avec comme objectif de vaporiser des villes entières. N'importe où.

– N'importe où, acquiesça le professeur Rosenblatt.

L'identité du monstre ne laissait aucun doute. Ce n'était ni la grande prostituée ni même le Supercanon. C'était l'homme qui les avait créés.

Gamache et Beauvoir sortirent de la maison quelques pas derrière Lacoste et le professeur.

Rosenblatt rentrait chez lui pour prendre quelques effets personnels avant de revenir au gîte : ainsi, il serait disponible, en cas de besoin. Pour leur part, Beauvoir et Lacoste retournaient au poste de commandement pour voir si les rapports de la police scientifique étaient arrivés. Quant à Gamache, il allait rejoindre Reine-Marie au bistro.

Beauvoir rattrapa Gamache.

– Vous le croyez ? demanda Jean-Guy. À propos des Irakiens ?

En serrant les mains derrière son dos, il imitait inconsciemment Gamache, dont il adopta le pas.

– Je n'en suis pas certain, répondit Gamache.

– Même s'il dit vrai, la question ne se pose plus, désormais. La cible prévue – l'acheteur, si vous préférez – a disparu depuis longtemps. Il y a des années que Saddam Hussein a été exécuté. Le danger est écarté.

– Hum, fit Gamache.

– Qu'y a-t-il ?

– Quelqu'un a tué Laurent pour garder le canon secret, lui rappela-t-il. Je pense que le danger était simplement en dormance.

Ils firent quelques pas en silence.

– Il est de retour, à présent, dit Jean-Guy.

– Hum, répéta Gamache.

Au bout de quelques pas, il demanda :

– As-tu remarqué dans quelle direction pointait le canon ?

Beauvoir s'arrêta et se tourna vers le pont de pierre et la forêt.

– Pas vers Bagdad, en tout cas, répondit Beauvoir.

– Non. Il pointe vers le sud. Vers les États-Unis.

Beauvoir regarda Gamache, qui regardait le vieux scientifique monter dans sa voiture.

– Je me demande ce que visait vraiment le Projet Babylone, dit Gamache. Je me demande aussi s'il est vraiment mort avec Gerald Bull.

13

En s'approchant de la vieille gare, l'inspectrice-chef Lacoste aperçut une voiture à l'aspect banal rangée au bord de la route.

Un homme et une femme étaient assis à l'avant. Lorsque les portières s'ouvrirent, Lacoste sentit son cœur se serrer.

« Des journalistes », se dit-elle. De la même façon qu'un médecin aurait songé : « la peste ». Cette pensée fugitive s'évanouit dès qu'elle les eut regardés de plus près.

– Inspectrice-chef Lacoste ? dit la femme après avoir inélégamment fait passer un sac en toile sur son épaule.

– Oui.

– Tant mieux. Nous commencions à nous demander si nous nous étions trompés d'endroit.

Elle semblait si soulagée qu'Isabelle éprouva du soulagement pour elle.

– Je t'avais bien dit que je connaissais le chemin, dit l'homme. Pas une seule erreur de tout le trajet.

– C'est pour cette raison que tu te charges de la navigation, dit la femme.

– Non. Je m'en occupe parce que tu insistes pour conduire.

– Seulement après la fois où…

Levant les mains, la femme murmura, assez fort pour que Lacoste entende :

– On en parlera plus tard, d'accord ?

Isabelle Lacoste, loin d'être rebutée, dut retenir un sourire amusé. L'homme et la femme lui rappelaient ses parents ; ils avaient d'ailleurs à peu près le même âge. Le milieu de la cinquantaine, selon ses estimations. Ils étaient habillés correctement, mais sans imagination. La femme portait un manteau en drap plutôt bien coupé, mais un peu trop ample, tandis que son compagnon arborait un imper sur lequel on devinait une légère traînée de sucre, sans nul doute tombée d'un beigne.

De toute évidence, la femme se teignait les cheveux elle-même, et un nouveau traitement s'imposait. L'homme, lui, avait rabattu des mèches sur son crâne dans l'espoir de cacher ce qui ne pouvait l'être.

– Je m'appelle Mary Fraser, dit la femme.

Elle tendit la main. Son vernis à ongles s'écaillait.

– Je vous présente mon collègue, Sean Delorme.

L'homme sourit à Isabelle et lui serra la main. Ses cuticules étaient rongées et déchirées.

– Du SCRS, lança gaiement Mary Fraser.

Elle aurait semblé plus crédible si elle avait affirmé être venue de la Lune. Isabelle Lacoste s'efforça de dissimuler sa surprise.

– Tu étais bien obligée de lui dire ça ? demanda Sean Delorme en se détournant de Lacoste et en portant la main à sa bouche.

Dans l'espoir, une fois de plus, de cacher l'évidence.

– Qu'aurais-tu voulu lui dire ? murmura Mme Fraser. Que nous sommes des touristes ?

– D'accord, mais nous aurions dû en discuter au préalable.

– Nous avons eu tout le trajet pour…

Cette fois, ce fut l'homme qui leva la main pour mettre un terme à leur petite querelle intestine.

– On y reviendra plus tard, dit-il. Mais si on a des ennuis, ce sera ta faute.

Ils se parlaient en anglais, mais ils s'étaient adressés à Lacoste dans un français scolaire, marqué par un lourd accent.

« Ils croient peut-être que je ne parle pas anglais », se dit Lacoste. Elle décida de ne pas les détromper.

– Un plaisir, dit-elle en leur serrant la main. Le SCRS ? Comme dans Service canadien du renseignement de sécurité ?

Elle devait s'en assurer. Comme espions ou même comme agents du renseignement, on aurait eu du mal à imaginer des candidats plus improbables.

L'homme, Sean Delorme, balaya les environs des yeux, puis se pencha vers Lacoste.

– Nous pourrions vous parler en privé ?

Ses yeux furetaient à gauche et à droite, comme s'ils se trouvaient à Berlin en 1939 et qu'il avait les codes en sa possession.

– Bien sûr, répondit Lacoste en déverrouillant la porte du poste de commandement.

Elle les invita à entrer. Sur les entrefaites, Beauvoir arriva et Lacoste fit les présentations.

Comme elle, Beauvoir les détailla de la tête aux pieds. Ayant manifestement besoin de précisions, il demanda :

– Le SCRS ? L'agence d'espionnage ?

– Nous préférons parler de renseignement, dit Mary Fraser, à qui le titre d'espionne ne semblait toutefois pas déplaire.

– Quel bon vent vous amène ? demanda Lacoste en les guidant vers la table de conférence.

– Eh bien, répondit Delorme, à peine audible, nous avons entendu parler du canon.

Lacoste s'attendait presque à le voir se tapoter l'aile du nez.

– Veuillez excuser M. Delorme, dit Mary Fraser en foudroyant son collègue du regard. On nous permet rarement de sortir du bureau.

Ce fut au tour de l'homme de la regarder de travers.

– Où est votre bureau ? demanda Lacoste.

– À Ottawa, répondit Mme Fraser. Nous sommes rattachés au quartier général.

– Nous pouvons voir vos papiers ? demanda Beauvoir.

Ils semblèrent ravis par la requête, imperméables à l'affront sous-jacent.

Ils sortirent leur portefeuille, mais ils eurent du mal à en extirper leurs cartes laminées. Mme Fraser fouilla, à la recherche de la sienne.

Pendant qu'ils bataillaient, Jean-Guy et Isabelle échangèrent une grimace. Si Ottawa n'avait trouvé personne de mieux à leur envoyer, on ne se préoccupait sans doute pas outre mesure de la découverte dans les bois.

Ils présentèrent enfin les cartes à Beauvoir et à Lacoste : les deux souriantes personnes d'âge moyen campées de l'autre côté de la table de conférence étaient bel et bien des agents du renseignement.

– Qui vous a parlé du canon ? demanda Lacoste en leur rendant les cartes.

– Notre patron, répondit Delorme.

– Et qui lui en a parlé à lui ? insista-t-elle.

– Je n'en sais rien, avoua Delorme en se tournant vers Mme Fraser.

Celle-ci secoua la tête.

– Franchement, nous suivons les ordres, rien de plus. On nous a demandé de venir jeter un coup d'œil au canon.

« Sans doute le résultat de la réflexion promise par le général Langelier », se dit Lacoste. Il avait prévenu la Défense nationale, qui avait à son tour alerté le SCRS, où l'information avait percolé vers le bas de la hiérarchie jusqu'à ces deux-là, tout au fond du baril.

– Pourquoi vous ? demanda Beauvoir. Bien que nous soyons heureux de vous accueillir, il va sans dire.

– Franchement, nous nous sommes posé la question, avoua Mme Fraser. Nous travaillons dans la même section, Sean et moi, depuis des années. Du classement, pour l'essentiel.

– Mais aussi du travail sur le terrain, s'empressa d'ajouter Delorme.

– Nous saisissons des dossiers dans les systèmes informatiques. Nous faisons des recoupements, expliqua-t-elle. Au cas où des rapprochements auraient été manqués. Nous nous débrouillons plutôt bien.

– C'est exact, admit-il. Nous voyons des choses que personne d'autre ne voit.

– C'est le genre de réflexion qu'il vaut mieux garder pour soi, dit-elle.

Delorme rit.

– Bon, fit Lacoste, qui les trouvait de plus en plus sympathiques. Vous voulez voir le canon, je suppose ?

Elle se fit l'effet d'une ménagère des années 1950 proposant discrètement à des invités de les conduire aux toilettes.

– Tu regrettes de ne pas être là-bas ? demanda Reine-Marie à son mari au moment où il mordait dans un sandwich au brie, aux pommes et au jambon fumé à l'érable sur pain de campagne.

Par la fenêtre du bistro, il contempla le pont de pierre.

– Sur la scène du crime, au milieu des bois froids et humides, tu veux dire ?

– Oui.

– Un peu.

– Monsieur Gamache, dit Reine-Marie, vous êtes encore plus fou que ma mère le pensait.

– Ta mère était folle de moi.

– Seulement parce que, par comparaison, ses enfants à elle avaient l'air sains d'esprit. Sauf Alphonse, évidemment. Lui, il est cinglé pour de vrai.

Henri était recroquevillé sous la table du bistro. La tête du berger, posée sur les chaussures d'Armand, était parsemée de miettes de pain croûté.

– Isabelle fait du bon boulot ? demanda Reine-Marie.

– Un travail remarquable. Elle a les rênes du service bien en main. Elle l'a fait sien.

Reine-Marie chercha des signes de regret derrière le soulagement apparent. Elle ne trouva que de l'admiration pour sa jeune protégée.

– Jean-Guy semble bien l'accepter comme patronne, dit-elle en tartinant de beurre le bout de baguette qui accompagnait sa soupe aux pommes et au panais.

– Je pense qu'il a encore un peu de mal, dit Armand. Mais, à tout le moins, il respecte Isabelle et comprend qu'il ne pourra jamais devenir inspecteur-chef. Pas après ce qui s'est passé.

– Après qu'il t'a tiré dessus, tu veux dire ?

– Ça n'a rien arrangé, admit Armand, qui souleva son sandwich pour le redéposer aussitôt. Hier, un jeune agent m'a fait des menaces.

– Je l'ai vu mettre la main sur sa matraque, dit Reine-Marie en posant sa cuillère.

Armand hocha la tête.

– Frais émoulu de l'école de police. Il savait que j'étais un ancien policier et il s'en moquait comme de l'an quarante. S'il traite un ancien policier de cette manière, comment va-t-il interagir avec les citoyens ?

– Tu sembles secoué ?

– Je le suis. J'espérais que la situation de la Sûreté s'améliorerait, maintenant que la corruption a été éradiquée, mais…

Il haussa les épaules et esquissa un mince sourire.

– S'agit-il d'un cas isolé ? Ou la Sûreté risque-t-elle d'être envahie par une horde de voyous avec des matraques et des armes à feu ?

– Je suis désolée, Armand.

Elle posa sa main sur la sienne.

Il regarda la main de Reine-Marie, puis ses yeux, et sourit.

– C'est un lieu que je ne reconnais plus. *Il y a une saison pour tout.* Je songe à parler au professeur Rosenblatt de son travail à McGill.

– Tu le soupçonnes d'être un imposteur ?

– Non, non, pas du tout. Je suis sûr qu'Isabelle et Jean-Guy ont fait les vérifications d'usage. Non, par intérêt personnel, plutôt.

– Ah bon ? Tu songes à te reconvertir dans la physique ? demanda Reine-Marie.

Devant le silence de son mari, elle l'observa attentivement.

– Armand ?

Elle savait qu'il ne songeait nullement à étudier les sciences. Soudain, elle comprit ce qu'il avait en tête.

La grande question qui se posait à eux deux était : « Et après ? » Se pouvait-il que la réponse soit : « l'université » ?

– Ça t'intéresserait ? lui demanda-t-il.

– Retourner à l'école ?

Elle n'y avait pas vraiment pensé, mais, maintenant, elle voyait le vaste monde de connaissances dans lequel elle se ferait une joie de plonger. L'histoire, l'architecture, les langues, les arts.

Et elle y imaginait sans mal Armand. En fait, le lien avec l'université semblait naturel, beaucoup plus que ne l'avait jamais été celui avec la Sûreté. En esprit, elle le vit arpenter les corridors dans la peau d'un étudiant. Ou d'un professeur.

D'une manière ou d'une autre, sa place était à l'université. La sienne aussi. Elle se demanda si l'assassinat du petit Laurent avait eu raison, une fois pour toutes, de l'intérêt d'Armand pour les horribles affaires de meurtre.

– Tu le trouves bien, le professeur ? demanda-t-elle en revenant à sa soupe.

– Oui, malgré la bizarre contradiction entre l'homme et son ancien travail. Son domaine était la trajectoire et la balistique. Les principaux bénéficiaires de ses recherches ont été les concepteurs d'armes. Et pourtant, il semble tellement… doux. Érudit. Ça ne colle pas, c'est tout.

– Ah bon ? fit-elle en s'efforçant de réprimer son sourire.

Elle venait de se faire la même réflexion au sujet d'Armand. Un érudit aux trousses des meurtriers.

– Les apparences sont trompeuses, je suppose.

– Il donne l'impression de s'y connaître, en tout cas. Il a identifié l'arme sur-le-champ. Il a affirmé que c'était un Supercanon.

– Un Supercanon ?

Il se demanda si cette idée la ferait rire. Là, dans ce bistro gai et douillet, avec du pain chaud et de la soupe aux pommes et au panais devant eux, le mot même semblait ridicule. « Supercanon. » Un truc digne d'un album de bandes dessinées.

Reine-Marie, cependant, ne rit pas. Elle se souvint plutôt, comme lui à chaque heure de chaque jour, de Laurent. Vivant. Et de Laurent, mort. À cause de cette chose dans les bois. Quel que soit le nom qu'on lui donne, elle n'avait rien de drôle.

– Le Supercanon a été construit par un certain Gerald Bull, dit Armand.

– Mais qu'est-ce qu'il fait ici ? demanda-t-elle. Le professeur Rosenblatt était-il au courant ?

Armand secoua la tête, puis désigna la fenêtre.

– Peut-être pourront-ils nous le dire, eux.

Reine-Marie regarda dehors et vit Lacoste et Beauvoir qui avançaient sur la route de terre vers le sentier dans les bois. Deux inconnus les accompagnaient. Un homme et une femme.

– Qui est-ce ? demanda-t-elle.

– Des employés de la Défense nationale, je dirais. Ou du SCRS.

– Ou d'autres universitaires, conjectura Reine-Marie.

Une fois de plus, Jean-Guy Beauvoir brancha l'énorme prise dans l'énorme réceptacle et entendit le son mat qui marquait l'entrée en action des projecteurs géants.

Il fixa les agents du SCRS et ne fut pas déçu.

Un instant, ils se tenaient épaule contre épaule, leur mallette à la main, semblables à des banlieusards sur le quai d'une gare; l'instant d'après, ils donnèrent l'impression d'avoir perdu la boule.

Leurs yeux s'écarquillèrent, leurs bouches s'ouvrirent toutes grandes et leurs têtes se renversèrent lentement, très lentement, à l'unisson. Et restèrent dans cette position. Sous la pluie, ils seraient morts noyés.

– Ben merde, fut tout ce que Sean Delorme trouva à dire. Ben merde.

– Il existe, fit Mary Fraser. Il l'a construit. Il l'a construit pour de vrai.

Elle se tourna vers Isabelle Lacoste, debout à côté d'elle.

– Vous savez ce que c'est?

– Le Supercanon de Gerald Bull.

– Comment l'avez-vous appris?

– Michael Rosenblatt nous l'a dit.

– Le professeur Rosenblatt? fit Delorme.

Remis de ses émotions, il avait cessé de répéter «Ben merde».

– Oui.

– Comment l'a-t-il su? demanda Delorme.

– Il l'a vu, précisa Beauvoir. Il est ici.

– Évidemment, dit Mary Fraser.

– Il est venu à ma demande, expliqua Beauvoir.

– Ahhh, fit Mary Fraser en se détournant.

Ses yeux furent attirés par le canon géant. Mais elle ne regardait pas l'arme. Non, la documentaliste du SCRS scrutait la gravure.

– Incroyable, dit-elle à voix basse.

– Elles étaient donc vraies, toutes ces histoires, fit Delorme en se tournant vers sa collègue.

Mary Fraser fit quelques pas hésitants vers le canon et se pencha sur l'image.

– Il y a quelque chose d'écrit, là, dit-elle en montrant les caractères. C'est de l'arabe.

– De l'hébreu, corrigea Lacoste.

– Vous savez ce que ça signifie ? lui demanda Delorme.
– *Sur les bords des fleuves de Babylone…*, commença-t-elle.
– … *nous étions assis et nous pleurions,* compléta Mary Fraser en reculant d'un pas. La grande prostituée.
– Ben merde, fit Sean Delorme.

Gamache et Henri marchaient vers les limites du village. Henri avait sa balle et Armand son texte.

Il examina le titre, taché de terre à cause du séjour du document dans la fosse creusée par Ruth. Il n'avait toutefois pas reposé en paix. Gamache l'avait exhumé et le moment était venu de le lire.

Elle était assise et elle pleurait.

C'était peut-être une coïncidence. C'était sûrement une coïncidence. Que le titre de la pièce écrite par un tueur en série s'apparente à l'inscription gravée sur le flanc de cette arme de destruction massive.

Les coïncidences existent, savait Armand. Comme il savait qu'il valait mieux ne pas leur accorder une importance démesurée. Il évitait, en même temps, de les rejeter du revers de la main.

Il avait eu le projet de lire chez lui, devant la cheminée, mais il ne voulait pas souiller son foyer. Il avait emporté le texte au bistro, mais n'avait pas pu se résoudre à l'ouvrir là non plus. Pour la même raison.

– Ne lui accordes-tu pas trop de pouvoir ? avait demandé Reine-Marie.

– Probablement.

Mais ils savaient l'un et l'autre que les mots sont des armes, eux aussi. Quand ils forment un récit, leur pouvoir est presque sans limites. Gamache était resté sur la galerie, le texte à la main.

Où aller ?

« Vers un lieu si profané qu'il ne peut plus être sauvé », se dit-il. Mais le seul qui lui vint en tête fut la forêt, où un garçon avait été assassiné et où un canon conçu pour tuer des gens en masse était resté pendant des décennies. Mais il y avait trop de monde et il n'avait pas envie de s'expliquer.

La seule solution de rechange à la damnation, c'était le divin. Un lieu capable de résister à l'assaut de John Fleming.

Henri et lui gagnèrent les limites du village. Ils gravirent les marches de la vieille église, toujours déverrouillée, et y entrèrent.

Il n'y avait personne dans l'église Saint-Thomas, qui ne semblait pas vide pour autant. Peut-être en raison des garçons qui, pour l'éternité, peupleraient le vitrail. Armand montait parfois à Saint-Thomas à seule fin de leur tenir compagnie.

Assis sur un banc confortablement rembourré, il posa le texte sur ses genoux. Henri se coucha à ses pieds, la tête sur les pattes.

Le maître et son chien contemplaient le vitrail, créé à la fin de la Grande Guerre. On y voyait des soldats incroyablement jeunes s'avancer dans un no man's land en serrant leur arme contre leur poitrine.

Armand venait parfois s'asseoir dans la lumière filtrée par les images de ces hommes. Côtoyer leur peur et leur courage.

Ce lieu, il le savait, était sacré. Non pas parce qu'il s'agissait d'une église, mais bien en raison de la présence de ces garçons.

Il sentait le poids du texte sur ses genoux et le poids des souvenirs. Des crimes de Fleming. Ces souvenirs l'écrasèrent, l'écrasèrent encore jusqu'à ce que les pages lui fassent l'effet d'une dalle de béton qui pesait sur lui.

Et il entendit de nouveau le témoignage des officiers brisés qui avaient fini par arrêter Fleming. Et vu ce qu'il avait fait. Armand revit en pensée les photos des scènes de crime. Du démon qu'un autre démon avait créé.

L'hydre.

Armand baissa les yeux sur le texte, et la lumière rouge et dorée filtrée par les garçons se répandit sur la page de titre.

Prenant son courage à deux mains, il inspira à fond et ouvrit.

14

– Vous êtes de retour, à ce que je vois. Vous permettez que je me joigne à vous ?

Au bistro, Jean-Guy Beauvoir prit place en face du professeur Rosenblatt. Le vieux scientifique sourit, manifestement heureux d'avoir de la compagnie.

– Je viens de défaire ma valise au gîte et je me suis dit que je viendrais dîner ici, dit le professeur Rosenblatt.

– Vous preniez des notes, constata Jean-Guy en désignant le cahier ouvert. À propos du canon ?

– Oui. Et j'essayais de me rappeler le plus de détails possible sur Gerald Bull. Un type fascinant.

– Je vois que vous avez fait un crochet par la librairie.

Une plaquette reposait sur la table.

– Oui. Un endroit merveilleux. J'adore les librairies, en particulier celles qui vendent des livres d'occasion. Voyez ce que j'ai déniché.

Il désigna d'un geste un exemplaire de *Je vais BIEN*.

– J'allais prendre autre chose, mais la vieille dame qui se tenait près de la caisse tenait mordicus à tous les livres que je choisissais. Celui-ci est le seul qu'elle m'ait permis d'acheter. Par chance, je suis un admirateur.

Beauvoir eut un petit sourire narquois.

– Vous aimez la poète qui a écrit *Je vais BIEN* ?

– Oui. À mon avis, c'est un génie. *Qui t'a fait du mal, un jour, /des blessures si profondes, irréparables,/pour que tu aies accueilli toute tentative de rapprochement/avec une moue dédaigneuse ?*

Rosenblatt secoua la tête.

– Brillant.

– Ruth Zardo, dit Beauvoir.

– Ahhh, je vois que vous la connaissez, vous aussi.

– En fait, je faisais les présentations. Professeur Rosenblatt, je vous présente Ruth Zardo et sa cane, Rose.

Le vieux scientifique leva les yeux et, étonné, trouva devant lui le visage ridé de la vieille femme qui lui avait pratiquement intimé l'ordre d'acheter son livre.

Il se leva avec peine.

– Madame Zardo, dit-il en s'inclinant presque. C'est un grand honneur.

– Naturellement, répondit Ruth. Qui êtes-vous et que venez-vous faire ici ?

Rose, pelotonnée contre la poitrine de Ruth, toisait le professeur Rosenblatt de ses yeux perçants.

– Je, eh bien, je suis juste…

– Nous lui avons demandé son aide, répondit Beauvoir.

– À quel propos ?

– À propos de la découverte que nous avons faite dans les bois, évidemment.

– Qu'est-ce que c'est ?

– Il s'agit d'un…, commença Rosenblatt avant de se faire couper la parole par Jean-Guy.

Ruth foudroya le professeur du regard.

– On s'est déjà rencontrés ?

– Je ne crois pas. Je m'en souviendrais, dit-il.

– Bien, fit Jean-Guy en regardant la chaise libre à leur table, puis Ruth. Au revoir.

Ruth le gratifia d'un doigt d'honneur et boitilla jusqu'à la table qu'occupait Clara, près de l'âtre.

– Eh bien, fit le professeur en se rassoyant. Quelle surprise ! C'est sa fille ?

– La cane ?

– Non. La femme avec qui elle s'est assise.

L'idée que Ruth ait pu donner la vie troubla Beauvoir. Déjà qu'il avait du mal à se faire à l'idée de sa naissance… Il imagina une minuscule enfant à la peau ratatinée et aux cheveux gris. Avec un petit canard.

– Non. C'est Clara Morrow.

– L'artiste ?

– Oui.

– J'ai vu son exposition au Musée d'art contemporain de Montréal.

Il plissa les yeux.

– Un instant… Mme Morrow a réalisé un portrait de Ruth Zardo, non ? La Madone vieille et frêle ? Celle qui a l'air si détestable ?

– C'est elle.

Le professeur Rosenblatt balaya du regard les autres clients. Le sympathique bistro avec ses poutres apparentes, ses fauteuils confortables. Il jeta un coup d'œil à la librairie, puis, de l'autre côté, à la boulangerie qui vendait de moelleuses madeleines au goût d'enfance.

Puis, par la fenêtre, il examina les maisons vieilles et solides, les trois grands pins qui montaient la garde dans le parc du village. Puis il revint vers Ruth Zardo, qui mangeait en compagnie de Clara Morrow.

– Quel est donc cet endroit ? demanda-t-il d'une voix presque inaudible. Pourquoi Gerald Bull l'a-t-il choisi ?

– C'est précisément la question que je suis venu vous poser, professeur, dit Beauvoir.

– Salut, Jean-Guy, fit Olivier, armé d'un calepin et d'un crayon. Bonjour, ajouta-t-il à l'intention du professeur.

– Olivier, je te présente le professeur Rosenblatt. Il est là pour nous aider dans notre enquête.

– Ah bon ?

– Je crois avoir discuté avec votre partenaire, Gabri, dit Rosenblatt. J'ai retenu une chambre au gîte.

– Excellent. Nous allons vous revoir, dans ce cas.

Olivier attendit. De toute évidence, il espérait recueillir des informations. On lui passa plutôt des commandes.

Jean-Guy, au terme d'un combat sans merci mené contre lui-même, commanda une salade tiède de pétoncles grillés et de poires. Il avait promis à Annie de manger plus sainement.

– La venue de Gerald Bull… C'était peut-être une question de karma, dit Rosenblatt après le départ d'Olivier. Le yin et le yang ?

Voyant son compagnon froncer les sourcils, il ajouta :

– Deux moitiés qui se complètent ?

– Oh, je sais ce que ça signifie. Vous ne croyez tout de même pas à ce genre de choses ?

– Vous pensez que, parce que je suis scientifique, je n'ai pas la foi ? demanda Rosenblatt. Vous seriez étonné par le nombre de physiciens qui croient en Dieu.

– Vous êtes du nombre ?

– Je crois que chaque action appelle une réaction égale. Le yin et le yang, c'est ça, non ? Le paradis et l'enfer. Un village paisible et débordant de créativité à côté d'une terrible machine de mort.

– Où voudriez-vous que le mal aille, sinon au paradis ? demanda Beauvoir.

– Où voudriez-vous que Dieu aille, sinon en enfer ? riposta Rosenblatt.

Il brandit ses mains couvertes de taches de vieillesse et souleva l'une, puis l'autre.

Un équilibre.

– Merci, patron, dit Jean-Guy en se calant sur sa chaise pour laisser Olivier poser son assiette.

Les pétoncles, bien dorés, étaient dodus et succulents. Ils reposaient sur un lit de céréales, d'herbes fraîches, de pignons rôtis et de fromage de chèvre, garnis de tranches de pomme grillées. Jean-Guy allait poser une question sur les poires annoncées, mais fut distrait par le club sandwich au bacon, accompagné de fines frites assaisonnées, posé devant le professeur.

« Futé, celui-là », songea Beauvoir.

– Vous laisserez-vous tenter ? demanda Rosenblatt en poussant son assiette d'un millimètre vers Jean-Guy.

– Non, merci, dit Jean-Guy en prenant une frite.

Le professeur sourit, mais pas pour longtemps.

– Qui sont ces gens ?

Beauvoir suivit le regard noir de Rosenblatt et aperçut Isabelle dans la porte du bistro, en compagnie de Sean Delorme et de Mary Fraser.

À l'autre bout de la salle, cette dernière se tourna vers Lacoste.

– C'est lui ?

– Oui, c'est bien le professeur Rosenblatt, répondit Lacoste. Vous voulez que je vous le présente ?

En se frayant un chemin parmi les tables, Isabelle fit semblant de ne pas entendre les « Non merci » murmurés avec insistance.

– Ils viennent vers nous, chuchota le professeur Rosenblatt avec le même sentiment d'urgence.

« Pour un peu, songea Beauvoir, il va crier : "Cachons-nous, vite !" »

– Te voici, fit Isabelle en feignant la surprise, comme si Jean-Guy et elle n'avaient pas convenu de se retrouver là. Nous venions prendre un dîner tardif, nous aussi. Professeur Rosenblatt, je vous présente Mary Fraser et Sean Delorme. Ils arrivent d'Ottawa. Ils s'intéressent à notre découverte, eux aussi.

Une fois de plus, Rosenblatt se leva avec difficulté et avec nettement moins d'enthousiasme que pour Ruth Zardo. Il ne les accueillit pas exactement avec « une moue dédaigneuse », ses bonnes manières ne le lui permettant pas. Mais il s'en fallut de peu.

– Nous ne nous sommes pas rencontrés, dit-il, mais nous avons échangé de la correspondance, je crois.

– Oui, confirma sèchement Delorme.

Pendant ce temps, Mary Fraser ne prononça pas un seul mot, même si elle serra la main du professeur. « Plus par réflexe que par envie », se dit Lacoste.

Celle-ci promena son regard autour de la salle et découvrit une table dans le coin, à bonne distance de celle de Beauvoir et du professeur.

– Je pense que celle-là est libre, dit-elle.

Les agents du SCRS auraient presque grimpé sur les autres tables pour la rejoindre.

En réservant, l'inspectrice-chef Lacoste avait demandé à Olivier de ne pas mentionner son coup de fil.

– Ils travaillent pour le SCRS, dit le professeur en tournant le dos aux agents. Vous étiez au courant, naturellement. Mais on se tromperait en voyant en eux de véritables agents du renseignement.

– Que font-ils, dans ce cas ? demanda Beauvoir.

– Du classement, répondit Rosenblatt.

– Comment se fait-il que vous vous connaissiez, eux et vous ?

– Depuis des années, je réclame au gouvernement les documents concernant Gerald Bull et le Projet Babylone. Je projetais d'écrire un grand article sur lui à l'occasion du vingtième anniversaire de son assassinat. Ces deux-là appartiennent au service qui détient le dossier de M. Bull, mais ils refusent de divulguer les informations.

– Pourquoi ?

– Bonne question, inspecteur.

Il jeta un coup d'œil derrière lui et vit Mary Fraser baisser rapidement les yeux. Rosenblatt tourna de nouveau son attention vers Beauvoir.

– Comment ont-ils réagi devant le Supercanon ?

– Ils ont été aussi étonnés que vous, dit Beauvoir.

– Permettez-moi d'en douter.

– Il était brillant, vous savez, dit Mary Fraser. Gerald Bull, je veux dire. Le plus jeune titulaire d'un doctorat de l'histoire du Canada. Vingt-deux ans. Vingt-deux. Il était à des années-lumière des autres. Mais quelque chose clochait chez lui. Il ne savait pas s'arrêter. Il était sans limites. Il outrepassait toutes celles qu'il rencontrait.

Isabelle Lacoste écoutait les deux agents du SCRS raconter tour à tour. Désormais, elle comprenait pourquoi on les avait choisis pour cette mission.

Sean Delorme et Mary Fraser avaient beau tout ignorer de l'espionnage, ils en savaient long sur Gerald Bull. Ils avaient eu pour tâche de recueillir et de préserver ces informations. À présent, ils les divulguaient.

En partie, du moins.

– M. Bull a travaillé avec les Américains, il a travaillé avec les Britanniques. Il a participé au Projet de recherche sur la haute altitude, expliqua Sean Delorme, qui avait pris le relais.

Ils parlaient sans notes, remarqua Lacoste.

– Il a passé un moment à l'Université McGill de Montréal. Puis il est parti à Bruxelles, où il s'est établi à son compte.

Delorme retira ses lunettes et en essuya les verres avec sa serviette de table en lin.

– Un désastre, fit-il en les remettant. Lui, le scientifique et le concepteur, est devenu marchand d'armes.

– Et il a échappé à l'influence du Canada, dit l'inspectrice-chef Lacoste.

– Je pense que, de notre part, toute volonté de mainmise sur lui aurait été illusoire, dit Mary Fraser. À mon avis, Gerald Bull a toujours été incontrôlable parce que rien n'avait d'importance pour lui.

– Et cet homme-là ne vaut pas beaucoup mieux, dit Sean Delorme en indiquant Michael Rosenblatt à l'autre bout du bistro. Nous avons un dossier sur lui aussi, vous savez. Pas trop épais, mais quand même. Il vous a dit qu'il a participé à la conception de l'Avro Arrow ? Un des avions de chasse les plus perfectionnés au monde, avant que le projet soit mis au rancart. La course aux armements et les ventes d'armes, il connaît. Ne vous laissez pas berner par lui.

– Vous pensez vraiment que Gerald Bull aurait pu créer le Supercanon à l'insu du gouvernement ? demanda Rosenblatt.

– Je ne sais pas, répondit Beauvoir. Tout indique qu'il l'a construit tout près de ce petit village sans que personne se doute de rien.

– Étant donné la qualité des agents affectés au dossier, ça vous étonne ? demanda Rosenblatt en montrant d'un geste la table de Lacoste.

Le scientifique semblait se contredire : d'un côté, le gouvernement était au courant des travaux de Bull et les soutenait tacitement ; de l'autre, il était trop incompétent pour se douter de quoi que ce soit.

Lorsque Beauvoir releva le paradoxe, Rosenblatt secoua la tête.

– Vous m'avez mal compris, dit-il. Je pense que le gouvernement canadien a soutenu les recherches de M. Bull, qu'il les a même encouragées. Qu'il y a investi des sommes considérables. Qu'il était parfaitement au fait des projets du scientifique. Et je pense que les documents conservés par le SCRS en fourniront la preuve irréfutable.

– Mais alors ? demanda Beauvoir.

– Mais alors, quand Bull est brusquement parti pour Bruxelles et qu'il a rompu tous les ponts avec le Canada, le gouvernement, passez-moi l'expression, a pété les plombs. La panique totale. Comprenez-moi bien : je n'approuve pas l'éthique de Gerald Bull. Je pense qu'il aurait été prêt à n'importe quoi, ou presque, pour faire fortune et avoir le dernier mot. Pour narguer l'establishment avec sa création.

– Quel establishment ? Celui des autres concepteurs d'armes ? demanda Beauvoir.

– Vous portez une arme, vous, constata Rosenblatt en posant les yeux sur le holster fixé à la ceinture de Beauvoir. Alors ne faites pas l'hypocrite.

Son sourire atténua la brutalité de sa remarque.

– Je suppose que nous sommes tous des hypocrites à des degrés divers, poursuivit-il. J'ai travaillé sur la balistique et la trajectoire. Et pas au ministère des Pêches.

Beauvoir sourit, hocha la tête et prit une autre bouchée de pétoncle. Exquis. « La seule amélioration possible aurait été de les passer à la grande friture », se dit-il.

– Nous nous fixons tous des limites, dit le professeur. Même les concepteurs d'armes. Il existe des choses qui sont trop horribles, bien que possibles.

– Nous vivons dans un monde où il y a des bombes atomiques et des armes chimiques, dit Beauvoir en posant sa fourchette.

Il n'avait plus faim, tout d'un coup.

– Difficile d'imaginer pire.

À son grand soulagement, Rosenblatt ne répondit rien. Le vieux professeur contempla plutôt le village paisible derrière la vitre.

– Je n'arrive pas à croire qu'il l'ait construit. On l'a supplié de n'en rien faire, mais il soupçonnait les autres concepteurs d'être jaloux.

– Vous avez connu M. Bull ? demanda Beauvoir.

– Seulement de réputation, je vous l'ai déjà dit. Je n'étais pas de son calibre, mais j'appartenais à la même communauté. Dans les marges, en quelque sorte. Celles de l'université.

– Et vous étiez jaloux ? insista Beauvoir. Les autres concepteurs étaient-ils jaloux ?

Rosenblatt secoua la tête.

– Nous avions peur.

– De quoi ?

– De la chose que Gerald Bull disait possible. De l'engin qu'il avait l'intention de construire. On l'a assassiné pour l'arrêter, aucun doute à ce sujet. Je pense que les documents du SCRS le prouveront. Sauf qu'on est arrivé trop tard. Les dés étaient jetés. Le canon était construit.

– Oui, dit Beauvoir. Mais pour qui l'a-t-il construit et pourquoi ici ?

– C'est un cinglé, dit Mary Fraser en regardant le dos du vieil homme, au fond du bistro. Il a toutes sortes d'idées bizarres sur Gerald Bull. Sur nous aussi. Il souffre d'une sorte de délire de persécution. Il pense que nous lui cachons de l'information.

– Il n'a pas tort, souligna Delorme.

– Oui, mais ce n'est pas personnel, répliqua Mary Fraser. Nous sommes liés par la Loi sur la protection de l'information. Nous ne pourrions pas divulguer ces renseignements, même si nous le voulions. Tiens, ça me fait penser : à qui avez-vous parlé du Supercanon, à part lui ?

– L'information figure dans le rapport officiel sur le crime, répondit Lacoste. Mais il s'agit d'un document strictement confidentiel. Nous n'avons rien annoncé.

– Bien. N'en faites rien, je vous prie, avant que nous ayons sécurisé l'engin.

– Il faut boucler cet endroit, ajouta Delorme, savourant manifestement l'expression, qu'il employait peut-être pour la première fois de sa carrière.

– Je comprends la nécessité de cacher l'existence du Supercanon dans l'immédiat, mais pourquoi l'information sur Gerald Bull doit-elle rester secrète ? demanda Isabelle Lacoste en prenant une bouchée de salade tiède au canard. L'homme est mort depuis longtemps.

– Je n'en sais trop rien, avoua Mary Fraser.

On aurait dit qu'elle ne s'était jamais posé la question. Son travail, après tout, consistait à analyser des dossiers et non à mettre en doute leur contenu.

– De toute évidence, vous lisez les dossiers, insista Lacoste. Vous connaissez sans doute mieux Gerald Bull que quiconque dans le monde. Que contiennent-ils ?

– On y affirme qu'il était un marchand d'armes, probablement un sociopathe, dit Mary Fraser.

Bien que parlant de Gerald Bull, elle ne quittait pas Rosenblatt des yeux.

– Il ne se souciait pas de savoir qui achetait ses armes ni à quoi elles serviraient.

– Tout ce que voulait M. Bull, c'était de l'argent, beaucoup d'argent, et l'occasion de prouver l'exactitude de ses théories, dit Delorme. Et tant pis si, en cours de route, des centaines de milliers de personnes mouraient.

– S'il avait réussi, Dieu seul sait ce qui serait arrivé, dit Mary Fraser en se tournant de nouveau vers Lacoste.

– Saddam était vraiment son client ?

– C'est ce que croyaient les agents sur le terrain, répondit Mary Fraser.

– Mais même s'ils se trompaient et qu'il avait vendu l'arme aux Israéliens ou aux Saoudiens, on aurait eu un sacré beau gâchis sur les bras, dit Delorme.

– Armageddon, confirma Mary Fraser.

Elle avait réussi à prononcer le mot sans qu'il ait l'air ridicule, même dans ce lieu paisible.

– Comment se fait-il que vous ayez été au courant pour la gravure ? demanda Lacoste. La grande prostituée ?

Sean Delorme se pencha vers elle avec enthousiasme.

– Elle fait partie de la légende. C'est ce qu'il y a de plus extraordinaire. Notre travail consiste à recueillir des informations et à les colliger.

– Nous avons trouvé des récits concernant la gravure dans des rapports produits par des agents sur le terrain à la fin des années 1980, dit Mary Fraser. Ils s'efforçaient de suivre M. Bull dans ses déplacements. Ils étaient relativement certains que Saddam Hussein était son client, sans jamais pouvoir le confirmer.

– Toutes sortes de rumeurs complètement folles ont circulé, dit Delorme. Fascinantes, mais peu fiables.

Selon une rumeur persistante, Bull avait commandé une gravure pour le flanc du Supercanon, expliqua Fraser. La grande prostituée. Celle de l'Apocalypse.

– Satan. Armageddon, dit Delorme.

– Il foutait les boules, ce Bull, dit Mary Fraser en secouant la tête.

– C'était voulu ? demanda Delorme en se tournant vers elle. Très futé.

Observant ses deux interlocuteurs, Lacoste se dit que le jeu de mots était plus convenu que futé, mais les deux agents du SCRS semblaient beaucoup s'en amuser.

– Ce que je veux dire, c'est que Bull était connu pour ses gestes grandiloquents, dit Mary Fraser. Mais ce n'était jamais que du vent. Plus l'affirmation était extravagante, plus la bulle était creuse.

– Et la grande prostituée gravée sur le flanc d'un Supercanon, ça fout les boules, dit Delorme en esquissant un sourire furtif.

Visiblement, il était encore amusé par le jeu de mots éculé.

– Personne n'y croyait ? demanda Isabelle Lacoste. C'était trop dur à avaler ? Pareil pour le garçon qui a été tué. Laurent Lepage. Personne ne le croyait.

– De toute évidence, quelqu'un les a crus. Ils ont été tués tous les deux.

Isabelle Lacoste se dirigea vers le gîte de Gabri en compagnie des agents du SCRS, qui entendaient rester au village.

On se marcherait sur les pieds, mais ce serait divertissant. Mettre les agents et l'universitaire sous un même toit et attendre les résultats…

Comme Mary Fraser et Sean Delorme, Lacoste trouvait bizarre l'obsession du professeur Rosenblatt pour le marchand d'armes mort depuis belle lurette. Mais elle trouvait tout aussi bizarre que Mary Fraser ait fait celle qui ne savait pas si les caractères qui ornaient la gravure étaient arabes ou hébreux.

Et elle trouvait encore plus bizarre que Sean Delorme ait trouvé le chemin de Three Pines sans problème, alors que se perdre en route était presque un rite de passage.

Le Supercanon était bizarre, d'accord, mais il était loin d'être le seul.

15

– Vous êtes de retour, dit Reine-Marie.

Elle leva les yeux de l'ordinateur pour contempler Armand et Henri, plantés devant la porte du bureau.

– Oui, dit Armand. Qu'est-ce que tu fais ?

– Des recherches, répondit-elle en se levant pour les accueillir. Et alors ? Elle est mauvaise, la pièce ?

Il la jeta sur la table posée près de la porte.

– Pas mal du tout. En fait, Antoinette avait raison. C'est génial.

Il donnait l'impression d'avoir un mauvais goût dans la bouche.

– Je ne l'ai pas terminée. Je le ferai plus tard. Là, j'avais besoin de souffler. Tu veux boire quelque chose ?

– Oui, merci, fit-elle en se tournant de nouveau vers l'ordinateur.

Il entendit l'imprimante se mettre en marche et, du placard à balais où ils cachaient leurs meilleures bouteilles à cause de Ruth, jeta un coup d'œil dans le bureau.

– Lysol ou M. Net ? demanda-t-il.

– Un Spic and Span, s'il te plaît. Léger.

En lui tendant un gin-tonic avec beaucoup de tonic et un quartier de citron, Armand remarqua qu'elle consultait le site Web de McGill.

Il mit un CD dans le stéréo et la voix inimitable de Neil Young retentit. Puis il s'installa dans un fauteuil avec son scotch et un livre.

Il lut les premières lignes familières et sentit un grand calme descendre sur lui, l'envelopper comme une douillette. Il se perdit, un moment, dans le monde bien connu de Scout, de Jem et de Boo Radley.

Reine-Marie le trouva une demi-heure plus tard, assis près de la fenêtre, son doigt glissé dans le livre. Il regardait le jardin en écoutant la musique. Henri à côté de lui.

– Heureux ? demanda-t-elle.

– En paix, répondit-il. Tu as trouvé des cours intéressants ?

– Pardon ?

Il désigna les feuilles qu'elle tenait à la main.

– Tu consultais le site de McGill. Tu vas aussi jeter un coup d'œil à l'Université de Montréal ? L'offre de cours est impressionnante. Tu penses t'inscrire comme auditrice libre ou commencer un programme ?

– Je ne consultais pas l'offre de cours, Armand. Je faisais des recherches sur Gerald Bull. Pour un homme dont les travaux étaient secrets, il a laissé une quantité surprenante de traces. Il suffit d'utiliser les bons mots-clés. « Projet Babylone », par exemple. Dans les moteurs de recherche publics comme Google, on trouve pas mal d'informations, toujours les mêmes, en gros. Mais c'est dans les archives privées que ça devient intéressant.

– Privées ?

– Je suis archiviste, lui rappela-t-elle. Nous sommes comme les prêtres : nous ne prenons jamais vraiment notre retraite.

Elle brandit la liasse de documents.

– Et j'ai les codes d'accès des archives privées de McGill.

– Bénie sois-tu, fit Armand en prenant simultanément les feuillets et ses lunettes. Qu'as-tu trouvé ?

– Gerald Bull était considéré comme une sorte de raté, à la fois dans ses études et dans sa vie professionnelle. Tout indique qu'il était un sérieux emmerdeur. Selon son dossier aux ressources humaines à McGill, il était maladroit et s'aliénait tous ceux qui l'approchaient. Il avait des idées de grandeur jugées complètement folles. Personne ne voulait travailler avec lui.

– Pourquoi ne s'est-on pas débarrassé de lui ?

– On a fini par le faire, même si, pour éviter les poursuites, on a présenté le tout en termes diplomatiques. Mais on l'a gardé un long moment dans l'espoir qu'une de ses idées bizarres finirait par donner des résultats.

– Ce qui est arrivé, évidemment, dit Armand.

Il étudia les documents.

– Mais il était parti depuis longtemps, n'est-ce pas ? Quand est-il né ?

Reine-Marie consulta ses notes.

– Le 9 mars 1928.

Gamache fit le calcul.

– Il aurait dans les quatre-vingts ans, aujourd'hui. Presque quatre-vingt-dix.

Reine-Marie le dévisagea, intriguée.

– Mais il est mort. Tu sais qu'il a été assassiné en 1990, à l'âge de…

Elle effectua à son tour un rapide calcul mental.

– … soixante-deux ans.

– Oui, confirma Armand en se calant dans son fauteuil.

– À quoi penses-tu ?

– À rien. C'est ridicule.

– Tu te demandes si Gerald Bull est encore vivant ? fit-elle, étonnée.

– J'ai passé trop d'années à nourrir des soupçons, dit-il en souriant. Oublie ce que j'ai dit.

Il brandit son scotch dilué.

– C'est la faute au Lysol.

– Il y a un détail curieux dans les dossiers, Armand.

Elle lui prit deux ou trois feuilles et fit descendre ses lunettes du dessus de sa tête. Elle lui montra des mots, et parfois des lignes entières, biffés à l'encre noire, caviardés. Les dossiers secrets eux-mêmes renfermaient des secrets.

– J'ai l'habitude de ce genre de choses, expliqua-t-elle. Des notes et des documents – souvent des journaux intimes de politiciens ou de scientifiques – sont envoyés aux archives, mais pas avant que la sécurité les ait censurés. Je n'ai donc pas été particulièrement surprise.

– Moi non plus, confirma Armand. De toute évidence, les recherches de M. Bull avaient d'importantes implications pour les armements.

– Exactement. Ce qui m'a étonnée, c'est ça.

Reine-Marie feuilleta les pages. Elle avait glissé un stylo sur son oreille et ses lunettes avaient glissé sur le bout de son nez. Elle ressemblait à Katharine Hepburn dans *Une femme de tête*. Intelligente, efficace et totalement inconsciente de sa beauté. Armand aurait pu passer la journée à l'admirer.

Reine-Marie trouva ce qu'elle cherchait. Elle lui tendit une des feuilles. Lourdement caviardée.

– Ça fait partie d'un rapport interne sur les travaux de M. Bull. Le document a été rédigé après son meurtre. Regarde.

Elle montrait une ligne. Il mit ses lunettes et lut, puis relut, les sourcils froncés. Il se redressa dans son fauteuil.

Le censeur avait raté une mention du Supercanon. Rien là de tragique puisque les efforts déployés par M. Bull pour en créer un étaient un secret de Polichinelle.

– Une faute de frappe, tu crois ? demanda-t-elle.

– Je l'espère.

Il revint au rapport. Au mot qui aurait dû être biffé.

« Supercanons. »

Au pluriel.

« Seigneur Jésus, songea-t-il. Se pourrait-il qu'il y en ait plus d'un ? »

Reine-Marie remonta ses lunettes et prit le stylo sur son oreille.

Adieu, Katharine Hepburn. Adieu, Spencer Tracy. Finie, la comédie. Armand et Reine-Marie échangèrent un regard. Puis

Armand se leva et se mit à faire les cent pas. Pas avec frénésie. Il arpentait le salon à longues enjambées mesurées, presque gracieuses.

– Ça ne veut peut-être rien dire, fit-il. Une banale faute de frappe, comme tu dis. C'est l'explication la plus probable. Tenons-nous-en à nos certitudes.

– Les dossiers nous apprennent que M. Bull a travaillé à l'Université McGill, où il a mené des recherches sur l'artillerie à longue portée. Nous savons qu'il s'est installé à Bruxelles au début des années 1980 et qu'il a été assassiné le 20 mars 1990.

– Dans les rapports que tu as exhumés, identifie-t-on les auteurs du meurtre ?

– Un coup du Mossad, selon la théorie la plus courante. Apparemment, Gerald Bull travaillait au programme de missiles Scud pour le compte des Irakiens. Mais il avait pour objectif principal de construire, pour Saddam, un Supercanon capable de lancer un missile en orbite basse.

– Et donc d'atteindre à peu près n'importe quelle cible.

– Le Projet Babylone, dit Reine-Marie. Le Supercanon était bel et bien destiné aux Irakiens, en fin de compte.

– Le ou les Supercanons, dit Armand. Tu as bien dit qu'il avait été tué le 20 mars 1990 ?

– Oui. Pourquoi ?

Armand fit quelques pas agités de plus, puis il s'arrêta et secoua la tête.

– C'est insensé. Je sais que c'est insensé.

– Quoi donc ?

– John Fleming a commis son premier meurtre dans le courant de l'été 1990.

Reine-Marie prit un moment pour absorber ces mots et s'efforça de reprendre contenance.

– Tu crois qu'il existe un lien ? Comment est-ce possible ?

Armand s'assit, ses genoux touchant ceux de sa femme.

– Gerald Bull a construit le Projet Babylone et y a fait graver non seulement la grande prostituée, mais aussi un extrait d'un psaume : *Sur les bords des fleuves de Babylone, nous étions assis et nous pleurions.*

Il jeta un coup d'œil à l'autre bout de la pièce, où se trouvait le texte maudit.

– John Fleming écrit une pièce où figure la même citation, à peu de choses près. *Elle était assise et elle pleurait.*

– C'est une citation archiconnue, Armand.

Elle essayait de se montrer compréhensive, mais pas condescendante. Elle percevait l'intensité dans les yeux d'Armand.

– On y fait souvent référence en littérature, même en musique. Don McLean n'a pas écrit une chanson où figurent ces mots ?

Puis elle comprit à quoi il pensait et sentit son cœur s'affoler.

– Tu te demandes si John Fleming pourrait être Gerald Bull ? Jamais on n'aurait pu garder une telle chose secrète.

Il saisit les pages caviardées.

– On peut cacher n'importe quoi. Tout dépend de qui « on » est.

Reine-Marie se pencha et prit les mains d'Armand dans les siennes. Elle parla lentement, calmement. En soutenant son regard.

– Tu viens de lire la pièce. Elle a éveillé toutes sortes de souvenirs relatifs à John Fleming. Tu crois que le deuil de Laurent a pu se mêler au traumatisme causé par le procès de Fleming ? Je ne sais pas ce qui s'est passé, à cette époque-là, tu m'en parleras peut-être un jour, mais ça n'a pas de sens, Armand.

Elle marqua une pause pour lui laisser le temps d'absorber ses mots et peut-être aussi de repousser cette illusion.

– Le seul lien entre les deux, c'est une citation biblique rabâchée. Tu ne te rends donc pas compte ? Fleming te colle à la peau, peut-être même te monte-t-il au nez, dit-elle en souriant.

Elle vit les coins de la bouche d'Armand se redresser.

– Je ne sais pas comment il s'y est pris, mais il s'est introduit dans ta tête et il faut que tu le sortes de là. Il n'y a pas de place pour lui, là-dedans. Et le meurtre de Laurent n'a rien à voir avec lui. Ça ne fait qu'embrouiller les choses.

Armand se leva. Il alla se camper près du foyer, dos à elle, et contempla les flammes.

Puis il se retourna.

– C'est toi qui as raison, évidemment. John Fleming est septuagénaire, aujourd'hui. Beaucoup trop jeune pour être Gerald Bull. C'était idiot de ma part. Mon imagination me joue des tours, une fois de plus.

Il promena ses mains dans ses cheveux et sourit pour s'excuser.

– Malgré tout, j'aimerais en savoir plus sur la pièce. Comment a-t-elle abouti dans les affaires de l'oncle d'Antoinette, par exemple ?

– C'est important ? Antoinette a dit qu'il l'avait probablement achetée dans une vente de débarras. Les gens gardent toutes sortes de trucs bizarres. Il collectionnait peut-être des objets macabres. Des objets associés à des crimes ou à des criminels.

– Ni Antoinette ni Brian n'ont parlé d'une collection, dit Armand. Pourquoi un ingénieur n'ayant jamais manifesté le moindre intérêt pour le théâtre aurait-il acheté un manuscrit, a fortiori un manuscrit écrit par le tueur le plus brutal du pays ?

Reine-Marie le regarda fixement. La question, elle devait en convenir, était pertinente.

Armand prit une profonde inspiration, secoua la tête et sourit.

– Tu as beaucoup de patience, ma belle.

– Pas autant que tu penses.

Il sourit de nouveau.

– Tu as raison. Tu supportes tout ceci depuis beaucoup trop longtemps. En principe, ça devrait être terminé.

Il l'embrassa et se dirigea vers la porte en invitant Henri à le suivre.

– Je pense que je vais sortir prendre l'air. Mettre un peu d'ordre dans ma tête.

– Il commence à y avoir pas mal de monde, là-dedans, en effet. On se retrouve au bistro pour le thé ? Disons dans vingt minutes ?

– Parfait. D'ici là, les avis d'éviction auront été émis.

16

Il faisait noir lorsque les Gamache rentrèrent du bistro. Ils trouvèrent Ruth dans le salon, où elle sirotait du scotch à même une tasse à mesurer et mangeait les restes d'un plat mijoté, tandis que Rose picorait une salade de riz sauvage.

Reine-Marie s'assit à côté de la poète, tandis qu'Armand entra dans la cuisine pour se laver les mains et commencer à préparer le repas.

– Nous vous attendions.

Gamache, saisi, sursauta, porta les mains à sa poitrine.

– Seigneur Jésus, vous avez failli me faire faire une syncope.

– Il y a quelque chose qui ne tourne pas rond, patron, dit Isabelle Lacoste en se levant. Trouver Ruth à la maison vous paraît normal, alors que nous, nous vous flanquons la frousse…

Il sourit, se ressaisit.

– Je croyais pourtant avoir fermé à clé, dit-il.

– Ruth passe à travers les murs, fit Jean-Guy. Vous devriez être au courant.

– De quoi vouliez-vous me parler ? demanda Gamache en s'essuyant les mains sur un linge à vaisselle avant de se tourner vers eux.

– Nous avons les résultats des analyses scientifiques, répondit Isabelle, qui alla se chercher une bière et se rassit. On a trouvé des empreintes fraîches sur le lance-missiles. Celles de Laurent. Il y a aussi des taches floues. Notre tueur y a touché. Mais il portait des gants.

– Qu'avez-vous trouvé sur le bâton de Laurent et la cassette ? demanda Gamache.

– Sur le bâton, nous avons relevé toutes sortes d'empreintes, y compris les vôtres. Sur la cassette, en revanche, seulement celles de trois personnes : Laurent et ses parents. Vous aviez raison. Elle appartient sûrement aux Lepage.

– Ça ne veut rien dire, dit Gamache en venant les rejoindre autour de la longue table en pin.

– Possible, convint Beauvoir. Mais ça veut peut-être tout dire. La cassette a pu tomber de la poche du meurtrier pendant la lutte, par exemple, ou quand il a enlevé l'enfant. Sinon, que faisait-elle là ?

Armand hocha la tête. C'était le bon sens même. On ne pouvait certes pas parler d'une preuve irréfutable, mais c'était à tout le moins un doigt accusateur. Qui montrait Al Lepage. Non sans surprise, Armand constata qu'il était porté à protéger Al Lepage. Peut-être parce qu'il aimait bien l'homme, qui souffrait déjà assez sans qu'on le considère en plus comme un suspect.

En revanche, les soupçons étaient inévitables et souvent fondés. La plupart des victimes étaient tuées par des personnes qu'elles connaissaient bien, voire très bien, ce qui aggravait la tragédie. « C'est sans doute pourquoi, songea Gamache, beaucoup d'entre elles semblent étonnées plutôt qu'effrayées. » Gamache avait beau aimer Lepage et sympathiser avec lui, il avait arrêté assez de proches parents éplorés accusés de meurtre pour savoir que le père de Laurent était un suspect légitime.

Et il n'était pas le seul à le penser. Au bistro, Reine-Marie et lui avaient entendu des conversations, des rumeurs. Les soupçons se portaient sur Al Lepage.

– Nous avons interrogé les deux parents de Laurent, dit Jean-Guy. Et nous avons perquisitionné la maison. Nous y retournons demain.

Gamache hocha la tête. Beauvoir et Lacoste n'avaient pas de comptes à lui rendre et ils ne lui en rendaient pas. S'ils l'informaient, c'était par courtoisie et non par obligation.

– Je vous ai vus emmener des gens dans les bois.

– Oui. Mary Fraser et Sean Delorme, répondit Lacoste. Du SCRS. Des fonctionnaires subalternes.

– Des documentalistes, dit Jean-Guy en se servant un soda au gingembre.

– Sauf qu'ils en savent long sur Gerald Bull, dit Lacoste.

Elle lui rapporta leurs propos sur le marchand d'armes.

– Et ils connaissent notre professeur Rosenblatt, dit Jean-Guy. Lui aussi les connaît. Disons que, entre eux, ce n'est pas le grand amour.

– Pourquoi ? demanda Armand.

– Il les soupçonne de cacher quelque chose, répondit Jean-Guy. Selon lui, le gouvernement canadien a eu avec Gerald Bull des rapports plus étroits qu'il veut bien l'admettre.

– Ses travaux ou son meurtre ?

– Je n'en suis pas sûr, avoua Beauvoir. Mais il a affirmé que Fraser et Delorme n'ont peut-être pas été aussi étonnés par le Supercanon qu'ils l'ont laissé voir. Il n'a pas confiance en eux.

– Et eux n'ont pas confiance en lui, ajouta Lacoste. Ils trouvent bizarre qu'un professeur à la retraite soit obsédé à ce point par un marchand d'armes mort depuis longtemps. Moi aussi, d'ailleurs.

– Que pensez-vous des agents du SCRS ? demanda Gamache.

– Ils me semblent plutôt honnêtes, dit Lacoste. Un peu dépassés par les événements, peut-être.

– Pourquoi souriez-vous ? insista Gamache.

– Ils me rappellent mes parents, dit Lacoste. Chamailleurs, un peu ahuris. Plutôt attachants. Mais ce ne sont pas des imbéciles. Ils sont très doués dans leur domaine. L'archivage, les corrélations. Le terrain ? Pas tellement.

– Alors, pourquoi vous les a-t-on envoyés ?

– Probablement parce qu'ils en savent plus que quiconque sur Gerald Bull et ses travaux.

– C'est vous qui les avez appelés ?

Lacoste secoua la tête.

– Ils sont arrivés sans préavis. À mon avis, le général Langelier de la BFC de Valcartier a alerté quelqu'un au SCRS. Il avait promis d'essayer de trouver des spécialistes capables de nous aider. Mais je pense que personne n'a cru que nous avions découvert le Projet Babylone. Dans le cas contraire, on nous aurait envoyé des agents du renseignement plus aguerris. Je m'attends d'ailleurs à en voir débarquer d'une minute à l'autre.

Elle contempla par la fenêtre le village paisible.

– Ils souhaitent garder secrète l'existence du Supercanon, peut-être parce qu'il est dans leur intérêt de…

– Ça rend l'enquête sur la mort de Laurent presque impossible, dit Jean-Guy, mais on n'a pas le choix, je suppose.

– Mmmm, fit Gamache. Je voudrais vous montrer quelque chose.

Il se leva et revint une minute plus tard avec les documents imprimés que Reine-Marie et lui avaient laissés dans le salon. Ruth les avait-elle lus ? Avait-elle découvert Gerald Bull et le Projet Babylone ? Et compris ce qui se cachait dans les bois ?

Armand avait la désagréable sensation que oui, bien qu'elle n'ait rien dit quand il avait pris les documents. En soi, c'était louche.

De retour dans la cuisine, Gamache tendit une feuille à Isabelle.

– Mme Gamache a effectué des recherches dans les archives, expliqua-t-il.

Jean-Guy lisait au-dessus de l'épaule de Lacoste.

– La plupart des informations sont caviardées, mais le censeur a manqué une occurrence.

Jean-Guy, arrivé le premier au passage, se redressa et aperçut les yeux pensifs de Gamache.

Et puis, un instant plus tard, ce fut au tour de Lacoste de le repérer. Le mot. La lettre.

– Une faute de frappe ? demanda-t-elle.

– Possible. Nous nous sommes posé la même question.

– Et si ce n'était pas le cas ? lança Beauvoir en se laissant retomber sur sa chaise. S'il y en avait un deuxième ?

– Ou deux ou trois de plus ? ajouta Lacoste.

Gamache leva la main.

– Nous n'en savons rien. Je pense qu'il vaut mieux n'en parler à personne pour le moment.

– Même pas aux agents du SCRS ? fit Lacoste.

– C'est vraisemblablement le SCRS qui s'est chargé du caviardage, dit Gamache. Ils sont au courant.

– J'ai remarqué un détail étrange. Les caractères arabes et hébreux sont sensiblement différents, non ?

– Très différents, répondit Gamache. Pourquoi ?

– À votre avis, des agents du SCRS devraient-ils savoir les différencier ?

– Oui, répondit-il, plus attentif. Pourquoi cette question ? C'est à propos de la gravure ?

– Oui. Mary Fraser a remarqué le passage, mais elle a cru que c'était de l'arabe.

Il la regarda fixement, perplexe.

– Et il y a encore autre chose, dit Lacoste. Ils ne se sont pas perdus.

– Pardon ?

– Mary Fraser et Sean Delorme, expliqua Lacoste. Ils sont partis d'Ottawa et ont roulé tout droit jusqu'à Three Pines.

Gamache se pétrifia. Le village lui-même était perdu. Caché dans les collines. Il ne figurait pas sur les cartes. Les GPS l'ignoraient. Et pourtant, des agents du SCRS avaient trouvé leur chemin sans difficulté. Savaient-ils d'avance où ils allaient ?

Invités à souper en compagnie des Gamache, de Ruth et de Rose, les agents de la Sûreté déclinèrent.

– Je pense que nous allons retourner au bistro, patron, dit Beauvoir. Question d'écouter ce que les gens racontent.

– Tu sais très bien de quoi ils parlent, tête de nœud, lança sèchement Ruth. D'Al Lepage.

– Et vous contribuez à propager les rumeurs, Ruth ? demanda Armand.

Elle le regarda d'un air mauvais, secoua la tête et revint à son verre.

– Devrait-elle… ? commença Beauvoir en aparté.

– C'est du thé, dit Armand en les raccompagnant. Nous en avons rempli la bouteille de Glenfiddich.

– Et elle ne se rend compte de rien ? s'étonna Lacoste.

– En tout cas, elle ne laisse rien voir, répondit Gamache. Merci d'être venus me mettre au courant.

– C'est la moindre des choses, patron. Pourquoi ne pas déjeuner au gîte avec nous ? Nous verrons ce que donne la petite expérimentation sociale que nous avons lancée en réunissant le professeur et les agents du SCRS.

– Une explosion, par exemple ? demanda-t-il en promettant de les rejoindre.

– Oh là là.

Le lendemain matin, Mary Fraser se redressa dans son lit et regarda la porte se refermer silencieusement. Les pas s'éloignèrent peu à peu et elle entendit cogner à la porte voisine.

Le propriétaire, Gabri, apportait le café matinal. Et les nouvelles.

Et, à présent, Mary avait envie de vomir.

– Tout le village en parle, avait-il dit en posant sur la table une tasse de café riche et fort et en faisant bouffer les oreillers. Du canon. Crème ?

– Quel canon ? avait demandé Mary Fraser en se relevant et en tirant, par pudeur, le chaud duvet sur sa chemise de nuit en flanelle.

Le gros homme affable s'était dirigé vers la porte. Avant de sortir, il s'était retourné et l'avait gratifiée d'un regard malin. Et d'un bref sourire indulgent.

– Vous savez très bien lequel. Le canon dans les bois. Celui que vous êtes venus voir.

– Ah! Celui-là…

Elle n'avait rien trouvé de plus intelligent à ajouter.

– Oui, celui-là même. Ils le qualifient de « Supercanon ».

– Qui ça, « ils » ? demanda-t-elle.

– Vous savez bien, « eux ».

Il sortit pour apporter le café aux autres clients et faire passer le mot. « Supercanon », en l'occurrence.

– Oh là là, murmura-t-elle.

Elle se corrigea aussitôt.

– Merde.

Sean Delorme sortit de la salle de bains, le rasoir à la main, les joues couvertes de mousse.

– Merci, dit-il à l'aubergiste venu lui apporter son café et la nouvelle.

Une fois l'homme reparti, il s'assit au bord du lit et regarda fixement la porte fermée. Puis la fenêtre par où s'engouffrait l'air frais qui, venu de la forêt recouverte de brouillard, soufflait sur le parc du village. En bas, ils voyaient les villageois s'arrêter pour échanger quelques mots. Ils gesticulaient. Delorme croyait presque les entendre.

Énorme, disait l'un en écartant les bras.

L'autre hochait la tête. Et montrait du doigt. Les bois.

Malgré l'air frais au léger parfum de pin, l'agent du SCRS décelait une mauvaise odeur.

– Merde, merde, merde, dit-il en prenant une profonde inspiration et en soupirant. Oh là là.

– Bon.

Assis dans son lit, Michael Rosenblatt buvait son café en observant la commotion dans le parc du village.

– Bon, bon, bon.

Il tendit la main vers son iPhone, puis se rappela que, dans ce drôle de petit village, il ne servait à rien. Pourtant, ce n'était pas encore le pire.

Le pire était sur les lèvres de tous les habitants de Three Pines.

Le professeur Rosenblatt plaignait presque les agents du SCRS. Presque.

Armand Gamache sortit de la salle de bains en robe de chambre. Une serviette à la main, il se séchait les cheveux. Puis il s'arrêta. Et se tint immobile au centre de la chambre à coucher.

Un mot avait filtré par la fenêtre grande ouverte en soulevant légèrement les rideaux. Ce mot, c'était « Supercanon ».

Son regard se porta sur Reine-Marie qui, sous l'effet de la surprise, écarquillait les yeux.

– Tu as entendu, Armand ?

Il fit signe que oui. Dehors, il vit deux villageois qui promenaient leurs chiens en discutant avec animation.

Il avait dû mal entendre. Sans doute avaient-ils dit Superman. Ou Supercolle.

L'un d'eux désignait frénétiquement la forêt.

Supercanon.

Le téléphone tira Clara Morrow du sommeil. Elle répondit, hébétée, à la première sonnerie.

– Allô ?

– Tu as entendu ? demanda Myrna.

– Quoi ? Le téléphone me réveiller ?

– Non. La nouvelle. On se retrouve au bistro.

– Attends. Qu'est-ce que c'est ?

– Le Supercanon. Dépêche-toi.

– Le quoi ?

Myrna avait déjà raccroché.

Clara prit sa douche et s'habilla en vitesse, sa curiosité et son imagination se nourrissant mutuellement. Malgré la vivacité de cette dernière, jamais elle n'aurait pu concevoir ce qu'elle était sur le point de découvrir.

Assise au bord du lit, Isabelle Lacoste réfléchissait à ce qu'elle venait d'entendre. Et aux implications.

Puis elle hocha une fois la tête, sèchement, et alla prendre une douche et se préparer à affronter la journée.

Ce serait un véritable enfer.

Ruth Zardo entendit frapper doucement à la porte de derrière. Sur le vieux poêle à bois, le café était prêt. Elle avait fait griller du pain et sorti la confiture.

Le bruit ne la fit pas sursauter. Elle l'avait escompté. Rose, cependant, leva les yeux de son repas d'un air étonné.

Ruth ouvrit la porte de la cuisine, hocha la tête et fit un pas en arrière.

– Tu as entendu, Clément ? demanda-t-elle.

– Oui, répondit M. Béliveau. C'est encore pire que nous le craignions.

– Le Projet Babylone, évidemment. Pas d'autre nom possible.

– Comment le sais-tu ? demanda le vieil épicier à la vieille poète en s'assoyant à la table. Personne d'autre n'a mentionné ce nom.

– Je l'ai vu dans des documents, chez les Gamache, hier soir.

– C'est toi qui…

– … en as parlé à tout le monde ? compléta-t-elle. Bien sûr que non. Nous nous sommes promis de ne rien dire. D'ailleurs, nous ne savions rien. Du moins, pas vraiment.

M. Béliveau la considéra et baissa les yeux sur la table en plastique blanc.

– Nous en savions assez, Ruth. Largement assez.

– Pourquoi est-ce que je parlerais, après toutes ces années ?

– Pour détourner l'attention de M. Lepage.

Clément marqua une pause.

– Pour le protéger.

– Pourquoi ? Je ne l'aime même pas, celui-là.

– Pas besoin de l'aimer pour le protéger. Tu crois que c'est lui qui a fait le coup ? demanda M. Béliveau.

– Si je crois qu'Al Lepage a tué son fils ? fit Ruth. Ce serait horrible. Mais il se passe des choses horribles, n'est-ce pas, Clément ?

– Oui.

M. Béliveau resta un moment silencieux. Par la fenêtre, il contemplait, dans le jardin, le rectangle de terre fraîchement retournée.

– La pièce de Fleming, expliqua Ruth. *Elle était assise et elle pleurait.* Une référence au psaume, évidemment.

– Babylone, fit-il. Tu l'as enterrée ?

– J'ai essayé, mais Armand est venu la réclamer.

– Et tu la lui as donnée ?

Elle n'avait jamais vu l'épicier flirter d'aussi près avec la colère.

– Je n'ai pas eu le choix. Il savait que je l'avais prise.

Clément Béliveau hocha la tête, les yeux aimantés par le trou foncé dans l'herbe vert vif. La mort au milieu de la vie.

– Il sait ?

Ruth secoua la tête.

– Et je ne lui dirai rien. Je tiendrai parole.

Pourtant, savait Ruth, c'étaient précisément ces mots qui les avaient mis dans le pétrin.

– Le Projet Babylone, dit M. Béliveau à voix basse. *Et maintenant c'est maintenant/Et la chose sombre est là.*

17

En entrant dans la salle à manger du gîte, Jean-Guy trouva Isabelle Lacoste installée devant une large table posée près de la cheminée. Elle relisait les documents que Mme Gamache avait découverts et que Gamache leur avait remis la veille au soir.

Gabri avait fait du feu. Un brouillard automnal, descendu des froides montagnes, persistait au creux de la vallée. Il se dissiperait dans une heure ou deux, mais, dans l'immédiat, le petit feu guilleret était le bienvenu.

– Salut, dit Beauvoir en s'assoyant. Tu as entendu ? Quelqu'un a ébruité l'histoire du canon.

Il prit un *crumpet* encore chaud dans le panier posé sur la table et regarda le beurre s'enfoncer dans les trous. Puis il tartina de marmelade cette espèce de crêpe. Son oncle, ardent séparatiste québécois, l'avait initié aux joies des *crumpets* et de la marmelade, sans se rendre compte, apparemment, que, ce faisant, il pactisait avec l'ennemi, l'absorbait en quelque sorte.

Les allégeances, savait Jean-Guy, vivaient dans la tête et non dans l'estomac. Il prit une énorme bouchée et accepta le café au lait que lui proposait Gabri.

– J'ai entendu, répondit Lacoste.

– Ça facilitera l'enquête sur la mort de Laurent, dit Jean-Guy. Nous pouvons maintenant parler de notre découverte. Mais j'en connais deux qui risquent d'être d'humeur massacrante. Tiens, quand on parle du loup…

Mary Fraser et Sean Delorme apparurent et balayèrent des yeux la salle à manger.

Isabelle Lacoste leur fit signe d'approcher.

– Vous vous joignez à nous ? demanda-t-elle.

– Tout le village parle du Supercanon de Gerald Bull, dit Sean Delorme sans préambule. Comment est-ce possible ?

Il les foudroyait du regard.

– Aucune idée, répondit Beauvoir. Nous en parlions justement. Nous sommes aussi ébranlés que vous. Par chance, personne ne parle de M. Bull. Il est seulement question du canon.

– « Seulement ? » s'écria Delorme. Qu'est-ce qu'il vous faut de plus ?

– Ça pourrait être pire, dit le professeur Rosenblatt.

Le scientifique qui venait d'arriver arborait un pantalon de flanelle gris, un veston en tweed et un nœud papillon. Il examina les tables dressées pour le déjeuner, le linge de table en lin blanc, les couverts en argent et la porcelaine authentique. L'âtre où brûlait un feu modeste.

Des murs épais, des fenêtres à meneaux… Rosenblatt avait l'impression que, s'il attendait assez longtemps, la diligence finirait par arriver.

Sauf qu'il n'y monterait pas. Pour le moment, aucun lieu ne lui semblait aussi intéressant que celui-ci.

– Je ne me joindrai pas à vous, dit le professeur, comme s'il y avait été invité. Vous avez des choses à discuter.

– La nouvelle, par exemple, dit Jean-Guy.

– *Yes*, fit Rosenblatt en secouant la tête. Quel dommage.

Il n'avait toutefois pas l'air mécontent.

– Je vous en prie, dit Lacoste au professeur en indiquant une chaise libre. Plus on est de fous, plus on rit.

À dire vrai, personne ne riait autour de cette table.

Le professeur Rosenblatt s'assit et examina les visages renfrognés des agents du SCRS.

– De quoi parlons-nous ? demanda-t-il en posant une serviette en lin sur ses genoux et en regardant ses interlocuteurs. Ah oui, la fuite…

« Que voilà un beau spécimen d'emmerdeur », songea Beauvoir non sans une certaine admiration. Le plus fascinant, c'était la quantité d'emmerdements que le professeur émérite parvenait à susciter.

Beauvoir se tourna vers les agents du SCRS, dont les visages semblaient des masques de politesse glacée.

Qu'est-ce qui les perturbait à ce point ?

– C'est vous qui avez répandu la nouvelle ? demanda Mary Fraser.

Après sa douche, ses cheveux étaient encore humides. Elle portait un chandail gris, une jupe noire et des perles dans l'intention, eût-on dit, de se donner du lustre. Pourtant, elle avait l'air encore plus terne que d'habitude.

– Il y a quelques instants à peine, vous accusiez ce jeune homme de l'avoir fait, déclara Rosenblatt en montrant Beauvoir. Et maintenant, c'est mon tour ? Qui allez-vous accuser ensuite ? Lui ?

Il regarda Gabri, qui s'avançait avec les cafés au lait. L'aubergiste portait un tablier orné de volants de vichy qui mettait Olivier hors de lui.

– C'est drôle, disait Gabri. Moi, il me met en joie.

– Tu as l'air tellement gai avec ce truc.

– Évidemment ! Comment veux-tu que les gens le sachent, sinon ?

Gabri distribua les cafés et attendit leurs commandes.

Le professeur Rosenblatt demanda quelques minutes pour étudier le menu. Lacoste et Beauvoir annoncèrent leur intention d'attendre encore un peu, eux aussi, mais les agents du SCRS, sans doute impatients d'en finir, passèrent leur commande.

– Le nombre de personnes qui ont pu couler l'information concernant le Supercanon est relativement limité, déclara Delorme après le départ de Gabri. Et la plupart des suspects sont assis à cette table.

Il regarda autour de lui et Beauvoir fut frappé par le mal que l'homme se donnait pour avoir l'air féroce. En vain, du reste. Il avait seulement l'air de bouder.

– Le responsable sera soumis à toutes les rigueurs de la loi, déclara à son tour Mary Fraser.

Elle réussit à se montrer un peu plus menaçante, mais pas autant qu'elle l'aurait souhaité. Ils eurent un peu l'impression d'avoir déçu une tante bien-aimée.

Jean-Guy se demanda s'ils seraient rappelés à Ottawa, si de vrais agents étaient en route. Il espérait que non. Ces deux-là lui plaisaient.

– Bonjour, dit Armand Gamache en s'approchant de leur table. C'est brumeux, ce matin. Le feu est bien agréable.

Il enleva son blouson et tendit ses grandes mains vers l'âtre.

– Patron ? fit Gabri en sortant de la cuisine. Il me semblait bien vous avoir entendu. Café ?

– Volontiers, dit Gamache en regardant les convives déjà attablés.

Beauvoir et Lacoste s'étaient levés pour l'accueillir. Il leur sourit, puis il serra la main du vieux scientifique.

– Professeur, dit-il avec un sourire avant de se tourner vers les deux autres.

– Vous permettez que je fasse les présentations ? demanda Lacoste. Mary Fraser et Sean Delorme viennent d'Ottawa. Ils sont du SCRS. M. Armand Gamache.

Delorme se leva pour serrer la main de Gamache, tandis que Mary Fraser, restée assise, toisait le nouvel arrivant.

« Elle essaie de le remettre », se dit Jean-Guy. Il la connaissait, cette expression. Un visage et un nom familiers, dans un contexte qui ne l'était pas.

Et la lumière se fit enfin dans l'esprit de Mary Fraser.

– Bien sûr, dit-elle. Gamache. De la Sûreté.

– Anciennement de la Sûreté, corrigea Gamache en prenant la chaise libre à côté d'elle. Mes ex-collègues ont l'amabilité de me faire une petite place. Ma femme et moi profitons de notre retraite dans le village.

Beauvoir s'émerveilla de la capacité de Gamache à se donner des airs insignifiants. Il pouvait presque voir les rouages tourner dans l'esprit de Mary Fraser. Pendant un bref instant, elle eut l'air d'une femme perspicace plutôt que d'une matrone. Puis l'instant passa.

– Retrouver les bouleversements que vous aviez cru laisser derrière vous… Ça doit faire un drôle d'effet, dit Mary Fraser.

– Je peux aller et venir à ma guise. C'est différent quand on n'a pas la responsabilité de l'enquête.

Gabri apporta pour Delorme des œufs bénédictine et pour Mary Fraser des crêpes fourrées de pommes confites, arrosées de sirop d'érable et flanquées d'épaisses tranches de bacon à l'érable.

– Très bon choix, dit Gamache en se penchant vers elle avec un air de conspirateur.

Pour un peu, Mary Fraser aurait rougi. Pour cacher sa réaction, elle désigna les feuilles posées près de la main de Lacoste.

– Ils portent sur le Projet Babylone, ces documents ?

– Plus ou moins. Il y est surtout question de Gerald Bull, répondit Lacoste en les brandissant. Ils ont été censurés et presque toute l'information concernant le Projet Babylone a été supprimée.

– Où les avez-vous trouvés ? demanda Rosenblatt en s'emparant d'une page.

– Dans les archives.

– Comment avez-vous fait pour y accéder ? Il y a des années que j'essaie, moi.

– Si vous aviez fait partie de la Sûreté, vous auriez peut-être eu plus de chance, dit Lacoste.

Elle croisa le regard de Gamache, où se lisait l'appréciation. Elle n'entendait pas impliquer Mme Gamache dans cette affaire.

Rosenblatt fronça les sourcils, mais ne dit rien. Mary Fraser prit à son tour les pages et les parcourut, s'arrêtant devant la photo en noir et blanc de Gerald Bull.

– Vous l'avez déjà rencontré ? demanda Lacoste.

L'agente secoua la tête.

– C'est une photo de lui assez répandue, dit-elle. La seule que j'aie vue, d'ailleurs, ou presque. Pour un homme à l'ego démesuré, il n'aimait pas beaucoup se faire prendre en photo.

Mary Fraser remit l'image à sa place et passa aux pages dactylographiées.

– Fascinant comme lecture, dit Lacoste. Les détails ont été biffés, mais les rapports confirment que Gerald Bull était prêt à vendre à n'importe qui. Pas uniquement aux Irakiens.

– Je pense que c'est à vous qu'il revient de répondre, dit Rosenblatt aux agents du SCRS. À moins que vous préfériez que je m'en charge.

Mary Fraser eut l'air irritée, mais elle se rendit compte qu'elle n'avait pas le choix.

– C'est la vérité. À Bruxelles, Gerald Bull a déraillé. Il passait des marchés avec n'importe qui, vendait n'importe quoi. Les puissances légitimes avec lesquelles il avait autrefois travaillé ont pris leurs distances. Il est devenu une sorte de pestiféré.

– Parlez-leur des Soviétiques, dit Rosenblatt qui, de toute évidence, s'amusait beaucoup.

Delorme lui lança un regard qu'il voulait profondément méprisant, mais qui, en définitive, fut plutôt comique.

– Bull se servait des Soviétiques et des Sud-Africains pour écouler ses armes et ses concepts, expliqua Fraser. Mais, comme vous le savez, les Irakiens étaient ses principaux clients. Il était complètement amoral.

– Ne soyons pas malhonnêtes, dit Lacoste. Nous avons effectué nos propres recherches. Saddam a acheté une bonne partie de ses armes aux pays occidentaux. M. Bull était loin d'être son seul fournisseur.

– La région est un véritable bourbier, admit Mary Fraser. Nous avons approvisionné Saddam, mais nous avons mis un terme à nos livraisons après avoir constaté de quoi il était capable. Mais pas Gerald Bull. Il a vu là un débouché, un marché de plus, et il a sauté sur l'occasion. Nous regrettons amèrement d'avoir armé Saddam. Mais comment aurions-nous pu savoir qu'il deviendrait un sociopathe ?

Comme le professeur Rosenblatt semblait sur le point d'intervenir, Sean Delorme prit le relais.

– Personne n'est fier des choix que nous avons faits, mais, au moins, nous nous efforçons de maintenir l'ordre. Gerald Bull, c'était une autre paire de manches. Il échappait à tout contrôle. Il s'est aventuré dans les zones sombres du commerce des armes, en marge des canaux officiels. Pas de règles, de lois, de limites. Si les gouvernements ont fait des dégâts, imaginez un peu les torts causés par les marchands d'armes. Nous sommes presque certains que le canon était destiné aux Irakiens. Tout indique que Bull a persuadé Saddam qu'il pourrait faire de son pays la seule superpuissance de la région.

– Et vous ne vous doutiez de rien ? s'étonna Beauvoir.

Sean Delorme secoua la tête et une partie de la longue mèche plaquée sur son crâne se détacha.

– Des informateurs nous ont dit que Gerald Bull faisait fabriquer les diverses composantes du canon dans des usines des quatre coins du monde, mais qu'il avait été tué avant d'avoir atteint son but.

– Dans ce cas, à quoi avons-nous affaire ici ? demanda Gamache en montrant la forêt du doigt.

Les agents du SCRS secouèrent la tête à l'unisson. D'autres mèches tombèrent, exposant le crâne de Sean Delorme, sinon le fond de sa pensée.

– Je ne sais pas, avoua Mary Fraser. Nous savons ce que c'est, bien sûr. Un Supercanon. Mais nous ignorons comment il a abouti ici.

– Et pourquoi quelqu'un a tué un enfant de neuf ans pour l'obliger à garder le silence à son sujet, ajouta Gamache.

– Au moins, il n'est pas en état de tirer, Dieu merci, fit Lacoste.

– Mais pourquoi ? demanda le professeur Rosenblatt. Comprenez-moi bien : je suis aussi soulagé que vous, mais…

– Où est la clé ? fit Beauvoir.

– La quoi ? demanda Sean Delorme.

– La clé, répéta le professeur Rosenblatt. Il manque le percuteur.

– Il manque aussi autre chose, dit Beauvoir. Un élément que vous avez omis de mentionner.

– Quoi donc ? demanda Delorme.

– Les plans, répondit le professeur Rosenblatt.

Il ne riait plus. Les yeux brillants, la voix grave, il faisait preuve d'un grand sérieux. Il n'était pas là pour s'amuser.

– Oui, confirma Beauvoir en hochant la tête. Pour construire un avion miniature, je me sers d'un plan. Ne me dites pas que Gerald Bull a tout improvisé. Il avait beau être génial, personne ne travaille de cette façon. Il avait sûrement des dessins.

Les agents du SCRS gardaient le silence.

– Eh bien ? insista Beauvoir.

– On n'a jamais retrouvé les plans, dit Mary Fraser. Et ce n'est pas faute d'avoir essayé. Avant la mort de M. Bull, son appartement a été cambriolé à plusieurs reprises. Pour lui suggérer de mettre un terme à ses activités, mais aussi, croyons-nous, pour mettre la main sur ses schémas.

– Vous « croyez » ? fit Lacoste. Ce n'était donc pas des interventions du SCRS ?

– Non. Nous ne savons pas qui s'est introduit chez lui.

– Sans doute ceux qui ont fini par le descendre, dit Delorme.

– Des professionnels, dit Mary Fraser qui trouvait les mots avec une aisance – et une familiarité – déconcertantes. Plusieurs balles à la tête pour éviter tout ratage.

Et Isabelle Lacoste vit sous un jour nouveau cette femme d'âge moyen à l'aspect un peu terne. Connaissait-elle cette méthode d'assassinat en raison de sa formation ou d'expériences personnelles ? En savait-elle plus qu'elle le laissait entendre sur le meurtre de Gerald Bull ? De toute évidence, leur conversation était censurée, elle aussi.

Lacoste effectua un rapide calcul mental. Mary Fraser devait avoir dans la cinquantaine. Gerald Bull avait été assassiné à Bruxelles vingt-cinq ans plus tôt.

Fraser avait alors environ vingt-cinq ans.

Possible. C'est l'âge de la plupart des soldats ; certains sont encore plus jeunes.

– Êtes-vous sûrs qu'il est mort ? demanda Gamache.

Tous les yeux se rivèrent sur lui.

– Pardon ? fit Mary Fraser.

– Gerald Bull. Le SCRS a-t-il vu le cadavre ? A-t-il été formellement identifié par l'ambassade du Canada ?

– Oui, évidemment, répondit Delorme. Bull est bel et bien mort. C'est en général le sort des personnes qui reçoivent cinq balles dans la tête.

Gamache sourit.

– Merci. Je voulais simplement m'en assurer. Et John Fleming ?

À présent, les agents du SCRS le regardaient fixement ; Lacoste et Beauvoir, eux, baissèrent les yeux sur la table.

– Pardon ? fit Mary Fraser. Vous avez bien dit John Fleming ?

– Oui, répondit Gamache sur le ton de la conversation, voire avec affabilité. Quel lien entretient-il avec cette affaire ?

Mary Fraser se tourna d'abord vers son collègue, puis vers les officiers de la Sûreté. Le silence était proprement gênant.

– Vous vous rendez compte qu'il s'agit ici du Projet Babylone, dit-elle.

– Oui, s'empressa de répondre Beauvoir. Nous avons trouvé une pièce de théâtre signée par John Fleming, et il semble y avoir une coïncidence, rien de plus.

– Vous l'avez trouvée sur le site du canon ? demanda Sean Delorme en s'efforçant de suivre le fil du raisonnement.

– Non, admit Gamache.

– Pourquoi ces questions, alors ?

Mary Fraser promena ses yeux sur les officiers de la Sûreté, manifestement en quête d'éclaircissements. Aucun ne vint. Ils sombrèrent dans un silence embarrassé.

Sauf Armand Gamache.

– À votre connaissance, John Fleming n'a rien à voir avec Gerald Bull et le Projet Babylone ? demanda-t-il en interrogeant du regard Mary Fraser, puis Sean Delorme, avant de revenir à la première.

– Franchement, je ne sais même pas de quoi vous parlez, dit Mary Fraser en se levant. Je pense que cette conversation a assez duré. Merci pour votre aide et votre compagnie. Vous voulez bien nous excuser ?

– J'ai du travail, moi aussi, déclara le professeur. Des notes à relire. Avec votre permission, je voudrais vous emprunter ces documents, dit-il en désignant les pages censurées. Je vous les rendrai.

– Nous aimerions avoir votre opinion à leur sujet, monsieur, dit Lacoste en les lui tendant.

Le professeur Rosenblatt, ayant choisi la spacieuse banquette à côté de la fenêtre, se mit à lire aussitôt.

Après que Gabri eut pris leurs commandes, Isabelle se tourna vers Gamache.

– Vous pouvez nous expliquer ?

– Quoi ?

– John Fleming.

– Je voulais simplement observer leur réaction, répondit Gamache.

– C'est réussi, dit Lacoste. Ils vous prennent pour un fou.

– Et vous ? demanda-t-il en souriant avec douceur. Vous êtes du même avis ?

Isabelle Lacoste croisa son regard perspicace.

– Je ne vous ai jamais entendu poser une question stupide, monsieur. Vous vous trompez parfois, mais jamais par bêtise. Je pense que vous croyez sincèrement qu'il existe un lien.

– Pas vous ?

Il se tourna vers Beauvoir, qui baissa les yeux.

– Je ne vois tout simplement pas le rapport, admit Isabelle. Bull et Fleming utilisent tous deux une citation biblique populaire dans leurs créations, mais il ne s'ensuit pas nécessairement qu'ils ont travaillé ensemble ni même qu'ils se connaissaient.

Gamache regarda de nouveau vers Beauvoir, qui se tortillait.

– Je suis d'accord avec Isabelle. Je pense que vous avez détruit votre crédibilité auprès de ces gens. J'ai bien vu de quelle façon Mary Fraser vous a regardé.

– Oui, confirma Gamache en se calant sur sa chaise. C'était intéressant. Un peu exagéré comme dédain, non ? Elle n'a même pas demandé qui était John Fleming.

Une fois de plus, Lacoste et Beauvoir échangèrent un regard qui, bien que furtif, n'échappa pas à Gamache.

– Que pensez-vous des agents du SCRS ? demanda Lacoste avec un entrain forcé.

Question de changer de sujet.

– Je trouve qu'ils en savent beaucoup sur un canon que tout le monde croyait inexistant, construit par un homme mort depuis longtemps, répondit Gamache.

– Moi aussi, acquiesça Lacoste. Ils ne sont pas aussi empotés qu'ils en ont l'air. Passent-ils vraiment leurs journées à faire du classement ?

– Et à lire ? dit Beauvoir à Gamache. Je vous avais bien dit que c'était dangereux, la lecture.

– Je ne crois pas que la page des sports puisse tuer son homme, mon vieux.

On leur apporta leurs repas. Crêpes et saucisses pour Gamache et Beauvoir, œufs à la florentine pour Lacoste.

En déposant sur la table un panier rempli de croissants chauds et croustillants, Gabri sourit à Lacoste.

Le regard de Beauvoir passa d'Isabelle au tablier de Gabri, qui s'éloignait.

– Nous avons passé une nuit très particulière, lui et moi, expliqua-t-elle.

Armand posa doucement ses couverts.

– C'est vous qui avez parlé à Gabri du Supercanon, chuchota-t-il pour éviter que le professeur Rosenblatt entende. Et qui lui avez demandé de répandre la nouvelle.

– Oui, répondit Isabelle Lacoste en haussant les épaules de manière presque imperceptible.

– Tu as fait ça ? s'étonna Beauvoir. Pourquoi ?

– Nous sommes tous d'accord pour dire que le canon, s'il tombait dans de mauvaises mains, serait dangereux, répondit-elle. Mais ne soyons pas naïfs. Il est dangereux dans les mains des nôtres aussi. Surtout s'il s'agit d'un secret. Toutefois, je n'ai pas agi dans l'intérêt de la sécurité nationale. Franchement, je ne suis pas assez intelligente pour comprendre tous les tenants et aboutissants de cette bête-là.

Gamache avait ses doutes à ce sujet. Il avait toujours eu le plus grand respect pour sa jeune protégée, mais jamais autant qu'en cet instant.

– C'est toi-même qui l'as dit, Jean-Guy, poursuivit-elle. Il est pratiquement impossible d'enquêter sur la mort de Laurent si on ne peut pas parler du mobile. Le canon. C'est Laurent qui compte, et non le SCRS. D'ailleurs, si le meurtrier tient à garder le canon secret, la pire chose que nous puissions faire est de lui donner satisfaction. Ébruitons l'affaire. Voyons si le tueur panique. Comme vous nous l'avez appris, monsieur Gamache, un tueur qui panique est un tueur qui risque de se trahir.

C'était la plus stricte vérité. Mais ce qui frappa le plus les deux hommes, ce fut non pas le raisonnement de Lacoste, mais plutôt le « monsieur ». Jusque-là, elle l'avait toujours appelé « inspecteur-chef ».

C'était naturel, sain. Vrai, aussi. Mais Gamache eut quand même l'impression qu'on grattait sa peau pour arracher un tatouage.

– Qu'est-ce que je vous ai aussi appris ?

– Qu'il ne faut jamais utiliser la première cabine dans des toilettes publiques ?

– Mais encore ?

– Qu'un meurtrier est dangereux, répondit-elle. Et qu'un meurtrier paniqué l'est encore davantage.

Gamache se leva.

– Vous n'y êtes pas allée de main morte, inspectrice-chef. Vous avez frappé le SCRS là où il est le plus vulnérable. En plein dans les secrets dont il s'entoure. Et là, on va voir sa réaction. Par contre, vous avez également gratifié le tueur d'un bon coup de pied au derrière et, pour le moment, il demeure invisible.

– J'espère provoquer une réaction de sa part, dit Lacoste en se levant à son tour.

Elle examina le visage de Gamache. Si familier, en raison d'innombrables conversations comme celle-ci. Sauf que, jusqu'à présent, c'était toujours lui qui prenait les décisions.

– J'ai commis une erreur ? demanda-t-elle.

– À votre place, j'aurais commis la même, répondit-il en souriant. C'était dangereux, mais nécessaire. L'heure n'est ni à la timidité ni aux secrets.

– À l'exception des nôtres, laissa tomber Beauvoir.

18

Michael Rosenblatt leva les yeux de son assiette de pain doré et vit les officiers de la Sûreté sortir.

Il avait lu, pris des notes et mangé. Le séjour dans ce petit village avait été une révélation. Le village lui-même avait été une révélation. Au même titre que l'excellent pain doré servi avec des saucisses et du sirop d'érable, presque certainement produit par les arbres qu'il apercevait par la fenêtre.

Surtout, le canon avait été une révélation. Lorsqu'il s'était faufilé à quatre pattes dans la petite ouverture et avait relevé la tête, il n'aurait pas été étonné d'entendre le chœur céleste entonner :

– Ahhhh !

Le Supercanon de Gerald Bull était là. Nimbé de lumière.

Gerald Bull, être maudit. Mort, mais toujours présent. Comment avait-il fait ?

Comment avait-il construit ce maudit canon ?

Le professeur Rosenblatt examina les documents posés près de son assiette, puis son carnet de notes, légèrement taché de sirop d'érable. Un mot, écrit en gros caractères, était encerclé.

« Comment ? »

Puis il écrivit : « Pourquoi ? »

Voilà une autre bonne question.

Et, à la réflexion, il en ajouta une troisième.

« Qui ? »

Le professeur Rosenblatt posa son stylo et regarda Gamache dire au revoir à ses collègues.

John Fleming. À la mention du nom par l'inspecteur-chef Gamache, le professeur avait paniqué. Il ne l'avait pas entendu depuis des années. Il avait tout de suite su de qui Gamache voulait parler, évidemment ; et il avait bien vu que les agents du SCRS savaient, eux aussi. Le tueur en série. Un homme qui avait très mal tourné.

Mais le lien entre Fleming et Bull ? C'était tiré par les cheveux.

Le professeur Rosenblatt vit Gamache et les officiers de la Sûreté se séparer. Il distinguait clairement l'expression des deux jeunes policiers lorsqu'ils regardaient Gamache. Avec inquiétude et une grande affection.

« Voici un homme gentil », se dit Rosenblatt en se rendant compte qu'il connaissait peu de gens de qui il pouvait en dire autant. Des personnes intelligentes, futées, accomplies, certes. Mais pas gentilles. Ni toujours bonnes.

– J'espère ne pas vous déranger, dit Gamache en s'avançant vers la table du professeur.

– Mais pas du tout, je vous en prie, répondit Rosenblatt en désignant une place sur la banquette en face de lui.

– Vous avez bien dormi ? lui demanda Armand en s'y glissant.

– Pas tellement, admit Rosenblatt. Nouveau lit. Nouveau Supercanon.

Gamache sourit. Le professeur semblait effectivement un peu fatigué. Mais ses yeux pétillaient d'intelligence.

« Voici un homme redoutable », se dit Gamache.

« Voici un homme redoutable », comprit Rosenblatt. S'il n'avait pas changé d'idée au sujet de la gentillesse de Gamache, son appréciation de l'homme s'était élargie. Elle s'était enrichie de ce qu'il savait désormais d'Armand Gamache, à la suite de ses recherches de la veille.

L'homme imposant et réfléchi qui lui faisait face avait dénoncé ses supérieurs, les avait attaqués de plein fouet. Il avait tué. Il avait même failli y laisser sa peau.

Rosenblatt avait découvert que les yeux à l'aspect si doux de cet homme avaient vu des choses que contemplaient peu de ses semblables. Et que la main tiède qui serra la sienne avait accompli des gestes peu communs.

Et, au besoin, le ferait encore.

Michael Rosenblatt était à la fois réconforté et effrayé par Armand Gamache.

– De toute évidence, vous avez passé un moment à réfléchir au Supercanon, la nuit dernière, dit Gamache. Les agents du SCRS ont leurs qualités, mais ce ne sont pas des scientifiques. J'aimerais savoir ce que vous pensez de la création de Gerald Bull.

Le professeur Rosenblatt secoua la tête et expira.

– Mon point de vue de scientifique ? Ce canon est encore plus gigantesque que je ne l'aurais cru possible. Incroyable. Puissant, mais aussi élégant.

– « Élégant » ? s'étonna Gamache. Drôle de mot pour décrire une arme de destruction massive en puissance.

– Ce n'est pas un jugement moral. Il s'agit d'une simple description de la mécanique. Je veux surtout dire par là que le canon est simple. Facile à utiliser.

– « Simple » ?

– Oui, absolument. Comme les meilleures machines. C'est là que réside le génie de ce canon. Il a l'air complexe en raison de sa taille, mais il compte relativement peu de pièces mobiles. Il serait donc facile à fabriquer et à assembler. Les composantes susceptibles de se casser sont encore moins nombreuses. De la même façon qu'un lance-pierres ou un arc et sa flèche sont élégants. Ou encore l'arme que vous portiez.

– J'étais rarement armé, dit Gamache. Je déteste les armes à feu. Elles sont très dangereuses, vous savez.

– Vous ne croyez pas à la théorie de l'équilibre de la terreur ? demanda Rosenblatt.

– L'expression utilisée par le premier ministre Pearson pour décrire la guerre froide ? dit Gamache. Je pense qu'il s'en servait à titre de condamnation et de mise en garde. Pour lui, ce n'était pas un objectif.

– Possible, concéda Rosenblatt. Mais les résultats ont été concluants, non ? Lorsque deux camps ont la capacité de se détruire, ni l'un ni l'autre n'ose appuyer sur la détente.

– Sauf si l'arme est entre les mains d'un fou, dit Gamache.

Rosenblatt se rembrunit et hocha la tête.

– En effet.

– Donc, le canon de Gerald Bull est élégant, enchaîna Gamache. Mais est-il encore pertinent ? Est-il dépassé par le temps et la technologie ?

– Un lance-pierres peut tuer, encore aujourd'hui, affirma Rosenblatt.

– Une flèche d'arc aussi. Face à une bombe atomique, elle est tout de même désavantagée.

Rosenblatt prit un moment pour réfléchir.

– Je me sens obligé de dire que les missiles balistiques internationaux d'aujourd'hui sont plus dangereux que le canon mis au point par Gerald Bull il y a plus de trente ans, mais la réalité, c'est qu'il n'en est rien. L'arme construite par Gerald Bull n'est peut-être pas aussi sexy, mais elle fait le même travail.

– La question est de savoir quel genre de travail, dit Gamache.

– Tout à fait.

– Si le Supercanon n'est rien de plus qu'un énorme canon, insista Gamache, peut-il lancer autre chose que des missiles conventionnels ? Peut-il être adapté ?

– Il peut lancer n'importe quoi.

Gamache marqua une pause pour digérer cette information, communiquée sur un ton neutre.

– Y compris une ogive nucléaire ?

Rosenblatt se recroquevilla sur la banquette et hocha la tête.

– Des armes chimiques ?

Même manège.

– Des armes biologiques ?

Rosenblatt se pencha en avant.

– Il peut catapulter une Volkswagen dans la basse atmosphère. Au tireur de décider.

Il s'ensuivit un silence.

– Qu'est-ce qu'il fait dans la forêt, alors ? demanda Gamache.

Autre silence que Rosenblatt interrompit enfin en avouant :

– Je ne sais pas.

– Risquez une réponse.

– C'est hors de question. Je suis un scientifique. Deviner ne fait pas partie de mes attributions.

Gamache sourit.

– Bien sûr que si. Les scientifiques passent leur vie à élaborer des théories. De quoi s'agit-il, sinon de suppositions ? Essayez donc. Ce n'est pas comme si vous ne vous étiez pas posé la question.

Le professeur Rosenblatt prit une profonde inspiration.

– C'est peut-être un prototype que son concepteur entendait montrer à d'éventuels acheteurs. D'où l'absence du percuteur. Le canon ne devait pas tirer. Un article en démonstration, en quelque sorte. Un outil de marketing.

– Ou encore ?

– Ou encore il avait pour but de tirer. Vous avez remarqué de quel côté il pointe ?

– Vers les États-Unis, répondit Gamache. À votre avis, laquelle des deux théories est la plus probable ? Celle de l'article en démonstration ou celle du canon destiné à tirer ?

Rosenblatt secoua la tête.

– L'absence du percuteur me trouble. A-t-il été fabriqué ? A-t-il été enlevé ? demanda-t-il en dévisageant Gamache. Franchement, je n'en sais rien.

Armand Gamache n'était pas certain de croire le scientifique, mais il sentait bien que, dans l'immédiat, il n'obtiendrait pas de réponse plus précise.

– La bonne nouvelle, c'est que nous avons trouvé le Supercanon avant qu'il ait pu tirer, si tel était le but visé, dit Gamache. Malheureusement, Laurent y a laissé sa peau.

Le professeur Rosenblatt étudia de près son interlocuteur.

– Vous avez pris votre retraite. D'où vient votre intérêt pour cette affaire ?

– Laurent était mon ami.

Rosenblatt hocha la tête. La déclaration était simple. Élégante. Aussi puissante que le canon.

– Et vous voulez maintenant le venger ? demanda Rosenblatt.

Gamache inclina légèrement la tête.

– J'espère qu'il ne s'agit pas de vengeance.

Ce fut au tour de Rosenblatt d'incliner la tête.

– Mais vous n'en êtes pas certain.

– Vous avez trouvé quelque chose d'intéressant dans les documents que vous avez empruntés ? demanda sèchement Gamache.

Rosenblatt le dévisagea un moment, puis il baissa les yeux sur les pages.

– Dommage qu'il y ait toutes ces biffures. Mais je n'ai rien vu là-dedans qui ne soit de notoriété publique.

– « Publique » ?

– Depuis la mort de Bull, certaines informations ont commencé à filtrer, expliqua Rosenblatt. Je suis persuadé que vous avez vous-même trouvé des choses, maintenant que vous connaissez les mots-clés. Mais il reste des éléments que seuls les spécialistes du domaine connaissent ou pressentent.

Rosenblatt s'interrompit un moment.

– Ou théorisent, si vous préférez.

– De quel domaine s'agit-il ?

Rosenblatt se rendit compte, trop tard, que sa première impression était la bonne. Cet homme était dangereux. Et il l'avait entraîné en terrain miné.

Son redoutable esprit avait beau tourner à plein régime, Rosenblatt aboutissait toujours au même résultat.

Il pouvait mentir, bien sûr, mais on finirait tôt ou tard par le démasquer.

– Celui de la conception des armements, répondit le professeur Rosenblatt en remarquant que Gamache ne laissait voir absolument aucune surprise.

– C'est l'évidence même, dit Gamache en faisant preuve de la même ouverture vis-à-vis de Rosenblatt. Sinon, que feriez-vous ici ?

Les deux hommes s'étudièrent. Sans se menacer ni se défier l'un l'autre. Ce n'était pas une lutte de pouvoir. Plutôt le contraire.

Une forme de reconnaissance.

Deux sommités dans leurs domaines respectifs. Domaines parsemés de cratères, de mauvaises herbes et de mines antipersonnel. On ne passait pas de l'autre côté sans une certaine sagesse, une certaine ruse. On n'en sortait pas indemne.

– Que me demandez-vous au juste, monsieur ?

– Je vous demande si vous avez travaillé avec Gerald Bull.

Gamache vit les yeux de l'autre papilloter, résister à l'envie de fuir, de rompre le contact. Mais ils tinrent bon et Michael Rosenblatt hocha sèchement la tête.

– Comme je l'ai déjà expliqué à votre jeune collègue, l'inspecteur Beauvoir, nous avons travaillé à McGill à la même époque, mais je crains de ne pas avoir été tout à fait honnête. Nous avons collaboré dans le cadre de certains projets, mais pas dans le même département. Encore que personne ne pouvait travailler avec Gerald Bull, pas vraiment. Au début, peut-être, mais, bien vite, vous finissiez par travailler pour lui.

– Travailliez-vous pour lui lorsqu'il a accouché des plans du Supercanon ?

– Non. Je l'ai abandonné quand il a commencé à se servir des Soviétiques pour écouler ses armes par des moyens détournés. Il n'était pas très futé.

– C'est ce qui vous a poussé à quitter le navire ? La peur de vous faire prendre ?

– Non. Je suis parti parce que c'était mal. Concevoir des armes pour son pays est une chose ; les vendre au plus offrant en est une autre. Gerald Bull était un vendeur hors pair, dénué de tout scrupule.

– Pourquoi avez-vous dit qu'il n'était pas très futé ? demanda Gamache.

– Il a fait des choix stupides : s'acoquiner avec les Soviétiques, par exemple. Son ego surdimensionné lui laissait croire qu'il avait une intelligence supérieure.

– Son ego lui mentait ? demanda Gamache.

– Sidérant, je sais. M. Bull était imbu de lui-même, aucun doute à ce sujet. Il était fait pour vendre des canons. Et, je l'ai dit, c'était un vendeur de génie.

– Pourquoi a-t-il fait graver la grande prostituée sur le canon ? Une sorte de carte de visite ? De signature ? M. Bull l'intégrait-il à toutes ses créations ?

– Pas que je sache. C'était sans doute un autre outil de vente. Une arme sur laquelle est gravé un symbole de l'Apocalypse était faite pour séduire un despote cinglé comme Saddam. Un symbole venu de l'ancien Irak, par-dessus le marché. Que demander de plus ?

– Mais ce canon-ci n'était pas destiné à Saddam, n'est-ce pas ? fit Gamache. Gerald Bull ne l'a pas construit en Irak. Il l'a construit ici, au Québec. Et il y a fait graver la grande prostituée. Pourquoi ?

– C'est peut-être un argument qui milite en faveur de la théorie de l'article en démonstration, répondit Rosenblatt. Il a construit le canon pour le faire voir aux Irakiens. Après tout, les agences de renseignement du monde entier s'intéressaient à Bull et à son Projet Babylone, mais jamais elles n'auraient songé à venir regarder ici. Il le montre aux Irakiens et, une fois la commande passée, il le démonte et l'expédie à Bagdad en pièces détachées.

Gamache écouta cette hypothèse curieusement détaillée. Plausible aussi, il devait en convenir. Le Québec qui sert de salle d'exposition. Mais il y avait une possibilité de plus. L'autre.

– Ou encore le canon était destiné au Québec depuis le début, dit Gamache. Avec ses missiles Scud, Saddam était incapable d'atteindre le sol américain. Le but n'a peut-être jamais été de frapper Israël, l'Iran ou un autre pays de la région. La vraie cible, c'était peut-être les États-Unis. Peut-être que les fameuses armes de destruction massive, auxquelles les Américains croyaient dur comme fer, se trouvaient ici plutôt que là-bas.

« Peut-être, peut-être, songea Gamache. Que de "peut-être". »

C'était frustrant. Bien qu'il ait l'impression qu'ils s'approchaient du but.

Gamache se cala sur la banquette et regarda son interlocuteur en face en s'interrogeant sur une autre information que Reine-Marie avait découverte en faisant des recherches sur Gerald Bull.

– Quand il a obtenu son doctorat, M. Bull était encore très jeune, dit Gamache. En physique, s'il vous plaît. Un exploit remarquable en soi. Mais je crois que ses notes n'étaient pas très bonnes.

– Je n'en sais rien. Je ne l'ai pas connu à l'époque de ses études.

– Non, mais vous l'avez connu après. Il avait une vingtaine d'années de plus que vous, non ?

– Plus ou moins, oui.

À présent, c'était au tour de Rosenblatt d'observer Gamache avec attention. Il n'allait plus se laisser prendre au piège. Pourtant, il avait la forte impression de s'engager de nouveau en terrain miné.

– Ses notes n'avaient rien d'exceptionnel, poursuivit Gamache, qui semblait réfléchir à haute voix. Et vous l'avez à quelques reprises décrit comme un vendeur incomparable. Un grand scientifique ? Non. Un vendeur de génie ? Oui.

Et Michael Rosenblatt comprit qu'il se trouvait effectivement en plein champ de mines. Où l'avait attiré cet homme affable, posé, raisonnable.

Et il attendit la question inévitable.

Gamache se pencha d'un air presque contrit.

– Gerald Bull était-il assez futé pour mettre au point le Supercanon ? Ou n'était-il qu'un vendeur particulièrement doué ? Y avait-il, à l'époque, un autre génie dont nous ne savons rien ?

Boum !

19

Clara Morrow s'engagea dans l'entrée des Lepage. Elle était longue et creusée d'ornières, comme presque toutes celles de la région.

Clara jeta un coup d'œil au sol devant le siège du passager, où reposait une casserole enveloppée dans du papier d'aluminium, à côté d'une croustade aux pommes, encore tiède. En humant le parfum de la cassonade et de la cannelle, elle se demanda s'il était mal de saliver. Et d'avoir envie de faire demi-tour pour manger sa croustade toute seule.

Elle se gara devant la petite maison de ferme.

À l'étage, un rideau oscilla et elle discerna le visage d'Evie, où se lisait un air de souffrance, comme si elle-même, Clara, était un microbe, et Evie, une plaie ouverte.

Un vieux bâtard, Harvest, était couché dans l'herbe. Il se leva de peine et de misère en agitant faiblement la queue.

– Clara, dit Evie en ouvrant la porte moustiquaire.

Le sourire forcé plaqué sur son visage semblait presque douloureux.

– Je ne voulais pas vous déranger, dit Clara en serrant les plats contre sa poitrine. Mais je sais combien il faut d'énergie pour se tirer du lit, le matin, sans parler de faire les courses et la cuisine. J'ai deux ou trois sacs de provisions dans le coffre. De la part de M. Béliveau. Et Sarah vous envoie des croissants et des baguettes de sa boulangerie. Elle dit qu'on peut les mettre au congélateur. Je ne suis pas au courant. Chez moi, ils ne durent jamais assez longtemps.

Clara reconnut l'amorce d'un sourire sincère. Et, en même temps, un léger soulagement, un relâchement des liens qui retenaient Evie Lepage prisonnière et empêchaient le monde d'entrer dans sa bulle.

Armand Gamache vit le vieux scientifique sortir de la salle à manger du gîte.

Dès que Gamache l'avait interrogé sur la véritable contribution de Gerald Bull au Projet Babylone, Michael Rosenblatt avait consulté sa montre et s'était gauchement extirpé de la banquette.

– Je dois vraiment y aller. Merci de m'avoir tenu compagnie.

Armand s'était levé lui aussi.

Le professeur Rosenblatt lui avait tendu la main et Gamache, s'avançant pour la serrer, avait chuchoté quelques mots à l'oreille du scientifique.

Puis il avait fait un pas en arrière pour voir la stupéfaction sur le visage de l'autre.

Rosenblatt, se retournant, était sorti d'un pas faussement désinvolte, tandis qu'Armand avait repris sa place sur la banquette, devant son café, où il s'était replongé dans ses méditations.

Gerald Bull avait-il conçu le Supercanon ? N'avait-il été qu'une sorte de prête-nom futé ? Y avait-il un autre génie à l'œuvre derrière lui ? Quelqu'un de plus jeune, de plus intelligent ? Et de beaucoup plus dangereux ?

Un homme qui vivait peut-être encore. Selon Reine-Marie, Gerald Bull avait soixante-deux ans lorsqu'il avait été assassiné. Gamache savait que la plupart des scientifiques effectuent leurs travaux les plus remarquables, leurs recherches les plus dynamiques et les plus novatrices, avant d'avoir quarante ans.

Bull avait-il un associé secret ? Un scientifique, un physicien, un concepteur d'armes ? Formaient-ils l'équipe parfaite ? Un type qui préférait rester dans l'ombre, où il esquissait les plans d'un canon à nul autre pareil, d'une grande élégance, pendant que l'autre faisait des courbettes, évoluait dans les cercles du pouvoir, passait des marchés et dénichait des acheteurs ? Dont Saddam ?

Des hommes différents, brillants, maître chacun de sa discipline.

Gamache fit quelques calculs. Lorsque Gerald Bull avait été tué, Michael Rosenblatt devait avoir dans les quarante-cinq ans. La conception du Supercanon datait sans doute de cinq ans plus tôt, peut-être davantage. À l'époque où Rosenblatt avait la trentaine.

C'était plausible. Michael Rosenblatt était-il le père du monstre qui se terrait dans les bois ?

L'ex-inspecteur-chef remarqua que Rosenblatt était parti si vite qu'il en avait oublié les documents caviardés. Il les réunit en se disant que l'homme ne les avait peut-être pas oubliés. Peut-être ne contenaient-ils rien de neuf pour lui.

Gamache sirota son café, perdu dans ses pensées.

Rosenblatt, lui semblait-il, était un scientifique doté d'une conscience. La question était de savoir si sa faculté de distinguer le bien du mal lui était venue sur le tard. Avait-il déjà apporté une contribution à l'équilibre de la terreur ?

À moins qu'il ait une conception du bien différente de celle de Gamache.

Nous étions assis et nous pleurions, avait chuchoté Gamache dans l'oreille de Rosenblatt au moment où ils se disaient au revoir. Puis il avait cité la suite du psaume, qui ne figurait pas sur le canon : *en nous souvenant de Sion.*

Si Bull et Rosenblatt avaient leur arme de destruction massive, Armand Gamache avait la sienne. À en juger par la mine de Rosenblatt au moment de son départ, il avait mis en plein dans le mille.

Rosenblatt avait-il pris part au Projet Babylone ? Avait-il tenté de le faire avorter en se rendant compte que l'arme était destinée à Saddam et que ce dernier avait l'intention de s'en servir contre Israël ? Avait-il éliminé Gerald Bull ? Sans avoir lui-même appuyé sur la détente, peut-être ? Qui, mieux qu'un proche collaborateur, était au courant des mouvements de Bull ? Il aurait suffi de quelques mots à peine chuchotés.

Le Mossad, la CIA, le SCRS ou les Iraniens se seraient chargés du reste.

Mais c'était une affaire de meurtre vieille de vingt-cinq ans. Armand Gamache n'avait aucune obligation envers le canon et encore moins envers Gerald Bull. Sa seule responsabilité, c'était Laurent. Le garçon qui les avait prévenus et qu'ils avaient refusé d'écouter.

Bientôt, Isabelle Lacoste n'aurait plus de villageois, plus de village à interroger.

Les enquêteurs de la Sûreté pouvaient enfin parler librement du Supercanon. Bien que suprêmement intéressés, les villageois étaient incapables de les éclairer.

Pour la plupart, ils étaient trop jeunes ou habitaient ailleurs lorsque le canon avait été construit. Comme Myrna et Clara. Gabri et Olivier.

Armée de sa photo en noir et blanc de M. Bull et de ses questions, Isabelle entra dans le magasin général pour parler à la dernière personne sur sa liste. L'homme qui, dans l'ordre d'ancienneté des villageois, arrivait au deuxième rang. M. Béliveau. Jean-Guy, qui avait perdu à la courte paille, se chargeait de la doyenne.

– Vous en voulez, couille molle ?

Ruth pencha la bouteille de Glenfiddich vers Beauvoir.

– Vous savez bien que je ne bois plus, répondit-il.

– Ce n'est pas de l'alcool, dit-elle. Ça vient de chez les Gamache. C'est du thé. Du Earl Grey. Ils s'imaginent que je ne sais pas.

Beauvoir sourit et accepta, malgré le malaise qu'il éprouva à la vue du liquide ambré versé dans son verre, coulant de la bouteille de scotch. Il le renifla. Ne détecta pas l'odeur médicinale de l'alcool.

Malgré tout, il écarta le verre et glissa vers Ruth la reproduction de la photo en noir et blanc.

On y voyait un homme corpulent arborant un costume et une cravate étroite, un pardessus drapé sur le bras. L'image d'un homme d'affaires dont les affaires, justement, battaient de l'aile. La désinvolture de façade du sujet cachait mal l'angoisse de son visage. On aurait dit qu'il venait d'entendre un coup de feu tiré au loin.

– Vous le reconnaissez ?

Ruth étudia le portrait.

– Je devrais ?

– Vous êtes au courant pour le canon ?

– J'en ai eu des échos. Tout le monde en parle.

– C'est l'homme qui l'a construit. Il s'appelle Gerald Bull.

– Alors c'est vrai ? Le canon, je veux dire.

Jean-Guy hocha la tête.

– On le surnomme le Supercanon, dit Ruth.

De nouveau, il hocha la tête.

– Je n'en ai jamais vu d'aussi gros.

– Laurent disait la vérité, constata la vieille poète.

Aux yeux de Jean-Guy, elle n'avait jamais semblé plus âgée.

– Il a été construit au milieu des années 1980, expliqua-t-il. Vous étiez déjà ici, à l'époque. Vous vous rappelez quelque chose ? Il devait y avoir un sacré raffut dans la forêt. Impossible de le manquer.

– Il faut bien un citadin pour poser une question pareille. Vous vous imaginez que la campagne est silencieuse, mais c'est faux. New York passerait parfois pour un havre de paix, en comparaison. Les scies à chaîne vrombissent à longueur de journée. On déboise, on abat des arbres, on coupe les branches qui se rapprochent trop des lignes d'Hydro-Québec. Il y a aussi ceux qui débitent du bois de chauffage en prévision de l'hiver. Entre les scies à chaîne et les tondeuses à gazon, le vacarme est souvent assourdissant. Sans parler des grenouilles et des coléoptères au printemps. Personne n'aurait remarqué un vacarme survenu dans les bois il y a trente ans.

Beauvoir hocha la tête.

– Il n'a pas embauché de gens du coin ?

– Moi, en tout cas, il ne m'a pas embauchée, répondit Ruth en sifflant son thé d'un trait.

M. Béliveau semblait plus morose que jamais.

– Désolé. J'aimerais bien pouvoir vous aider. J'étais là, à l'époque, et j'exploitais le magasin général, mais je ne me souviens de rien.

– Le canon est énorme, dit l'inspectrice-chef Lacoste. Gigantesque. Son constructeur a dû défricher une grande parcelle de terrain, apporter les pièces détachées et les assembler sur place. Vous ne vous souvenez pas d'avoir observé de l'activité dans la forêt ?

– Non, répondit-il en secouant la tête.

Elle attendit des détails, en vain. Il faudrait qu'elle creuse, qu'elle lui arrache les informations, une à une.

– Qui aurait-il engagé, à l'époque, pour déboiser le secteur ?

– Gilles Sandon a beaucoup travaillé dans les bois, dit M. Béliveau. Mais il est trop jeune. Billy Williams possède une chargeuse-pelleteuse et il se débrouille bien avec une scie à chaîne, mais il travaille pour la municipalité depuis quarante ans. Ça l'occupe beaucoup.

Lacoste avait déjà discuté avec les deux hommes. Ni l'un ni l'autre ne connaissait Gerald Bull. Ni l'un ni l'autre n'avait été embauché pour faire du déboisement ou transporter de l'outillage inusité à la fin des années 1980.

– Par ici, la plupart des gens savent se servir d'une scie à chaîne et coupent du bois pour l'hiver. La plupart acceptent d'effectuer de petits boulots contre de l'argent comptant.

Il secoua la tête.

– On ne peut certainement pas parler de travail spécialisé.

– Non.

– En quoi de telles informations pourraient-elles vous aider à retrouver le meurtrier du petit Lepage ? demanda M. Béliveau.

Isabelle Lacoste reprit la photographie.

– Je n'en sais trop rien, admit-elle. Mais il y a un lien entre le canon et la mort de Laurent. Il a été tué parce qu'il l'a trouvé. Vous ne vous souvenez pas non plus de quelqu'un, un inconnu, qui serait venu poser des questions sur un canon, ces dernières années ?

– Non, madame. Personne n'est venu au magasin m'interroger sur un Supercanon.

Son ton morose et grave ne fit qu'accentuer l'absurdité de sa réponse.

Isabelle Lacoste remit la photo de M. Bull dans sa poche. On analysait les preuves scientifiques, on interviewait des gens à gauche et à droite, on recueillait des faits. Sauf que ce n'était pas un fait qui avait tué Laurent. C'était la peur. Quelqu'un avait eu si peur de la découverte du garçon, de ce qu'il risquait de faire ou de dire, qu'il l'avait éliminé.

Il fallait un certain type de personne et un certain type de secret pour tuer un enfant. Et une grosse émotion, une émotion forte, puante, putride.

C'est l'inspecteur-chef Gamache qui le lui avait enseigné.

Oui, réunir des preuves, des faits. Les faits assureraient la condamnation du meurtrier. Mais c'est grâce aux émotions qu'on finirait par le trouver.

Clara avait rangé le pâté chinois et la croustade aux pommes dans le réfrigérateur. Ces plats lui avaient procuré du réconfort après le départ de Peter. Peu à peu, ils l'avaient ramenée à la raison. Grâce à l'amabilité de ses voisines, qui les lui avaient préparés régulièrement. Et lui avaient tenu compagnie.

Et c'était à son tour de fournir du réconfort, des petits plats et de la compagnie.

– Où est Al ? demanda-t-elle.

En général, l'homme imposant était à la maison, où il rafistolait quelque chose ou préparait des paniers de légumes.

– Dans les champs, répondit Evie. Pour la récolte.

Par la fenêtre, Clara vit Al Lepage, sa longue queue de cheval battant son large dos, agenouillé au milieu des courges.

Immobile. Contemplant la terre riche.

La scène lui semblant trop intime, Clara se tourna de nouveau vers Evie.

– Comment te sens-tu ?

– J'ai l'impression que mes os se liquéfient.

Clara hocha la tête. Cette sensation, elle la connaissait bien.

Evie sortit de la cuisine, Clara et le chien sur les talons. Clara croyait qu'elles allaient passer au salon, mais Evie, après avoir grimpé les marches d'un pas lourd, s'arrêta devant une porte fermée. Harvest, resté au bas de l'escalier, les regardait, trop vieux pour grimper ou réticent à consentir l'effort, sans le garçon avec qui jouer en guise de récompense.

– Al refuse d'y entrer, expliqua Evie. Je dois garder la porte fermée. Il ne veut rien voir qui lui rappelle Laurent. Mais, quand il n'est pas là, je monte.

Elle ouvrit la porte et pénétra dans la pièce. Le lit était tel que Laurent l'avait laissé, défait. Et ses vêtements étaient éparpillés çà et là, à l'endroit où il les avait jetés.

Les deux femmes s'assirent sur le lit du garçon.

La vieille maison de ferme craquait et grinçait, comme si elle était en deuil, elle aussi, et qu'elle se serrait autour du trou béant dans ses fondations.

– J'ai peur, dit enfin Evie.

– Raconte-moi, dit Clara.

Elle n'avait pas demandé : « De quoi ? » Clara savait très bien de quoi Evie avait peur. Et si Evie l'avait laissée franchir le seuil de la porte, c'était en raison non pas des petits plats qu'elle apportait, mais bien du trou dans son cœur à elle.

Clara savait.

– J'ai peur que ça ne va pas s'arrêter, que tous mes os vont disparaître et que je vais simplement me dissoudre. Peur de ne plus être capable de me lever, de bouger.

Elle chercha les yeux de Clara. S'accrocha aux yeux de Clara.

– Surtout, j'ai peur que ça n'ait plus d'importance. Parce que je n'ai nulle part où aller et rien à faire. Que je n'ai plus besoin d'os.

Et Clara comprit que son deuil à elle, aussi profond soit-il, ne se comparait pas à celui de cette femme vide dans sa maison vide.

En disparaissant, Laurent avait laissé plus qu'une plaie. C'était une sorte de trou où tout tombait en dégringolant. Un trou noir vaste et béant qui aspirait toute la lumière, toute la matière, tout ce qui comptait.

Soudain, Clara, qui connaissait le chagrin, fut effrayée, elle aussi. Par l'ampleur de la perte subie par Evie.

Elles restèrent assises sur le lit de Laurent. Seuls les gémissements de la maison brisaient le silence.

C'était la chambre d'un garçon. Pleine de pierres, des fragments de météorites, peut-être, et de petits objets blancs. Des bouts de plastique ou encore des os de tigres à dents de sabre ou de dinosaures. Des éclats de porcelaine, aussi, vestiges peut-être d'un ancien campement des Abénaquis. À supposer que les membres de l'ancienne tribu aient pris le thé de dix-sept heures.

Les murs étaient tapissés d'affiches d'Harry Potter et du roi Arthur et de Robin des Bois.

Jusque-là, Clara avait été stupéfaite par la mort de Laurent, puis consternée d'apprendre qu'il s'agissait d'un meurtre. Mais elle n'avait pas vraiment songé à lui comme à une personne. Pour elle, Laurent n'avait jamais été que l'étrange et irritant petit garçon qui racontait des histoires et monopolisait l'attention.

Elle avait donc détourné les yeux chaque fois qu'il faisait irruption avec un de ses récits à dormir debout.

Là, cependant, elle était assise sur son couvre-lit à l'effigie de Buzz l'Éclair. Elle voyait ses chaussures, propulsées dans des directions opposées. Et ses chaussettes, roulées en boule, qui jonchaient le sol. Et des livres, des livres partout. Qui lisait encore, à notre époque ? Quel enfant, quel petit garçon lisait encore ? La chambre de Laurent, cependant, était remplie de livres. Et de dessins. Et de merveilles. D'un chagrin si dense que Clara pouvait à peine respirer.

Tel était Laurent, petit garçon à jamais disparu.

Clara se leva et se dirigea vers la bibliothèque, à laquelle elle se cramponna, dos à Evie, pour lui éviter la vue de son chagrin subit et accablant.

Elle faisait face à Babar et à Tintin et au Petit Prince. Elle vit, appuyés aux livres, des petits dessins encadrés représentant un agneau agile, réalisés à la plume sur du papier blanc. L'agneau dansait. Comment disait-on, déjà ? Cabriolait, crut-elle se souvenir. Neuf cadres en appui sur les livres. Les derniers, coloriés à l'aquarelle, étaient plus raffinés. Toujours le même agneau dans un champ. Au loin, une brebis et un bélier observaient. Montaient la garde. Au dos de chacun des dessins figurait une légende. Laurent 1, Laurent 2, et ainsi de suite. Au dos du premier agneau, le plus simple, on voyait seulement les mots suivants : « *My Son.* » Mon fils. Avec un cœur.

Clara se tourna vers Evie. Elle ne savait pas cette femme dotée d'un tel talent. Si le père de Laurent était le chanteur de la famille, sa mère était l'artiste. Mais il n'y aurait plus d'agneaux. Laurent Lepage avait cessé de vieillir.

– Parle-moi de lui, dit Clara en revenant s'asseoir sur le lit auprès d'Evie.

Et Evie se mit à raconter. Abruptement, au début, par phrases saccadées. Jusqu'à ce que, par petites touches, puis par traits plus longs, un portrait émerge. Celui d'un bébé qu'on n'attendait plus, devenu un petit garçon surprenant. Qui faisait et disait toujours le contraire de ce qu'on attendait.

– Al a été fou de lui dès le jour de sa conception, dit Evelyn. Il s'assoyait devant moi, jouait de la guitare et chantait. Ses propres compositions, surtout. C'est lui, le créateur de la famille.

Clara se souvint d'Al pendant les funérailles. La guitare sur les cuisses. Silencieux. Il ne lui restait plus de chansons. Clara se demanda si la musique l'avait déserté pour de bon, comme la peinture l'avait abandonnée, elle. Le plaisir ultime consumé par la peine.

– Ce n'est pas lui, tu sais.

– Pardon ? dit Clara.

– J'ai entendu les rumeurs, et nous voyons bien comment les gens nous regardent. Ils voudraient nous dire quelque chose de gentil, mais ils ont peur que nous soyons coupables. Ils nous croient vraiment capables d'une chose pareille ?

Clara était pleinement consciente du lourd tribut prélevé par le deuil. À chaque anniversaire, chaque congé, chaque Noël. Payable chaque fois qu'elle voyait l'écriture familière, un chapeau, une chaussette roulée en boule. Chaque fois qu'elle entendait un bruit qui aurait pu, qui aurait dû être celui de ses pas. Le deuil réclamait son tribut chaque matin, chaque soir et chaque midi, tandis que ceux qui étaient restés derrière s'efforçaient tant bien que mal de continuer à vivre.

Clara se demanda comment elle aurait pu survivre à la mort de Peter si, au lieu du pâté chinois et de la croustade aux pommes, elle avait eu droit à des soupçons. À des doigts accusateurs plutôt qu'à de la bienveillance. À des chuchotements et à des dos tournés plutôt qu'à de la compagnie et à des câlins.

Depuis la tragédie, Al Lepage, le plus sociable, le plus jovial des hommes, passait son temps à genoux dans un champ. Où personne n'allait le voir.

– Ils ne savent pas ce qu'ils racontent, dit Clara. Ils ne se rendent pas compte du mal qu'ils font. Ils ont peur et s'accrochent à ce qu'ils peuvent, même si c'est complètement ridicule.

– Nous pensions qu'ils étaient nos amis.

– Vous avez des amis. Beaucoup d'amis. Et nous vous défendons, dit Clara.

C'était la vérité. Mais ils auraient peut-être pu faire mieux. Et Clara, à sa grande stupéfaction, se rendit compte qu'une partie d'elle se demandait si les rumeurs n'étaient pas, peut-être, un peu… fondées.

– Au moins, ils ont maintenant un autre sujet de discussion, dit Clara.

– C'est-à-dire ?

« Elle n'a rien entendu », comprit Clara. Ces deux-là étaient vraiment isolés. Comme si on avait creusé des douves autour de leur ferme.

– Le canon, commença-t-elle en observant Evie, dont le regard était absent.

Derrière Evelyn, par la fenêtre de la chambre de Laurent, Clara vit une voiture familière se ranger à côté de la sienne. Suivie de deux voitures de patrouille de la Sûreté. À la vue du visage de Clara, Evie se détourna, puis elle se leva avec raideur.

– La police, dit-elle.

Elle dévisagea Clara.

– Pourquoi ? Qu'est-ce que tu me racontais déjà à propos d'un canon ?

20

– Al ? fit Evie en s'approchant de l'homme imposant agenouillé dans le champ. La police est là.

Al Lepage redressa le dos. Et lentement, très lentement, il se releva. Puis il se tourna vers sa femme, comme s'il ne comprenait pas bien ce qu'elle voulait.

Evie prit sa main massive dans la sienne. Et elle l'entraîna vers la maison.

– Al, dit Clara en le voyant passer.

Il la regarda, muet.

Clara était incertaine de la conduite à tenir. Rester lui semblait indiscret, presque morbide. Elle ne voulait pas donner l'impression d'assouvir sa curiosité, de recueillir des ragots. En partant, en revanche, elle aurait le sentiment de fuir, de les abandonner.

Elle décida donc de rester. Les parents de Laurent avaient été trop souvent et trop longtemps laissés à eux-mêmes.

– Madame, monsieur, commença Isabelle, j'ai bien peur que nous devions procéder à une nouvelle perquisition de votre domicile.

Elle se tourna vers Clara, qu'elle salua d'un geste presque imperceptible de la tête.

– Pourquoi ? demanda Evie. Il y a du nouveau ? C'est à propos du canon ?

– Du canon ? répéta Al.

Son visage aux traits affaissés se crispa et son regard sembla retrouver un peu de sa concentration.

– Quel canon ?

– J'étais justement en train d'en discuter avec Evie, expliqua Clara. Sans entrer dans les détails. Je ne crois pas qu'Al soit au courant.

Les deux officiers de la Sûreté se tournèrent vers le père de Laurent en se demandant, bien sûr, si c'était la vérité.

– Je ne comprends pas, dit Al.

« S'il connaît l'existence du Supercanon, songea Beauvoir, il imite plutôt bien celui qui est dans le brouillard le plus total. »

– Il était caché sous un filet, dit Lacoste. Dans les bois. Là où Laurent est mort. C'est un canon.

– Un gros, renchérit Beauvoir en les étudiant. Un lance-missiles, en réalité. On lui a donné le surnom de Supercanon.

– Laurent disait la vérité, fit Al en dévisageant Lacoste avec des yeux suppliants.

Elle n'aurait su dire ce que ses yeux désiraient, au juste.

Le pardon ? L'ignorance ? Qu'elle et ses nouvelles disparaissent de sa vie ?

– Je ne l'ai pas cru. Je me suis moqué de lui.

– Moi aussi, dit Evie.

– Non, toi, tu as voulu aller jeter un coup d'œil, au cas où.

– Mais après, il nous a parlé du monstre, se souvint Evie. Ça, c'était impossible à avaler.

– Christ, fit Al.

On aurait dit une supplication ou une prière plutôt qu'un juron.

– Oh non.

Lepage ferma les yeux et baissa la tête en la secouant légèrement.

– Je n'arrive pas à le croire.

– Vous n'êtes pas les seuls à avoir douté de lui, dit Lacoste. Nous avons tous été dans le même cas.

Bien qu'ayant parlé avec douceur, l'inspectrice-chef Lacoste ne perdait pas de vue qu'elle s'adressait peut-être à l'assassin de Laurent.

– Pouvons-nous perquisitionner votre maison ? demanda-t-elle.

Al et Evie hochèrent tous deux la tête et les suivirent à l'intérieur.

Les agents entrés avec eux commencèrent les recherches au rez-de-chaussée, tandis que Lacoste et Beauvoir montaient à l'étage.

Pendant que Lacoste fouillait la chambre d'Al et d'Evie, Jean-Guy se rendit dans celle de Laurent, où il ouvrit tous les tiroirs, jeta un coup d'œil derrière les affiches punaisées aux murs. Se mettant à quatre pattes, il regarda sous le lit, sous le matelas, sous l'oreiller, sous le tapis. Il inspecta la garde-robe et les poches des vêtements de Laurent. Un enfant intelligent disposait de mille cachettes. Mais Beauvoir ne trouva rien.

Laurent était curieux, créatif, mais il n'était pas secret de nature. Plutôt le contraire, en fait.

Rien n'était caché.

Sur la table de chevet se trouvait une collection de pierres, striées de quartz et de pyrite, l'or des fous. Et un livre ouvert.

Le chandail de hockey de Roch Carrier. Une histoire que Jean-Guy avait particulièrement affectionnée quand il était enfant. Il y est question d'un petit garçon, ardent partisan des Canadiens de Montréal, qui reçoit par erreur un chandail des Maple Leafs de Toronto et doit le porter.

Jean-Guy saisit le livre et se rendit compte que Laurent était presque arrivé au bout du court texte. Il le remit exactement là où il l'avait trouvé, sa main s'attardant sur l'illustration de la couverture, qu'il connaissait bien.

– Tu as trouvé quelque chose ? demanda Lacoste.

– Non.

– Ça va ?

– Oui.

Lacoste prit l'un des dessins du petit agneau et examina l'inscription minutieuse qui figurait derrière. « *My Son.* » Avec un cœur. Elle le remit à sa place. C'était une étape nécessaire de l'enquête, mais elle avait chaque fois l'impression de commettre un viol d'intimité.

– Toi ?

– Pas grand-chose.

Elle avait découvert qu'Al souffrait d'une hypertrophie de la prostate, qu'Evie s'épilait le visage à la cire et que l'un d'eux avait besoin de suppositoires. Ils apprirent qu'Al lisait des livres sur l'énergie solaire et des romans historiques, tandis qu'Evie préférait les ouvrages sur le jardinage biologique et les biographies.

Pas de téléviseur. Un vieil ordinateur de table.

Lacoste l'avait allumé et avait lu des courriels de clients, d'amis et de proches parents. Depuis quelques jours, les messages de condoléances avaient commencé à se tarir.

Après la perquisition, ils retrouvèrent les Lepage et Clara dans le salon de la petite maison de ferme. Clara avait préparé du thé et en offrit aux officiers, qui refusèrent poliment.

La pièce était dominée par une cheminée en briques massive dans laquelle était encastré un poêle à bois. Deux vieux fauteuils étaient disposés de part et d'autre, un jeté en tricot drapé sur le dossier de chacun. Les parquets de bois franc étaient égratignés, criblés de petits trous. Des tapis en chiffons tressés étaient dispersés çà et là. Le vieux chien était couché près d'une chaise berçante, la tête sur les pattes.

À côté d'un fauteuil, une guitare sur un support.

Beauvoir se dirigea vers la chaîne stéréo et examina les disques et les cassettes. Il sortit un vinyle et reconnut l'homme souriant sur la pochette. Avec une crinière de cheveux roux, une barbe rousse et broussailleuse, il portait une chemise à carreaux de bûcheron et un jean sur lequel était brodé le signe de la paix. Pour que le tableau soit complet, il ne lui manquait qu'un joint.

Le policier reconnut aussi l'arrière-plan, avec ses trois hauts pins.

L'album avait pour titre *Asylum*. Asile.

– C'est vous ? demanda Beauvoir pour la forme.

Al hocha la tête. Evie prit la main de son mari dans la sienne.

– Vous êtes américain, n'est-ce pas ? demanda Lacoste. Un objecteur de conscience.

Al hocha de nouveau la tête.

– Nous étions nombreux.

– Je sais, dit Lacoste. Je ne vous accusais de rien. Pourquoi êtes-vous venu ici ?

– Pour échapper à la guerre, répondit Al.

– Je veux dire : pourquoi avoir choisi ce village en particulier ?

– J'arrivais du Vermont et j'ai franchi la frontière à pied. J'étais fatigué. Il faisait noir. J'ai vu les lumières. Je me suis arrêté. Je suis resté.

Il s'exprimait de manière puérile, par petites phrases déclaratives toutes simples.

– C'était quand ? demanda Lacoste.

– 1970.

– Il y a plus de quarante ans, constata Beauvoir.

– Vous étiez au courant de l'existence du canon découvert dans les bois ? demanda Lacoste.

– Non. Je déteste les armes.

– Laurent vous a-t-il reparlé du canon ? demanda Beauvoir. En a-t-il parlé à d'autres ?

Al et Evelyn secouèrent la tête.

– Si oui, il ne nous en a rien dit, répondit Evie. Mais il faut croire que oui, pas vrai ? Il a été tué à cause de ce canon ?

– Nous le pensons, dit Lacoste. Vous souvenez-vous d'une chose que Laurent aurait dite, n'importe laquelle, qui pourrait nous aider ?

– Il est rentré à la maison, nous avons soupé. Laurent s'est plongé dans un livre, Al et moi avons travaillé aux paniers, puis nous nous sommes couchés. Une soirée normale.

– Et le lendemain matin ? insista Lacoste.

– Après avoir mangé, il a enfourché son vélo et il est parti, comme tous les matins.

Evie ferma les yeux. Lacoste et Beauvoir surent ce qu'elle voyait. Le dos de son petit garçon qui s'éloignait dans la lumière du soleil. Pour ne plus jamais revenir.

– Nous n'avons rien trouvé dans sa chambre, dit Beauvoir. Y a-t-il eu du nouveau ? Du changement ?

– Comme quoi ? demanda Evie.

« Le percuteur d'une arme de destruction massive, par exemple, songea Beauvoir. Ou encore les plans d'Armageddon. »

– N'importe quoi, répondit-il. Un truc qu'il aurait ramené à la maison, récemment.

– Je n'ai rien remarqué.

Isabelle Lacoste sortit de sa poche un sac pour pièces à conviction et le posa sur la table entre eux. Et attendit leur réaction.

Al le prit et fronça les sourcils.

– Où avez-vous trouvé ça ?

– C'est à vous ?

– Je pense que oui.

Evie lui prit la cassette des mains et lut l'étiquette.

– Pete Seeger. C'est à nous.

– Comment pouvez-vous en être sûre ? demanda Beauvoir.

– Qui d'autre posséderait un truc pareil ? demanda-t-elle. D'ailleurs, l'étiquette est déchirée parce que la cassette est restée coincée dans le lecteur de la camionnette.

– C'était une des cassettes préférées de Laurent ? demanda Lacoste.

Evie esquissa un mince sourire.

– Non. Il la détestait. Al a mis deux ou trois mois à l'extirper du lecteur. Pendant un long moment, c'est tout ce que nous avons écouté en roulant.

– Il l'aimait bien, au début, dit Al.

– Oui, mais même moi, j'ai fini par la haïr. Où l'avez-vous trouvée ? demanda Evie.

– Par terre, près du canon, répondit Lacoste. Vous aviez remarqué son absence ?

Al et Evie secouèrent la tête.

– Pourquoi est-ce que Laurent l'aurait apportée à cet endroit ? demanda Evie.

– Lui ou son assassin, dit Beauvoir.

Quand Al comprit les implications, il se leva et fit face à Beauvoir.

– Vous m'accusez ? Moi ?

– J'énonce simplement une évidence, répondit Beauvoir en se levant à son tour. Pourquoi Laurent aurait-il trimballé une cassette contenant de la musique qu'il détestait ?

– Pour la cacher ? risqua Evie en se dressant à côté de son mari. Elle lui tenait la main, non pas pour le réconforter, mais bien pour l'empêcher d'avoir un geste qu'ils regretteraient tous.

Beauvoir était conscient d'avoir devant lui un homme qui détestait la violence, mais en était capable.

– Nous avons entendu les rumeurs, dit Al. Beaucoup pensent que j'ai tué mon propre enfant. Certains vont même jusqu'à affirmer que Laurent n'était pas mon fils. Qu'Evie…

Vaincu, il fut incapable de poursuivre. L'homme massif se tenait à quinze centimètres de Beauvoir, qu'il regardait fixement. Il n'était plus en colère, désormais. Seulement désespéré. Si Al Lepage avait été une montagne, on aurait parlé d'un glissement de terrain.

– Al, fit Evie en l'obligeant à reculer. Peu importe ce que les gens racontent. Nous devons aider la police à trouver celui qui a tué Laurent. C'est tout ce qui compte.

Elle se tourna vers Lacoste.

– Nous, on n'y est pour rien. Il faut nous croire, s'il vous plaît.

À ce moment, les agents de la Sûreté remontèrent du sous-sol et secouèrent la tête. Rien.

L'inspectrice-chef Lacoste saisit la cassette.

– Merci pour votre temps.

– Vous permettez que je l'emprunte ? demanda Beauvoir en indiquant le disque d'Al Lepage. Je vais y faire très attention.

D'un geste, Al écarta le policier, le disque et la question.

Clara raccompagna Lacoste et Beauvoir jusqu'à leur voiture.

– Vous ne pensez tout de même pas qu'Al et Evie ont eu quelque chose à voir avec la mort de Laurent ? fit-elle.

– Je crois les êtres humains capables de choses terribles, dit Beauvoir. D'exploser. De blesser et même de tuer des êtres chers. Il se décompose, cet homme.

– Sous le poids du chagrin, dit Clara.

– Ou d'autre chose, insista Beauvoir.

Une fois dans la voiture, il se tourna vers Lacoste.

– Tu as remarqué quelque chose de bizarre à propos des Lepage ?

Lacoste était silencieuse, perdue dans ses pensées. Elle hocha la tête.

– Ils n'ont pas posé de questions sur le canon, dit-elle. Ni l'un ni l'autre.

Beauvoir acquiesça.

– Exactement.

Ils passèrent le reste de l'après-midi à interroger des villageois, à vérifier des faits et des détails.

Isabelle vit Gamache sortir de la maison avec Henri, jeter un coup d'œil du côté de la vieille gare, puis partir dans l'autre direction.

Quelques minutes plus tard, elle le retrouva sur le banc qui dominait le village, Henri assis à côté de lui.

– Vous ne cherchiez pas à m'éviter, au moins ? demanda-t-elle en prenant place sur le banc. Parce que ce n'est pas une très bonne cachette, vous savez.

Il sourit. Sur son visage amusé, des rides se creusèrent.

– Possible, en effet, admit-il. Ce n'est pas personnel.

– Non, c'est professionnel, dit-elle en hochant la tête. Ça doit vous faire drôle de ne pas assumer la responsabilité de l'enquête.

– Oui, un peu, avoua-t-il. L'habitude, vous savez ? Surtout depuis…

Il écarta ses grandes mains, et elle comprit la lutte qu'il menait contre lui-même.

– … Laurent, compléta-t-il.

Elle hocha la tête. Ce meurtre l'avait atteint au cœur.

– Vous devez avoir les coudées franches, Isabelle. C'est votre enquête. Je n'ai aucune envie de revenir, mais…

– Vous avez ça dans le sang.

Elle jeta un coup d'œil aux mains de l'homme. Ces mains expressives. Qu'elle avait tenues, tandis qu'il agonisait. Balbutiait ce qu'ils savaient tous deux être ses dernières paroles.

Reine-Marie.

Elle avait été le conduit où il avait déversé ses ultimes sentiments en la suppliant des yeux de comprendre.

Et elle avait compris.

Reine-Marie.

Elle lui avait serré fort la main, recouverte de son sang et de celui d'autres que lui. Et tout ce sang s'était mélangé à celui qui tachait les mains d'Isabelle, le sien et celui d'autres qu'elle.

Et, désormais, la chasse aux meurtriers était dans leur sang.

L'inspecteur-chef Gamache n'était pas mort. Et, sous sa gouverne, beaucoup d'enquêtes avaient été menées. Jusqu'au jour où il était venu ici.

Il en avait assez fait. À d'autres de prendre le relais.

À elle.

– Vous semblez heureux ici, Mme Gamache et vous.

– Nous le sommes. Plus que je l'aurais cru possible.

– Mais êtes-vous satisfait, vous ? insista-t-elle.

Gamache sourit de nouveau. Comme elle était différente de Jean-Guy qui, sans mettre de gants, aurait demandé : « Vous avez l'intention de rester là longtemps à ne rien faire, patron ? »

Il avait essayé de faire comprendre à Jean-Guy qu'immobilité n'était pas synonyme d'oisiveté. Le jeune homme tendu n'avait tout simplement pas saisi. Gamache se rendit bien compte que lui-même, dans la trentaine, n'aurait pas compris. Mais, dans la cinquantaine, Armand Gamache avait saisi qu'il était plus difficile – et plus effrayant – de rester sans bouger que de courir dans tous les sens.

Non, ne rien faire n'était pas rien. Le jour viendrait où cette immobilité lui soufflerait la conduite à tenir. Après.

Et après ?

– Acceptez le poste de directeur, je vous en prie, patron. Il reste beaucoup à faire à la Sûreté. Des gâchis à nettoyer. Vous avez vu comme moi ces deux recrues. Les jeunes agents n'ont aucune discipline, et leur travail ne leur inspire pas de fierté.

– Je l'ai observé.

– Si ce sont des types comme ceux-là qui gravissent les échelons, nous serons de retour à la case départ dans dix ans.

Elle lui fit face.

– Acceptez le poste, s'il vous plaît.

Il parcourut le village des yeux.

– C'est tellement beau, dit-il d'une voix presque inaudible.

Suivant son regard, elle contempla les maisons, les jardins, les trois conifères géants du parc. Et elle comprit que le charme du village ne tenait pas à eux.

Gabri sortit du bistro et se dirigea vers le gîte. Il les aperçut au sommet de la colline et les salua d'un geste de la main. Devant sa boulangerie, Sarah secoua un linge rempli de farine. Derrière la vitrine de la librairie de Myrna, ils devinaient des mouvements.

Soudain, Isabelle se sentit mal d'avoir laissé entendre que ce n'était pas suffisant.

Détachant son regard du village, Gamache se tourna vers les montagnes ondulantes, recouvertes d'une forêt qui avait pris racine des milliers d'années plus tôt. Les feuilles d'automne scintillantes mêlées aux aiguilles de pin.

– Regardez, dit-il en hochant légèrement la tête, presque incrédule. Il m'arrive de m'asseoir ici et d'imaginer la faune et la flore, la vie qui grouille dans cette forêt. J'essaie de me faire une idée de l'existence qu'y menaient les Abénaquis, avant l'arrivée des Européens. Ou de celle des premiers explorateurs. Ont-ils été frappés de stupeur en découvrant cette nature ? L'ont-ils vue uniquement comme un obstacle ?

Il passa un moment à s'imaginer dans la peau d'un explorateur de la première heure.

Il aurait été frappé de stupeur. Il l'était encore.

– Pas étonnant qu'on n'ait jamais trouvé le canon, dit-il. Même une personne sachant qu'il était là quelque part ne l'aurait sans doute jamais trouvé. On aurait pu passer à trente centimètres et le manquer complètement.

Isabelle Lacoste balaya des yeux la vaste forêt par-delà le village.

– Ce qui est sidérant, c'est qu'on soit tombé dessus, dit-il.

– Ce qui est sidérant, c'est qu'il ait été là, dit Lacoste.

Elle le vit hocher la tête.

– Après votre départ, ce matin, j'ai interrogé le professeur Rosenblatt à ce sujet.

Il lui parla des deux théories avancées par le scientifique. Ou bien le canon était un article en démonstration pour d'éventuels acheteurs, ou bien il avait été placé à cet endroit avec les États-Unis comme cible.

– Mais, dans un cas comme dans l'autre, pourquoi ici ? demanda-t-elle. Pourquoi pas les forêts du Nouveau-Brunswick ou de la Nouvelle-Écosse ? Ou ailleurs au Québec, le long de la frontière avec les États-Unis ? Pourquoi ici ?

Elle montrait le sol.

Armand Gamache se posait la même question.

Quelqu'un avait tout planifié, sans doute depuis très longtemps. Avant de mettre le canon à cet endroit. Prudemment. Délibérément. Ici.

– Three Pines ne figure sur aucune carte, dit-il. Si on a quelque chose à cacher, c'est un avantage. En même temps, le village peut fournir des services et de la main-d'œuvre.

– Sauf que, selon nos interviews, pas un seul villageois n'a été embauché, dit Lacoste.

– Personne ne veut l'admettre.

– Oui, répondit Lacoste.

Armand Gamache examina une fois de plus la forêt. S'il était assis là avec Henri, ce n'était pas uniquement pour admirer les merveilles naturelles qu'elle recelait. Il la scrutait attentivement. À la recherche de nouvelles pousses dans l'ancienne végétation. De trouées dans la canopée.

De confirmations de l'allusion retrouvée dans les notes caviardées, celle que les censeurs avaient ratée. Et omis de biffer.

– Le professeur Rosenblatt a lu les documents imprimés par Reine-Marie, dit Gamache.

– Il y a trouvé des informations intéressantes ? demanda Lacoste.

– Non, apparemment. Et il a raté ou omis de mentionner le pluriel.

Une lettre parmi des centaines, des milliers. Comme un arbre unique au milieu de la forêt. Mais qui change tout.

– Le « s », fit Lacoste. Supercanons.

À son tour, elle contempla la forêt qui se déployait sur des kilomètres.

– Nous avons parlé du canon aux Lepage, dit-elle. Aujourd'hui, quand nous avons de nouveau perquisitionné chez eux.

– Vous avez découvert quelque chose ?

– Non. Ils ont admis que la cassette de Pete Seeger est à eux. Ils ne savent pas comment elle a abouti près du canon. Mais il y a un autre détail intéressant. Lorsque nous leur avons parlé du Supercanon, ils ont paru étonnés, mais ils n'ont pas posé de questions à son sujet. Pas une seule.

– Ils sont peut-être obnubilés par le chagrin, dit-il. Les gens ne réagissent pas toujours normalement face à la mort, surtout une mort violente. À plus forte raison celle d'un enfant.

– C'est vrai.

Au bout d'un moment, Lacoste demanda à voix basse :

– Pourquoi ici ?

– Le canon ?

– Non, l'homme. J'ai posé la question à Al Lepage. Pourquoi est-il venu à Three Pines en fuyant la conscription ?

– Sa réponse ?

– Il a dit qu'il était venu du Vermont à pied et qu'il avait aperçu les lumières du village.

Elle se tourna vers son ancien patron. Il avait haussé les sourcils, sans rien dire.

– C'est impossible, non ? La forêt est beaucoup trop dense. Personne ne traverserait la frontière à pied, à moins de vouloir se perdre dans les bois. Il devait forcément savoir où il allait.

Gamache hocha la tête.

– Il a sûrement eu un guide. Quelqu'un qui l'a conduit jusqu'ici.

Ils observèrent une fois de plus le vieux village. Et les hauts pins plantés à une fin précise. Signaler aux chercheurs d'asile qu'ils en avaient trouvé un.

Qu'ils étaient arrivés à Three Pines.

21

Reine-Marie et Armand cognèrent, puis entrèrent chez Clara. Certains autres invités étaient déjà arrivés, bien que le mot « invités » soit un peu trop formel. En fin d'après-midi, Clara leur avait téléphoné pour leur proposer un repas à la fortune du pot.

– Le coup de pot, avait dit Clara, c'est que Gabri et Olivier ne travaillent pas au bistro, ce soir, et qu'ils prépareront le plat principal et une entrée.

– Nous apporterons une salade, avait dit Reine-Marie.

– Une salade ? avait répété Clara. Qu'est-ce que c'est ?

Ils vinrent donc avec une croustade aux pommes et un récipient de crème glacée à la vanille Coaticook.

Olivier et Gabri arrivèrent en même temps, accompagnés de Ruth et de Rose.

– Voici notre plat mijoté, dit Gabri en posant la casserole sur la cuisinière comme si c'était lui qui l'avait cuisiné.

– Miam, dit Reine-Marie. Qu'est-ce que c'est ?

– Des poules de Cornouailles, répondit Olivier, craignant sans doute que Gabri invente la liste des ingrédients de toutes pièces. Farcies aux canneberges sauvages…

Il jeta un coup d'œil à la croustade sur le comptoir.

– … et aux pommes.

– Exactement, fit Gabri.

– Si vous êtes le coup de pot, dit Myrna qui entra dans la cuisine en désignant Ruth, qu'est-ce qu'elle est, elle ? Le pot de chambre ?

– Et toi le contenu, riposta Ruth.

– C'était une allusion à ta couleur, dit Gabri.

– J'avais compris, fit Myrna.

– Qu'est-ce que c'est ? demanda Ruth en se tournant vers un bruit insolite.

– Un truc dont tu ne te sers jamais, dit Clara. La sonnette.

– Une sonnette ? Moi qui croyais que c'était un mythe, comme Pégase.

– Et les limites, ajouta Gabri.

Au bout d'un moment, Clara réapparut en compagnie de Mary Fraser et de Sean Delorme.

– Je pense que vous connaissez déjà certains des invités, fit Clara.

D'un geste de la tête, ils saluèrent Gamache et Jean-Guy, puis Clara les présenta à Reine-Marie et à Ruth, qui lança :

– Eux, des espions ? Tu parles…

– Toi, une invitée ? On ne dirait pas, et pourtant, tu es là.

– Nous ne savions pas quoi apporter, dit Mary Fraser. Nous avons pris ça au magasin général.

Clara accepta la bouteille de cidre.

– Merci, dit-elle en la rangeant dans le réfrigérateur, où elle tinta contre une rangée d'autres bouteilles de cidre.

– Vous avez passé une bonne journée ? demanda Armand, tandis que Reine-Marie et lui entraient dans le salon de Clara avec les nouveaux arrivés. Je ne vous ai pas vus au village.

– Disons que nous nous sommes promenés, répondit Sean Delorme.

Il baissa la voix.

– Du travail sur le terrain à propos de vous-savez-quoi.

– Le canon ? fit Ruth. Le gros machin maudit dans la forêt, là où Laurent a été assassiné ?

La question eut sur la petite assemblée l'effet d'un anévrisme cérébral : tous cessèrent de bouger, de parler, de respirer.

– Oui, dit Delorme, celui-là même. Beau canard, soit dit en passant.

Rose, dans les bras de Ruth, tendit brusquement le bec vers l'agent du SCRS, qui recula d'un pas.

– Qu'avez-vous découvert à son sujet ? demanda Myrna.

De retour sur le canapé, elle était assise à côté du professeur Rosenblatt.

– Nous ne pouvons pas dire grand-chose, répondit Mary Fraser qui, de toute évidence, aurait préféré ne rien dire du tout.

Elle lança un regard foudroyant à Rosenblatt, qui refusa de se laisser foudroyer. Un verre de scotch à la main, il respirait le contentement, tel un grand-père bienveillant entouré d'enfants précoces.

– Ne vous faites pas de soucis, dit Delorme. Nous avons la situation bien en main.

– Ne vous faites pas de soucis ? répéta Ruth. Nous avons ce gros lance-missiles maudit dans notre cour et, apparemment, tout ce qui nous sépare d'Armageddon, c'est un type qui a peur d'un canard.

Sean Delorme esquissa un sourire forcé et se tortilla légèrement. Gamache, cependant, eut le sentiment que son inconfort s'expliquait par les mondanités tout autant que par la remarque caustique de Ruth. Avec ses semblables, Delorme semblait plus à l'aise sur le papier qu'en personne. Et Mary Fraser, si elle parvenait mieux à dissimuler ses véritables sentiments, donnait l'impression de chercher un endroit où se cacher ou lire un dossier.

Tout naturellement, elle se laissa déporter vers la bibliothèque, où elle examina les dos des livres.

Le téléphone sonna et Clara alla répondre.

– Ne faites pas attention à Ruth, dit Olivier en prenant Delorme par un bras et Mary Fraser par l'autre pour les entraîner vers la table des rafraîchissements. Elle est pratiquement mûre pour l'asile.

– On y est déjà, à l'asile ! hurla Ruth.

Armand tourna son attention vers la vieille poète.

Ruth avait utilisé le mot « Armageddon », et non « catastrophe » ou « désastre ». Le mot associé au canon, en somme. À la gravure. À la grande prostituée s'avançant vers l'Apocalypse.

Sauf que personne n'avait entendu parler de la gravure. Simple coïncidence ? Ruth savait-elle quelque chose, au contraire ? C'était le genre de mot qu'elle aurait employé alors et, de fait, il était bien choisi.

– Parlant d'asile, dit Beauvoir à Ruth, vous avez un tourne-disque à la maison ?

– Vous faites du coq à l'âne ?

– Non. J'ai le disque d'Al Lepage et j'aimerais l'écouter, mais c'est un vinyle.

– Si c'est absolument nécessaire, venez chez moi après le repas, dit-elle. Je dois bien avoir un tourne-disque quelque part.

De la part de Ruth, on ne pouvait pas espérer d'invitation plus gracieuse.

Myrna s'excusa pour aller voir si on avait besoin d'elle à la cuisine. Reine-Marie et Armand prirent sa place à côté du professeur Rosenblatt.

Gamache ne lui avait pas parlé depuis que, le matin même, le vieux physicien avait quitté la table du déjeuner, la question posée par Armand résonnant dans sa tête.

Gerald Bull avait-il créé le Supercanon ou n'était-il que le vendeur chargé d'écouler le prototype mis au point par un autre ? Avait-il un associé fantôme qui aurait échappé à l'assassinat parce que Bull s'était attiré tout le mérite ? Et tous les projectiles ?

Il n'avait pas cherché Rosenblatt pour poursuivre leur conversation. Enquêteur d'expérience, il savait qu'il valait parfois mieux laisser une question épineuse faire son chemin dans l'esprit d'un de ses semblables. Et s'y incruster, retenue par des barbelés. Gamache soupçonnait le professeur de l'avoir évité et il n'en était pas mécontent. Que la question couve, suppure. Pour le moment.

– Professeur, fit Gamache avec un cordial signe de tête, je me demande si on vous a présenté ma femme, Reine-Marie.

– Madame, dit le professeur.

– Nous envisageons de suivre des cours à McGill ou à l'Université de Montréal, dit Armand. Je sais que Reine-Marie était impatiente de vous en parler.

– C'est vrai ? fit Rosenblatt en se tournant vers elle.

Ayant compris le message, Reine-Marie engagea la conversation avec Rosenblatt, tandis qu'Armand se dirigea vers Jean-Guy.

– Intéressant petit groupe, déclara Beauvoir en parcourant l'assemblée des yeux. C'était votre idée d'inviter tout le monde ?

– Pas du tout, dit Armand. Je suis aussi étonné que toi.

– Dommage, dit Clara qui venait de raccrocher.

– Quoi donc ? demanda Jean-Guy.

– J'ai invité Antoinette et Brian, mais Brian est à Montréal pour assister à une réunion de la société géologique. Antoinette vient de se décommander. Je pense qu'elle a envie d'une soirée tranquille à la maison. On présente *Les filles de Caleb*, ce soir, vous savez.

– Oui, je suis au courant, dit Armand. On enregistre l'émission. Pour Reine-Marie, bien sûr.

– Naturellement, fit Clara. Je l'enregistre, moi aussi.

On rediffusait la vieille série dramatique québécoise qui avait captivé la nation, des années plus tôt, et qui connaissait à présent un succès redoublé. Les soirs de diffusion, rares étaient ceux qui s'éloignaient de leur téléviseur.

– Antoinette vit des moments difficiles, dit Armand. Les membres de son groupe de jeu lui font encore des misères ?

– Je ne crois pas qu'on appelle ça un « groupe de jeu », répondit Clara en riant. Mais la réponse est oui. Ils lui en veulent à mort d'avoir choisi la pièce de Fleming sans leur en avoir parlé. L'animosité est à son comble, j'en ai bien peur.

John Fleming, savait Gamache, avait l'habitude d'engendrer de l'animosité. Du venin.

– Dommage qu'elle ne soit pas là. C'est très sympathique, dit-il en promenant son regard sur la pièce. Ça faisait longtemps.

– Je n'étais pas d'humeur à recevoir, dit Clara.

– Quelle est l'occasion ? demanda Jean-Guy.

– Je suis passée voir les Lepage, cet après-midi, expliqua Clara. Ils étaient tristes et seuls. J'ai eu la nostalgie de nos soirées.

Elle balaya son salon des yeux. Le volume des conversations avait augmenté d'un cran, les invités bavardant par petits groupes. Isabelle Lacoste, arrivée sur les entrefaites, faisait circuler un plateau de fromages. Les morceaux de fromage reposaient non pas sur des craquelins, mais bien sur des tranches de pomme. C'était, Clara devait l'admettre, ingénieux et délicieux.

– Je suis rentrée et j'ai décidé que j'en avais assez de mon chagrin. J'ai eu envie de tourner la page.

– C'est un choix qu'on peut faire ? s'étonna Gamache.

– En un sens, oui, répondit Clara. J'ai l'impression d'avoir été paralysée. Je n'ai même pas réussi à peindre. Rien du tout.

Elle désigna son atelier d'un geste.

– En voyant l'ampleur de la perte des Lepage, je me suis dit que la mienne était supportable. Et, dit-elle en balayant de nouveau la pièce du regard, j'ai décidé que c'était de cette façon que je voulais la supporter. Avec des amis. J'ai téléphoné à Evie pour les inviter, Al et elle, mais elle a dit qu'ils ne pouvaient pas.

Evie avait laissé entendre qu'ils étaient déjà pris. « D'une certaine façon, c'est la vérité, avait songé Clara. Ils sont retenus chez eux, mobilisés par leur deuil. »

Evie avait hésité, cependant, et Clara avait compris qu'elle avait envie de venir. De courir le risque. À la fin, le chagrin avait pris le dessus : la perte était trop récente, le désir de s'isoler trop puissant. Sans parler de la culpabilité.

Clara comprenait.

– La peinture va revenir, dit Armand. Je le sais.

– Vraiment ? fit-elle en sondant les yeux de l'homme, à la recherche de la vérité ou de la preuve qu'il mentait.

Il sourit et hocha la tête.

– Sans aucun doute.

– Merci, dit-elle. Ruth m'aide beaucoup.

– Ruth ? s'étonnèrent Armand et Jean-Guy à l'unisson.

Ils n'avaient pas perçu chez Clara l'existence d'un désir de mort de toute créativité.

– Plus par effet de repoussoir, à vrai dire, dit Clara en jetant un coup d'œil à la vieille poète, engagée dans une vive conversation avec un tableau accroché au mur.

À l'avant-plan, ils virent Reine-Marie, un sourire figé sur le visage, tandis que le professeur Rosenblatt la régalait d'anecdotes concernant le monde des algorithmes.

– Je vais aller voir si Mme Gamache a besoin d'être secourue, dit Jean-Guy en s'éloignant.

– Je suis ravi, remarquez, dit Armand, mais je me demandais pourquoi vous les aviez invités, ceux-là.

Il regarda Mary Fraser et Sean Delorme, puis Rosenblatt.

– Ils ne connaissent personne, ici, répondit Clara. Je me suis dit qu'ils se sentaient peut-être un peu seuls. En particulier le professeur. Je voulais qu'ils se sentent acceptés. C'est ce que nous souhaitons tous.

– C'est vrai. Et le fait qu'ils possèdent des informations sur le Supercanon ?

– Absolument rien à voir. Je n'y ai même pas songé. Mais maintenant que vous soulevez la question, que pouvez-vous nous dire, vous, puisque eux refusent de parler ?

– Nous dire ?

– Me dire, alors. Allez, videz votre sac.

Il sourit.

– Désolé, mais je ne peux rien vous dire que vous ne sachiez déjà.

– Mais je ne sais rien. Personne ne sait rien.

– Quelqu'un sait quelque chose, Clara. Le canon n'a pas été construit ici, à côté de Three Pines, par hasard.

– Voilà. Pourquoi ? Est-il en état de fonctionner ? Qui l'a construit ?

Hélas, Armand n'avait vraiment pas les réponses à ces questions.

Reine-Marie Gamache, libérée de sa faction auprès du physicien, s'avança vers Isabelle Lacoste, qui conversait avec Mary Fraser.

Il aurait été difficile de trouver une personne moins conforme à l'idée qu'on se fait d'un agent du renseignement. « Elle a l'air très intelligente, se dit Reine-Marie, mais pas vraiment dégourdie. » Elle donnait plutôt l'impression d'être pourvue d'un esprit lent, méthodique et parfois effrayant qui, en prenant son temps, en arrive à une conclusion que d'autres auraient ratée ou préféré ne pas voir.

Ayant consacré aux archives et aux recherches toute sa vie professionnelle, Reine-Marie connaissait et admirait ce type d'intelligence, tout en sachant que la collaboration avec ceux qui la possèdent se révèle parfois frustrante. Ces personnes sont souvent têtues. Lorsqu'une conclusion a enfin été arrêtée, elles s'y accrochent, ne fût-ce qu'à cause du temps qu'il a fallu pour y parvenir.

– Au début des années 1990, des tas de gens ont cherché, mais les plans n'ont jamais été retrouvés, dit Mary Fraser à Isabelle Lacoste.

– Qui étaient ces gens ?

Mary Fraser jeta un bref coup d'œil à Reine-Marie.

Celle-ci s'éclipsa, consciente qu'il s'agissait d'une conversation qu'il ne fallait pas interrompre.

– Des concepteurs d'armes qui espéraient les vendre, répondit Mary Fraser dès que Mme Gamache fut hors de portée. Ou encore des agences de renseignement qui avaient pour but de les détruire.

– Y compris le SCRS ? demanda Isabelle Lacoste.

– Oui. Nous avons cherché les plans, mais en vain. Au bout d'un moment, la plupart des agences ont renoncé en se disant qu'ils n'existaient pas, que le Supercanon n'était qu'une autre des chimères de M. Bull, ou que, s'il existait bel et bien, il était désuet, complètement dépassé dans le contexte des plus récentes percées technologiques. Le Projet Babylone, désormais, n'était plus qu'un objet de curiosité. On a tout bonnement cessé de s'y intéresser.

– Sauf vous.

– Et lui, ajouta Mary Fraser en désignant le professeur Rosenblatt, en grande conversation avec Jean-Guy Beauvoir.

– À présent, nous avons le Supercanon, dit Lacoste. Il prouve que Gerald Bull a eu raison contre tous les autres. Du coup, les plans ont pris de la valeur, n'est-ce pas ?

– C'est un euphémisme, dit Mary Fraser. Avec la découverte du canon, ils n'ont pas de prix.

Elle semblait triomphante, comme si cet exploit était le sien. Il l'était, en un sens. La découverte leur donnait raison, à Delorme et à elle. Ils étaient enfin sous les feux de la rampe, au SCRS. De fonctionnaires subalternes qui passaient leurs journées à colliger des renseignements inutiles dans un sous-sol, ils étaient devenus de précieux atouts. D'une valeur inestimable, à leur façon.

– Des gouvernements seraient prêts à payer une fortune pour ces plans ? demanda Isabelle.

– Pas seulement des gouvernements. Toute personne ayant de l'argent et une cible à atteindre.

Mary Fraser jeta un rapide coup d'œil au professeur Rosenblatt.

– Pourquoi est-il encore ici, lui ? Vous êtes-vous posé la question ? Il a identifié le canon, fait tout ce que vous lui demandiez. En principe, il a pris sa retraite. Il ne devrait pas être chez lui, en Floride ou ailleurs ? Au repos ?

– À quoi songez-vous ?

– Je trouve que les armes de destruction massive font un drôle de passe-temps, répondit Mary Fraser. Pas vous ?

Isabelle Lacoste ne put que lui donner raison.

– Il vous a dit qu'il avait travaillé pour Gerald Bull ? demanda Delorme en regardant Rosenblatt, qui discutait avec Beauvoir au fond de la pièce.

– Oui, répondit Gamache.

– Il laisse entendre qu'il était plus qu'un simple adjoint, mais il n'a apporté aucune contribution notable au domaine.

« Encore une allusion à ce fameux domaine », se dit Gamache. Théoriquement clandestin, il semblait étonnamment vaste et encombré.

– Il était doué ? demanda Armand.

– Rosenblatt ? fit Delorme. Nous nous sommes penchés sur son cas, vous savez, en nous disant que, après la mort de Bull, il s'imposerait à titre de successeur, voire qu'il se montrerait encore plus savant que lui. Mais toutes ses recherches ont abouti à une impasse.

– Je croyais qu'il avait participé à la conception du chasseur Avro Arrow, fit Gamache.

– De façon périphérique, c'est exact. Sauf que la contribution qu'il a apportée aurait pu venir d'un autre. Puis le projet a été relégué aux oubliettes et il s'est une fois de plus retrouvé devant rien. Au terme de cinquante années de carrière, le professeur Rosenblatt n'a aucune réussite à son actif. Rien qui ait subsisté, rien qui ait fait date. Son existence n'a servi à rien.

Ces mots, malgré leur brutalité, avaient été prononcés avec une désinvolture telle que Gamache se sentit obligé de réévaluer son interlocuteur. C'était peut-être une affirmation irréfléchie faite par un homme inepte sur les plans social et affectif. Mais c'était peut-être davantage. Peut-être haïssait-il vraiment le professeur.

– Le génie de Michael Rosenblatt a été de s'associer à des créateurs brillants, dit Delorme. C'est une sangsue qui cherche maintenant à s'arroger le mérite du Supercanon.

– Le mérite ? s'étonna Gamache. Peut-on parler de mérite dans le cas d'un engin pareil ?

– Le Supercanon ne vous plaît pas. À moi non plus, d'ailleurs, mais c'est tout de même une réalisation extraordinaire. Aucun doute là-dessus. Ce qui est moins évident, par contre, c'est l'usage que Gerald Bull comptait en faire. Le problème, c'est que nous vivons dans un monde en constante mutation. Les amis d'hier sont les ennemis d'aujourd'hui, et les armes que vous leur avez vendues finissent par tuer les vôtres.

– Non, fit Gamache. Le problème, c'est qu'on fabrique des armes comme celles-ci et que des hommes sans allégeance comme Gerald Bull les vendent.

– Les armes existent depuis que le monde est monde, dit Delorme. Les hommes de Neandertal en avaient. C'est la nature de la bête. Celui qui fabrique les meilleures l'emporte. À votre avis, d'où viennent les armes ?

« Elles poussent dans les champs », songea Gamache, bien que personne ne propose de transformer les épées en socs de charrue.

– Comme nul ne peut prédire l'avenir, poursuivit Delorme, nous avons intérêt à bien choisir nos alliés.

– Et nos armes, ajouta Gamache. Vous dites « nous ». Je croyais que vous étiez archiviste.

– Désolé. C'était un « nous » collectif.

– Bien sûr. Pardonnez-moi.

Pendant un bref instant, Sean Delorme n'avait eu ni l'apparence ni la parole difficile d'un fonctionnaire subalterne. Il n'avait semblé ni maladroit ni mal à l'aise. Chez ce commis terne, presque comique, était apparu un mordant inattendu.

Il jouait la comédie, Gamache l'aurait parié. Sean Delorme était tantôt balourd, tantôt rusé. Sans crier gare, le bureaucrate légèrement confus laissait entendre qu'il était intimement mêlé au monde interlope du commerce des armements.

Simple fantasme, une fois de plus ? Comme Laurent quand il jouait au soldat dans le parc du village ?

Sean Delorme évoluait-il dans un monde dangereux avant de rentrer souper à la maison ?

Armand Gamache examina Delorme et, soudain, il eut peur de le voir subir le même sort que Laurent et Gerald Bull. La réalité finirait par le rattraper. Et là, elle lui enlèverait sa vie. Comme elle avait pris la leur.

– Vous avez dit que presque tout le monde avait cessé de chercher le Supercanon, fit Gamache.

– C'est exact.

– Presque, répéta Gamache. Presque tout le monde. Certains ont donc persisté ?

« Qui poursuit, alors que tous les êtres raisonnables ont abandonné ? » se demanda Gamache, bien qu'il connaisse déjà la réponse.

Les êtres déraisonnables. Voilà qui. Les fanatiques.

– Qui cherche encore le canon ? insista-t-il.

– Ce ne sont que des théories, des suppositions.

– Alors théorisez.

Delorme soupira.

– D'accord. Les parties qui ont renoncé à chercher se sont sans doute tournées vers d'autres intérêts. Elles ont passé des marchés, trouvé de nouveaux clients, créé de nouvelles armes. D'autres n'ont pas cette possibilité.

– Qu'est-ce qui les en empêche ? demanda Gamache.

– Elles n'ont pas les compétences nécessaires. La communauté des armements compte de nombreux parasites. Des types qui profitent des idées des autres. Des opportunistes. Des mercenaires. Des pilleurs de tombes ou des chercheurs de trésor, en quelque sorte. Inutile d'accumuler des richesses. Ils n'ont qu'à trouver le trésor. Et à le voler.

– Voler un marchand d'armes n'est quand même pas l'idée du siècle, non ?

– Non, sauf si la récompense est si grande que le jeu en vaut la chandelle. Dans le cas qui nous occupe, pas de risque. Le créateur du Supercanon est mort.

– Vraiment ?

Sean Delorme inclina la tête de côté, comme si la question l'avait pris au dépourvu.

– Encore ? Nous vous l'avons pourtant dit pendant le déjeuner : Gerald Bull a été abattu. Cinq balles dans la tête. Il est mort.

– C'est exact. Imaginons un moment que M. Bull était un vendeur habile, mais pas un grand concepteur.

Delorme ouvrit la bouche, mais, d'un geste de la main, Gamache lui intima le silence.

– Laissez-moi terminer. N'y a-t-il pas un certain nombre d'indices qui accréditent cette théorie ? Bull a eu l'idée, d'accord, mais c'est peut-être un autre qui a mis au point le canon, non ? Un duo parfait. Gerald Bull déniche un acheteur et l'autre élabore les plans.

Silencieux, Delorme digéra les paroles de Gamache. Puis il se fendit d'un large sourire idiot.

– C'est une plaisanterie, n'est-ce pas ? Vous vous payez ma tête.

Gamache ne dit rien.

– Allons donc. Rien ne permet de soutenir une telle affirmation. De qui s'agirait-il, à votre avis ? Et, je vous en supplie, ne venez surtout pas me parler de John Fleming.

Gamache resta muet, mais son regard se porta vers le fond de la pièce. Et le sourire de Delorme s'effaça.

– Vous ne pensez tout de même pas que…

Il se tourna vers Rosenblatt.

– C'est complètement ridicule. Il est loin d'avoir la matière grise nécessaire.

L'agent du SCRS baissa le ton.

– S'il est encore ici, c'est pour tout autre chose.

Gamache se souvint de la description que Delorme avait faite de Rosenblatt. Une sangsue. Et de celle qu'il avait faite de ceux qui, pendant des décennies, avaient cherché le Supercanon. Des profiteurs. Des sangsues.

– Le canon n'a plus d'importance, n'est-ce pas ? fit Gamache. Dès qu'il a été découvert, tous ceux qui le cherchaient ont réorienté leurs efforts. Après tout, l'arme est sous bonne garde. Personne ne peut la voler ni s'en servir.

– Mais quelqu'un pourrait en construire une autre, dit Delorme.

– À condition d'avoir les plans, répondit Gamache.

Et si le canon était ici, les plans l'étaient sans doute aussi.

Ils avaient cru jusque-là que Laurent avait été tué par quelqu'un qui savait que le canon était là et avait voulu garder son emplacement secret. Après tout, qui d'autre aurait pu gober cette histoire ridicule ?

Et si Laurent avait plutôt été tué par quelqu'un qui, pendant des décennies, avait cherché le canon ? Lorsqu'un petit garçon tout crotté était sorti des bois en criant qu'il avait trouvé un canon plus grand qu'une maison avec un monstre dessus, une seule personne l'avait cru. Un projet s'était échafaudé. Un projet de meurtre.

Et Gamache avait désormais la réponse à une question qui le taraudait depuis un moment. Il paraissait inexplicable que, au lendemain de la découverte d'un Supercanon, d'un lance-missiles géant dans des bois du Québec, le SCRS se soit contenté de dépêcher sur les lieux deux modestes archivistes.

Pas d'escouades militaires. Pas d'équipes scientifiques.

Parce que, comprenait désormais Gamache, on n'avait besoin de personne d'autre. Le canon était essentiellement une sculpture. Pratiquement inutile. Ce dont le SCRS avait besoin, c'était de personnes capables de retrouver les plans.

Et cette tâche incombait à deux bureaucrates d'âge mûr qui en savaient plus que quiconque sur le Projet Babylone et la bête fonçant vers Armageddon.

À l'exception, peut-être, d'un vieux physicien.

En sirotant son scotch, Michael Rosenblatt jeta un coup d'œil à la jeune et fraîche inspectrice-chef de la Sûreté qui discutait avec Mary Fraser, l'agente toute desséchée du SCRS.

Elles l'observaient, elles aussi, mais elles se détournèrent en croisant son regard.

Ensuite, il se concentra sur l'inspecteur-chef à la retraite en grande conversation avec Delorme.

Ils le scrutaient, eux aussi. L'agent du SCRS se détourna bien vite, mais Gamache soutint son regard.

Soudain, le professeur Rosenblatt se sentit cerné.

– Je me demande bien ce qu'ils font encore ici, dit-il à l'intention de son compagnon.

– Les agents du SCRS ? répondit Beauvoir. Ils recueillent des informations sur le canon, évidemment. Quoi d'autre ?

– Quoi d'autre, en effet, répéta Rosenblatt.

On servit le repas : les poules de Cornouailles sur des plateaux, les légumes grillés dans des bols, et les bouts de baguette dans des paniers posés sur la grande table en pin de la cuisine de Clara. La pièce était éclairée par des chandelles. Le milieu de table était extravagant.

Myrna avait passé l'après-midi à réunir des branches auxquelles s'accrochaient des feuilles aux couleurs vives de l'automne et d'autres, plus petites, où persistaient de minuscules pommes sauvages bien rouges. Elle avait aussi ramassé quelques-unes des pommes de pin qui jonchaient le sol du parc. Des branches et des pommes de pin, hommage au garçon qui avait consacré sa vie à la défense du village.

22

Une fois le repas terminé et la vaisselle lavée, les invités se séparèrent.

– Vous venez, couille molle ?

– J'arrive. Laissez-moi juste aller chercher le disque.

Quelques minutes plus tard à peine, Jean-Guy extirpait précautionneusement le vinyle de sa pochette.

– Donnez-moi ça, dit Ruth en lui arrachant le disque, qu'elle faillit laisser tomber.

Ayant repéré la face A, elle posa l'objet sur la platine et surprit Beauvoir en le glissant sans effort sur l'axe. Mais, par crainte des rayures, il n'attendit pas qu'elle pose la tête de lecture sur le précieux microsillon.

– Laissez-moi faire.

– Vous savez comment ça fonctionne ? demanda Ruth en le repoussant d'un coude pointu.

– Hé ! s'exclama-t-il. Ça fait mal !

– Mal, ça ? Attendez que la musique commence.

Ruth montra du doigt le disque d'Al Lepage, qui tournait et tournait sur la platine. D'une main experte, elle souleva le bras de lecture et posa délicatement l'aiguille sur le vinyle.

Les haut-parleurs laissèrent entendre une sorte de crépitement rythmique.

La première chanson débuta par quelques notes de guitare. Classique, mélodique. Suivit un battement de tambour rappelant un métronome. Une marche lente qui s'intensifia, s'accéléra. Puis d'autres instruments entrèrent dans la course. Un piano. Des cordes. Des cuivres. Le tambour, presque militaire à présent, construisit un crescendo vigoureux, énergique, émouvant.

Et, s'entremêlant à l'ensemble, la voix.

Beauvoir s'assit sur le vieux canapé cabossé et fixa la platine, émerveillé par la voix profonde et graveleuse d'Al Lepage.

Dès que la première chanson prit fin, Jean-Guy se tourna vers Ruth.

– C'était incroyable. Même vous, vous devez en convenir.

– Vous avez écouté les paroles ?

– Je pense que oui.

– Si vous avez trouvé ça formidable, c'est que vos couilles sont vraiment molles. Excusez-moi. Il faut que j'aille pisser.

À force de se balancer, elle réussit à s'arracher de son fauteuil.

– J'ai passé la soirée à boire du thé.

Lorsqu'elle fut sortie, Jean-Guy souleva doucement le bras et remit l'aiguille au début.

Un soldat et un marin se rencontrent dans un bar, chanta Al de sa voix rauque. *Le premier dit au deuxième, ça va, vieux lascar ?*

Jean-Guy écouta le militaire et le marin parler de la guerre et de l'amour. Se séparer et finir de part et d'autre d'un grave conflit.

Ruth avait raison. C'était pénible, mais d'une manière qu'Al Lepage n'avait pas voulue. L'histoire, éculée, gênante, faisait grincer des dents. Les rimes étaient banales ou forcées. Mais la musique et la voix camouflaient ces lacunes. Grâce à elles, la chanson semblait meilleure qu'elle l'était en réalité. « Comme l'homme lui-même, peut-être », songea Beauvoir.

La chanson suivante avait débuté. La musique – piano, banjo, harmonica – était puissante. Mélange de folk, de rock et de country.

Cette fois, Al chantait l'histoire d'un chien perdu qui s'apprête à se rouler en boule pour attendre la mort lorsqu'il est sauvé par une meute de chiens sauvages. Il se rend compte trop tard qu'il s'agit de loups et qu'il devra tuer d'autres animaux. Comme le font ses nouveaux amis. Non pas parce qu'ils sont cruels, mais bien parce que c'est leur nature. Au moment où, la mort dans l'âme, il s'apprête à tuer un petit agneau, il aperçoit une lumière au milieu des arbres et court vers elle. Une porte s'ouvre, et c'est sa famille. Qui l'appelle. Qui l'attend.

Assis sur le canapé, Jean-Guy s'interrogea sur une histoire qui aurait dû et aurait pu être bouleversante si elle n'avait pas été gâchée par des paroles puériles et maladroites, des rimes si tirées par les cheveux que c'en était désolant. Jean-Guy n'aurait pas parié que « chien » rimait bien avec « chrétien ».

Quel dommage ! Les idées, la voix et la musique de Lepage étaient convaincantes. Ses paroles, en revanche, étaient de la merde. Elles n'auraient jamais dû être rendues publiques. Beauvoir se demanda si le disque avait connu du succès.

Il s'amusait à chercher des mots qui rimaient avec merde lorsque Ruth, de retour, posa sur lui un regard noir.

– Vous n'avez pas encore eu votre dose ? Continuez comme ça, et votre cerveau risque de devenir une chose molle et nauséabonde.

– Qu'est-ce que vous en savez ? Vous l'avez déjà écouté, ce disque ?

La vieille poète folle se dirigea vers le stéréo et revint en brandissant le disque d'Al. Sa propre copie.

– Où l'avez-vous trouvé ? demanda-t-il en lui prenant l'objet.

– Il l'a réalisé à compte d'auteur. J'en ai acheté un et je l'ai écouté une fois par politesse, mais c'est de la merde.

« Et pourtant, songea Jean-Guy, elle l'a conservé. » Le disque n'avait pas fini dans une vente de charité à l'église. Ni au dépotoir. Et depuis quand Ruth se mêlait-elle d'être polie ? Fallait-il plutôt se demander à quel moment elle était devenue grossière ?

– Au début, il jouait dans les rues de Cowansville. Parfois, il se produisait dans des boîtes à chansons de Montréal, mais, en général, on l'entendait dans les cafés des environs. C'était avant que Gabri et Olivier ouvrent le bistro.

– Il ne s'y produit pas maintenant ? demanda Beauvoir.

– Non, répondit Ruth. Il a tout arrêté, Dieu merci.

Jean-Guy posa l'album à l'envers sur une table. Pour ne plus voir le visage souriant du jeune homme à la barbe rousse broussailleuse loin de se douter de l'immense chagrin qui l'attendait, quelques décennies plus tard.

– Comment Al Lepage a-t-il franchi la frontière ? demanda Jean-Guy.

– En courant, je suppose. Sans doute poursuivi par des mélomanes en furie.

– Lepage prétend avoir traversé la frontière à pied à partir du Vermont. Mais comment a-t-il fait pour découvrir Three Pines ? Il n'est tout de même pas tombé sur le village par hasard, non ? Il a fallu que quelqu'un l'aide.

– Il était peut-être destiné à trouver Three Pines, dit Ruth en se relevant pour prendre Rose dans ses bras.

– Ce n'est pas ce que vous pensez.

– Vous n'avez aucune idée de ce que je pense, lança-t-elle sèchement.

Elle s'engagea dans l'escalier qui menait à sa chambre, et son expression se radoucit.

– Éteignez en sortant.

– Vous montez pour dégueuler ? cria-t-il dans son sillage.

Un ricanement descendit des ténèbres.

Jean-Guy, confortablement installé, écouta la musique en essayant de ne pas entendre les paroles. Un truc à propos des…

Quelle belle tarte aux pommes ! À ce prix-là, je te la donne !

« Non, se dit-il, il n'a quand même pas osé. »

Pris ma Honda, j'en suis gaga…

Beauvoir gomma les paroles et y superposa la conversation d'après le repas. En sortant de chez Clara, Isabelle et lui avaient raccompagné les Gamache jusqu'à leur maison, où il devait récupérer le disque. Ils en avaient profité pour discuter brièvement de la soirée.

– Ce que je trouve étrange, avait dit Isabelle, une fois qu'ils eurent pris place dans le salon des Gamache, c'est que ni les agents du SCRS ni Rosenblatt n'aient relevé le piètre dossier universitaire de Gerald Bull, sans parler de la possibilité que quelqu'un d'autre, le véritable concepteur, ait agi dans l'ombre. Ça crevait pourtant les yeux. Même Mme Gamache l'a vu.

– Merci, très chère, dit Reine-Marie.

– Désolée. Vous savez ce que je veux dire. En principe, ces gens-là sont des spécialistes de Gerald Bull et des professionnels du déchiffrement. Et ils passent à côté d'une évidence pareille ?

Armand hocha la tête.

– Pourquoi, à votre avis ? Au-delà du fait que Reine-Marie est clairement beaucoup plus intelligente qu'eux, il va sans dire.

– Merci, mon cher, fit Mme Gamache. Plusieurs génies étaient nuls à l'école, vous savez. C'était peut-être le cas de M. Bull.

– Possible, admit Jean-Guy. Mais je pense que ce détail n'a échappé ni aux agents du SCRS ni au professeur Rosenblatt. Ils espéraient seulement que nous ne le remarquerions pas, nous. Je crois qu'ils sont parfaitement au courant du fait que quelqu'un d'autre a pris part au Projet Babylone.

– C'est pour cette raison qu'ils sont encore ici, dit Armand en hochant la tête.

– Pour chercher les plans ou la personne en question ? demanda Isabelle.

– Les deux, répondit Beauvoir.

– Tu penses que le créateur du Projet Babylone vit encore à Three Pines ? s'étonna Lacoste.

– Non, dit Beauvoir. Pas vraiment. Peut-être. Je ne sais pas.

– Impressionnant, fit Lacoste.

Jean-Guy esquissa un sourire pincé et se leva.

– Je vais chez Ruth avec le disque de Lepage. Je tiens à l'écouter. Tu m'accompagnes ?

– Non. Je vais faire un saut au poste de commandement voir si les rapports sont arrivés. Le gouvernement canadien et les Américains se penchent sur le cas d'Al Lepage. À son arrivée au Québec, il avait déjà un nom de famille de consonance française. Vous ne trouvez pas ça bizarre ?

– Ce que je trouve bizarre, moi, lança Beauvoir, c'est qu'il prétende avoir traversé la frontière à pied et être tombé sur Three Pines par hasard.

– Comment trouver le village autrement ? demanda Reine-Marie.

Elle réfléchit un moment.

– Il fuyait la conscription, non ?

Les officiers de la Sûreté hochèrent la tête.

– Si mes souvenirs sont bons, le Canada les accueillait à bras ouverts, dit-elle. Je n'ai pas l'impression que les objecteurs de conscience étaient obligés de traverser la frontière en douce.

– Ils ont aussi été graciés, ajouta Armand. Sous la présidence de Jimmy Carter. Beaucoup sont rentrés chez eux.

– Mais pas Al Lepage, constata Isabelle Lacoste.

– Je vais demander à Ruth si elle sait quelque chose, dit Beauvoir.

– Demain, vous devriez peut-être vérifier autre chose, dit Armand en les raccompagnant. Aujourd'hui, les agents du SCRS ont disparu. Ils n'étaient pas dans le village et, à ma connaissance, ils n'étaient pas non plus à l'emplacement du canon.

Une heure s'était écoulée depuis et, à présent, Jean-Guy, seul dans le salon de Ruth, écoutait le disque d'Al Lepage.

Après, il plaça l'aiguille sur le vinyle qui tournait. Mais pas au début. Bien calé sur le canapé, il écouta de nouveau la saga du chien dans les bois. La chanson reposait sur l'image réconfortante d'une famille qui ne perd pas espoir et d'un chien qui finit par retrouver le chemin de la maison. Jean-Guy, lui, retint plutôt celle d'un animal qui renoue avec sa vraie nature. D'un animal prêt à tuer au besoin.

Le poste de commandement aménagé dans la vieille gare reçut l'appel le lendemain matin. Il venait du détachement local de la Sûreté.

– Puisque vous êtes sur place, inspectrice-chef, j'ai pensé que vous voudriez savoir.

– Savoir quoi ?

– On a retrouvé un cadavre, ce matin.

Lacoste saisit un stylo et fit signe à Beauvoir d'approcher.

– Qui ?

Elle nota un nom sur un bout de papier et, à côté, écrivit le mot *assassiné*. Puis elle entendit Jean-Guy murmurer :

– Merde.

– Où ça ? fit Lacoste en notant une adresse. Une équipe est sur place ?

– Les premiers répondants viennent de nous prévenir. Je leur ai dit de ne toucher à rien.

L'inspecteur Beauvoir s'était dirigé vers son bureau. L'inspectrice-chef l'entendit réclamer une unité spécialisée en scènes de crime de Montréal.

– Assommée à mort chez elle, dit l'agent du détachement local. On a saccagé la maison. Tout laisse croire qu'il s'agit d'un cambriolage. J'ai envoyé une ambulance, évidemment, mais c'était trop tard.

– Appelez la médecin légiste.

– C'est déjà fait. Elle vous retrouvera sur place.

– Bien.

Elle raccrocha et contempla le nom encerclé dans son carnet.

Dix minutes plus tard, ils s'agenouillaient devant le cadavre d'Antoinette Lemaître.

23

– Je la reconnais, dit Sharon Harris, la médecin légiste. C'est la directrice du théâtre de Knowlton, non ?

La D[re] Harris et Isabelle Lacoste étaient agenouillées près d'Antoinette qui, allongée sur le dos, regardait fixement le plafond. Étonnée. Jean-Guy Beauvoir était accroupi de l'autre côté du corps.

– Oui, répondit l'inspectrice-chef Lacoste. La Troupe de l'Estrie.

– Elle montait la pièce de Fleming, dit la D[re] Harris, dont les gants blancs examinaient rapidement le cadavre. Disons que l'indignation est grande au sein de la collectivité.

En prononçant le nom de Fleming, la médecin légiste avait grimacé, comme si elle avait pris une bouchée de truite pourrie. Voilà une femme qui avait affaire à des cadavres à divers stades de décomposition. Et qu'est-ce qui la dégoûtait ? La seule mention du nom de Fleming.

La grimace, savait Lacoste, était involontaire. Un réflexe comme celui que provoque un léger coup de marteau sur la rotule. Grimacer à la mention du nom de Fleming était une réaction humaine des plus saines.

– Peu de dommages apparents, dit la D[re] Harris. Je ne veux pas la déplacer avant l'arrivée de votre équipe de police scientifique. À première vue, elle est morte depuis moins de douze heures, mais plus de six.

– Entre vingt et une heures trente et deux heures trente alors, dit Beauvoir. Cause du décès ?

– Je dirais ceci, dit la médecin légiste en se penchant tout près d'Antoinette et en indiquant l'arrière de son crâne, où ses cheveux violets, hérissés sur sa tête, étaient collés et emmêlés dans une sorte de magma rouge sombre. Tout laisse croire qu'elle a reçu un seul coup fatal. Crâne fracassé. Elle ne s'est probablement rendu compte de rien.

– Et l'arme ? demanda Lacoste.

Ils parcoururent les environs des yeux et virent presque aussitôt du sang qui tachait le coin du foyer.

Beauvoir se rapprocha.

– Ça, on dirait.

Se relevant, il s'écarta pour permettre à la médecin légiste et à Lacoste de mieux voir. Elles promenèrent leurs regards du coin en pierre à Antoinette, avec ses yeux vitreux et surpris.

– On l'a poussée ou elle est tombée à la renverse et s'est cogné la tête, dit Lacoste.

La D[re] Harris et l'inspecteur Beauvoir acquiescèrent.

– Meurtre, trancha la médecin légiste. Mais peut-être pas intentionnel. Tout indique qu'elle a pris un cambrioleur sur le fait.

– Pas de traces d'entrée par effraction, dit Lacoste. Mais ça ne veut peut-être rien dire.

Même après avoir beaucoup fréquenté cette région du Québec, elle était encore sidérée de constater que beaucoup de gens ne verrouillaient pas leurs portes. Avant d'aller au lit, à la rigueur. Le reste du temps, on entrait chez eux comme dans un moulin. Parfois, ils survivaient ; parfois, non.

Le fait que la porte était déverrouillée laissait croire qu'Antoinette n'était pas encore couchée. Elle n'avait pas non plus enfilé son pyjama.

– Elle devait venir chez Clara Morrow, hier soir, dit Beauvoir, mais elle a téléphoné pour annuler.

Sharon Harris leva les yeux.

– Comment le savez-vous ?

– Nous étions là, expliqua Lacoste.

– Vous la connaissiez ? demanda la D[re] Harris en désignant le cadavre.

– Peu, répondit Lacoste. Mais oui. Quelle heure était-il quand Antoinette a téléphoné à Clara ?

Beauvoir réfléchit.

– Je n'en suis pas absolument certain, mais c'était avant le repas et nous avons mangé à dix-neuf heures trente.

– Clara a-t-elle précisé pourquoi Antoinette s'était décommandée ? demanda Lacoste.

– Non. Elle a juste dit que, à cause du stress causé par la pièce de Fleming, Antoinette avait eu envie de passer une soirée tranquille à la maison. Brian, son conjoint, expliqua Beauvoir à la D^re^ Harris, assistait à une réunion à Montréal. Quelque chose à voir avec son travail. Antoinette avait donc la maison à elle toute seule.

– C'est sans doute l'homme qui attend dans la cuisine, dit la D^re^ Harris. C'est lui qui l'a trouvée.

Beauvoir se tourna vers l'agent du détachement local qui montait la garde.

– C'est exact ?

– Oui, monsieur. À notre arrivée, il était chez la voisine. Mais nous l'avons ramené ici. Il est plutôt secoué. C'était son conjoint.

– Que vous a-t-il dit ? demanda Lacoste.

– Pas grand-chose, répondit l'agent. Il tenait à peine debout.

Ils regardèrent tous deux la morte.

Ils ne connaissaient pas bien Antoinette. Beauvoir les avait vus au bistro à quelques occasions, Brian et elle, et une autre fois chez les Gamache.

« Les Gamache », se dit-il. Il faudrait qu'il les prévienne.

Connaître la victime était à la fois un avantage et un inconvénient. Ils connaissaient ses habitudes, sa personnalité. Mais ils avaient par le fait même des idées préconçues.

Jean-Guy étudia Antoinette Lemaître et comprit qu'il ne l'aimait pas beaucoup.

Elle était d'une puérilité et d'une coquetterie qui lui donnaient froid dans le dos. Antoinette ne se comportait pas comme une femme dans la quarantaine. Elle se maquillait à l'excès, se teignait les cheveux en violet et portait des vêtements trop jeunes, trop serrés et trop courts. Elle se montrait parfois obstinée et tyrannique.

Il jeta un nouveau coup d'œil au sang poisseux sur les cheveux de la morte et sur la moquette.

La principale réserve de Jean-Guy avait trait non pas à l'apparence de cette femme, évidemment, mais bien à sa décision de monter une pièce écrite par un tueur en série. Il se demanda si le meurtrier avait éprouvé le même sentiment.

– Elle ne semble pas avoir été agressée sexuellement, dit la D^re^ Harris en se relevant.

– Et sous les ongles ? demanda Lacoste.

– Pas de chair ni de cheveux. L'assassin doit l'avoir prise par surprise. Ceci, dit-elle en désignant le désordre qui régnait dans la pièce, n'est pas le résultat d'une bagarre.

D'un geste, elle montra les meubles renversés, les tiroirs arrachés du bureau et des classeurs, puis vidés par terre. Les livres jetés sur le sol. Certains étaient même tombés sur le corps d'Antoinette.

– À quoi tu penses ? demanda Jean-Guy à Lacoste.

– Ce n'est pas du vandalisme. Rien n'est cassé. Pas de graffiti ni d'excréments. Je suis d'accord avec la D^re^ Harris. Tout indique qu'elle a surpris un cambrioleur.

– Un cambrioleur tout de même persistant et désespéré, non ? insista-t-il. La plupart se sauvent avec le téléviseur. À la limite, ils jettent un coup d'œil dans les tiroirs dans l'espoir de trouver de l'argent.

– Oui, concéda Lacoste après un moment de réflexion.

Quelque chose ne collait pas. Généralement, un cambrioleur attend que la maison soit vide ou que ses occupants dorment. Or les lampes étaient encore allumées. Le coupable savait la propriétaire à la maison et presque certainement encore debout. Le gros du désordre avait été causé après la mort d'Antoinette par quelqu'un qui savait qu'on ne le dérangerait pas. Et qui n'était pas bouleversé par le meurtre qu'il venait de commettre.

Ce détail perturbait Jean-Guy. Au plus haut point. La plupart des cambrioleurs ne sont que ça, justement. Des cambrioleurs. Ils n'ont ni le désir ni le cran de tuer. Dans ce cas-ci, c'était différent. Quelqu'un avait tué Antoinette, puis avait passé des heures à fouiller sa maison, tandis que son corps refroidissait.

L'équipe chargée de l'analyse des scènes de crime arriva et se mit aussitôt au travail. Jean-Guy leur donna ses ordres, tandis que l'inspectrice-chef Lacoste faisait le tour de la maison. Elle jeta un coup d'œil dans toutes les pièces, sans rien toucher.

C'était un plain-pied modeste avec un sous-sol. Sens dessus dessous, lui aussi. Les recherches avaient dû prendre des heures. Plus Lacoste explorait la maison, plus elle était convaincue de ne pas avoir affaire à un simple cambriolage, certaine qu'Antoinette Lemaître n'avait pas été une cible choisie au hasard.

On avait arraché la moquette, soulevé les lattes du plancher. Sur les murs, les revêtements pendaient mollement. Dans le couloir, on avait poussé une chaise sous une ouverture percée dans le plafond. Lacoste y grimpa et le faisceau de sa lampe de poche balaya le grenier. Elle entendit des trottinements et redescendit.

S'il le fallait, elle monterait là-haut, mais c'était l'un des avantages du poste d'inspectrice-chef; désormais, elle pouvait envoyer quelqu'un d'autre.

– Les équipes de police judiciaire et d'analyse des scènes de crime sont au boulot, dit Beauvoir en s'avançant vers elle. Le moment est venu d'aller voir Brian.

Jean-Guy lui avait dit quelques mots au passage.

– Comment est-il ? demanda Lacoste.
– Ahuri. Hébété.
Ni l'un ni l'autre ne se faisait d'illusions. En marchant dans le couloir, les deux enquêteurs chevronnés avaient conscience de s'apprêter à croiser le fer avec leur principal suspect.
Brian Fitzpatrick se leva à leur entrée. Il voulut dire quelque chose, mais sembla avoir oublié comment faire.
– Désolée, Brian, dit Isabelle Lacoste. C'est affreux.
Il hocha la tête, promena ses yeux de l'un à l'autre.
– Que s'est-il passé ? demanda-t-il en se laissant tomber sur une chaise devant la table en formica.
Lacoste jeta un coup d'œil à l'agent du détachement local de la Sûreté qui, devant la porte, semblait s'ennuyer à périr.
– Vous pourriez préparer du café ? lui demanda-t-elle.
L'agent sembla contrarié, mais il obéit.
La cuisine avait été retournée de fond en comble, elle aussi, mais les dommages y paraissaient moins considérables. On voyait de la farine, du sucre et des flocons de maïs répandus sur le comptoir, des tiroirs ouverts et vidés de leur contenu.
Pour la forme, eût-on dit, comme si le cambrioleur transformé en tueur avait manqué d'énergie ou de temps. De conviction, peut-être.
Brian les observait de ses yeux rougis, exorbités.
– Quelle heure était-il quand vous l'avez trouvée, Brian ? demanda Lacoste.
– J'ai quitté Montréal vers sept heures et demie. Je suis donc arrivé vers neuf heures.
– Vous avez passé la nuit à Montréal ? insista Lacoste.
– Oui, pour assister à une réunion. J'ai dormi là-bas. Je le regrette maintenant.
Il avait l'apparence tourmentée de ceux qui imaginent d'autres dénouements. Des dénouements dans lesquels ils auraient agi autrement. Que serait-il arrivé si seulement...
– Qu'avez-vous trouvé en rentrant ? demanda Lacoste.

Jean-Guy jouait le rôle que l'inspecteur-chef Gamache se réservait lors des interrogatoires : il se contentait d'écouter. Et d'observer. D'apporter, de loin en loin, une contribution. Mais surtout, il s'efforçait d'entendre les paroles aussi bien que le non-dit.

– La porte n'était pas verrouillée…

– Avez-vous été étonné ? demanda Lacoste.

– Pas vraiment. À neuf heures, il était normal qu'Antoinette soit levée et au travail. Et qu'elle ait déverrouillé. Ce qui m'a paru bizarre, par contre, c'est que les rideaux étaient encore tirés.

– Elle était traductrice, n'est-ce pas ? fit Lacoste.

– Oui. Elle travaille à la maison.

À la longue, la confusion des temps de verbe finirait par s'estomper.

– Alors vous avez ouvert, enchaîna Lacoste.

– J'ai crié « Coucou, c'est moi ! », mais je n'ai pas eu de réponse, évidemment.

Les derniers mots semblèrent le démoraliser tout à fait.

– J'ai accroché mon manteau et je me suis dirigé vers le salon et j'ai vu…

Il gesticula. L'inspectrice-chef Lacoste ne l'aida pas à finir sa phrase.

– C'était le chaos. Je pense que j'ai eu un blanc. J'étais paralysé. Et puis j'ai paniqué et commencé à appeler Antoinette. Je me suis précipité dans la pièce et j'ai dû trébucher parce que je me souviens d'être tombé. C'est là que j'ai vu…

– Vu quoi, Brian ? souffla Lacoste après un moment de silence.

– Son pied. Je ne suis pas sûr de la suite. Depuis que j'attends là, j'essaie de mettre de l'ordre dans mes idées, mais c'est comme si…

Il chercha ses mots.

– Je me souviens d'avoir vu son visage et ses yeux. Et d'avoir compris. Je l'ai peut-être touchée parce que je me rappelle une sensation de froid. Et j'ai cru que j'allais perdre connaissance. C'était juste trop…

Il regarda par la fenêtre de la cuisine et, atterré, sembla se pétrifier.

– Et ensuite ?

Si Lacoste ne l'avait pas poussé à poursuivre, peut-être Brian aurait-il passé le reste de ses jours à regarder par cette fenêtre. Paralysé.

L'inspectrice-chef jeta un coup d'œil à Beauvoir qui, parfaitement immobile, lui aussi, absorbait tout.

– J'ai paniqué, dit Brian tout doucement, sans croiser le regard de l'inspectrice-chef. J'ai couru. Il fallait que je sorte de là. Je suis allé chez Mme Proulx, la voisine. C'est elle qui a prévenu la police.

– Vous êtes revenu ici ?

Il secoua la tête.

– Seulement à l'arrivée des policiers. Ils m'ont demandé de les suivre et ils m'ont installé ici.

Le café était prêt et Beauvoir leur en servit une tasse. Lorsqu'ils eurent avalé une gorgée de la boisson bien forte, Lacoste reprit l'interrogatoire. Elle avait beau le mener sur le ton de la conversation, seul un imbécile ou un homme engourdi par le chagrin aurait pu s'y méprendre.

– Vous pouvez nous dire ce que vous avez fait hier soir ?

– J'étais à Montréal. Pour la réunion mensuelle de la société géologique. Nous passons en revue nos rapports.

– Hier soir ?

– Non. Dans l'après-midi. Mais je suis resté pour la nuit. Je suis allé prendre un verre avec quelques collègues, puis nous avons mangé ensemble. C'est la coutume.

– Vous pouvez nous fournir les coordonnées, y compris le numéro de téléphone, d'une des personnes qui vous accompagnaient ?

– Oui.

Beauvoir nota.
– Jusqu'à quelle heure ?
– Vingt heures, vingt heures trente environ.
– Où avez-vous passé la nuit ? À l'hôtel ?
– Non, nous avons un pied-à-terre. Un simple studio. Je reste là quand je suis en ville et que je sors boire avec des collègues.
– Quelqu'un peut confirmer vos dires ? demanda Lacoste.
– Confirmer mes dires ? répéta-t-il.
C'est alors qu'il comprit, comme le font tous les suspects, tôt ou tard. Qu'ils font l'objet de soupçons, justement. Contrairement à plusieurs d'entre eux, Brian ne se mit pas en colère, ne se campa pas sur la défensive. Il eut seulement l'air encore plus effrayé qu'avant, à supposer qu'une telle chose soit possible.
– J'étais seul à l'appartement. Il n'y a pas de portier. Je suis entré et je ne suis pas ressorti.
– Vous avez téléphoné à quelqu'un ?
– Seulement à Antoinette.
Il pinça les lèvres et inspira avec difficulté.
– À quelle heure ?
– En arrivant, vers quinze heures. Juste pour la prévenir que j'étais bien arrivé. Elle m'a dit que Clara l'avait invitée à souper, mais qu'elle songeait à se décommander.
– Vous a-t-elle précisé pourquoi ? demanda Beauvoir, intervenant pour la première fois.
– Elle a dit que deux personnes passeraient peut-être plus tard.
– Qui donc ?
– Des représentants du théâtre, répondit-il. Je me suis imaginé qu'ils venaient peut-être pour la congédier, mais j'ai tenu ma langue.
– Elle avait une idée de ce qu'ils voulaient ?
– D'après elle, ils avaient changé d'avis et allaient monter la pièce, en fin de compte.

Il posa la main sur le texte d'*Elle était assise et elle pleurait*, posé sur la table de la cuisine. Recouvert d'annotations griffonnées à la hâte.

– Elle n'arrivait pas à croire que tout le monde l'avait laissée tomber.

Une fois de plus, Brian cita les noms ; une fois de plus, Beauvoir nota.

– Les émotions étaient à fleur de peau à propos de la pièce, dit Lacoste.

Brian hocha la tête.

– C'était une erreur, évidemment. Nous n'aurions jamais dû lancer ce projet.

Il les regarda tour à tour, concentré pour la première fois.

– Vous ne pensez tout de même pas qu'il y a un lien avec…

D'un geste, il désigna le salon.

– Mais c'est ridicule. C'est une simple pièce. Personne n'était investi à ce point.

– Assez, en tout cas, pour se retirer, dit Lacoste.

Mais pour tuer ?

– Qui savait que vous partiez à Montréal ? demanda Lacoste.

– Aucune idée, répondit Brian.

Il réfléchit, sans paraître saisir l'importance de la question.

– Je pense que les gens savent que je m'y rends de temps en temps, mais je ne crois pas avoir dit à qui que ce soit que je devais y aller hier.

Lacoste croisa le regard de Beauvoir. Brian ne comprenait-il pas que l'inspectrice-chef venait de lui servir sur un plateau d'argent une occasion de se disculper ?

Antoinette avait été tuée par une personne qui savait qu'elle ne risquait pas d'être dérangée. Par conséquent, le meurtrier ignorait l'existence de Brian ou savait qu'il était à Montréal. Sinon, c'était Brian lui-même qui avait fait le coup.

En leur disant qu'il avait évoqué ses projets devant de nombreuses personnes, il aurait allongé la liste des suspects. Or il n'en avait rien fait. Il était innocent, stupide ou si sûr de lui qu'il feignait la stupidité.

Ils posèrent leurs dernières questions et Brian fournit des réponses tour à tour hésitantes, incomplètes et fouillées. L'image qui en ressortit était celle d'un homme hébété par la souffrance qui se trouvait à une centaine de kilomètres des lieux au moment où Antoinette avait été tuée. Qui n'y était pour rien. Qui regrettait de ne pas avoir été là. Qui ne pouvait penser à personne ayant pu souhaiter la mort d'Antoinette.

– Vous devez envisager toutes les possibilités, je sais, mais c'était un cambriolage, non ? dit-il enfin. C'est la seule explication possible. Regardez autour de vous.

Devant le mutisme des officiers de la Sûreté, il sembla encore plus désorienté.

– Vous ne voulez tout de même pas dire que quelqu'un a tué Antoinette intentionnellement ?

– C'est une possibilité, répondit Lacoste.

– Mais qui ? s'écria-t-il. Pourquoi ? Je sais qu'elle avait le don d'irriter les gens, mais pas à ce point-là, quand même.

– Vous ne pouvez vraiment penser à personne ? insista Lacoste.

– Bien sûr que non, répondit Brian. C'est un terrible accident. Un type est venu pour nous voler et Antoinette l'a pris sur le fait. Doux Jésus, à quoi voulez-vous en venir, au juste ?

– Tout ce que nous disons, c'est qu'il s'agit sans doute d'un cambriolage, mais que nous devons nous en assurer, répondit Lacoste d'une voix apaisante.

Empreinte de confiance.

Son calme sembla produire l'effet escompté. Brian prit une profonde inspiration et se ressaisit.

– Je vais faire tout mon possible pour vous aider, dit-il. Qu'est-ce qu'il vous faut ?

– Vous pourriez commencer par prouver que vous étiez bel et bien à Montréal, dit Beauvoir.

Le sous-entendu, cette fois, n'échappa pas à Brian. Au lieu de se braquer ou de se mettre sur la défensive, il hocha la tête et leur communiqua l'adresse de l'immeuble, le numéro de téléphone du concierge et le nom des voisins.

Il leur donna aussi les mots de passe de leurs ordinateurs, les numéros de leurs comptes bancaires et leurs numéros de téléphone.

– Antoinette se servait des quatre derniers chiffres de votre numéro de téléphone, constata Beauvoir en examinant ses notes.

– C'est trop évident, je sais, dit Brian. Je le lui ai dit, mais elle voulait quelque chose de facile à retenir.

– Et le vôtre ? demanda Beauvoir. 2106 pour tout ?

– Oui. Un truc que je ne risquais pas d'oublier. Le 21 juin. Notre premier rendez-vous. Il y a dix ans.

En écrivant, Jean-Guy Beauvoir se concentrait sur la page, les chiffres et son stylo. Il évitait les yeux rougis et ébahis de Brian.

Lui aussi, il se servait de la date de son premier rendez-vous avec Annie comme code. Un chiffre qu'il n'oublierait jamais, au grand jamais.

Comment se sentirait-il s'il découvrait Annie… ?

L'inspecteur-chef Gamache leur avait souvent répété de se mettre dans la peau de la victime et des suspects, mais il les avait aussi mis en garde : c'était un exercice pénible et même périlleux. Jusque-là, Jean-Guy n'avait jamais senti la nécessité – non plus que le danger – d'une telle méthode.

Tout était différent, désormais.

Il s'était mis dans la peau de Brian, mais, ayant mal visé, il avait abouti dans son cœur brisé.

En partant, Beauvoir prit le texte de la pièce sur la table. Brian expliqua que c'était la copie d'Antoinette. Il l'avait apportée avec lui à Montréal, la sienne étant restée au théâtre.

Beauvoir n'était pas superstitieux ; il ne se considérait pas comme tel, en tout cas. Mais, même aux yeux de cet homme raisonnable, la pièce semblait plus lourde que le papier sur lequel elle était reproduite.

Ils interrogèrent tous les voisins – personne n'avait rien entendu – en se réservant Mme Proulx pour la fin. C'était une femme d'âge mûr, replète et soucieuse, qui croisait et décroisait nerveusement les doigts de ses mains rougeaudes.

– Que vous a dit Brian Fitzpatrick, au juste ? lui demanda Isabelle Lacoste au moment où ils prenaient place dans le salon confortable. En débarquant chez vous, ce matin.

– Qu'il était arrivé quelque chose et qu'il devait demander de l'aide. Il tremblait tellement que je l'ai fait à sa place.

– Il a dit autre chose ?

– Seulement que quelqu'un avait fait du mal à Antoinette. Je lui ai demandé s'il voulait que j'aille à côté pour la secourir et il avait l'air si effrayé que j'ai tout de suite compris.

Elle promena ses yeux de l'un à l'autre.

– Elle est morte, n'est-ce pas ?

– J'en ai bien peur.

Elle eut alors un geste qu'on ne voyait plus beaucoup, au Québec. Elle se signa.

– Vous avez vu des gens entrer chez elle, hier soir ? demanda Isabelle Lacoste.

– Non, j'avais fermé les rideaux et je regardais la télévision. *Les filles de Caleb*.

Lacoste hocha la tête. Tous les autres voisins avaient répété la même chose. Ils avaient tous tiré les rideaux avant de s'installer devant leur téléviseur pour regarder la reprise de l'émission follement populaire.

Un loup-garou aurait eu beau saccager son salon, cette femme n'aurait pas réagi avant la fin de l'émission. Lacoste se demanda si le tueur avait choisi ce moment pour cette raison précise.

– Vous savez qui a fait ça ? demanda Mme Proulx.

– Non, pas encore, mais nous allons le découvrir, dit Lacoste.

Elle s'efforçait de rassurer Mme Proulx, mais, sans suspect derrière les barreaux, l'affirmation sonnait creux.

Au moins, le meurtre de Laurent Lepage ne semblait pas aléatoire. Dès le départ, il était apparu clairement qu'on avait tué Laurent à cause non pas de son identité ou de son jeune âge, mais de sa découverte. Il y avait une raison.

Le meurtre d'Antoinette Lemaître, en revanche, paraissait insensé. Sans motif apparent. Et, dans ce vide, s'infiltraient toutes sortes de suppositions. Et d'une terreur bien compréhensible.

Lacoste voyait très bien à quoi pensait Mme Proulx : « Ç'aurait pu être moi. » Réflexion aussitôt suivie par celle-ci : « Dieu merci, c'est tombé sur la femme d'à côté. »

– Que pensiez-vous d'Antoinette ? demanda Lacoste.

– Elle était très bien. Amicale sans être trop familière, si vous voyez ce que je veux dire.

– Vous l'aimiez ? fit Lacoste.

Après une hésitation, Mme Proulx se tortilla dans son fauteuil inclinable.

– Disons que je me suis habituée à elle. J'aimais bien son oncle, Guillaume. Nous bavardions par-dessus la clôture, l'été, quand il jardinait.

– On dirait bien qu'elle ne vous plaisait pas beaucoup, insista doucement Lacoste.

L'autre ne fut pas difficile à fléchir.

– Elle était malcommode, admit Mme Proulx. Dès qu'elle a emménagé, elle a commencé à se plaindre. Des enfants qui jouaient au hockey dans la rue et des barbecues familiaux qu'elle trouvait trop bruyants. Elle se prenait un peu pour le seigneur et nous pour des habitants, si vous voyez ce que je veux dire.

Lacoste voyait parfaitement. La série des *Filles de Caleb* faisait sentir ses effets : elle avait ressuscité une distinction de classe qui datait de l'époque coloniale. Si les mots sortaient tout droit d'un scénario écrit pour la télévision, les émotions, elles, semblaient authentiques. Mme Proulx n'avait pas accepté volontiers qu'une citadine se mêle de faire la loi. On leur avait servi plus ou moins la même version chez les autres voisins, passé les commisérations de circonstance pour la femme qui venait de connaître une fin violente.

– Vous pouvez penser à quelqu'un qui aurait pu faire une chose pareille ? demanda Lacoste.

La femme écarquilla les yeux.

– Moi, non. Mais vous ? C'est votre travail, non ? Vous n'avez aucune idée ?

– Nous en avons quelques-unes, en fait, répondit Lacoste en prononçant une fois de plus des paroles de réconfort qui eurent un certain effet. Il faut que je vous pose une question : pas de querelles violentes entre voisins ?

– Aucune. C'était une femme énervante, rien de plus. En plus, elle avait l'air bizarre. Ses vêtements… On aurait dit une enfant gâtée.

Elle scruta les inspecteurs de ses yeux perspicaces.

– Vous ne croyez pas que c'était un simple cambriolage, hein ?

– Disons que nous examinons toutes les possibilités.

Mme Proulx avisa, pour la première fois, semblait-il, le texte que Beauvoir tenait à la main, et bondit sur ses pieds. Sans précipitation, sans effort, elle s'extirpa du fauteuil confortable. Ses mouvements étaient empreints de grâce et d'aisance. De certitude, aussi.

– Je vais maintenant vous demander de sortir et d'emporter cette chose avec vous.

Inutile de demander de quelle « chose » elle parlait.

– Vous connaissez la pièce ? demanda Beauvoir en la brandissant.

Pendant un moment, il eut l'impression que Mme Proulx allait se signer de nouveau. Elle se dressa plutôt de toute sa hauteur et, grande, impressionnante, fit face à l'inspecteur et à la création de John Fleming.

– Nous la connaissons tous. C'est une profanation. Je ne m'explique pas qu'elle-même ne s'en rendait pas compte. Je ne suis pas prude, si c'est ce que vous pensez. Mais c'était mal.

Pas de débat philosophique, pas d'analyse des méfaits de la censure. Qu'un énoncé de fait sans ambiguïté. Il était inacceptable de produire la pièce de Fleming. On ne savait tout simplement pas encore dans quelle mesure.

Devant la porte, Beauvoir l'interrogea sur Brian.

– Nous l'aimons bien, répondit Mme Proulx, au nom de tout le voisinage, eût-on dit. Nous le comprendrions de l'avoir tuée. Mais il semblait sincèrement l'aimer.

Elle secoua la tête.

– C'est fréquent, vous savez. Je me demande souvent ce que deux personnes peuvent bien se trouver… On ne sait jamais, si vous voyez ce que je veux dire.

Beauvoir comprenait. On ne savait jamais.

Ils montèrent dans la voiture et mirent le cap sur Three Pines.

– Pourquoi as-tu emporté la pièce de Fleming ? demanda Lacoste à Beauvoir pendant le trajet.

– Depuis le début, elle ne cause que des ennuis. La personne qui a tué Antoinette cherchait quelque chose. La pièce, peut-être.

– Mais il y en a beaucoup d'exemplaires, par ici.

– C'est vrai, mais celui-ci, c'est l'original. Je me suis dit que la pièce valait que je la lise.

Isabelle Lacoste hocha la tête. Il avait raison. Elle regrettait de ne pas y avoir songé.

Par moments, elle se sentait parfaitement capable d'assumer les responsabilités d'inspectrice-chef. En d'autres occasions, elle se disait que c'était à cet homme que le poste aurait dû échoir.

– J'ai manqué autre chose ? demanda Lacoste.

– Presque rien ne t'échappe, Isabelle, dit Beauvoir. Quand ça t'arrive, je suis là. Et vice versa. C'est pour cette raison que nous formons une bonne équipe.

– Tu t'ennuies de M. Gamache ? demanda-t-elle.

– Ne le prends pas mal, mais je vais toujours m'ennuyer de l'inspecteur-chef Gamache.

– Moi aussi, avoua-t-elle.

Elle mit quelques kilomètres de plus à trouver le courage de lui poser une question qui la préoccupait depuis sa nomination.

– Crois-tu que c'est à toi qu'on aurait dû offrir le poste d'inspecteur-chef ?

Elle regretta aussitôt son indiscrétion. Et s'il répondait par l'affirmative ?

– Ça m'aurait plu, répondit-il enfin. Mais je ne m'y attendais pas. Pas après les événements.

– Tu veux parler de l'alcool ? demanda-t-elle. Des médicaments ? Du fait que tu as tiré sur l'inspecteur-chef Gamache ?

– Vu sous cet angle… C'est un portrait peu flatteur, je te l'accorde, dit Beauvoir en souriant.

Ils savaient l'un et l'autre qu'il avait fait ce qu'il fallait en appuyant sur la détente. C'était même la seule bonne chose qu'il ait faite. Il avait sauvé la vie de Gamache en venant à un cheveu de la lui enlever.

Rares, très rares étaient ceux qui auraient eu le courage de tirer. Pour sa part, Lacoste n'était pas certaine qu'elle aurait eu le même cran.

– Tu aurais pu m'arrêter, tu sais, dit-il. Tu m'avais dans le collimateur, de la même façon que j'avais le chef dans le mien. Tu ne savais pas pourquoi je m'apprêtais à le descendre. Pourquoi ne m'en as-tu pas empêché ?

– En te tirant dessus ?

– Oui. Les autres l'auraient fait. N'importe qui d'autre l'aurait fait.

– J'ai failli m'y résoudre. Mais tu m'as suppliée de te faire confiance.

– C'est tout ?

– Ce qui m'a décidée, c'est le ton de ta voix, et non tes mots. Tu n'étais ni fâché ni détraqué. Seulement désespéré.

– Tu t'es fiée à ton instinct ?

Elle hocha la tête en serrant ses mains l'une contre l'autre pour arrêter les tremblements qui la secouaient chaque fois qu'elle se remémorait cette horrible journée. Beauvoir dans son viseur, son doigt sur la détente. Son hésitation à elle. Témoin de son absence d'hésitation à lui. Sous ses yeux, il avait descendu l'inspecteur-chef Gamache.

Ce fut comme si la balle l'avait atteinte, elle.

Elle avait vu le corps de l'inspecteur-chef Gamache se soulever. Puis s'effondrer sur le sol.

– Tu t'es fiée à ton instinct, répéta Jean-Guy. C'est pour cette raison que tu deviendras une des plus grandes têtes dirigeantes de la Sûreté, Isabelle. Et c'est pour cette raison que je serai ton loyal bras droit, tant et aussi longtemps que tu auras besoin de moi.

– Tu tirerais sur moi ?

– Sans la moindre hésitation, patronne.

Elle rit. Puis elle se rendit compte qu'il l'avait appelée *patronne* pour la première fois.

La pièce de Fleming était sur la banquette arrière, à la façon d'un passager. Elle les écoutait. Absorbait tous ces propos où il était question de meurtre.

24

– Bonjour, dit Armand Gamache.

Il avait trouvé Mary Fraser seule dans la petite bibliothèque au fond du gîte. Calée dans un fauteuil confortable, elle tournait le dos aux tablettes en coin, les pieds posés sur un pouf, penchée vers le feu qui marmottait dans l'âtre.

Son chandail boulochait et un trou dans ses bas laissait voir son gros orteil. Elle ne se donna pas la peine de le cacher et ne sembla pas du tout gênée d'être vue dans cette tenue pour le moins décontractée.

Ce qu'elle ne voulait manifestement pas que Gamache voie, cependant, c'était le dossier qu'elle lisait. Elle le referma à son entrée et posa la main à plat dessus, les doigts écartés. Elle avait agi sans précipitation, presque avec langueur. Mais le résultat était le même : un document fermé et secret.

– Un truc de la vieille école ? demanda-t-il en désignant le dossier. D'avant l'informatisation ? Peut-être vaut-il mieux, en effet, conserver certains documents sur support papier. Ils sont plus faciles à gérer. Et à détruire.

Il prit place dans l'autre fauteuil confortable de la bibliothèque.

Mary Fraser retira ses pieds du pouf et les remit dans ses chaussures. Elle croisa les jambes et regarda Gamache en face.

– Drôle de commentaire, monsieur Gamache, fit-elle en lui souriant d'un air cordial. La plupart de nos documents sont encore sur support papier. Franchement, je préfère.

– *Fahrenheit 451* ? demanda-t-il.

Elle sembla déconcertée, puis, saisissant l'allusion, elle le regarda comme l'avait fait Mme Arsenault, son institutrice de troisième année, le jour où il avait enfin dit quelque chose d'intelligent.

– Je n'avais pas l'intention de le brûler, dit-elle.

– Mais la possibilité existe.

– Naturellement. Puis-je vous être utile ?

– Je me demandais juste pourquoi le Supercanon ne vous intéressait pas.

La voix de l'homme était plaisante, neutre, mais ses yeux la scrutaient.

Ses cheveux mal teints. Son visage non maquillé, sauf un peu de rouge à lèvres et de mascara légèrement desséché. Elle ne portait pas de verres de contact, préférant des lunettes à la monture démodée. Elle ne cachait rien. Ni ses rides, ni sa vision déficiente, ni même le trou dans ses bas. Et c'était l'une des forces de Mary Fraser, comprenait Armand peu à peu. Donner à l'artifice un accent d'authenticité. Laisser croire que, chez elle, tout s'offrait à la vue, alors que, en réalité, rien d'important n'était révélé.

La femme du SCRS s'était donné des airs de Mary Poppins descendant sur le village pour tout arranger. Seulement, rien ne s'était arrangé. Il le savait. Elle aussi.

Non, décidément, Mary Fraser ne lui inspirait aucune confiance, mais il la trouvait intéressante.

Elle le gratifia d'un regard tout aussi inquisiteur.

– Pour ma part, je me demandais pourquoi vous étiez aussi fasciné, dit-elle. Par le canon, s'entend.

– Dans ce cas, nous sommes à égalité, madame.

Il se cala dans le fauteuil et croisa les jambes. S'installa.

– Vous ne nous avez pas dit tout ce que vous savez sur le Supercanon. J'aimerais vous entendre à son sujet.

– Au nom de quoi devrais-je vous en parler ?

– Parce que vous avez peur et que vous avez besoin du plus grand nombre d'alliés possible.

– Je n'ai pas peur.

Elle se blottit dans un coin de son grand fauteuil. Une petite créature dans une tanière bien chaude.

– Vous devriez. Quelqu'un a trouvé le canon de Bull et cherche presque certainement les plans, dit Armand. Vous craignez qu'il les ait déjà trouvés.

– Ce n'est pas le cas.

– Comment le savez-vous ?

– Il y a trois jours que le canon a été découvert. S'il avait trouvé les plans, le tueur aurait commencé à envoyer des ballons d'essai, à chercher des acheteurs. À organiser des enchères.

– Comment savez-vous qu'il n'en est rien ?

Ils étaient seulement tous les deux, et la vraie Mary Fraser commençait à poindre, à émerger des mailles de ses bas, des repousses grises de ses cheveux, du mascara desséché. L'archiviste disparaissait. Mais alors, le vrai Armand Gamache se faisait jour, lui aussi. Le gentil policier à la retraite s'estompait petit à petit.

Elle eut un sourire patient.

– Nous savons.

– Vous ne savez pas tout. Vous n'étiez pas au courant de l'existence du canon.

Au moment même où il prononçait les mots, il se demanda si c'était bien vrai.

– Nous savions que M. Bull y travaillait, bien sûr, mais pas qu'il l'avait construit. Là, nous avons été surpris.

– Désagréablement surpris, j'imagine ?

– Pas nécessairement. Après tout, nous avons maintenant à notre disposition le seul Supercanon du monde.

– Jusqu'à ce que quelqu'un en construise un autre, dit Gamache. Où sont les plans ?

– Nulle part. Gerald Bull les a détruits.

– Pourquoi êtes-vous si inquiète, dans ce cas ?

– Je ne suis pas inquiète.

– Que faites-vous encore ici ? demanda-t-il.

Elle ne trouva rien à répondre.

– Et pourquoi lisez-vous un dossier sur M. Bull ?

Elle écarta davantage les doigts pour mieux cacher la couverture.

– Vous n'avez rien d'une imbécile, madame Fraser. Pourquoi jouez-vous à ce jeu ?

– Je joue les imbéciles, à votre avis ?

– À propos du Supercanon, la rumeur se propage. Tous les villageois sont maintenant au courant. On leur a demandé de garder le silence, mais, bientôt, la nouvelle va se répandre au-delà de la vallée. Ce n'est qu'une question de temps. Des journalistes, des badauds et des scientifiques vont affluer. Comment savoir ce qui risque aussi de sortir de l'ombre ? De venir jeter un coup d'œil de ce côté. Le temps ne joue pas en votre faveur.

– C'est Isabelle Lacoste qui a ébruité la nouvelle, monsieur Gamache. Pas un vague « quelqu'un ».

Gamache resta parfaitement immobile. S'efforça de ne rien laisser paraître. Pas un mot, pas une expression, pas un tressaillement.

– C'était stupide de sa part, dit Mary Fraser. Elle n'a aucune idée du monde dans lequel elle s'est aventurée, et vous non plus, d'ailleurs. Vous pensez savoir, mais vous vous trompez. Il n'y a pas de règles, monsieur. Pas de lois. Nous sommes en apesanteur. Rien ne nous lie, rien ne nous retient.

– Je croyais que vous étiez archiviste.

Elle jeta un coup d'œil au dossier sur ses genoux.

– Je le suis. Et que sont les dossiers ? De l'information. Des connaissances. Que sont les connaissances ?

Il n'eut pas besoin de répondre ; elle non plus.

– Pourquoi êtes-vous ici ? demanda-t-il. Pourquoi vous ?

– Prudence, monsieur, se contenta-t-elle de répondre.

– Vous connaissiez Gerald Bull ? demanda Gamache. C'est le SCRS qui l'a tué ?

Silence. Il se pencha pour mieux scruter le visage terne, banal.

– Oui ou non ? insista-t-il.

– Vous n'avez pas été prudent, monsieur Gamache.

Il se leva et s'inclina légèrement. Elle resta à sa place. Au moment où il se penchait vers elle, elle chuchota :

– Il est étrange qu'un officier supérieur de la police décide de prendre une retraite anticipée au milieu de nulle part et que, peu après, on y découvre le Projet Babylone. N'allez pas croire que la coïncidence nous ait échappé.

Gamache se redressa, sincèrement étonné. Mais la véritable surprise restait à venir. Mary Fraser se leva pour lui faire face, son visage un peu mou soudain rigide.

– Et n'allez surtout pas croire que nous trouvons normal qu'un homme d'âge mûr se dise l'ami d'un garçon de neuf ans. Vous êtes un pervers ou vous attendiez quelque chose de la part de ce pauvre enfant. Et je découvrirai la vérité. Je vous ai à l'œil.

Gamache sentit que sa bouche s'était légèrement entrouverte, mais il n'y pouvait rien.

Le menaçait-elle ? Était-ce un autre stratagème ? Une pose ? Cette femme le croyait-elle vraiment impliqué dans cette affaire ?

Étaient-ils dans le même camp, elle et lui ? Il avait une idée très claire de ce qu'il pouvait et ne pouvait pas se permettre. Elle, il n'arrivait pas à la situer. Mary Fraser donnait l'impression d'être mal à l'aise en société, un peu empotée, gauche. De ne jamais dire un mot plus haut que l'autre, de préférer la compagnie des livres à celle de ses semblables. Mais elle était aussi forte et dotée d'une intelligence féroce.

Armand Gamache ne commettait jamais, au grand jamais, l'erreur de diaboliser les femmes fortes. Il avait été élevé par l'une d'elles, en avait épousé une autre et avait cédé sa place à la Sûreté à une troisième. Mais il était loin d'avoir le sentiment de pouvoir se fier à celle-ci.

Il recula de quelques pas et l'examina pour tenter de déterminer si elle avait vraiment des soupçons sur lui ou si elle avait simplement cherché à lui rendre coup pour coup.

– Qu'y a-t-il à Highwater ? demanda-t-il.

– Vous me menacez ? répondit-elle d'un air sincèrement angoissé.

Il n'attendait pas cette réaction.

Il aurait préféré en toucher un mot à Lacoste et à Beauvoir au préalable, mais, en les voyant quitter Three Pines, dans la matinée, il avait pris sur lui de téléphoner à Yvette Nichol, ex-collègue de la Sûreté. Il lui avait demandé de suivre à la trace les mouvements des enquêteurs du SCRS à l'aide de leurs téléphones cellulaires. Elle l'avait rappelé une demi-heure plus tôt.

Au lieu de passer la journée à examiner le Supercanon de Gerald Bull ou à chercher les plans, Mary Fraser et Sean Delorme, selon les signaux émis par leurs appareils, s'étaient rendus à Highwater, village situé à une trentaine de kilomètres, à la frontière du Vermont.

– Ma question était menaçante ? fit Gamache. Ce n'était pas mon intention. Je vous présente mes excuses.

En sortant de la petite bibliothèque, il sentit le regard de la femme lui vriller le dos.

Au moins, il savait où il irait ensuite.

Il ne se rendit pas à destination.

Sur la galerie du gîte, Armand Gamache vit Lacoste et Beauvoir qui rentraient au village. Leur voiture ralentit et se rangea sur le côté. Jean-Guy sortit la tête par la fenêtre.

– Il faut qu'on parle, dirent les deux hommes en même temps.

– Je viens au poste de commandement, ajouta Gamache.

À leurs visages, il comprit qu'il s'était passé quelque chose.

Quand la voiture démarra, il remarqua un exemplaire de la pièce de Fleming sur la banquette arrière, la couverture tapissée de pattes de mouche.

Lacoste et Beauvoir attendirent près de la voiture qu'Armand ait traversé le pont jusqu'à la vieille gare.

– Que s'est-il passé ? demanda-t-il.

– Vous d'abord, dit Lacoste lorsqu'ils eurent pris place autour de la table de conférence.

– Je sais où les agents du SCRS ont passé la journée d'hier, dit Gamache. J'ai demandé à l'agente Nichol de suivre les signaux émis par leurs cellulaires. Je suis conscient d'avoir dépassé les…

Lacoste sourit et leva la main pour interrompre son acte de contrition.

– Pas la peine, je vous en prie. Votre aide est la bienvenue.

Gamache hocha sèchement la tête.

– Ils se sont rendus dans un village appelé Highwater. Au Québec, près de la frontière du Vermont, à environ trente kilomètres d'ici.

– Vous connaissez ? demanda Jean-Guy en consultant l'énorme carte punaisée au mur.

– Non, répondit Gamache en se joignant aux deux autres.

Ayant fait la recherche au préalable, il indiqua l'endroit.

– Je n'y ai jamais mis les pieds. À première vue, c'est tout petit.

– Hum, fit Lacoste. Avez-vous une idée de ce qu'ils sont allés fabriquer là-bas ? Un rendez-vous ?

– Possible, dit Gamache pendant qu'ils se rassoyaient. Ils sont restés au même endroit pendant la plus grande partie de la journée, puis ils sont rentrés directement. À vous maintenant.

– Antoinette Lemaître a été assassinée, dit Isabelle en enregistrant le choc sur le visage de Gamache. Je sais que c'était une amie à vous.

Il se redressa sur sa chaise et les regarda tour à tour. Absorba la nouvelle.

– Comment est-ce arrivé ?

– Sa maison a été saccagée, répondit Beauvoir. Comme si elle avait surpris un cambrioleur ou qu'on voulait nous le laisser croire. Elle semble s'être cogné la tête sur le coin du foyer en tombant. Selon la D[re] Harris, c'est arrivé entre vingt et une heures trente et deux heures trente.

– Elle devait venir chez Clara, dit Armand. Elle a téléphoné pour se décommander. Je me demande si le tueur…

– … a cru qu'elle serait chez Clara et que la maison serait vide ? fit Lacoste. C'est possible.

Beauvoir s'excusa pour aller passer quelques coups de fil, tandis que Lacoste, à l'intention de Gamache, exposa succinctement les faits tels qu'ils les comprenaient. Gamache était silencieux, concentré. Sans prendre de notes, il était attentif au moindre détail.

– Nous avons demandé aux voisins s'ils avaient remarqué quelque chose, mais ils regardaient tous *Les filles de Caleb*.

– Peut-être est-ce justement pour cette raison qu'Antoinette avait proposé à ses invités de venir à ce moment-là. Elle ne voulait pas qu'on les voie arriver, dit Beauvoir en revenant.

– Pourquoi s'entourer d'un tel secret s'il s'agissait seulement de membres de la troupe de théâtre ? demanda Gamache.

– Parce que ce n'était pas le cas, répondit Beauvoir. Je viens de les avoir au téléphone. Depuis leur désistement, ils sont sans nouvelles d'Antoinette. Elle a menti à Brian ou encore c'est Brian qui nous a menti.

– Il savait que nous finirions par découvrir la vérité, tôt ou tard, dit Lacoste.

Elle prit un moment de réflexion.

– Le plus probable, c'est qu'Antoinette lui a menti.

– Mais pourquoi ? demanda Gamache. Qui étaient donc ces fameux visiteurs ?

– Et l'ont-ils tuée ? ajouta Beauvoir. Ça paraît probable. Mais c'était risqué. Imaginons qu'Antoinette ait dit à Brian qui elle attendait en réalité ?

– Ils devaient savoir qu'elle ne dirait pas la vérité à leur sujet, dit Lacoste. Il s'agissait donc d'un secret.

– Un secret honteux ? dit Beauvoir en lançant des idées en l'air. Un truc illégal ou moralement contestable ? Une aventure ?

Ils se regardèrent, tous les trois. Puis les yeux de Gamache se posèrent sur le texte. Tout semblait converger vers elle. La pièce maudite.

Beauvoir suivit son regard.

– Oui, nous nous sommes posé la même question. Se pourrait-il que la mort d'Antoinette soit liée à la pièce de Fleming ? Les visiteurs la cherchaient-ils ? Est-ce la raison du désordre indescriptible qui régnait dans la maison ? Brian l'avait apporté à Montréal, mais ces gens ne pouvaient pas le savoir.

Gamache se leva.

– J'ai presque fini de la lire. À ma connaissance, il n'y a rien de caché dans cette histoire. Vous avez besoin de moi ? J'avais le projet d'aller faire un tour à Highwater, mais il se fait tard. Avec cette nouvelle, je pense que je vais plutôt rentrer chez moi. Vous permettez que je prévienne Reine-Marie ?

– Oui. En fait, il vaut mieux prévenir tout le monde, dit Lacoste. Je viens avec vous pour commencer les interrogatoires.

– Il y a une chose qu'il faut que vous sachiez, Isabelle.

Il s'arrêta et elle se tourna vers lui.

– J'ai interrogé Mary Fraser à propos de la petite virée à Highwater. Delorme et elle savent que nous savons qu'ils sont allés là-bas.

– Sa réaction ?

– Elle m'a demandé si c'était une menace.

– Hum..., fit Lacoste. C'est bizarre. Je me demande ce qu'elle voulait dire par là ?

– Et moi, je me demande ce qu'il y a à Highwater.

– Je vais faire quelques recherches à mon retour au poste de commandement.

– Vous avez d'autres chats à fouetter, dit-il. Je m'en occupe. J'ai encore mes codes de sécurité.

– Oh, patron… Vous pourriez causer des dommages, dit Lacoste en souriant.

– C'est drôle, mais Mary Fraser semble du même avis. Elle m'a pratiquement accusé d'être impliqué dans la mort de Laurent et d'avoir pris part aux recherches menées pour trouver le Supercanon de Gerald Bull.

– Dans ce cas, elle est complètement folle.

– Complexe, disons, répondit-il. Il y a environ une semaine, j'ai justement bavardé avec une vieille amie qui travaille au SCRS. Je vais la rappeler et lui demander de faire quelques vérifications sur Mary Fraser et Sean Delorme. En douce, évidemment. Autre chose : ils savent que c'est vous qui avez ébruité les informations relatives au Projet Babylone.

Isabelle Lacoste écarquilla les yeux, juste un peu, et soupira.

– Bon, ça devait arriver tôt ou tard. Je ne suis pas inquiète.

Pourtant, elle le paraissait. « Avec raison », songea Armand, au moment où, dans le village paisible, ils se séparèrent. Il commençait à comprendre que Mary Fraser était le genre de femme qu'on avait tout intérêt à avoir dans son camp. Mais dans quel camp était-elle ? Là était la question.

25

Clara Morrow se laissa choir sur la chaise du bistro. Elle prenait un verre avec quelques amies, dont Myrna, lorsque Isabelle Lacoste était entrée.

À sa mine, elles comprirent tout de suite que les nouvelles étaient mauvaises. Mais ni Clara ni les autres clients n'auraient pu s'imaginer à quel point.

Antoinette était morte. Assassinée.

Comme toutes les personnes réunies dans la salle, Clara s'était levée en entendant la nouvelle. Elle se laissa retomber aussitôt et consulta du regard Myrna, qui avait réagi de la même façon.

– Que se passe-t-il donc, ici ? demanda Clara.

– C'est à cause de cette pièce maudite, dit Ruth, quelques tables plus loin. Elle n'aurait jamais dû la monter.

Elles sombrèrent une fois de plus dans le silence en réfléchissant à la pièce et à son auteur.

C'était comme si une ombre longue, allongée, s'était glissée entre les barreaux de la cellule de Fleming et s'étirait jusqu'à eux. Tel un doigt maigre, grotesque.

Et, la nuit dernière, l'ombre les avait atteints.

Clara et Myrna allèrent retrouver la vieille poète qui griffonnait dans son carnet. Des vers, constata Clara, sans être capable de déchiffrer les mots. Gabri et Olivier avaient déjà pris place autour de la table.

Le professeur Rosenblatt, assis à une table de coin, les observait depuis les confins de leur univers. Clara lui fit signe et il s'approcha. La force du nombre... Mais tous avaient conscience que ce réconfort était illusoire.

L'inspectrice-chef avança une chaise et s'assit avec eux.

– Qu'est-ce qui s'est passé ? demanda Olivier.

Elle leur raconta ce qu'elle pouvait.

– Vous avez une idée de qui a pu faire ça à Antoinette ? demanda Myrna.

Ils parlaient à voix étouffée.

– Pas encore.

– Ou pourquoi ? demanda Clara.

Une fois de plus, Lacoste secoua la tête.

– Quand Antoinette a téléphoné hier pour prévenir qu'elle ne viendrait pas, a-t-elle dit autre chose ?

Clara prit un moment pour réfléchir.

– Elle a dit qu'elle était fatiguée et qu'elle avait besoin de passer une soirée tranquille, toute seule.

– Quelle impression vous a-t-elle faite ? demanda Lacoste.

Ce fut au tour de Clara de secouer la tête.

– Désolée, mais je n'ai rien retenu de plus. Brian était absent, et elle avait envie de passer la soirée seule.

– Comment saviez-vous qu'il était absent ?

– C'est elle qui me l'a dit lorsque j'ai téléphoné pour les inviter, l'après-midi.

– Qui d'autre savait qu'il serait à l'extérieur ?

Lacoste balaya l'assemblée des yeux. Les autres secouaient la tête.

– Vous saviez que Brian se rendait régulièrement à Montréal pour assister à des réunions ?

– Nous savions qu'il devait s'y rendre de temps en temps, dit Olivier. Et qu'ils avaient un pied-à-terre en ville, mais nous n'étions pas au courant de ses allées et venues.

– Mon Dieu, fit Gabri. Pauvre Brian. Il est au courant ?

– C'est lui qui l'a trouvée, dit Lacoste. Ce matin.

– Je vais l'appeler, dit Gabri en se levant pour se diriger vers le téléphone. Je vais lui proposer de venir passer quelques jours avec nous.

– Cette mort est liée au canon ?

La question était venue du professeur Rosenblatt qui, jusque-là, était resté silencieux.

– Nous ne savons pas, répondit Lacoste.

– Mais comment est-ce possible ? demanda Myrna. Antoinette n'a jamais rien eu à voir avec cette affaire, non ?

– Pas à notre connaissance, dit Lacoste.

– C'est la pièce, répéta Ruth. John Fleming.

– Une personne a pu tuer Antoinette parce qu'elle était en colère à cause de la pièce, concéda Lacoste. Et laisser croire qu'il s'agissait d'un cambriolage. À première vue, c'est le mobile le plus probable. Mais John Fleming n'y est pour rien. Il est en prison. Depuis des années.

– Vraiment ?

– Où veux-tu en venir, Ruth ? demanda Clara.

– Tu devrais pourtant le savoir mieux que quiconque, répondit la vieille poète en se tournant vers elle. Les créations sont des créatures, dotées d'une vie propre. Cette pièce est Fleming et Fleming est un meurtrier.

– *Et quelle bête brute, revenue l'heure,* déclama Rosenblatt, les yeux baissés sur le carnet de Ruth, *Traîne la patte vers Bethléem, pour naître enfin ?*

Ruth lui lança un regard noir et referma son carnet, si sèchement que le claquement les fit tous sursauter.

Après avoir mis Reine-Marie au courant pour Antoinette et lui en avoir parlé jusqu'à épuiser le sujet, Armand se rendit dans le bureau et commença à chercher des informations sur Highwater.

Le village semblait inoffensif. À l'instar de bien des localités, il avait pris naissance à la frontière du Vermont. À une certaine époque, il avait connu la prospérité grâce à des scieries et au transport ferroviaire. Mais, comme bien des petits villages, il avait périclité lorsque la compagnie de chemin de fer avait fermé la gare. Désormais, il était presque invisible.

Armand passa au moins deux heures dans le bureau sans trouver quoi que ce soit de remarquable à propos d'Highwater. Absolument rien qui justifie que deux agents du renseignement y passent toute une journée.

Pourtant, il y avait là quelque chose. Une chose ou une personne avait attiré Mary Fraser et Sean Delorme là-bas.

Il sortit du bureau et ses yeux se posèrent sur sa copie de la pièce de Fleming. Il saisit *La Presse* de la veille et s'installa dans un fauteuil. Puis il se leva pour voir comment Reine-Marie s'en sortait. Elle préparait le souper.

– Tu as besoin d'un coup de main ? demanda-t-il, même s'il connaissait déjà la réponse.

Quand elle était bouleversée, Reine-Marie aimait hacher, mesurer, touiller. Suivre une recette. En cuisine, tout est en ordre. Pas d'approximations. Pas de surprises.

C'était à la fois créatif et apaisant, le résultat, réconfortant et prévisible.

– Non, je vais bien. Et oui, je vais bien au sens où l'entend Ruth, dit Reine-Marie en faisant référence au titre d'un des recueils de poèmes de Ruth, où BIEN voulait dire bête, inquiet, emmerdeur, névrosé.

Il rit, l'embrassa et retourna dans le salon, où il s'empara d'un numéro du *New Yorker*. Ses yeux, cependant, étaient attirés par le texte posé sur la table près de la porte.

Enfin, il leur servit à boire et, saisissant la pièce maudite, il s'y plongea.

Il devait sans cesse se rappeler que l'objet qu'il tenait entre ses mains n'avait rien de surnaturel. Rien de malveillant. Il ne possédait que le pouvoir qu'on voulait bien lui accorder.

Armand s'efforça de lire encore quelques pages, puis il jeta un coup d'œil vers les tablettes qui tapissaient les murs, pleines à ras bord de titres que Reine-Marie et lui chérissaient.

Là où les grands-parents d'Armand avaient autrefois suspendu des crucifix et des images de bénédiction, Reine-Marie et lui rangeaient des livres. Des livres d'histoire. Des ouvrages de référence. Des biographies. Des romans, des essais. Des récits s'alignaient sur les murs, les isolaient du monde extérieur en même temps qu'ils les raccordaient à lui.

Il posa le texte sur le canapé et se leva pour examiner les rayons. Lire les titres familiers. Toucher les couvertures.

Ses batteries ainsi rechargées, il revint à la pièce et poursuivit laborieusement sa lecture.

Quelques minutes plus tard, le téléphone sonna et Gamache se rendit compte qu'il serrait le texte, tant qu'il dut faire un effort pour le lâcher.

– Chef? fit Lacoste, dont la voix trahissait l'excitation.

– Oui?

– Vous pouvez venir au poste de commandement? Nous avons du nouveau.

– À propos de l'affaire Lemaître?

– Oui, mais pas uniquement.

– J'arrive.

Il demanda à Reine-Marie d'attendre un peu avant de servir et lui expliqua où il allait.

– Invite-les à souper, si tu veux! lança-t-elle dans son sillage. Il y en a largement assez pour tout le monde.

Son accablement était tel qu'elle avait prévu quatre services et songeait sérieusement à préparer des amuse-bouches.

– Adam, fit Gamache en gratifiant le jeune homme d'une poignée de main à la fois ferme et enveloppante. Dieu merci, vous voilà!

– Chef, dit Adam Cohen avec ravissement.

– Vous faites partie de l'équipe d'enquêteurs chargée de l'affaire Lemaître?

– Mon Dieu, non, monsieur. On ne me permettra pas de m'approcher de l'enquête. C'est à peine si l'inspectrice-chef Lacoste me laisse quitter mon bureau au quartier général.

– Et pourtant, vous voici à Three Pines. Vous devriez venir plus souvent. Je dois normalement me satisfaire de mon gendre.

Gamache gesticula en direction de Jean-Guy Beauvoir.

– J'ai bien peur que votre fille ait fait un choix discutable, monsieur, dit l'agent Cohen en feignant de murmurer.

– C'est de famille, dit Gamache. Sa mère a commis le même genre d'erreur.

Il examina le jeune agent. Recalé à l'école de police, celui-ci avait accepté un poste de gardien dans un établissement pénitentiaire. Mais il était venu en aide à Gamache à un moment critique, alors que tous les autres l'abandonnaient, et Gamache ne l'avait pas oublié. Il avait obtenu que Cohen soit admis de nouveau à l'école de police et lui avait servi de mentor jusqu'à ce qu'il décroche son diplôme.

Il avait demandé à Lacoste de prendre Cohen comme stagiaire et d'en faire son protégé, de veiller sur lui. Son dernier geste à lui comme inspecteur-chef et l'un des premiers de celle qui lui avait succédé.

– Qu'est-ce qui vous amène ? demanda Gamache.

– L'inspectrice-chef Lacoste m'a demandé de faire des recherches sur la famille d'Antoinette Lemaître. J'ai essayé de lui envoyer mes résultats, mais la connexion Internet est si mauvaise ici que j'ai décidé de les apporter moi-même.

– Il a réussi à ronger sa chaîne, dit Beauvoir en entraînant tout le monde vers la table de conférence.

Gamache s'assit et parcourut un à un les visages qui lui faisaient face avant de s'arrêter enfin sur celui de Lacoste.

– Qu'avez-vous trouvé ?

Elle se pencha vers l'avant.

– La maison où habitait Antoinette Lemaître était à son nom, mais, avant, elle appartenait à son oncle.

Gamache hocha la tête. Il était au courant. Brian le leur avait dit.

Armand Gamache remarqua que l'agent Cohen avait posé devant lui une page à l'envers.

Cohen, comprit Gamache, avait un côté théâtral, voire cabotin, plutôt affirmé. C'était sans doute inévitable quand on avait Jean-Guy Beauvoir comme professeur.

– La famille de Guillaume Couture est originaire de la région, expliqua l'agent Cohen. Il a bâti sa maison sur l'une des terres qu'il possédait. Pas d'autres proches parents. Il y a pris sa retraite au début des années 1990.

Cohen approcha ses doigts du bord de la page.

– Il est mort en 2005. Un cancer. Mais, avant de prendre sa retraite, il exerçait une profession fascinante.

– Ingénieur, dit Gamache. Antoinette nous a raconté qu'il construisait des sauts-de-mouton. Je n'irais pas jusqu'à dire que c'est une profession terne, mais « fascinante »… C'est peut-être un peu exagéré.

Adam Cohen retourna la page.

C'était une photo granuleuse en noir et blanc, un agrandissement. On y voyait un groupe d'hommes se tenant debout dans une sorte de tube.

Gamache chaussa ses lunettes et se rapprocha.

– Voici, fit Adam Cohen en montrant du doigt, Guillaume Couture.

Devant l'objectif, l'homme à l'apparence banale souriait d'un air presque dément. Il avait des cheveux raides et ternes et portait des lunettes à la lourde monture, une cravate et un costume mal ajusté. Il était flanqué de deux hommes. Le premier, coiffé d'une casquette, baissait les yeux sans regarder l'appareil, tandis que l'autre paraissait indifférent, voire dédaigneux. Impatient.

Gamache sentit ses joues se glacer. Il leva les yeux de la photo et croisa le regard fébrile de l'agent Cohen.

Puis il retira ses lunettes et dévisagea tour à tour Beauvoir et Lacoste.

Ils l'observaient d'un air de triomphe. Non sans raison.

– Le voici, notre lien, fit Lacoste en posant l'index sur le visage revêche du troisième homme.

C'était Gerald Bull.

Gamache prit une profonde inspiration en essayant de tout absorber.

– Guillaume Couture connaissait Gerald Bull.

– Plus que ça, monsieur, dit l'agent Cohen. La photo est tirée de la notice nécrologique de M. Couture. Pas celle qu'on a publiée dans les quotidiens. Elle vient du journal des anciens de McGill.

– Guillaume Couture a fait ses études à McGill ?

– Non. C'est un diplômé de l'Université de Montréal, répondit Cohen. Par contre, il a travaillé à McGill.

– Dans quel département ? demanda Gamache.

– M. Couture était ingénieur mécanicien, répondit l'inspectrice-chef Lacoste. Mais il a été détaché au Département de physique, où il a participé au Projet de recherche sur la haute altitude.

– Le PRHA, dit Adam Cohen en reculant sur sa chaise.

Ayant décidé que cette posture était trop désinvolte, il se pencha de nouveau vers l'avant.

– L'ancêtre du Projet Babylone.

– L'oncle d'Antoinette travaillait avec Gerald Bull, dit Gamache.

26

Le souper débuta par une soupe aux panais et aux pommes garnie d'un trait d'huile de noix.

– C'est la recette d'Olivier, dit Reine-Marie en tamisant l'éclairage de la cuisine.

Elle avait allumé des chandelles, moins pour créer une ambiance romantique pour Armand et elle, Isabelle et Jean-Guy ainsi que le jeune M. Cohen, que pour leur offrir l'atmosphère paisible créée par les lumignons et les flammes vacillantes au crépuscule. Si la conversation était rude, le cadre, au moins, serait doux.

Ils étaient venus chez les Gamache pour manger et poursuivre la discussion amorcée au poste de commandement.

– Y avait-il chez Antoinette des preuves du lien entre son oncle et Gerald Bull ? demanda Armand.

– Rien, répondit Jean-Guy. On n'a rien trouvé au sujet de son oncle. *Nada.* Pas de photos, pas de cartes de souhaits. Pas de documents personnels. Si nous n'avions pas su que Guillaume Couture était l'oncle d'Antoinette et qu'il avait autrefois habité cette maison, ce n'est pas sur place que nous l'aurions appris.

Gamache prit deux ou trois cuillérées de soupe. Onctueuse, roborative et juste un peu sucrée.

– C'est délicieux, dit-il à Reine-Marie, la tête ailleurs.

– Certaines personnes ne sont pas nostalgiques, dit Lacoste. Mon père, par exemple. Il ne garde ni lettres ni papiers.

– Peut-être Antoinette voulait-elle simplement s'approprier la maison, risqua Jean-Guy. Dieu sait qu'elle était égocentrique. Les effets de son oncle n'étaient peut-être pas les bienvenus dans la maison seigneuriale.

– Même pas une photographie ? s'étonna Reine-Marie. Ils étaient assez proches pour qu'il lui lègue la maison, mais elle, de son côté, n'aurait gardé absolument aucun souvenir de lui ? Ça sent la purge, je trouve.

Armand donna raison à Reine-Marie. Une telle forme d'épuration trahissait bien davantage qu'une volonté d'asseoir sa mainmise sur un lieu.

– C'était peut-être le but du tueur, dit Isabelle. Effacer toutes les traces de M. Couture et des liens qui l'unissaient à Gerald Bull.

Gamache se souvint de la conversation qu'il avait eue avec Mary Fraser plus tôt dans la journée. Et du dossier que l'archiviste du SCRS s'était dépêchée de cacher. Mais pourquoi cacher un dossier sur Gerald Bull ? Personne ne se serait étonné de la voir en possession d'un tel document.

Non, elle cherchait à cacher le nom qui figurait sur le dossier parce qu'il était inattendu. Et Gamache avait cru savoir de qui il s'agissait. Mais il avait fait fausse route. C'était le dossier de Guillaume Couture et non celui de Gerald Bull qu'elle lisait.

– Le plus probable, c'est que le tueur cherchait quelque chose qu'il soupçonnait M. Couture d'avoir chez lui, dit Beauvoir.

– Les plans du Projet Babylone, fit Lacoste. Serait-ce donc à cause d'eux qu'Antoinette a été tuée ? Pour une chose qu'elle ignorait avoir en sa possession ?

– Mais pourquoi Guillaume Couture aurait-il eu les plans ? demanda Beauvoir. J'ai peine à croire que Gerald Bull les aurait confiés à qui que ce soit.

– Il les a peut-être volés à Bull, dit Lacoste.

– D'accord, disons qu'il les a volés, poursuivit Beauvoir. Ensuite, il les garde chez lui, sans rien en faire. Pourquoi ne les a-t-il pas vendus, s'ils sont si précieux ?

– Il voulait peut-être empêcher la construction d'un autre canon, risqua Cohen.

– Pourquoi ne pas les avoir détruits, dans ce cas ? répliqua Beauvoir. Pourquoi les avoir gardés ?

– Nous ne savons pas s'il les a conservés, souligna Lacoste. Nous sommes raisonnablement certains qu'il ne les a pas vendus, car aucun autre canon n'a été construit. Il les a peut-être détruits. Nous n'en savons rien. Le tueur n'en savait rien, lui non plus.

– D'accord, mais ça suppose que le tueur était au courant du lien entre l'oncle d'Antoinette et Gerald Bull, dit Reine-Marie. Pourquoi n'est-il pas venu chercher les plans plus tôt ? Pourquoi maintenant ?

– Parce que le canon a été découvert, dit Lacoste. C'est le déclencheur. Jusque-là, les plans ne valaient pas un clou. Une fois le modèle trouvé…

– Ils ont pris une valeur inestimable, dit Reine-Marie. Je comprends.

– Il y a une autre possibilité, dit Gamache. Gerald Bull n'a jamais eu les plans.

Ils le dévisagèrent. Après la soupe, ils étaient passés aux fettucinis au saumon grillé avec du fenouil et des pommes.

– Pendant qu'il vivait à Bruxelles, on a fouillé son appartement à quelques reprises, sans rien trouver, expliqua Gamache. Après son assassinat, de nombreuses personnes ont cherché les plans, mais en vain. On a supposé que Bull, se sachant dans le pétrin, les avait détruits. Imaginons maintenant qu'on ne les ait pas trouvés chez lui parce qu'il ne les avait pas ?

– Parce qu'il les avait donnés à M. Couture, dit Lacoste.

– Ou parce que Couture les avait volés, dit Beauvoir.

– Ou, ajouta Gamache, parce que Gerald Bull ne les avait jamais eus.

– Vous pensez que Gerald Bull servait de « vitrine », dit Lacoste, et que Couture était le vrai génie des deux ?

– Je pense qu'il est possible que M. Bull n'ait jamais eu les plans parce que ce n'est pas lui qui les a réalisés, dit Gamache. Vous avez toujours la photo, Adam ?

L'agent Cohen se leva d'un bond et revint un instant plus tard avec la photo. Il la posa sur la table et tous se penchèrent.

– Plus de lumière ? demanda Reine-Marie.

– Non, ça ira, répondit son mari.

Les chandelles avaient bel et bien un effet réconfortant.

– Ils formaient peut-être l'équipe idéale, dit Armand en examinant la photo. Bull, un type sociable, extroverti. M. Couture, plus effacé, un scientifique célibataire. Voué corps et âme à son travail.

– Le Projet Babylone, dit Beauvoir.

– D'après vos conclusions, poursuivit Gamache en se tournant vers Cohen, M. Couture a commencé à travailler avec Gerald Bull à McGill dans le cadre du PRHA.

– Exactement, dit Cohen. Mais quand le financement du Projet de recherche sur la haute altitude a été supprimé, M. Bull a quitté l'université.

– Qu'a-t-il fait ensuite ? demanda Gamache.

– Il a créé la Société de recherches spatiales, répondit Cohen.

– Et celle-ci a mis au point le canon à longue portée qui allait devenir le Projet Babylone, dit Lacoste. C'était une société privée, dirigée par Bull.

– Gerald Bull est devenu un marchand d'armes, dit Gamache. Mais peut-être pas un concepteur.

– D'où la réalisation du Projet Babylone ici, où résidait Guillaume Couture, dit Beauvoir.

– Il a construit le prototype près de chez lui, dit Lacoste. Où il pouvait suivre l'évolution des travaux, à l'insu de tous. Au beau milieu d'une forêt québécoise, où ni les Iraniens, ni les Israéliens, ni les Irakiens, ni les Canadiens ne risquaient de venir fourrer leur nez. Un canon inexistant dans un village inexistant, en somme.

– L'endroit le plus improbable sur terre, dit Beauvoir. Three Pines.

– Et personne ne s'est douté que Gerald Bull n'était pas le créateur du Projet Babylone ? demanda Cohen.

– Comment l'aurait-on su ? répondit l'inspectrice-chef Lacoste. D'ailleurs, qui s'en souciait ? Et quelle importance, au fond ? Tout ce qui comptait, c'était le résultat final.

– Lorsque Bull est assassiné, Couture prend peur, continua Beauvoir. Il cache les plans, ou il les détruit, et il se planque. Il prend sa retraite, cultive des poivrons et des tomates et s'efforce d'oublier l'engin dans les bois.

– Il a été recouvert d'un filet de camouflage, dit Gamache. On a tenté de le dissimuler. On a aussi retiré le percuteur. Qui d'autre que le concepteur en aurait été capable ? Vous avez retrouvé le dispositif chez Antoinette ?

– Non, mais, à vrai dire, nous ne le cherchions pas, dit Beauvoir. Nous irons jeter un autre coup d'œil.

– S'il était là, le tueur l'a sans doute pris, dit Gamache. Mais ça vaut la peine de vérifier.

– Je vais faire doubler la surveillance du canon, dit Lacoste en se dirigeant vers le téléphone.

Soudain, la lumière s'intensifia, et Armand se tourna vers Reine-Marie, campée près du gradateur. Elle revint vers la table.

– Sacrée façon de tuer l'ambiance, dit Beauvoir.

– Il faut que j'examine cette photo de plus près, dit-elle en se penchant.

– Vous reconnaissez quelqu'un, madame Gamache ? demanda Adam Cohen.

– Non, mais le lieu me dit quelque chose. Armand ?

Sur l'agrandissement à gros grain, les trois hommes se tenaient au sommet d'un très long tunnel incliné vers le bas. Les murs semblaient être faits de métal et d'autres bandes de métal surgissaient des parois et du plafond. D'énormes luminaires étaient fixés en hauteur.

– Je ne crois pas qu'il s'agisse d'un tunnel, dit-elle. Je crois plutôt qu'ils se trouvent dans un long cylindre.

– La bouche d'un canon, peut-être, dit Gamache.

– Un canon vraiment énorme, alors.

– Nous avons déjà un canon colossal sur les bras, dit-il.

– Je ne crois pas que ce soit un canon, dit Beauvoir, penché sur l'épaule de Mme Gamache. On dirait plutôt un escalier.

– Un escalier roulant, peut-être ? risqua Armand.

L'endroit semblait vaguement familier, en effet. Une station de métro ? Un aéroport ? Il pouvait se trouver n'importe où.

– J'y suis presque, dit Reine-Marie. Ça me rend folle.

– C'est probablement sans importance, dit Armand. De toute évidence, c'est une photo vieille de plusieurs années.

– Que se passerait-il si quelqu'un construisait un autre de ces canons ? demanda Reine-Marie.

Gamache resta un moment silencieux, puis il ouvrit la bouche. Aucun mot n'en sortit. Aucun des mots de réconfort qu'il aurait voulu prononcer. Des mots qui auraient eu le même effet que les chandelles. Devant les yeux horrifiés de Reine-Marie, il referma simplement la bouche et la dévisagea.

– Tu penses que le tueur a trouvé les plans ? demanda-t-elle doucement.

– Je ne sais pas, répondit-il. Mary Fraser m'a accusé de ne pas comprendre tous les dangers du monde des marchands d'armes. Et elle a raison. Je pense que nous n'avons jamais eu à faire face à une menace comparable. Les engins de mort que ces gens-là achètent et vendent dépassent presque l'entendement. Ils créent des guerres et les attisent, ils encouragent les génocides. Pour leurs fins personnelles. Et quels profits ! Des milliards sont en jeu. Les vies humaines sont sans valeur, accessoires.

Son ton neutre accentuait l'horreur de son propos.

– Je pense que nous devons nous préparer au pire, dit Jean-Guy. Supposer que les plans ont été trouvés.

Le repas prit fin peu après. Il n'y avait pas grand-chose à ajouter. On fit un peu de logistique : Adam Cohen prendrait la chambre de Beauvoir au gîte, tandis que Jean-Guy s'installerait chez les Gamache. Le jeune homme parut soulagé de ne pas devoir retourner en ville.

Après le départ de Lacoste et de Cohen, Armand, la vaisselle lavée, décida d'emmener Henri faire une promenade.

– Je peux me joindre à vous ? demanda Jean-Guy.

Ils firent le tour du parc dans un silence complice, tous les trois. C'était une nuit claire et froide, et ils voyaient leurs souffles. Le ciel était rempli d'étoiles et, sous la lune, les ombres, découpées par les trois pins géants, s'étiraient sur l'herbe jusqu'au bistro.

Ils virent le professeur Rosenblatt assis à une table. Gamache s'arrêta et réfléchit. Il se dit que le moment était venu.

– La nuit est fraîche, dit-il à Jean-Guy. J'ai besoin d'un remontant.

– Je me faisais justement la même réflexion, patron.

Une minute plus tard, ils étaient plantés devant la table du professeur.

– *Hello,* dit Armand.

– Bonsoir, répondit le professeur en levant les yeux et en souriant.

Armand sortit la photo de sa poche et, l'ayant posée sur la table du bistro, la fit lentement glisser vers Michael Rosenblatt.

– Répondez-moi maintenant, tout de suite, s'il vous plaît, dit Gamache. Gerald Bull est-il le créateur du Supercanon ? Ou a-t-il plutôt été conçu par quelqu'un d'autre ? Quelqu'un de plus futé ?

Il vit le sourire s'aplanir. S'aplatir. Mourir sur le visage de Rosenblatt.

27

– Dernier service ! lança Olivier derrière le bar.

Il y avait deux autres clients dans le bistro, deux jeunes amoureux qui se tenaient la main sur la table. Leur présence n'inquiétait pas Gamache. Manifestement, ils étaient perdus dans leur monde. Dont, par chance, ne faisaient pas partie les génocides, les ogives nucléaires et les choses sinistres cachées dans les forêts profondes. Gamache avait pour mission de faire en sorte que ces deux mondes ne se croisent jamais.

– Monsieur ? fit Gamache en désignant le cognac de Rosenblatt d'un geste de la tête.

– Je ne crois pas, non.

Le vieux scientifique avalait ses mots et le sang afflua d'un coup à son visage.

– Un verre d'eau, peut-être, patron, fit Beauvoir.

Olivier arriva avec une carafe et trois verres.

– Je me demandais quand vous finiriez par vous en rendre compte, dit Rosenblatt. J'aurais peut-être dû vous en parler.

– Oui, fit Gamache. Vous nous auriez rendu service et vous auriez peut-être sauvé une vie.

– Que voulez-vous dire ? lança le professeur Rosenblatt en écarquillant les yeux avant de les fermer hermétiquement dans un effort de concentration.

Ce n'était pas, comprit Gamache, un simple effet de l'alcool. L'homme semblait épuisé.

– La nuit dernière, une femme du nom d'Antoinette Lemaître a été assassinée.

– Oui, j'ai appris la nouvelle, c'est terrible. On semble croire que c'était lié à une pièce de théâtre. Il fallait qu'elle soit bien mauvaise.

– C'était la nièce de Guillaume Couture, dit Gamache.

Michael Rosenblatt les dévisagea comme si, tout à coup, ils étaient devenus flous, tous les deux.

– Guillaume Couture, répéta-t-il. Il y avait longtemps que je n'avais pas entendu ce nom.

– Comment le connaissiez-vous ? demanda Beauvoir.

La question sembla étonner Rosenblatt. Il jeta un coup d'œil à la photographie, puis regarda ses compagnons, tour à tour.

– Nous avons travaillé ensemble, brièvement. Avec Gerald Bull. À l'époque de McGill.

Ils attendirent. Les amoureux sortirent, bras dessus, bras dessous, et Olivier entreprit son ménage.

Ils attendirent encore.

Rosenblatt donnait l'impression d'être dans un état de stupeur.

– Où avez-vous trouvé ça ? demanda-t-il enfin en montrant la photo.

– Dans le journal des anciens de McGill. La notice nécrologique de M. Couture, répondit Beauvoir.

Michael Rosenblatt hocha la tête.

– Je me souviens d'avoir vu la notice et la photo et de m'être demandé si quelqu'un ferait le rapprochement. Mais non.

– Quel rapprochement ? demanda Gamache.

– À moins que je me trompe et que quelqu'un l'ait fait, après tout, poursuivit Rosenblatt, ignorant la question ou perdu dans ses pensées.

Il sembla se ressaisir, sortir de sa torpeur. Sa voix était plus nette. Ses yeux plus clairs.

Gamache n'était pas du tout certain que ce soit un avantage. Bientôt, le professeur dresserait de nouveau ses défenses. Chez cet homme qui avait passé sa vie à se défiler, elles étaient solides, vieilles et profondément incrustées.

– Il était très futé, vous savez. Allumé.

– M. Couture ? demanda Gamache.

Rosenblatt rit.

– Non. Pas lui. Gerald Bull. La plupart des scientifiques sont des idiots savants. Très calés dans leur domaine, ineptes dans presque tous les autres. Mais pas M. Bull. Il était parfois rébarbatif. Cassant, impatient. Mais il pouvait aussi se montrer charmant et habile. C'était un fin renard, vous savez. Il saisissait des détails qui échappaient aux autres. Un atout des plus utiles. Il établissait des liens. Pas seulement sociaux, même si ça lui arrivait aussi. Je veux parler de liens intellectuels. Il voyait comment les choses s'arrimaient.

– Et comme scientifique ? demanda Gamache.

Rosenblatt laissa entendre un petit rire.

– Comme scientifique, il était nul.

Il réfléchit un moment, puis se ravisa.

– J'exagère. Il avait fait son doctorat, après tout. C'était plutôt un bûcheur. Non, c'est vous qui aviez raison, hier, en affirmant qu'il avait surtout le génie des relations publiques. Celui d'inciter les autres à accepter l'inacceptable. Il pouvait se montrer impitoyable.

– Qui a conçu le Projet Babylone ? demanda Gamache.

Rosenblatt indiqua la photo d'un geste.

– Vous le savez déjà.

– J'aimerais vous l'entendre confirmer.

Bien que fatigué et cerné de toutes parts, le vieux scientifique, constata Gamache, avait encore le réflexe de se dérober : profondément enraciné, son instinct – et peut-être aussi sa formation – lui commandait de fuir.

– Quelqu'un a peut-être mis la main sur les plans, dit Gamache tout doucement.

– Ahh, dit Rosenblatt.

Le son lui échappa, semblable à la longue traînée d'un soupir.

Il hocha la tête à quelques reprises, engagé dans la poursuite de quelque conversation intérieure. Un débat. Une querelle. Puis il ouvrit les vannes.

– Guillaume Couture a conçu le Projet Babylone. Je soupçonne que c'est Gerald Bull qui en a eu l'idée, mais il avait besoin de quelqu'un de beaucoup plus calé que lui pour le réaliser. Il a donc déniché M. Couture, qui œuvrait dans l'anonymat au sein du Département de génie de McGill. Couture est devenu le concepteur-chef et l'associé invisible de Bull.

Maintenant qu'il était lancé, le professeur Rosenblatt semblait intarissable. C'était un tel flot d'informations et de confidences que Gamache fut porté à se méfier. À se demander s'il s'agissait de vérités, de demi-vérités ou d'un tissu de mensonges.

Les propos de Rosenblatt s'harmonisaient très bien avec leurs propres conclusions. Peut-être même un peu trop bien.

– Essentiellement, Gerald Bull a signé son arrêt de mort le jour où il s'est présenté comme le seul créateur du Projet Babylone, continua Rosenblatt. On l'a tué pour y mettre fin. Personne n'était au courant pour Guillaume Couture.

– Sauf vous, dit Beauvoir.

– Oh, je ne savais pas. C'est venu beaucoup plus tard. Ces recherches sur Gerald Bull n'ont eu de sens que le jour où j'ai compris qu'il y avait quelqu'un d'autre. Quelqu'un de plus intelligent.

– Vous pensez que M. Couture a conservé les plans ? demanda Beauvoir. Après tout, son patron avait été tué à cause d'eux.

– C'était l'œuvre de sa vie, répondit Rosenblatt. Guillaume était un homme sympathique et, à maints égards, un homme doux. Mais il était dépourvu de conscience. Et encore plus d'imagination. Non, c'est sans doute injuste. Disons plutôt qu'il était myope. Qu'il avait la vue courte. Il ne voyait que le défi à surmonter, le projet à mener à bien. Il ne voyait pas plus loin : il était incapable de prévoir les conséquences éventuelles de son travail.

– Et alors ? insista Beauvoir. Il les a gardés ou pas, les plans ?

– Je dirais que oui, fit Rosenblatt. C'était, je le répète, l'œuvre de sa vie. Le point culminant de sa carrière, aucun doute possible.

Il réfléchit un moment.

– Vous avez bien dit que la victime de la nuit dernière était sa nièce ?

– Elle habitait la maison de son oncle, expliqua Gamache.

En arrière-plan, l'horloge du bistro sonna l'heure. Minuit.

– Et vous n'avez pas trouvé les plans ? demanda Rosenblatt.

Gamache secoua la tête, tandis que, dans le silence, l'horloge continuait de sonner. Un coup mesuré après l'autre.

– Vous pensez que le tueur a les plans du Projet Babylone ? demanda Rosenblatt.

– Je pense que c'est possible. Nous devons supposer que oui, confirma Gamache.

L'horloge sonna une dernière fois, puis se tut.

– Minuit, l'heure du crime, inspecteur-chef, dit doucement Rosenblatt. Il est plus tard que nous le pensions.

Beauvoir vit les deux hommes échanger un regard entendu et comprit qu'une allusion lui avait échappé. Mais pas sa signification.

Ils raccompagnèrent le professeur au gîte et s'assurèrent qu'il était bel et bien monté à sa chambre. Sous la porte de Mary Fraser, de la lumière filtrait, et après une hésitation, Gamache y cogna tout doucement.

– Qu'est-ce que vous faites ? murmura Beauvoir.

– Les agents du SCRS doivent savoir que les plans ont peut-être été découverts, répondit Gamache à voix basse.

– Un instant, dit Mary Fraser d'une voix plaisante.

La porte s'ouvrit et elle s'encadra dans la porte, ajustant une robe de chambre étonnamment froufroutante.

– Oh.
– Vous attendiez quelqu'un d'autre ? demanda Beauvoir.
– Certainement pas vous, en tout cas, répondit-elle.
Elle portait ses lunettes et des documents étaient éparpillés sur le lit. Jean-Guy étira le cou pour voir de quoi il s'agissait, mais elle sortit en fermant la porte derrière elle.
– Que puis-je faire pour vous ? Il doit être tard.
Elle consulta sa montre.
– Minuit passé.
Les mots de Rosenblatt remontèrent à l'esprit de Beauvoir. *Il est plus tard que nous le pensions.*
– Il est possible que les plans aient été découverts, dit Gamache.
La femme studieuse qui passait sa vie dans un classeur disparut et ils se retrouvèrent devant une personne à l'esprit beaucoup plus acéré, malgré sa robe de chambre rose à fanfreluches.
– Suivez-moi, ordonna l'agente du SCRS en les entraînant jusque dans le coin le plus reculé du salon du gîte, au rez-de-chaussée.
– Devrions-nous convoquer M. Delorme ? demanda Gamache.
– Inutile, répondit-elle. Vous n'avez qu'à me communiquer l'information et je la lui transmettrai.
Gamache et Beauvoir prirent place dans les deux fauteuils restants.
– Vous avez peut-être entendu parler d'un autre meurtre commis dans la région, commença Gamache. Une femme du nom d'Antoinette Lemaître.
– Oui, le propriétaire du gîte m'a raconté. C'est lui le crieur du village, on dirait.
– Antoinette Lemaître était la nièce de Guillaume Couture.
Fraser regardait fixement Gamache, et les mots glissèrent sur le visage sans expression de la femme avant de sombrer

dans le silence. Pour une personne intelligente, prendre un air aussi impassible exige des efforts considérables, et Gamache se dit que, en ce moment, Mary Fraser travaillait très, très fort.

– La nièce de qui ? demanda-t-elle.

– Je vous en prie, madame, dit Gamache. Le temps presse. Vous savez aussi bien que moi que Guillaume Couture a travaillé avec Gerald Bull au PRHA et presque certainement au programme qui a donné naissance au Supercanon.

Une fois de plus, il sortit la photo de sa poche. Il la lui tendit après l'avoir dépliée. Elle haussa légèrement les sourcils et de minuscules lézardes se creusèrent sur son front.

– Vous ne pouvez pas être une spécialiste de Gerald Bull et ignorer cette association, dit Gamache.

Mary Fraser replia la photo et la lui rendit.

– M. Bull avait de nombreux collègues, y compris, je vous le rappelle, le professeur Rosenblatt.

– Vous avez raison, sauf que ce n'est pas la nièce du professeur Rosenblatt qui a été assassinée et dont la maison a été saccagée de la cave au grenier, répondit Gamache en reprenant la photo. Le temps nous manque et vos tactiques d'évitement nous en font perdre. On jurerait que c'est un jeu, pour vous. Nous savons tout ce qu'il faut savoir sur M. Couture.

– Vous ne savez rien du tout, siffla-t-elle. Vous vous appuyez sur des suppositions et non sur des faits. Et je vous interdis de me faire la leçon sur l'importance de nos actions. Vous avez renoncé à ce privilège le jour où vous êtes venu vous enterrer dans ce lieu pittoresque avec ses cafés au lait et ses petites fêtes. Vous voulez que je vous dise ce que je vois quand je vous regarde ?

– Vous me l'avez déjà dit cet après-midi. Un suspect, peut-être même un pédophile parce qu'il se trouve que j'étais attaché à un garçon de neuf ans.

Mary Fraser l'avait atteint au plus profond de son être et la plaie s'était rouverte d'un coup.

– Non, fit-elle. Je vois un hypocrite. Vous avez eu une occasion de prendre votre retraite et vous en avez profité, sachant que personne n'oserait vous faire de reproches. Je vois un homme qui s'empiffre de croissants et qui a peur, un homme qui tente désespérément de se cacher dans ce petit village. Inatteignable et irréprochable, vous nous laissez le soin de mener le combat. Et vous vous permettez de me juger, moi? Honte à vous, monsieur.

– Ça suffit…, commença Beauvoir.

– Non, dit Gamache en rompant le contact visuel avec Fraser pour se tourner vers Jean-Guy. Non, répéta-t-il en recouvrant peu à peu son sang-froid.

Il fit face à Mary Fraser.

– Je ne suis pas là pour discuter de mes choix de vie, dit-il. Je suis venu vous dire que quelqu'un a tué Antoinette Lemaître, hier soir, puis a fouillé sa maison de fond en comble. Nous pensons que cette personne était peut-être à la recherche des plans du Projet Babylone.

– Vous allez vite en besogne, laissa tomber Mary Fraser.

– Vraiment? Nous avons tout lieu de penser que c'est Guillaume Couture qui a conçu le Supercanon. Pas Gerald Bull. M. Bull était le vendeur, M. Couture le scientifique. Le canon a été construit précisément ici parce que M. Couture connaissait bien la région. Connaissait les gens. Et savait que personne ne viendrait chercher le Projet Babylone au fin fond d'une forêt québécoise. Bref, un arrangement parfait. Jusqu'au jour où Gerald Bull a été assassiné.

– Que des suppositions, dit-elle.

– Vous semblez résister à une telle possibilité, constata Gamache. Pourquoi donc? Nous avons la preuve d'un lien direct entre M. Couture et Gerald Bull…

– Vous m'avez montré une vieille photo floue.

– Nous avons autre chose, dit Gamache.

Beauvoir remarqua que Gamache s'était bien gardé d'impliquer le professeur Rosenblatt.

L'agente du SCRS paraissait parfaitement maîtresse d'elle-même. Ses mains reposaient sur les genoux, mais les bouts de ses doigts croisés avaient viré au blanc.

– Je ne vous apprends rien, n'est-ce pas ? demanda Armand Gamache, comprenant d'un seul coup. Vous étiez au courant depuis le début. C'était ça, le dossier que vous consultiez, cet après-midi ? Le nom que vous essayiez de me cacher ? Il s'agissait bien de Guillaume Couture.

Elle se redressa, sembla se blinder.

– À votre arrivée ici, vous étiez au courant du rôle joué par Guillaume Couture, mais vous n'avez rien dit, dit Gamache en haussant légèrement le ton. Vous ne nous avez pas prévenus, vous n'avez pas prévenu Antoinette Lemaître.

Elle ne disait rien.

– Nous aurions pu la sauver.

– Vous n'auriez rien pu faire du tout, lança-t-elle sèchement. Vous avez découvert plus de choses que je vous en aurais crus capables, mais vous vous immiscez dans un monde qui dépasse votre entendement. Reculez. Poussez-vous.

– Pourquoi ? Pour que d'autres personnes meurent pendant que vous poursuivez vos objectifs nébuleux ? demanda-t-il. De quoi s'agit-il, au juste ?

– Vous avez raison, nous étions au courant pour M. Couture, bien sûr, avoua Mary Fraser. Mais nous avons tous supposé que le Projet Babylone était mort avec Gerald Bull. Selon certaines rumeurs, un canon avait été construit, mais les rumeurs abondent dans le monde du renseignement. La plupart du temps, elles ont pour but de nous lancer sur de fausses pistes. Nous avons surveillé Couture pendant quelques années, mais, comme vous, il avait pris sa retraite ici, où il faisait pousser des roses et des tomates. Il s'est inscrit à un club de bridge. Bref, il s'est peu à peu effacé. La menace a disparu.

– Jusqu'à la découverte du canon.

– Oui. J'avoue que nous avons été surpris.

– Pourquoi ne pas nous avoir parlé de Guillaume Couture la première fois que vous avez vu le canon ? demanda Beauvoir. Pourquoi ne pas nous avoir parlé de son rôle dans la création du Projet Babylone, du fait qu'il avait habité la région et qu'il avait une nièce ?

Elle garda le silence.

– Vous ne vouliez pas que nous sachions, dit Beauvoir. Vous vouliez…

Gamache posa une main sur le bras de Beauvoir, qui s'interrompit aussitôt.

Mary Fraser ne s'était pas tournée vers Beauvoir. Elle n'avait pas quitté Gamache des yeux.

– Sage initiative, monsieur Gamache.

Beauvoir regardait fixement Gamache en se demandant pourquoi il lui avait intimé le silence.

– Nous sommes en mission officielle. Au nom du SCRS. Il y a bien quelqu'un au sujet de qui vous devriez vous poser des questions. Michael Rosenblatt. Que fait-il encore ici ?

C'était, comprit Gamache, une manœuvre de diversion. Une façon de détourner l'attention. Reste que la question, il devait bien l'admettre, se posait avec de plus en plus d'acuité.

– À votre avis ? demanda Beauvoir.

– Aucune idée, répondit-elle. C'est votre problème, pas le mien. J'ai une seule mission : veiller à ce que personne ne puisse construire une arme comme celle que nous avons trouvée dans les bois. C'est tout ce qui me préoccupe.

– Vraiment ? s'étonna Beauvoir. Et les vies humaines, dans tout ça ?

Elle regarda le jeune homme comme s'il venait de proférer une adorable énormité. Des mots qu'il apprenait à prononcer sans connaître leur signification.

– Vous voulez que je vous dise à quoi je pense quand je vous vois ? lui demanda Gamache.

– Franchement, ça m'est indifférent, répondit Mary Fraser.

– Je vois une femme qui tâtonne dans le noir depuis si longtemps qu'elle a perdu l'usage de ses yeux.

– Je me doutais que ce serait quelque chose du genre, répondit-elle en souriant. Mais vous vous trompez. Je ne suis pas aveugle. Simplement, mes yeux se sont adaptés à l'obscurité. J'y vois plus clair que la majorité de mes semblables.

– Et pourtant, vous ne voyez pas les ravages que vous causez, dit-il.

– Vous n'avez aucune idée de ce que je vois, dit-elle d'un ton dur et cassant. Ni de ce que j'ai vu. Vous n'avez aucune idée de ce que je cherche à prévenir.

– Racontez, fit Gamache.

Pendant un bref instant, Jean-Guy Beauvoir crut qu'elle allait se mettre à table. Puis le moment s'envola.

– Vous m'accusez de ne pas comprendre votre monde, dit Gamache. Et vous avez peut-être raison. De votre côté, vous ne comprenez plus le mien. C'est un monde dans lequel on peut se soucier de la vie d'un enfant de neuf ans et s'indigner de sa mort. C'est un monde dans lequel la vie et la mort d'Antoinette Lemaître ont de l'importance.

– Vous êtes un lâche, monsieur. Incapable d'accepter quelques morts pour en prévenir des millions. Vous croyez que c'est facile ? En tout cas, c'est facile quand on a couru se mettre à l'abri, comme vous. Moi, je reste. Je me bats.

– Pour le plus grand bien de tous ? demanda Gamache.

– Exactement.

Il se leva, écœuré soudain, et se planta au centre de la charmante pièce.

– Je ne crois pas que votre travail soit facile, dit-il. Du moins, pas au début. Mais je pense qu'il broie l'âme. Après, ça devient plus facile. Non ?

Mary Fraser se leva à son tour pour lui faire face.

– Allez au diable, dit-elle doucement.

– J'irai. Au besoin. Je compte bien vous y retrouver.

– Sachez ceci, monsieur, dit-elle dans son dos. Les lâches meurent bien des fois avant leur mort, mais il leur arrive aussi de provoquer un grand nombre d'autres morts.

En sortant, ils remarquèrent du mouvement dans l'escalier du gîte et découvrirent Brian. Au milieu d'une volée de marches. Paralysé.

« Qu'a-t-il entendu, au juste ? » se demanda Beauvoir.

Il a tout entendu, comprit Gamache en voyant l'expression de Brian.

Sans un mot, celui-ci finit de gravir les marches. « La tête pleine de drôles de réflexions », pensa Gamache en sortant du gîte avec Beauvoir.

– Pourquoi m'avez-vous coupé la parole, tantôt, avec Mary Fraser ? demanda Jean-Guy sur le chemin du retour.

– J'ai eu peur que tu dises des choses qu'il valait mieux taire. Devant elle, à tout le moins.

– Qu'ils étaient au courant pour Couture et les plans et qu'ils voulaient les récupérer pour eux et non pour le SCRS ? fit Beauvoir.

Gamache hocha la tête.

– Vous croyez que c'étaient eux, les visiteurs qu'Antoinette attendait, hier soir ? Mary Fraser et Sean Delorme ?

– Possible, concéda Gamache.

– Qui sont ces gens, patron ?

– Ça, mon vieux, c'est une très bonne question.

28

Dans la librairie de livres neufs et usagés de Myrna, Clara se servit une tasse de café et l'apporta jusqu'à son fauteuil dans la fenêtre en saillie. À grand-peine, le soleil matinal se frayait un chemin entre les lourds nuages, projetant ses colonnes de lumière sur la forêt.

– Selon certaines rumeurs, il y aurait un lien entre la mort de Laurent et celle d'Antoinette.

Myrna abaissa le journal juste assez pour pouvoir la regarder.

– Et que les deux meurtres auraient quelque chose à voir avec le canon retrouvé dans les bois.

Myrna froissa le journal sur ses genoux.

– Ah bon ? fit-elle en retirant ses lunettes. Comment est-ce possible ? Antoinette a été tuée dans un cambriolage ou encore à cause de la pièce…

Clara secoua la tête.

– Ce n'est plus la piste poursuivie par la police.

– Qui t'a raconté tout ça ?

– Gabri. Il tient ces informations de Brian, qui a surpris Armand et Jean-Guy en train de parler à la femme du SCRS, la nuit dernière. Il paraît qu'ils se sont querellés.

– Querellés ?

– Disons qu'ils ont discuté avec animation. Gabri m'a parlé en confidence. *Chhhh.*

– *Chhh ?* fit Myrna. C'est le bruit que font les secrets qui s'échappent de toi ?

Les deux femmes se regardèrent, mais le canon était suspendu entre elles, à la façon d'un hologramme. Le gros canon maudit. Dans les bois. Sans l'avoir vu, elles l'imaginaient assez facilement. Et elles se demandaient combien il ferait de victimes du simple fait d'exister.

– Quel lien y a-t-il entre Antoinette et le canon ? demanda Myrna.

– Je ne sais pas, et Gabri n'a pas pu me renseigner à ce sujet, répondit Clara. Bizarre, tout de même, que personne ne se souvienne de sa construction. Les plus vieux auraient dû remarquer quelque chose, non ? Ruth, par exemple.

– Ruth ? Tu t'attends à ce que Ruth se souvienne de quelque chose ?

– Le canon et elle ont une chose en commun : ce sont des dangers publics, admit Clara.

– Ce sont peut-être les constructeurs du canon qui ont laissé Ruth derrière, dit Myrna. Une première tentative avortée, en somme.

Clara laissa entendre un rire bref, puis elle soupira.

– Je donnerais cher pour en savoir plus. Il est si facile d'imaginer le pire.

– Pas besoin d'avoir une imagination très fertile, dit Myrna en regardant par la fenêtre, derrière Clara.

– Qu'est-ce que tu vois ? demanda celle-ci en se tournant de ce côté.

Elle apercevait le parc du village, les trois pins géants, les maisons. Des nuages orageux, des colonnes de lumière, une volée d'oiseaux affamés et un vieil homme assis sur un banc qui les nourrissait.

– Je vois des réponses, dit Myrna.

– J'y vais, dit Reine-Marie.

Elle faisait des recherches dans le bureau lorsqu'elle avait entendu quelqu'un cogner timidement.

Si timidement, en fait, qu'elle crut avoir mal entendu. Mais alors on frappa de nouveau. De façon plus affirmée. En ouvrant, elle découvrit Brian Fitzpatrick.

– Excusez-moi, fit-il. Il est trop tôt, peut-être ?

– Mais non, pas du tout. Entrez. Vous devez avoir froid.

Les nuages de pluie apparus durant la nuit avaient apporté dans leur sillage un front froid accompagné de vents, un froid qui s'insinuait sous la peau et glaçait les os.

– Lorsque Gabri est venu me chercher, hier soir, j'ai jeté quelques affaires dans un sac, sans bien réfléchir, dit Brian en serrant les bras sur sa poitrine. J'ai pris trois paires de chaussures, mais une seule paire de chaussettes. Pas de chandail ni de veston.

– Nous avons plein de vêtements à vous prêter, dit Reine-Marie en l'embrassant sur ses joues froides.

– Je peux voir votre mari ?

– Bien sûr.

Elle l'entraîna vers la cuisine, où du café percolait sur le poêle à bois.

– Armand ?

Gamache leva les yeux de son carnet de notes et Henri de l'orignal en peluche qu'il mâchouillait. Ils se dressèrent tous deux aussitôt.

– Brian, dit Armand en serrant la main de l'homme. Assoyez-vous. Je projetais justement d'aller vous voir au gîte après avoir noté quelques idées.

Il indiqua à leur invité un fauteuil confortable au coin du feu, tandis que Reine-Marie servait le café.

– Vous avez mangé ? demanda-t-elle. Je vous prépare du bacon et des œufs, si vous voulez.

– Non, merci. Gabri m'a fait des toasts. En fait, je n'ai pas très faim.

– Je suis terriblement désolée pour Antoinette, dit-elle en lui apportant du café et du jus d'orange. Comment vous sentez-vous ?

Impossible de ne pas poser la question, même si sa mine creuse constituait déjà une réponse. Il se contenta de secouer la tête et de lever une main avant de la laisser retomber sur le bras du fauteuil.

De toute évidence, il voulait parler à Armand en tête à tête.

Reine-Marie monta à l'étage et redescendit avec des chandails, des chaussettes et un pyjama en flanelle appartenant à Armand. Elle les posa sur la table près de la porte, à côté d'un blouson chaud. Elle appela Henri et, après avoir accroché la laisse au cou du berger allemand, sortit avec lui.

– Vous nous avez entendus, la nuit dernière, dit Armand après le départ de Reine-Marie.

Brian hocha la tête.

– Je n'arrivais pas à dormir. Je vous ai entendu cogner à la porte de la femme du SCRS et je vous ai suivis jusqu'en bas. Je ne comprends pas ce qui arrive.

– L'oncle d'Antoinette a été un des architectes du canon retrouvé dans les bois, expliqua Armand.

Inutile de dissimuler : Brian avait tout entendu, de toute façon.

– Oncle Guillaume ? s'étonna Brian. Mais c'était un ingénieur. Il construisait des sauts-de-mouton.

– Antoinette vous a parlé de lui, à l'époque ?

– Pas beaucoup et, pour être tout à fait franc, je ne lui ai pas posé trop de questions à son sujet. Elle l'aimait bien ; de toute évidence, il l'aimait bien, lui aussi. Vous pensez qu'elle a été tuée à cause de lui ?

– C'est possible. Nous pensons qu'il a pu conserver les plans de ce canon et que quelqu'un, croyant qu'Antoinette n'y serait pas, s'est rendu chez vous dans l'espoir de les prendre.

– Ils valent une petite fortune. Je vous ai entendu le dire, hier soir.

Gamache hocha la tête.

– C'est exact. Vous savez si ces documents se trouvaient chez vous ?

Brian fit signe que non.

– Je me sens inutile. J'ai l'impression que je devrais pouvoir vous les remettre, mais, franchement, je tombe des nues. Je ne comprends rien. Antoinette savait-elle à quoi son oncle s'était vraiment occupé ?

– Nous l'ignorons. Par contre, nous avons vérifié et il ne reste aucune trace de lui dans son ancienne maison. Vous vous rappelez quelque chose ? Ne serait-ce qu'une photo ?

Brian pinça les lèvres, réfléchit et secoua la tête.

– Possible qu'il y ait eu des indices, mais que je ne les aie pas remarqués. J'ai bien peur de ne pas être très observateur. Je regrette tellement de ne pas avoir été à la maison. J'aurais dû y être.

– Le tueur aurait attendu une autre occasion, dit Armand. Vous n'auriez rien pu faire.

Gamache ne le dit pas, mais il croyait que la vie d'Antoinette avait pris fin au moment où, ayant découvert le canon, Laurent s'était mis à le crier à tout venant, et où les agents du SCRS avaient décidé de ne parler à personne de son oncle.

– Est-on déjà venu vous poser des questions à propos de Guillaume Couture ? demanda Armand.

– Pas que je sache. Il était déjà mort quand nous nous sommes rencontrés, Antoinette et moi.

Brian baissa les yeux sur sa tasse de café, comme s'il en voyait une pour la première fois de sa vie.

– Je ne sais pas quoi faire.

Armand hocha la tête. Il savait que les personnes qui ont subi une perte ont toujours le sentiment d'être égarées. D'errer sans but.

– Je ne peux pas rentrer à la maison, dit Brian. Pas maintenant.

Gamache savait qu'il voulait parler de sa préparation mentale. Par ailleurs, on ne le laisserait pas réintégrer son foyer, même s'il le désirait.

Fait peu étonnant, Lacoste avait téléphoné à la première heure pour dire que Mary Fraser et Sean Delorme avaient obtenu une injonction les autorisant à perquisitionner à leur tour la maison d'Antoinette. Seuls. Gamache, cependant, avait le sentiment que l'injonction n'était qu'un écran de fumée. Ils avaient déjà fouillé les lieux. Avec ou sans autorisation judiciaire.

– Je vais peut-être faire un saut au théâtre aujourd'hui, dit Brian. Je pense que je m'y sentirai plus proche d'elle. Ça vaut mieux que de passer la journée au gîte à me tourner les pouces. Et je n'ai envie de parler à personne, vous comprenez ?

– Laissez-moi vous y conduire, proposa Armand. Je me dirige justement de ce côté.

Ils découvrirent les vêtements près de la porte.

– Tenez, dit Armand. Enfilez un de ces chandails pendant que je passe un coup de fil.

Il alla dans le bureau, ferma bien la porte, puis composa un numéro confidentiel à Ottawa. Il était huit heures trente. Après un bref échange, il raccrocha.

Dès midi, ils en sauraient davantage sur Mary Fraser et Sean Delorme.

Brian l'attendait devant la porte, vêtu du chandail en cachemire bleu favori d'Armand.

– Il est un peu grand pour vous, malheureusement, dit-il en roulant les manches pour Brian.

– Vous allez à Knowlton, vous aussi ? demanda Brian.

– Un peu plus loin, en fait. Je peux vous déposer au théâtre et passer vous y prendre dans deux ou trois heures. Ça vous va ?

Il ne dit pas qu'il projetait de se rendre à Highwater. Moins il y aurait de personnes au courant, mieux ça vaudrait.

En se mettant en route, Gamache aperçut le professeur Rosenblatt, assis sur le banc : abrité du vent mordant par de multiples couches de vêtements, il jetait des miettes de pain aux oiseaux. Des feuilles arrachées aux arbres tourbillonnaient autour de lui, se mêlaient aux oiseaux excités et aux bouts de pain en suspension dans l'air. On aurait dit que, autour du vieux scientifique, la nature était devenue folle.

Et, une fois de plus, Armand se demanda pourquoi le professeur Rosenblatt était là, plutôt que chez lui, devant un bon feu de foyer, au chaud et en sécurité.

Clara et Myrna s'approchèrent du banc et s'assirent de part et d'autre du professeur.

– Bonjour, dit Clara en élevant la voix pour se faire entendre dans le vent qui hurlait. Vous avez bien dormi ?

– Je crains fort d'avoir trop bu, hier soir, répondit-il. Je suis sorti prendre un bon bol d'air frais.

– On peut dire que vous êtes servi, fit Myrna en maintenant fermement son écharpe sur son visage.

De l'autre côté du professeur, Clara se débattait avec sa crinière.

Rosenblatt leur proposa un peu de pain rassis à jeter en pâture aux mésanges, aux geais bleus et aux merles.

– De petits oiseaux avec une faim de loup... Drôle de paradoxe, tout de même, fit-il.

Soulevés par le vent, les bouts de pain qu'ils lançaient étaient catapultés dans le parc, où les pourchassaient les feuilles mortes et les oiseaux.

– Je suis désolé pour votre amie, dit-il en observant la commotion provoquée par le pain.

– C'est terrible, acquiesça Clara. D'autant plus que personne ne nous dit rien. Nous nous demandions si vous accepteriez de répondre à quelques questions.

– Je veux bien essayer.

– Nous avons entendu dire que la mort d'Antoinette était peut-être liée à celle de Laurent, dit Myrna. C'est vrai ?

– C'est ce que pense la police, apparemment, répondit-il.

– Mais comment ? s'écria Clara. Quelque chose à voir avec le canon, n'est-ce pas ?

– Oui, mais je ne peux vraiment pas vous en dire plus. Je suis navré.

– Vous ne pouvez pas ou vous ne voulez pas ? demanda Clara.

– Vous êtes des amies de M. Gamache. Pourquoi ne pas l'interroger, lui ?

Myrna sourit.

– Parce qu'il ne nous dira rien.

– Votre but, mesdames, est donc de m'attirer des ennuis ?

Il avait prononcé les mots d'un ton amusé et charmeur, mais sans que sa résolution fléchisse.

– Vous en savez plus, n'est-ce pas ? insista Myrna. Quand Isabelle Lacoste a parlé d'Antoinette, vous avez dit quelque chose. Une citation, je crois. Il y était question d'une bête brute et de Bethléem.

– J'aimerais bien m'en arroger le mérite, mais je ne faisais que lire ce que votre amie Ruth avait écrit dans son carnet.

– C'était une citation, n'est-ce pas ? fit Myrna.

– Je le crois, répondit-il. Tirée de Shakespeare, probablement. C'est presque toujours le cas. Ou encore de la Bible.

– Elle avait sûrement un sens pour vous, cette citation, dit Clara. Sinon, pourquoi auriez-vous lu à haute voix les mots écrits par Ruth au lieu de les garder pour vous ?

Michael Rosenblatt pinça les lèvres et baissa la tête, perdu dans ses pensées ou cherchant à se prémunir contre la bourrasque particulièrement violente qui les secouait tous les trois.

– J'ignore ce qui est confidentiel et ce qui ne l'est pas.

Aussitôt sortis de sa bouche, ces mots furent emportés par le vent, mais Myrna et Clara, toutes proches, les avaient entendus.

Il étudia Clara, ruminant quelque décision.

– J'ai vu votre exposition solo au Musée d'art contemporain, vous savez. Il y a environ un an. Vous avez fait un travail brillant sur les portraits. Vous avez réinventé la forme. Vous lui avez insufflé une énergie nouvelle. Vous lui avez conféré de la profondeur et une sorte d'esprit joyeux absent de la plupart des œuvres contemporaines.

– Merci, dit Clara.

– De toute évidence, vous avez pleinement conscience du pouvoir de l'art, dit-il. Il peut être un instrument de libération, mais aussi une arme, en particulier lorsqu'on le combine à quelque chose de tout aussi puissant, la guerre, par exemple. On s'est servi de l'art pour inspirer toutes sortes de sentiments. Pensez aux statues de soldats courageux. Aux tableaux illustrant des sacrifices héroïques. Mais on l'a aussi utilisé pour provoquer la crainte de Dieu chez l'ennemi.

– Pourquoi me racontez-vous tout ça ? demanda Clara.

– Parce que vous avez été aimable envers moi et que je me rends compte que le silence ne fait qu'aggraver une situation déjà épouvantable. Je ne peux pas vous faire voir le canon ni vous en parler. De toute façon, je doute que ça vous serait utile. Mais il y a une chose qui risque de vous intéresser. Et vous pourrez peut-être même m'aider.

Il sortit son iPhone, tapota l'écran et le tendit à Clara.

– Qu'est-ce que c'est ? demanda-t-elle en examinant la photo.

– Une gravure. On la trouve sur le flanc du canon.

Myrna se leva et se plaça de l'autre côté de son amie pour mieux voir. Le professeur Rosenblatt fit glisser ses doigts sur l'écran et la gravure apparut sous un autre angle.

Les deux femmes contemplèrent le serpent aux sept têtes qui se cabrait et se tortillait. La femme qui le chevauchait était encore plus terrifiante que le monstre. Ses cheveux volaient au vent, à l'horizontale, et elle dévisageait Clara, Myrna et le professeur Rosenblatt. Les voyait, eux, mais aussi le village en arrière-plan et le tourbillon qui les entourait. Au centre du maelstrom, elle-même restait calme. Sûre d'elle.

Une goutte glacée atterrit sur la tête de Clara, qui sursauta. Puis une autre. Une troisième éclata sur l'écran de l'appareil.

Le visage de la femme, ainsi déformé, n'en fut que plus grotesque.

– La grande prostituée, dit Myrna.

Le professeur hocha la tête.

Les femmes échangèrent un regard, tandis que le professeur Rosenblatt rempochait son appareil pour le mettre à l'abri de la pluie. Et des regards.

– Sortie de l'Apocalypse, fit Clara.

Elles connaissaient toutes deux la référence. Et le symbolisme.

Une catastrophe annoncée. Délibérée et inévitable. Totale.

– Nous devrions rentrer, dit le professeur Rosenblatt.

La pluie s'intensifiait. Pendant qu'ils couraient, penchés, de grosses gouttes explosaient sur la route, sur leurs dos et leurs têtes. Les arbres tire-bouchonnaient dans le vent et ils virent Reine-Marie et Henri détaler dans l'espoir de prendre le déluge de vitesse.

Le trio fonça vers la librairie. À l'intérieur, Myrna alla chercher des serviettes, tisonna le feu de foyer et servit du thé chaud et fort.

La pluie crépitait sur les vitres. Les secouait.

– Mon Dieu, fit Myrna en s'essuyant le visage. Si ce dessin avait pour but de terrifier, on peut dire qu'il a réussi. Comme si ce canon maudit n'était pas déjà assez effrayant… Qui a besoin d'en rajouter ?

– Je peux revoir la gravure ? demanda Clara.

Le professeur Rosenblatt lui tendit son iPhone. Elle regarda attentivement l'image, l'agrandit, la réduisit.

– Elle n'est pas signée ? demanda-t-elle.

– Ce serait trop commode, répondit le professeur. Pourquoi ?

– La plupart des artistes signent leurs œuvres, d'une façon ou d'une autre. Il y a quand même des mots écrits.

– Oui, une citation biblique. En hébreu.

– Celle qu'a copiée Ruth ? demanda Myrna.

– Non, une autre. Il y est question de Babylone.

– Qu'est-ce que la grande prostituée vient faire sur le canon ? demanda Clara.

– Nous pensons que c'était un outil de marketing qui avait pour but de séduire l'acheteur.

– Qui était-ce ? Le diable en personne ?

– Presque.

– Une bête brute, fit Clara. Traînant la patte vers Bethléem.

– Et son itinéraire passe par Three Pines, dit Myrna.

29

Les essuie-glaces de la voiture de Gamache oscillaient frénétiquement, battaient et chassaient, battaient et chassaient la pluie, s'efforçaient de ménager un demi-cercle de transparence.

Devant le théâtre, Brian bondit de la voiture. Armand attendit qu'il entre. Brian glissa les mains dans les poches de son blouson, les en ressortit et essaya d'autres poches. Il se tourna vers Gamache.

Armand sortit de la voiture et courut, affronta tête baissée la pluie cinglante.

– Vous avez les clés ? hurla-t-il.

Une fois de plus, Brian sonda ses poches et secoua la tête.

– Dans mon blouson. Celui-ci, c'est le vôtre.

Gamache essaya la poignée. Elle tourna et la porte s'ouvrit.

– Dieu merci, fit-il en se hâtant de suivre Brian à l'intérieur. Le théâtre ne devrait pas être fermé à clé ?

Il claqua la porte, aussitôt mitraillée par la pluie.

– Antoinette oublie parfois de verrouiller, dit Brian en passant ses doigts dans ses cheveux mouillés. Vous pouvez partir, si vous voulez, ça ira.

– Je pense que je vais attendre que l'orage passe, répondit Armand, qui, conscient que Brian avait envie de solitude, se sentit un peu coupable. Je vais rester quelques minutes dans le théâtre.

Brian se dirigea vers le panneau. Les projecteurs s'allumèrent avec un bruit métallique, mais pas les lumières de la salle. Pendant qu'Armand retirait son pardessus trempé et choisissait un fauteuil dans l'ombre, quelques rangées plus loin, Brian s'installa dans le canapé posé sur la scène. Il croisa les doigts sur ses genoux et ce fut comme si un grand calme descendait sur lui. On aurait dit qu'il méditait. Les yeux clos, le visage légèrement incliné vers le haut. « Non pas en paix, songea Armand, mais paisible. »

C'était le sanctuaire de Brian et Gamache avait conscience d'y être un intrus. Il se faisait l'effet d'un voyeur qui épie un acte intime. Un spectateur assistant à un drame privé.

Détournant les yeux, il examina le décor.

Il mit un moment à comprendre ce qu'il voyait. Ce fut d'abord la vague impression d'un élément différent. Ni mauvais ni menaçant, seulement un peu différent.

Brian n'avait sans doute rien remarqué. Il tournait le dos au décor et ses paupières étaient fermées. Armand, lui, sentit, puis il vit.

De nouveaux articles s'étaient ajoutés au décor. Les meubles miteux n'avaient pas changé, mais il y avait plus de livres sur les tablettes et de petits ornements occupaient les espaces vacants.

Armand pencha la tête d'un côté, puis de l'autre, examina les articles. À cette distance, il les distinguait mal. L'un d'eux, toutefois, attira son attention. Il le regarda fixement avant de se lever.

Il se dirigea vers les coulisses et gravit les quelques marches qui conduisaient sur la scène. Ayant entendu des bruits de pas, Brian rouvrit les yeux.

– Vous partez ? demanda-t-il avec un espoir mal dissimulé.

– Pas encore, répondit distraitement Armand.

Il examinait les livres rangés sur les tablettes. Puis il fit un pas de côté et s'accroupit pour lire les titres sur les dos. Il s'agissait, dans certains cas, de vieux volumes poussiéreux, sans doute achetés en vrac dans une vente de débarras et utilisés comme accessoires dans de nombreuses productions. Mais, constata-t-il en s'approchant encore un peu et en mettant ses lunettes de lecture, il y en avait d'autres, par exemple *Classical Dynamics of Particles and Systems*, *Barrier Trajectories* et un dernier intitulé *Applied Physics, Theory and Design*.

Se redressant, il balaya des yeux l'autre tablette, le bureau et la commode qui, dans la pièce de Fleming, imitaient le salon d'une pension.

Puis son regard s'arrêta. À l'arrière du bureau, à côté d'un ensemble de stylos, se trouvait une petite photo dans un cadre en argent sur laquelle on voyait un homme souriant, une petite fille aux cheveux nattés appuyée sur son genou.

Gamache sortit de sa poche la photo des trois scientifiques et compara les visages. Les deux hommes souriaient. Les deux étaient légèrement décoiffés. Guillaume Couture dans les deux cas.

Et la fillette était presque certainement Antoinette Lemaître quand elle était vraiment une petite fille et non une femme-enfant.

Il prit son téléphone et appela Isabelle Lacoste.

– Antoinette a apporté des souvenirs de son oncle au théâtre, dit-il. Ils sont éparpillés dans le décor.

– Les plans sont là ? demanda-t-elle aussitôt. Le percuteur ?

– Je ne sais pas encore, répondit-il. Je viens de m'en rendre compte.

Brian s'était approché sur les entrefaites. Il tendit la main vers la photo encadrée, mais Gamache le retint.

– Nous arrivons, dit Lacoste. Ne touchez à rien.

Les mots lui avaient échappé.

– Nous ferons de notre mieux, dit Gamache en lorgnant Brian.

– Désolée, patron. Je sais bien que vous ne toucherez à rien.

Après avoir raccroché, Gamache demanda à Brian de lui indiquer les accessoires qui étaient là depuis un moment et ceux qui lui semblaient nouveaux.

Brian prit son temps, puis montra du doigt – mais sans les toucher – l'ensemble de stylos, la photo, quelques livres, quelques articles hétéroclites.

Ensuite, il se tourna vers Armand.

– Vous ai-je entendu dire que c'était Antoinette qui avait apporté ces choses ici ? Qu'elles avaient appartenu à son oncle ?

– Je ne vois pas d'autre explication, répondit Armand. Déjà, les livres le laissaient croire. La photo dissipe tous les doutes. Et ceci ?

Armand montrait l'ornement qui avait d'abord attiré son attention. C'était l'un des objets que Brian avait dit ne jamais avoir vus.

– Vous êtes sûr que ça ne vient pas de votre réserve d'accessoires ?

Brian se mordillait la lèvre inférieure.

– Assez sûr. C'est un truc plutôt mémorable, non ?

Gamache lui donna raison. D'ailleurs, l'objet avait été fabriqué à cette fin précise. Être mémorable. Il était certain de ne pas l'avoir vu sur la scène lorsqu'il était venu rendre visite à Antoinette, quelques jours plus tôt. Il s'en serait souvenu.

C'était, après tout, un souvenir. Se penchant, il regarda la statue, les yeux dans les yeux. Petite, de mauvais goût, bon marché. Il était au courant, car il en avait acheté une lui-même. Pas pour lui. Ni pour Reine-Marie.

Ils en avaient acheté une pour chacune de leurs petites-filles à l'occasion de leur dernière visite à Paris. Ils avaient pris les filles pendant un week-end pour permettre à Daniel et à Roslyn de passer un moment en tête à tête.

Dans une série d'images très nettes, Armand vit la petite Florence et sa cadette, Zora, devant la tour Eiffel. Dans le jardin du Luxembourg. Chez le glacier, avec des cornets qui fuyaient de partout.

La petite Florence et sa cadette, Zora, à bord du TGV, côte à côte, de profil. Les yeux exorbités, elles regardaient la campagne française défiler à toute vitesse par la fenêtre, en route vers la Belgique.

À Bruxelles, la petite Florence et sa cadette, Zora, montrant du doigt le petit garçon en bronze qui faisait pipi dans la fontaine. La célèbre statue s'appelait le Manneken-Pis, nom qui souleva une nouvelle vague d'hilarité. Grand-papa leur avait raconté l'histoire du bébé prince qui, selon la légende, avait uriné sur ses ennemis du haut d'un arbre dans le feu d'une bataille livrée en 1142. Toujours selon la légende, c'était ce geste qui, inexplicablement, avait assuré la victoire de ses troupes. Si seulement les marchands d'armes savaient que ce ne sont pas leurs produits qui vous font triompher…

Les filles avaient été si enchantées par l'histoire et la statue ridicule que, devant un stand à souvenirs, elles avaient réclamé leur propre réplique. Il fut un peu embarrassant d'expliquer aux parents comment le seul souvenir que les filles rapportaient d'une ville aussi belle que Bruxelles était celui d'un garçon qui fait pipi.

Gamache, cependant, gardait un autre souvenir de ce voyage. Ils avaient emmené les filles à l'Atomium, énorme reproduction d'un atome, emblématique de l'ère nucléaire. On pouvait s'y promener, visiter des pièces, regarder par les fenêtres et monter ou descendre en empruntant des escaliers roulants singuliers, uniques.

Et c'est ce dont Reine-Marie s'était souvenue en voyant la photo des trois scientifiques.

Armand sortit une fois de plus la photo de sa poche et l'étudia. S'il avait eu une chaise derrière lui, il se serait assis. Dans son esprit, l'image de deux petites filles fatiguées et larmoyantes qui s'ennuyaient à périr ainsi que de Reine-Marie, épuisée, remplaça celle des trois scientifiques. Au sommet d'un escalier roulant. Cet escalier roulant. Celui de l'Atomium.

C'est là que la photo avait été prise. À l'Atomium. Cette image prouvait que Guillaume Couture avait été avec Gerald

Bull à Bruxelles. Et qu'il avait continué de collaborer avec Bull à l'élaboration du Projet Babylone.

Quiconque connaissait la carrière de Gerald Bull et l'Atomium aurait fait le même rapprochement.

Beauvoir et Lacoste arrivèrent quelques minutes plus tard et Gamache leur fit voir les nouveaux articles disposés sur la scène.

– Brian confirme que ces objets n'étaient pas là avant, dit Gamache. Certainement pas lorsque je suis venu la semaine dernière, en tout cas.

– Où est-il ? demanda Beauvoir en déballant sa trousse pour scènes de crime et en enfilant des gants.

– Il est descendu dans le foyer des artistes pour être seul.

Il leur dit aussi où la photo avait été prise.

– Bruxelles ? fit Beauvoir en interrompant son analyse des livres. Où Bull a été assassiné. Mais a-t-elle été prise au moment de sa mort ?

– Nous ne pouvons pas en être certains, répondit Gamache.

– Antoinette a pu cacher les affaires de son oncle dans le sous-sol et les avoir apportées ici dernièrement, dit Lacoste. Ce qui laisse entendre qu'elle était au courant du lien entre son oncle et Gerald Bull, sans parler du canon. Pourquoi, sinon, cacher ses effets personnels ? Pourquoi, sinon, les avoir apportés ici ?

– Pour les sortir de la maison, je suis d'accord, dit Beauvoir. Mais pourquoi seulement au cours des derniers jours ? Que s'est-il passé ? Elle ne l'a pas fait en prenant possession de la maison de son oncle. Ni quand Laurent a été tué. Qu'est-ce qui l'a décidée à agir ?

– Le canon, dit Gamache.

– Mais on l'a trouvé quand Laurent est mort, dit Lacoste.

C'est alors qu'elle comprit :

– Sauf que personne ne savait ce qui se cachait sous le filet de camouflage. Il y a seulement trois jours que les gens savent qu'il s'agit du lance-missiles de Gerald Bull.

Gamache hocha la tête.

– Je pense qu'Antoinette a paniqué en apprenant la nouvelle. Elle a dû comprendre qu'il s'agissait du canon de son oncle et que c'était à cause de lui que Laurent avait été tué.

– Elle a eu peur d'être la prochaine victime, dit Beauvoir. Dans l'hypothèse où le meurtrier apprendrait pour son oncle et ses liens avec le canon.

– Et elle a eu raison, dit Lacoste. Lorsqu'elle a caché ces objets, il était déjà trop tard.

– Il faut donc en conclure que son oncle lui avait parlé de la nature de ses travaux, du moins un peu.

– Sans doute pour la mettre en garde, dit Lacoste.

– Mais comment le meurtrier a-t-il su pour M. Couture ? Comment a-t-il découvert que sa nièce habitait sa maison ? demanda Beauvoir.

– La photographie où on les voit ensemble à Bruxelles a été publiée dans sa notice nécrologique. Sans doute fournie par Antoinette, inconsciente du lien qu'elle révélait, dit Gamache. Toute personne cherchant les plans aurait aussitôt compris l'importance de ce document.

– Sauf que M. Couture est mort des années après l'assassinat de Gerald Bull, souligna Isabelle. Qui donc s'intéressait encore à cette affaire ?

– À cette fortune, tu veux dire ? fit Beauvoir. Même le professeur Rosenblatt a admis que certains étaient encore à la recherche du Supercanon mythique. Mais il y a une chose que je saisis mal. Pourquoi le meurtrier, après avoir tué Laurent pour l'empêcher de faire part de sa découverte, a-t-il attendu une semaine, voire plus, pour tuer Antoinette et fouiller sa maison dans l'espoir de trouver les plans ? S'il savait que son oncle avait travaillé au Supercanon, pourquoi n'a-t-il pas agi tout de suite ?

Gamache prit une profonde inspiration, la retint un moment et expira.

C'était une très bonne question. Il y avait une explication, bien sûr. Et il se pouvait que…

– Il ne s'agit peut-être pas du même tueur, dit-il. Une personne a tué Laurent et une autre, mise au courant de la découverte, est venue pour voir le canon et chercher les plans. Ils, au pluriel, savaient que Guillaume Couture était l'oncle d'Antoinette et que, si quelqu'un avait les plans du Projet Babylone, ce serait lui.

– « Ils » au pluriel ? fit Lacoste. Vous pensez à Mary Fraser et à Sean Delorme, n'est-ce pas ?

– « Penser » est un bien grand mot, dit Gamache. Mais oui, c'est une possibilité. Ce matin, j'ai passé un coup de fil à mon contact au sein du SCRS. Nous devrions en savoir davantage sur ces deux-là plus tard aujourd'hui.

Lacoste parcourut la scène des yeux. Après avoir relevé les empreintes, ils avaient étiqueté et ensaché tous les objets provenant de la maison d'Antoinette. Cependant, ils n'avaient trouvé ni le percuteur ni les plans.

Gamache saisit quelques-uns des articles ensachés et les examina. Un ensemble de stylos. Un serre-livres. Un garçon qui fait pipi.

– Je suppose qu'il est impossible que…, commença Gamache en tournant le Manneken-Pis dans tous les sens.

– Vous pensez que c'est le percuteur ? fit Beauvoir en s'efforçant de ne pas rire.

– S'agissant d'une arme assez puissante pour anéantir une région tout entière et valant des milliards de dollars, je pense qu'il est plausible qu'on ait pris certaines mesures pour déguiser la composante capable de la faire fonctionner. Mais ce n'est pas ceci, conclut Gamache en tendant la statuette à Jean-Guy.

Beauvoir l'étudia d'un air dégoûté.

– Elle me semble familière, cette statuette. Florence et Zora n'en…

– Oui, dit Gamache. Reine-Marie leur en a acheté une à toutes les deux. Devine ce que tu vas recevoir pour Noël.

Ils entendirent des pas lourds résonner dans l'escalier et, en se retournant, ils virent Brian émerger des coulisses.

– J'étais assis dans le foyer des artistes quand je me suis rappelé qu'Antoinette avait un bureau au sous-sol. J'ai failli aller y jeter un coup d'œil, mais je me suis dit que vous préféreriez le faire vous-mêmes.

– J'y vais, dit Beauvoir en tendant la statuette à Gamache. Je suis en train de repenser à votre cadeau, patron.

Il remonta vingt minutes plus tard en secouant la tête.

– Que des vieux textes et des cochonneries. Quand l'équipe de Montréal va-t-elle arriver ? C'est un vrai nid à rats, en bas, avec tous ces costumes et ces accessoires.

Il balaya le théâtre des yeux.

– Expertiser cet endroit va prendre des heures. Peut-être même des jours.

Quelques minutes plus tard, une équipe de la police scientifique débarqua et s'attela à la tâche. Elle avait tout un théâtre à analyser de fond en comble.

Gamache roula sous le fin crachin qui avait succédé à la tempête. L'aube spectaculaire, avec ses nuages brisés et ses colonnes de lumière, avait été le prélude de l'orage, lequel avait cédé la place à un après-midi typique du début de l'automne, maussade, froid et pluvieux.

Entre le théâtre de Knowlton et la frontière du Vermont, les essuie-glaces balayaient le pare-brise à un rythme lent et cadencé. Neil Young chantait le lieu où sa mémoire se réfugiait quand il avait besoin de réconfort. Tous les changements qu'il avait subis s'y trouvaient.

Helpless…

Gamache avait laissé Lacoste, Beauvoir et l'équipe de police scientifique au théâtre. Grâce au GPS, il suivait la route empruntée par Mary Fraser et Sean Delorme deux jours plus tôt. Un peu au sud de Mansonville, il prit, à droite, la direction d'Highwater.

Flanqué d'une colline d'un côté et d'une rivière de l'autre, le petit village aurait dû être pittoresque. Aurait pu l'être. L'aurait été. L'avait presque certainement été, autrefois. À présent, il semblait abandonné, oublié. Il n'était même plus un souvenir.

... helpless.

Ce n'était pas la première fois que Gamache entrait dans une localité en décrépitude, tant s'en fallait. Il aperçut la vieille gare, les volets clos. Le lien ferroviaire avait été sectionné, à la façon d'une artère, et le village, naguère dynamique, avait dépéri. À petit feu. Les jeunes étaient partis chercher du travail, laissant leurs parents et leurs grands-parents vieillissants derrière.

Gamache consulta son GPS. Il était dans Highwater, mais les agents du SCRS semblaient avoir dépassé légèrement les limites du village. Après avoir tourné à droite, puis à gauche, il freina devant une haute clôture métallique avec un portail fermé par une chaîne rouillée munie d'un cadenas neuf.

Sans scrupules ni hésitation, Gamache sortit un petit sac d'outils de la boîte à gants de sa voiture. Quelques instants plus tard, c'était ouvert. Il cacha la voiture derrière une vieille bâtisse, puis, armé du GPS et d'un parapluie, il se mit à marcher.

À grimper.

Bientôt, il progressait péniblement le long d'un sentier étroit et boueux. Il essaya de ne pas glisser, mais il trébucha deux fois, et le GPS, comme son genou, tomba dans la vase. La seconde fois, tandis que, espérant qu'il fonctionnerait toujours, il cherchait à tâtons l'appareil mouillé et souillé, il remarqua des rails. Après les avoir dégagés, il comprit qu'il se trouvait au beau milieu d'une ancienne voie ferroviaire. Plus étroite que celles qu'empruntaient les trains de passagers ou de marchandises. Abandonnée, envahie par la végétation et invisible, sauf pour un homme à genoux.

Gamache se releva et tenta de reprendre son souffle. Il était presque arrivé au sommet de la colline. Au bout de quelques minutes d'ascension, il atteignit le point culminant. Se penchant, il posa sa main sur son genou. C'était en des moments pareils qu'il prenait conscience du fait qu'il n'avait plus trente, ni quarante ans. Ni même cinquante. En se redressant, il balaya les environs des yeux. Le sommet de la colline était boisé, mais, à la vue des pousses relativement récentes, il comprit que le secteur avait autrefois été rasé.

Du bout d'une de ses bottes de caoutchouc, il dégagea les rails faiblement espacés et les suivit jusqu'à un quai en béton, à moitié enseveli sous la poussière, les racines et les feuilles mortes. Autour, on distinguait d'autres morceaux, déterrés depuis peu. Semblables à des artefacts, les énormes fragments, à demi enterrés, rouillaient sous la bruine. Armand les examina et prit des photos avant de regagner le quai.

Le panorama, qui, à une autre époque, l'aurait emballé, provoqua en lui un malaise. La vaste forêt s'étirait devant lui, et son regard suivit la cime des arbres jusqu'aux montagnes Vertes du Vermont, au loin. Le brouillard et les nuages bas s'y accrochaient, et c'était comme si toutes les couleurs vives avaient été délavées. Sur le parapluie déployé au-dessus de sa tête, il entendait le tambourinement de la pluie.

La grande prostituée s'était arrêtée à cet endroit avant de poursuivre son chemin. Laissant derrière elle un cimetière de membres géants arrachés.

Impossible de se méprendre sur l'objet que, mis bout à bout, ils avaient formé.

30

Les enquêteurs s'assemblèrent une fois de plus autour de la table de conférence du poste de commandement. Jean-Guy vit Gamache chausser ses lunettes de lecture et baisser les yeux sur le rapport qu'il venait de distribuer. Puis Gamache retira ses lunettes et posa un regard pensif sur son ex-adjoint, et Jean-Guy dut faire un effort pour se rappeler que Gamache était là à titre d'invité et non plus de patron.

À la blague, il avait offert à son beau-père, pour l'aider à réorienter sa carrière, l'espèce de blouse qu'arboraient les agents d'accueil dans les Walmart. Gamache avait ri de bon cœur. Un jour, il l'avait même enfilée pour accueillir son gendre et sa fille à la maison en lançant : « Bienvenue chez Walmart ! »

À présent, Jean-Guy regrettait le cadeau et l'idée qui le sous-tendait : que l'inspecteur-chef ne ferait jamais un heureux retraité. Qu'on attendait autre chose, davantage, de la part de cet homme qui avait sacrifié sa vie à son travail.

Il se souvint des propos de Mary Fraser, des paroles blessantes qu'elle avait prononcées. Et comprit que, avec la blouse, il avait dit à peu près la même chose à son beau-père.

Beauvoir n'eut pas besoin de consulter son propre rapport. Il n'y avait pas grand-chose à ajouter.

– Nous avons interrogé les amis d'Antoinette Lemaître, ses clients et les membres de la Troupe de l'Estrie. Il ne fait aucun doute que sa décision de monter la pièce de Fleming a causé beaucoup de ressentiment. Les gens étaient en colère, c'est le moins qu'on puisse dire.

– Tu penses qu'Antoinette a été tuée à cause de la pièce ?

– Non. Nous vérifions les alibis. Mais, jusqu'ici, on n'a aucun suspect.

– Et Brian ? demanda Lacoste.

– C'est un peu plus compliqué, évidemment. Ses empreintes et son ADN sont partout sur la scène du crime, mais c'était à prévoir. On a retrouvé sur les vêtements qu'il portait des cheveux et d'infimes particules de peau et de sang de la victime, mais comme c'est lui qui l'a trouvée et qu'il croit l'avoir touchée, là encore…

Il leva les mains.

– « Son alibi est solide », lut Lacoste dans le rapport.

– Oui, confirma Beauvoir. Son portable indique qu'il a été à Montréal pendant toute cette période, mais, bien sûr, il aurait pu le laisser là-bas à dessein.

– Nous savons qu'Antoinette a apporté les affaires de son oncle au théâtre le jour de sa mort, peut-être même dans la soirée, dit Gamache. Des témoins ?

– Non, fit Jean-Guy. Dans l'après-midi, on l'a vue à l'épicerie, à la boulangerie et à la Société des alcools, où elle a acheté deux bouteilles de vin.

– Le rapport d'autopsie fait état d'un souper composé de pizza, de tarte au chocolat et de vin rouge, dit Lacoste. Son taux d'alcoolémie dépassait largement la normale et on a trouvé une bouteille de vin vide dans le bac à recyclage.

– Et l'autre ? demanda Gamache.

– Dans l'armoire, encore fermée, répondit Beauvoir.

Gamache réfléchit un moment.

– Conclusions ?

– Elle était alcoolique, dit Jean-Guy.

– Elle avait décidé de passer la soirée à décompresser, dit Lacoste. Vous, les hommes, n'avez aucune idée du plaisir que prend une femme à manger des cochonneries et à siffler du vin, en survêtement. Un souper romantique à Paris ? Pfft.

Donnez-moi plutôt de la pizza, du vin, du chocolat et un pantalon en coton ouaté et je suis aux anges.

Beauvoir et Gamache la dévisageaient.

– Un effet de la maternité, expliqua-t-elle. Un jour, Annie va comprendre. Et, si on posait la question à Reine-Marie, je parie qu'elle…

– Mais elle n'était pas en survêtement, dit Gamache. Elle était en tenue de ville.

– C'est vrai, admit Lacoste. Elle avait des vêtements décontractés dans sa garde-robe. Elle aurait pu se changer.

– Pourquoi ne pas l'avoir fait ? insista Gamache.

– Elle en avait peut-être le projet, mais elle a plutôt commencé à boire, risqua Beauvoir. Bien vite, elle a été si ivre que sa tenue n'a plus eu la moindre importance. Je pense qu'elle cherchait à s'anesthésier. De toute évidence, elle avait peur. Sinon, pourquoi aurait-elle apporté tous ces objets au théâtre ?

– Si elle avait si peur, pourquoi a-t-elle laissé Brian partir à Montréal ? interjeta Lacoste. Si j'avais la trouille, je préférerais avoir de la compagnie.

– Même celle de Brian ? fit Beauvoir.

– Bon, d'accord, il n'a rien d'un rottweiler, mais, quand on a peur, c'est quand même mieux que rien.

– Pourquoi la porte n'était-elle pas fermée à clé ? demanda Gamache. Elle est terrorisée au point de sortir les effets de son oncle de la maison, mais, en rentrant, elle laisse la porte déverrouillée ?

– Simple habitude ? avança Lacoste sans conviction.

– Nous faisons peut-être fausse route, dit Beauvoir en se calant sur sa chaise et en croisant les bras d'un air irrité. Peut-être n'avait-elle pas peur du tout. Peut-être a-t-elle attendu que Brian soit parti pour recevoir quelqu'un.

– Un amant ? demanda Lacoste.

Elle secoua aussitôt la tête et regarda Beauvoir, les yeux brillants.

– Non. Un acheteur. C'est à ça que tu penses, n'est-ce pas ?

– Je me pose la question, répondit Jean-Guy. Je trouve que ça colle, en plus. Pour la mettre en garde, Guillaume Couture parle à sa nièce du Projet Babylone et du rôle qu'il a joué dans sa création. Du percuteur et des plans qu'il a cachés. Elle n'est pas vraiment intéressée. Après tout, c'est son oncle un peu gâteux qui radote à propos d'un vieux canon. Lorsque l'engin est découvert, elle prend conscience du trésor qu'elle a entre les mains et se dit qu'il doit bien valoir quelque chose pour quelqu'un.

– Le contact est établi, poursuivit Lacoste, qui faisait jouer le scénario dans sa tête, et elle invite ce type…

– Ou cette femme, dit Beauvoir.

– Ou ces personnes, dit Gamache.

– … à passer chez elle. Le soir où Brian sera absent.

– Oui, dit Gamache. Je pense que c'est important. Le seul soir où il était à l'extérieur.

– Dans ce cas, pourquoi a-t-elle transporté toutes ces affaires au théâtre ? demanda Beauvoir avant de lever la main. Attendez. Je l'ai. Pour éviter que l'acheteur puisse les trouver par lui-même. Sans l'argent, elle ne dirait rien.

Il tapa sur la table du plat de la main.

– Affaire classée !

– Tu n'oublierais pas un détail, par hasard ? demanda Armand.

– Le nom du tueur ? répondit Jean-Guy. C'est moi qui nous ai conduits jusque-là. C'est à l'inspectrice-chef de faire le reste, non ?

Penchée sur sa chaise, Isabelle Lacoste se tapotait les lèvres avec un stylo. Ayant cessé d'écouter, ce qui était la sagesse même, elle réfléchissait.

– Le vin, fit-elle. Pourquoi Antoinette aurait-elle descendu une bouteille à elle toute seule avant une rencontre importante ? Elle n'aurait pas plutôt tenu à avoir les idées claires ?

– Peut-être a-t-elle ressenti le besoin de se donner du cœur au ventre, dit Beauvoir. D'ailleurs, qui nous dit qu'elle a tout bu elle-même ? Le tueur a pu en prendre un verre ou deux avant de tout nettoyer. Sinon, Antoinette était nerveuse et elle a bu plus qu'elle l'avait escompté. Après tout, elle s'apprêtait à recevoir un type qui avait déjà fait au moins une victime.

Lacoste hochait la tête.

– C'est peut-être aussi ce qui explique sa blessure. On ne dirait pas le résultat d'un acte délibéré. Si elle était ivre et qu'ils se sont disputés, il a suffi d'une bousculade avec l'acheteur, disons, pour qu'elle perde l'équilibre.

– Après, l'acheteur a eu tout le loisir de fouiller la maison, dit Gamache. Sans savoir qu'Antoinette avait tout emporté ailleurs.

– Oui, sauf que, maintenant, un autre problème se pose, dit Lacoste. Les perquisitions menées au théâtre n'ont rien donné. Pas de percuteur, pas de plans. Où les a-t-elle mis ?

Ils se regardèrent.

– On dirait bien que nous sommes dans une impasse, constata Lacoste. De toute évidence, il nous faut plus d'informations.

Elle se tourna vers Adam Cohen qui, assis à un bureau, fixait un écran d'ordinateur. « S'il est en train de jouer… », songea-t-elle. Se levant, elle traversa la pièce.

– Nous sommes prêts pour votre rapport.

Les mains de l'homme reposaient sur le clavier, immobiles. Il regardait ce qui, au grand soulagement de Lacoste, était un texte. Des documents, à première vue.

– J'ai presque terminé, répondit-il, distrait.

Puis il leva les yeux.

– Désolé, monsieur. Madame. Inspectrice-chef.

Il s'inclina légèrement dans un geste qui, s'il avait été debout, aurait pu passer pour une révérence.

– Venez lorsque vous aurez terminé.

Elle lui avait confié la tâche ingrate d'assurer le suivi des documents et de tous les éléments de l'enquête. Le testament de M. Couture. Les déclarations de revenus d'Antoinette.

– Il a encore besoin de quelques minutes, expliqua-t-elle en revenant vers la table. Vous avez des nouvelles de votre amie au SCRS ?

– Je lui ai parlé avant de venir, dit Gamache. Elle ne connaît personnellement ni Mary Fraser ni Sean Delorme, mais elle a consulté leurs dossiers et confirme qu'ils travaillent bel et bien au SCRS. Ce sont des spécialistes du Moyen-Orient, et Gerald Bull a effectivement été un de leurs dossiers.

– Vous ne pensez pas que des spécialistes du Moyen-Orient auraient su faire la différence entre des caractères arabes et hébreux ? fit Lacoste. En voyant la gravure, la femme a cru que c'était de l'arabe.

– Je pense qu'elle faisait l'imbécile, répondit Gamache. Stratégie fréquente chez elle. Une façon de vérifier l'état de vos connaissances, peut-être.

– Dans ce cas, sa ruse a fonctionné, fit Lacoste. Je lui ai dit ce que je savais.

– Ça ne change rien, dit Gamache. Je suis sûr que Mary Fraser parle l'arabe et l'hébreu et qu'elle a su déchiffrer l'inscription. Selon ma source, Fraser et Delorme sont avec le SCRS depuis sa création.

– En quelle année ? demanda Beauvoir.

– 1984, répondit Gamache.

Il vit ses deux interlocuteurs hausser les sourcils en même temps.

– Vous voulez rire ? fit Lacoste. Le Canada a créé Big Brother en 1984 ? J'espère qu'on a savouré l'ironie de la situation.

Beauvoir, lui, semblait moins amusé.

– Ils sont là depuis 1984 et ils font encore du classement ?

– Notre conversation a surtout porté sur ce point. En faisant ce constat, ma source s'est posé des questions, elle aussi, mais c'est la vérité, paraît-il.

– Certaines personnes finissent par se perdre dans le système, je suppose, dit Lacoste.

Sauf que Gamache savait que la Mary Fraser qu'il avait rencontrée la veille au gîte était du genre à se cacher, mais pas à se perdre.

– Mon amie a eu une intuition, dit Gamache.

– Ce ne sont pas de vrais archivistes ? dit Beauvoir.

– Ils sont bien ceux qu'ils prétendent, répondit Gamache. Mon amie s'en est assurée. Ce sont des archivistes avec, disons, une valeur ajoutée.

– C'est-à-dire ?

– Le SCRS a pour mandat de recueillir des renseignements au pays et à l'étranger. C'est ce qui explique que Fraser et Delorme aient pu colliger autant de données sur les activités de Gerald Bull ici, en Afrique du Sud, en Irak et en Belgique. Pour faire ce travail efficacement, un agent sur le terrain doit savoir ce qu'il cherche et être en mesure de démêler les informations exactes des « fausses pistes », pour reprendre une expression de Mary Fraser.

– Une archiviste ? s'étonna Lacoste. Envoyée sur le terrain ?

Gamache sourit.

– Il paraît que c'est possible. Selon ma source, c'était monnaie courante, au début, mais, par la suite, la bureaucratie et les syndicats de la fonction publique se sont mis de la partie. Exit, le multitâche. Les emplois ont été compartimentés. Bien délimités. Les employés de soutien et les agents sur le terrain. Deux domaines distincts.

– Certains vieux de la vieille ont pu continuer de jouer sur les deux tableaux, dit Lacoste. Archivistes la plupart du temps, ils passent leurs journées à faire des recherches et des analyses.

Mais il leur arrive aussi d'aller sur le terrain et de recueillir des renseignements.

– *Vous n'avez aucune idée du monde dans lequel vous vous êtes aventurés,* dit Gamache. Tu te souviens d'avoir entendu Mary Fraser prononcer ces mots, Jean-Guy ?

Beauvoir hocha la tête. Il n'oublierait jamais l'atmosphère glaciale qui avait régné dans la pièce. Il avait été étonné de ne pas voir les mots jaillir au milieu de bouffées de vapeur.

– Je ne crois pas qu'elle faisait référence au monde du tri et du classement, dit Gamache. Ma source s'est empressée de souligner que rien ne permettait de tirer une telle conclusion. L'existence de ces agents ultrasecrets fait un peu partie de la mythologie du SCRS. En réalité, tout indique que Mary Fraser et Sean Delorme sont bel et bien ceux qu'ils disent être : des archivistes à l'aube de la retraite.

– Enfin dépêchés sur le terrain, dit Lacoste. Avec une ultime chance de se distinguer. C'est l'impression qu'ils m'ont donnée la première fois que je les ai vus. Des bureaucrates subalternes légèrement empotés, aimables mais peu efficaces, à qui on a confié cette mission parce qu'ils sont les seuls à connaître ce marchand d'armes mort depuis des lustres et son projet, abandonné depuis longtemps, lui aussi. On aurait dit qu'ils jouaient les vrais agents.

– Ils te font toujours la même impression ? demanda Beauvoir.

– Non.

– Pareil pour moi.

– Votre source au SCRS va continuer de fouiller ? demanda Lacoste.

– Elle a dit que oui, mais j'ai senti que ça devenait plus délicat, répondit Gamache. Et si Fraser et Delorme sont de vrais agents sur le terrain, il vaut peut-être mieux en rester là.

Ils entendirent le bruit de l'imprimante.

– La directrice adjointe du SCRS est une femme, non ? Ce ne serait pas elle, votre…

– Beaucoup de femmes travaillent au SCRS, fit Gamache.

– En effet, dit Lacoste. Et elles font du classement. Une seule occupe un poste assez élevé pour obtenir ce genre de renseignements. Vous dites lui avoir parlé récemment ?

– Cet après-midi, répondit Gamache.

– Non, avant, je veux dire. Elle vous a offert un poste ? Le sien, peut-être ? Parce qu'elle-même est appelée à de plus hautes fonctions ?

– Nous nous sommes donné des nouvelles entre amis, rien de plus. Nous nous connaissons depuis des années. Nous avons même mené ensemble certaines enquêtes.

– Naturellement, fit Lacoste.

Beauvoir avait écouté attentivement l'échange en épiant son ancien patron. Il aurait fait un bon agent du renseignement, comprit Jean-Guy. Gamache, soupçonnait-il, avait été pressenti, peut-être même pour le poste de grand patron, et il songeait à l'accepter.

Bienvenue au SCRS.

Gamache allait leur faire part de sa visite à Highwater lorsque Adam Cohen le coupa dans son élan.

– J'ai des informations sur Al Lepage, dit-il. Je vous les communique maintenant ?

Lacoste jeta un coup d'œil à Gamache qui, d'un geste, invita le jeune homme à poursuivre.

Cohen semblait si impatient que, si on l'obligeait à attendre, il risquait la combustion spontanée.

– Le père de Laurent n'est pas Al Lepage.

– Quoi ? s'écria Beauvoir qui, bondissant de sa chaise, se catapulta vers l'agent Cohen. Qui est le père de Laurent, dans ce cas ?

– Non, non, excusez-moi. Je me suis mal exprimé. Je ne faisais pas référence à la biologie…

Il constata que les autres ne le suivaient pas.

– Laissez-moi recommencer. Al Lepage n'est pas son vrai nom. Nous avons envoyé ses empreintes à toutes les polices du Canada et des États-Unis. Parce qu'il était objecteur de conscience, nous les avons aussi fait parvenir au ministère de la Défense à Washington.

– Oui, confirma Lacoste. Et ça n'a rien donné.

– C'est bien ça qui est bizarre, dit Cohen. Il dit être américain et avoir fui la conscription. Il aurait dû laisser des traces. J'ai essayé ensuite le bureau du juge-avocat général. C'est le bras judiciaire de l'armée des États-Unis, établi à Washington. Voici ce que j'ai obtenu.

Il tendit une feuille à l'inspectrice-chef Lacoste, qui la lut, la mine de plus en plus grave. Après avoir pris une profonde inspiration, elle la passa à Beauvoir et se tourna vers Cohen.

– Faites-moi voir.

Elle le suivit jusqu'à son ordinateur. Pendant ce temps, Beauvoir lut à son tour et remit la feuille à Gamache.

Al Lepage s'appelait en réalité Frederick Lawson. Soldat au sein de l'armée des États-Unis.

– On n'a pas affaire à un objecteur de conscience, dit Gamache en regardant Beauvoir par-dessus ses lunettes de lecture. C'est plutôt un déserteur.

– Continuez de lire, dit Jean-Guy d'un air solennel.

Gamache s'exécuta.

Il sentit ses joues se glacer, comme si on avait laissé une fenêtre entrouverte et qu'un vent maléfique s'y engouffrait.

– Pas un déserteur ordinaire, dit Beauvoir au moment où Gamache déposait la feuille sur la table. On s'apprêtait à le juger pour un massacre.

– Le massacre de Son My, dit Gamache. Tu es trop jeune pour t'en souvenir. Pas moi.

Isabelle Lacoste, enfoncée dans un fauteuil, faisait défiler des photos sur l'ordinateur de Cohen. Beauvoir la rejoignit, et Gamache le suivit à contrecœur. Il les avait vues, ces photos, à l'époque où il n'était encore qu'un jeune homme, presque un enfant. À la fin des années 1960, les photographies d'atrocités alimentaient les bulletins de nouvelles de fin de soirée. Le genre de choses qu'on n'oubliait jamais.

Ensemble, ces quatre-là – trois enquêteurs chevronnés de la section des homicides et une recrue – regardèrent des photos si horribles qu'elles dépassaient presque l'entendement. Des centaines de cadavres. Des membres minuscules. De longs cheveux noirs. Des vêtements de couleurs vives que des hommes, des femmes, des enfants et des bébés avaient enfilés, ce matin-là, sans se douter de la menace qui se profilait, au-delà de la crête.

– Al Lepage était au nombre des soldats responsables de cette horreur ? demanda Lacoste.

– Frederick Lawson, corrigea l'agent Cohen. Il est devenu Al Lepage en franchissant la frontière.

– C'est la justice qu'il fuyait, pas la guerre, énonça Beauvoir.

Il entendit Gamache prendre une longue et profonde inspiration, soupirer.

– Nous savons maintenant que Lepage est capable de tuer un enfant, dit Beauvoir.

– Que faisons-nous de cette information ? demanda l'agent Cohen à l'inspectrice-chef Lacoste.

– Rien dans l'immédiat, répondit-elle. Jusqu'à la fin de l'enquête. Nous déciderons alors des suites à y donner.

Pendant qu'ils se dirigeaient vers la table de conférence, elle jeta un rapide coup d'œil à Gamache, qui hocha presque imperceptiblement la tête. Il aurait pris la même décision.

– Qu'est-ce que c'est ? demanda Beauvoir en regardant un autre document.

– Une autre de mes découvertes, répondit Cohen. Vous m'avez demandé de jeter un coup d'œil au testament de M. Couture. Il a tout laissé à sa nièce. Zéro ambiguïté, mais je me suis demandé ce que « tout » voulait dire. Le contenu de sa maison, une assurance-vie de vingt mille dollars, quelques économies, en plus de la maison elle-même. La recherche sur les titres fonciers a révélé qu'il avait autrefois été propriétaire d'un autre bien immobilier.

– Dans les environs de Three Pines ? demanda Lacoste. Là où on a trouvé le canon ?

– Non. C'était à une certaine distance d'ici. Dans un lieu appelé Highwater.

– Ahhh, fit Gamache en joignant les mains sur la table. Voilà qui est intéressant.

– C'est le village où les agents du SCRS sont allés l'autre jour, non ? fit Lacoste.

– Et celui où je me suis rendu après vous avoir laissés au théâtre de Knowlton, dit Gamache. J'ai suivi le même itinéraire qu'eux. Voici ce que j'ai trouvé.

Il tendit à Lacoste son téléphone avec les photos qu'il contenait et décrivit ses actions. Et ses observations.

– Mais de quoi s'agit-il ? demanda Lacoste en passant l'appareil à Beauvoir par l'intermédiaire de Cohen, qui en profita pour jeter un bref coup d'œil.

– Vous vous souvenez des informations caviardées que Reine-Marie a découvertes à propos de Gerald Bull ? demanda Gamache. La plupart des renseignements intéressants avaient été biffés, mais les censeurs en avaient raté un.

– Supercanons, dit Beauvoir en haussant les sourcils. Avec un « s ».

– Au pluriel, en effet, fit Gamache en désignant le téléphone que Beauvoir tenait à la main. Je crois que c'était un autre lance-missiles de Gerald Bull ou de Guillaume Couture. Une version nettement plus petite, peut-être un coup d'essai avant la construction de l'arme véritable.

– Le Projet Babylone comportait donc deux canons, dit Lacoste. Et le terrain appartenait à M. Couture ?

– Jusqu'à ce qu'il le cède à une société à numéro, dit Cohen. J'essaie de la retrouver.

– Il s'agira, je pense, de la Société de recherches spatiales, dit Jean-Guy. Celle de Gerald Bull.

– Tu as sans doute raison, dit Gamache. Mais pourquoi abandonner un site qui semble parfait, au sommet d'une colline qui domine la frontière avec les États-Unis ? Pourquoi tout déplacer ici ? J'ai demandé à Reine-Marie de se servir de son accès aux archives pour fouiller un peu.

– De mon côté, je vais continuer de creuser, si vous n'y voyez pas d'inconvénient, dit l'agent Cohen en se tournant vers Gamache, puis vers Lacoste, avant de revenir vers le premier.

On aurait dit un chiot affolé.

Gamache, en revanche, n'hésita pas. Il jeta un coup d'œil à l'inspectrice-chef Lacoste qui, d'un signe, donna le feu vert à Cohen.

– Votre source au SCRS pourrait-elle nous donner un coup de main ? demanda Beauvoir. Je sais que vous ne voulez pas trop presser le citron, mais il me semble important de savoir tout ce qu'a le SCRS sur Gerald Bull. De toute évidence, les agents connaissaient le site d'Highwater ou, du moins, en soupçonnaient l'existence.

Mais Gamache secoua la tête.

– Si Fraser et Delorme sont bien ceux que nous croyons, ils seront aux aguets. Je ne veux pas qu'ils sachent que nous savons.

– Ça ne vous a pas empêché d'interroger votre source du SCRS sur leur travail et leurs vraies responsabilités, fit Beauvoir. Vous n'avez donc pas peur que Fraser et Delorme l'apprennent ?

Il dévisagea Gamache et sourit.

– Je vois. Vous voulez qu'ils soient au courant des questions que vous avez posées sur eux.

– Je veux qu'ils croient, pour reprendre une nouvelle fois l'expression de Mary Fraser, que nous suivons une fausse piste. S'il y a une chose qu'ils tiennent à ce que nous ne sachions pas, c'est celle-là, je pense.

D'un geste de la tête, il désigna son appareil où figurait la photo d'une autre Babylone.

« Quoi qu'il advienne », songea-t-il.

– Bonjour ? *Hi ?*

Ils entendirent la voix de l'homme avant de l'apercevoir, même s'ils surent tout de suite qui les appelait ainsi. Quelques instants plus tard, le professeur Rosenblatt contourna le gros camion de pompiers rouge qui partageait l'espace de l'unité des homicides. Il portait un imper noir fripé et tenait à la main un parapluie dégoulinant, qu'il avait roulé.

– Je ne vous dérange pas, j'espère, dit-il en secouant son parapluie. Je peux repasser, si vous préférez.

– Pas du tout, fit Lacoste. Nous terminions justement.

Se levant, elle s'avança vers lui.

– Que puis-je faire pour vous ?

– C'est si insignifiant que je suis un peu gêné.

Il en avait l'air.

– Je me demandais si je pouvais emprunter un de vos ordinateurs. Dans le village, mon iPhone ne reçoit pas de messages et ne peut pas en envoyer non plus.

– Pareil pour tout le monde, dit Jean-Guy, venu les rejoindre. Ce serait apaisant si ce n'était pas aussi exaspérant.

Le professeur rit jusqu'à ce que l'image restée sur l'écran de l'agent Cohen attire son attention.

– Est-ce…

Cohen se campa bien vite devant.

– Pourquoi n'utiliseriez-vous pas ce poste-ci, professeur ? proposa Lacoste en guidant le vieux scientifique vers un bureau. Il est raccordé au réseau, mais personne ne s'en sert, en ce moment. Vous devez relever vos messages ?

Il aurait peut-être ri une fois de plus, mais l'image qu'il avait fugitivement aperçue sur l'écran de l'agent Cohen avait eu raison de son sens de l'humour.

– Non, personne ne m'écrit. Je voulais seulement vérifier une référence.

Il se tourna vers Gamache.

– Vous la connaissez peut-être.

– Des vers obscurs ? demanda Beauvoir.

– Oui, répondit Rosenblatt en voyant l'inquiétude se peindre sur le visage de Beauvoir. En fait, ce n'est pas très obscur. Je n'arrive tout simplement pas à trouver la source. La Bible, je pense, ou encore Shakespeare. Je cherche ce que votre amie Ruth Zardo a noté dans son carnet, le jour où nous avons été informés du meurtre de cette femme.

– Un de ses propres poèmes, sans doute, dit Lacoste.

– Non, je ne crois pas. Il était question d'une bête brute se traînant vers Jérusalem.

– En effet, ça me rappelle quelque chose, dit Gamache.

– C'est notre jour de chance, bredouilla Jean-Guy.

– Sauf qu'il ne s'agit pas de Jérusalem, dit Gamache.

– Non, vous avez raison, dit Rosenblatt. Je voulais dire Bethléem.

Les deux hommes approchèrent des chaises du terminal. Pendant que les autres enquêtaient sur des meurtres et des massacres, ces deux-là s'occupaient de poésie.

– Vous avez retrouvé les plans ? demanda Rosenblatt, pendant qu'ils tapaient quelques mots-clés : *bête brute, Bethléem.*

Ils appuyèrent sur la touche « Entrée ».

– Pas encore, avoua Gamache. Nous avons retrouvé certains effets ayant appartenu à M. Couture, mais pas les plans ni le percuteur.

– Dommage.

– Vous aimeriez y jeter un coup d'œil ? proposa Gamache.

Pendant le téléchargement, il alla chercher la boîte renfermant les pièces à conviction.

Le professeur examina les objets sans grand intérêt, du moins avant de tomber sur le Manneken-Pis. Il s'en empara et sourit.

– J'ai acheté le même pour mon petit-fils. Ma fille n'a pas été impressionnée. David a passé les six mois suivants à uriner en public. Ce garçon aurait pu faire pipi pour le Canada tout entier.

Il saisit ensuite l'ensemble de stylos. Il en prit un, l'étudia, puis fouilla dans la boîte et en sortit les serre-livres. Il en retourna un, le posa, puis prit l'autre. Entre-temps, Lacoste et Beauvoir, qui s'étaient approchés du vieux scientifique, le regardaient manipuler ces objets.

– Qu'est-ce que vous…, commença Lacoste avant de s'arrêter pour ne pas briser la concentration du vieil homme.

Ils observèrent le professeur, qui tritura les objets jusqu'à ce qu'un petit déclic se fasse entendre. Il fronça les sourcils, puis, prenant les deux stylos, il les inséra dans les trous à la base du serre-livres.

Après l'avoir étudié un moment, il brandit l'objet, comme aurait pu le faire un enfant intelligent ayant fabriqué quelque chose pour sa maman.

– C'est…, fit Lacoste en le lui prenant.

– Le percuteur ? Je pense que oui, dit le professeur, aussi ébahi que les autres. Ingénieux.

Gamache observa l'objet, que Lacoste faisait tourner en tous sens. Plus rien à voir avec un ensemble de stylos et un serre-livres. De la même façon que l'ensemble de stylos et le serre-livres n'avaient rien eu à voir avec un percuteur.

– Comment avez-vous su ? demanda Beauvoir en le prenant à son tour pour l'examiner sous toutes les coutures.

– Aucune idée. J'ai essayé, c'est tout. Pour un physicien, il s'agit, je crois, d'une condition préalable. Une bonne capacité de raisonnement spatial. Les stylos ont été le premier indice, évidemment.

– Les stylos ? s'étonna Beauvoir.

– Ils ne sont pas fonctionnels, fit Rosenblatt. Pas de pointe. Ils ne peuvent donc pas servir à écrire.

Lacoste et Beauvoir échangèrent un regard, puis se tournèrent vers Gamache, qui regardait fixement l'objet dans la main de Beauvoir. Il posa ensuite ses yeux sur l'écran de l'ordinateur, où le poème était apparu.

Dans sa mire – et formant un tableau – s'alignaient le percuteur, le massacre de Son My, la pièce de John Fleming, restée sur le bureau de Beauvoir, et les mots sur l'écran :

Et quelle bête brute, revenue l'heure,
Traîne la patte vers Bethléem, pour naître enfin ?

31

– Le compte à rebours est amorcé, dit doucement Gamache en s'assoyant avec Rosenblatt au fond du bistro. N'est-ce pas?

Autour d'eux, de jeunes serveurs montaient les tables en prévision du service du soir. De l'autre côté de la fenêtre, des feuilles mortes sautillaient dans le vent et la pluie, sous les yeux de deux tamias accroupis, alertes.

L'entendaient-ils, eux aussi? Porté par le vent.

Le tic-tac du temps qui fuyait. Bientôt, il serait trop tard.

– Oui, répondit le vieux scientifique en levant la main pour attirer l'attention d'un des serveurs. Un chocolat chaud, s'il vous plaît.

– Que diriez-vous d'un bon cidre chaud plutôt? proposa Olivier. S'il vous plaît?

– Volontiers, patron, dit Gamache.

– Un pour moi aussi. Sans alcool, s'il vous plaît. Je me remets toujours de mes excès d'hier soir, expliqua-t-il à Armand après le départ d'Olivier. Hier, vous savez, j'ai commandé un chocolat chaud et on m'a apporté un verre de cidre.

Le professeur Rosenblatt tendit ses mains vers le feu et les frotta comme si la chaleur était de l'eau.

– Sacré tour de passe-passe, dit Gamache en acceptant son verre de cidre.

Il remua la boisson à l'aide d'un bâtonnet de cannelle, et le parfum d'épices et de pommes chaudes se mêla à l'odeur âcre de la fumée.

– Reconnaître le percuteur, je veux dire.

– Un tour de passe-passe?

Rosenblatt étudia l'homme qui lui faisait face.

Ils avaient laissé à leurs recherches les officiers de la Sûreté, galvanisés par leurs découvertes, et Gamache avait entraîné le vieux scientifique au bistro. Des clients s'y pressaient pour l'apéro, mais leur table était à l'écart, et rares étaient ceux qui les remarquaient. Pour être certain de ne pas être entendu, Gamache avait demandé à Olivier de n'asseoir personne près d'eux.

– Ce n'était pas de la magie, monsieur, dit Rosenblatt.

Jamais encore Gamache ne l'avait vu aussi grave.

– Et vous n'êtes pas magicien ?

Le professeur fit la moue, perdu dans ses pensées.

– Me soupçonneriez-vous de quelque méfait, par hasard ?

– Qu'y a-t-il à Highwater ?

Cette fois, Rosenblatt pinça les lèvres et se pétrifia. Gamache pouvait presque sentir le cerveau de l'homme s'activer. Il s'en dégageait un subtil parfum de pomme.

Rosenblatt sourit, avec résignation plus qu'avec humour.

– Vous êtes au courant ?

– Mary Fraser et Sean Delorme sont allés là-bas peu de temps après avoir vu le canon, expliqua Gamache. Nous les avons suivis grâce à leurs téléphones.

Rosenblatt secoua la tête.

– Des archivistes.

– Eh bien ? insista Gamache.

– C'est à Highwater qu'on a construit le premier Supercanon, dit Michael Rosenblatt sans quitter Gamache des yeux. Vous n'êtes pas surpris.

Gamache garda le silence, attendant de voir ce que Rosenblatt dirait ou ferait ensuite.

– Vous y êtes allé, n'est-ce pas ? dit le scientifique en mettant les pièces bout à bout, une fois de plus. Vous êtes au courant. Pourquoi, dans ce cas, me poser la question ?

Son compagnon resta emmuré dans son mutisme, et Rosenblatt recolla de nouveau les morceaux.

– Une épreuve ? Vous vouliez savoir si je dirais la vérité ? Qu'est-ce qui vous a laissé croire que j'étais au courant ?

– Les pages caviardées, répondit enfin Armand. Vous les avez lues, mais vous n'avez pas relevé le pluriel. Les censeurs avaient tout supprimé, sauf une référence. Supercanons. Tous ceux qui ont parcouru ces pages ont remarqué ce détail. J'ai eu du mal à croire qu'il vous avait échappé. Mais pourquoi ne pas l'avoir souligné, alors ? Une seule réponse possible. Vous étiez déjà au courant et vous espériez que je n'avais rien vu.

– Pourquoi aurais-je voulu vous garder dans l'ignorance ?

– Bonne question. Pourquoi ne nous en avez-vous pas parlé la première fois que vous avez vu le canon dans les bois ? Vous ne vous êtes pas dit qu'il serait important que nous sachions qu'il y en avait eu un autre, non loin d'ici ?

Michael Rosenblatt retira ses lunettes et se frotta le visage, puis, après les avoir remises, il regarda Gamache en face.

– En fait, j'ai cru que c'était sans importance. Maintenant que je vous entends, je conçois que ça peut paraître louche. Peu de gens étaient au courant de l'autre volet du Projet Babylone, dit Michael Rosenblatt. Les deux moitiés avaient pour nom Baby Babylone et Big Babylone.

– Deux moitiés ? s'étonna Gamache. D'un même tout ?

– Non, il vaut mieux les considérer comme deux parties, mais pas d'un tout. L'un a donné naissance à l'autre. Le premier volet a été Baby Babylone, le plus petit des deux.

– Celui d'Highwater.

– Oui. Il a été conçu par la Société de recherches spatiales de Gerald Bull. Baby Babylone était un secret de Polichinelle, comme c'est souvent le cas sur le marché des armes. Assez secret pour piquer la curiosité, et assez public pour susciter l'intérêt.

– Et c'est ce qui est arrivé, dit Gamache.

Comme l'autre ne disait rien, il ajouta :

– Non ?

– Oui, en quelque sorte. Baby Babylone a été tourné en ridicule. Malgré son nom, il était si énorme, si disgracieux et si différent de tout ce qui existait qu'on l'a vite rejeté en y voyant une arme instable, au même titre que le cerveau où elle avait germé. Celui d'un rêveur. Aucun ingénieur, aucun physicien ne croyait qu'elle puisse être construite. Ou, en tout cas, qu'elle puisse tirer. Seul un autre esprit instable aurait pu songer à passer une commande.

– Saddam Hussein, dit Gamache.

– Oui. L'intérêt de Saddam n'a fait que confirmer les soupçons : l'idée était complètement saugrenue.

Rosenblatt fit lentement tourner sa tasse de cidre chaud.

– Ils se sont trompés, dit Gamache.

– Non, ils ont eu raison. Baby Babylone a été un échec. Le canon, mal équilibré, trop lourd du haut, ne pouvait pas garantir une trajectoire constante. Avec un engin pareil, lancer un missile en orbite basse et le faire voyager sur des dizaines de milliers de kilomètres… Il aurait suffi d'une erreur d'un millième de degré au lancement pour anéantir Paris au lieu de Moscou. Ou même pour frapper Bagdad.

– Ou encore Bethléem.

Rosenblatt ne trouva rien à répondre.

– Comment a-t-on su qu'il ne fonctionnait pas ? demanda Gamache.

– On en a fait l'essai.

Gamache ne cacha pas sa surprise. Ou il en fut incapable.

– Pas dans les airs, s'empressa de dire Rosenblatt pour le rassurer.

– Où donc ? demanda Gamache.

– Sous terre.

L'air ahuri de Gamache était des plus sincères.

– Sur place, avez-vous remarqué les rails de chemin de fer ? demanda le professeur. Pas ceux du Canadien National, mais les autres, plus petits, plus étroits ?

– Oui. Je les ai suivis jusqu'au sommet de la colline.

– Bien. C'est ainsi que Bull a procédé. Comme tous les autres aspects du Projet Babylone, c'était d'une simplicité géniale. Puisqu'on ne pouvait pas faire l'essai du lance-missiles en lançant un missile, justement, on l'a mis sur un wagon plat au pied d'une colline et on a tiré dans le sol.

– À quelle fin ? fit Gamache.

– La force de recul, dit Rosenblatt. On a mesuré le degré d'inclinaison, la vitesse et la distance parcourue de même que la profondeur et la trajectoire du trou creusé dans le sol. Solution si simple qu'elle en était géniale.

– Ça ne me paraît pas simple du tout, dit Gamache.

Rosenblatt l'avait perdu dès les mots « degré d'inclinaison ». Gamache réfléchit à ses découvertes récentes.

– Le vacarme a dû être assourdissant, fit Gamache. Bonjour le secret.

– Oui, confirma Rosenblatt.

Gamache attendit vainement la suite.

– Ça n'a pas marché ?

– On a fait quelques tentatives, paraît-il. La force pouvait être corrigée, mais pas la trajectoire. On a fini par abandonner le site.

On aurait dit la fin de l'histoire, mais ce n'était que le début, Gamache le savait. Trente ans plus tard, on n'en était toujours pas au dénouement. Il avait toutefois le sentiment qu'ils s'approchaient de la fin. Ou qu'elle s'approchait d'eux.

– Et ensuite ? dit-il.

– Le Projet Babylone a été mis au rancart. Gerald Bull est parti à Bruxelles et Guillaume Couture s'est retiré à la campagne pour s'occuper de ses roses.

– Sauf que le Projet Babylone n'est pas mort, dit Gamache. En fait, il a pris de l'ampleur. Peu de gens étaient au courant de cette seconde phase, dites-vous ?

– C'est d'ailleurs le seul aspect déconcertant. Gerald Bull se montrait très circonspect à propos de la deuxième arme, Big Babylone. Contre son habitude, d'ailleurs. C'était un charlatan, un bonimenteur. Devant son silence sur le deuxième prototype, les gens ont commencé à se poser des questions.

– Ils se demandaient s'il y avait du vrai dans cette histoire, risqua Gamache.

– Et si Gerald Bull mettait au point une arme encore plus dangereuse, s'il jouait un jeu encore plus dangereux. Avec des gens encore plus dangereux.

– Plus dangereux que les Irakiens ?

Michael Rosenblatt laissa la question sans réponse.

Gamache réfléchit un moment.

– Si Bull se taisait, comment les gens ont-ils su ?

– La plupart sont restés dans l'ignorance. Et les informations qui filtraient étaient parcellaires. Des rumeurs, chuchotées à gauche et à droite. C'est un monde rempli de murmures. Ensemble, ils forment une sorte de cri. Pas facile de séparer les informations valables du simple bruit.

Il marqua une pause, remonta dans le temps.

– Ils auraient dû savoir.

– Les agents du SCRS ? À propos du deuxième volet du Projet Babylone ?

– Tout, ils auraient dû tout savoir. Je pense qu'ils savaient. Ils n'y croyaient pas, voilà tout. Ils ont rejeté l'idée. Pour eux, Gerald Bull n'était qu'un hurluberlu, un dilettante, surtout après l'échec de Baby Babylone.

– Pour vous aussi, souligna Gamache.

– À ma décharge, je ne disposais pas de tout l'arsenal du renseignement. J'avais travaillé avec l'homme, je le savais incapable de créer les engins qu'il colportait. Ce que je n'avais pas saisi, c'est que Guillaume Couture l'était, lui.

Rosenblatt regarda Gamache.

– Le Projet Babylone n'était rien de plus que le projet dément d'un illuminé, croyait-on. Plus encore après l'échec de Baby Babylone. Mais il a mené le projet à bien. Il l'a bel et bien construit, son canon.

Rosenblatt secoua la tête en fixant son cidre aromatique, qu'il remuait avec le bâton de cannelle.

– Comment avons-nous pu ne pas comprendre ?

– Vous n'avez vraiment pas compris ?

– Que voulez-vous insinuer ?

– Si tout le monde prenait Gerald Bull pour un hurluberlu et ses créations pour le produit d'un esprit dérangé, pourquoi a-t-il été tué ?

– Pour dissiper tous les doutes, répondit Rosenblatt. Par mesure de sécurité.

– Le meurtre comme mesure de sécurité ? s'étonna Gamache.

– Parfois, oui, dit Rosenblatt en regardant fixement l'ancien chef de la section des homicides. Ne me dites pas que vous n'y avez jamais songé.

– Et ici, fit Gamache, nous sommes en sécurité ? Nous sommes à cinq cents mètres d'une arme capable de rayer de la carte n'importe quelle grande ville de la côte Est, sans parler des capitales européennes.

Rosenblatt se pencha vers Gamache.

– Que cela vous plaise ou non, la mort de Gerald Bull a eu pour effet d'empêcher les Irakiens de mettre la main sur le Projet Babylone. Ils auraient gagné la guerre. Ils se seraient emparés de l'ensemble de la région. Ils auraient supprimé Israël et tous ceux qui auraient osé se mettre sur leur chemin. Dans un monde dangereux, monsieur Gamache, la sécurité est à ce prix.

– Si nous sommes en sécurité, demanda Gamache, pourquoi avez-vous si peur ?

32

Clara fit part de ses soupçons à Myrna.

Plus elle parlait, plus elle était convaincue. En exprimant ses idées à voix haute, en particulier à Myrna, elle prenait parfois conscience de leur absurdité.

Pas cette fois-ci. Elles se cristallisèrent plutôt.

– Qu'est-ce que je dois faire ? demanda Clara.

– Tu le sais très bien.

– Je déteste ce genre de réponse de ta part, dit Clara en sirotant son vin blanc.

En face, Myrna sourit, mais le mouvement fugace des lèvres fut arrêté aussitôt par les confidences que son amie venait de lui faire.

Elles n'avaient pas remarqué les deux hommes tapis dans un coin sombre. Du moins jusqu'à ce que l'un d'eux se lève.

Clara salua le professeur Rosenblatt à son passage. Sans s'arrêter, il poursuivit jusqu'à la porte et sortit. Elles se tournèrent ensuite vers celui qui n'avait pas bougé.

Armand suivait des yeux le scientifique ; peut-être aussi regardait-il dans le vide. Puis il sembla se décider. Se levant, il se dirigea vers le bar et passa un coup de fil, dos à la salle. Il retourna à sa table, nichée dans un coin.

Clara se leva, suivie par Myrna, et elles s'assirent de part et d'autre de l'homme.

– Je pense avoir découvert quelque chose d'intéressant, dit Clara. Mais je n'en suis pas certaine.

– Elle en est certaine, dit Myrna.

– Je vous écoute, fit Armand en tournant vers elle toute sa considérable attention.

– Assoyez-vous, dit Isabelle Lacoste en indiquant la table de conférence du poste de commandement.

Mary Fraser et Sean Delorme prirent place à côté de l'inspecteur Beauvoir, déjà installé.

– Le Projet Babylone ne comportait pas qu'un seul lance-missiles, attaqua Beauvoir sans préambule. Il y en avait deux. Pourquoi ne pas nous en avoir parlé ?

Gamache les avait appelés du bistro après que le professeur Rosenblatt eut confirmé l'existence de deux canons, aux noms improbables de Baby Babylone et de Big Babylone.

Mary Fraser, aussi terne que jamais, se montra imperturbable. Isabelle Lacoste s'imagina la femme d'âge mûr avec une pelote de laine sur les genoux, présence bienveillante ayant pour tâche d'apaiser et de réconforter de petits enfants dissipés.

– Vraiment ? fit Mary Fraser.

Isabelle Lacoste se pencha légèrement vers l'avant et, à voix basse, dit :

– Highwater.

Le mot eut l'effet d'un gros pavé lancé dans une mare. Tout fut transformé.

– Baby Babylone a été un échec…, commença Mary Fraser.

– Mary, fit Sean Delorme en l'interrompant.

– Ils sont au courant, Sean.

Ce fut au tour de l'homme de dévisager sa collègue.

– Tu savais qu'ils étaient au courant pour Highwater et tu ne m'as rien dit ?

– J'ai oublié.

– Difficile à croire, riposta-t-il en l'examinant de près.

– On en parlera plus tard, d'accord ?

La femme avait repris les mêmes mots qu'au moment de leur arrivée à Three Pines. Leur petite prise de bec au sujet de la conduite de la voiture. À l'époque, cette attitude avait semblé presque attendrissante ; à présent, elle donnait froid dans le dos. À voir la tête de Sean Delorme, il éprouvait la même sensation. Après avoir lancé un dernier bref coup d'œil à sa partenaire, il se retourna vers les enquêteurs de la Sûreté.

– Vous êtes allés là-bas ?

– Vous voulez savoir si nous sommes montés jusqu'au sommet de la colline en suivant les rails ? répondit Beauvoir.

Delorme se tortilla sur sa chaise, inspira et hocha la tête.

Mary Fraser, cependant, restait parfaitement immobile, posée. Figée.

– Nous étions au courant pour celui d'Highwater, mais pas pour l'autre, admit-elle.

– Vous êtes allés là-bas, dit Lacoste.

– Oui. Pour confirmer que les pièces détachées étaient encore sur place et que personne ne s'en était servi pour constituer une arme capable de tirer. En toute sincérité, Big Babylone nous a pris par surprise, je ne vous le cacherai pas.

Ni Lacoste ni Beauvoir ne prêtèrent foi à ces propos. Ces deux-là n'avaient pas grand-chose de « sincère ».

– Pourquoi ne nous avez-vous rien dit à propos d'Highwater ? demanda Lacoste.

– Vous auriez voulu qu'on vous dise que nous savions qu'un canon géant avait été construit à la frontière avec les États-Unis, il y a trente-cinq ans ? répliqua Mary Fraser. Ce ne sont pas exactement des propos de table.

– Des propos de table ? lança sèchement Lacoste. Nous menons une enquête pour meurtre, deux meurtres en l'occurrence, et vous possédiez des informations pertinentes.

– Nous n'avions rien du tout, dit Mary Fraser. En quoi le fait d'être au courant de l'existence d'une expérience avortée, abandonnée depuis des lustres, aurait-il pu vous aider à retrouver votre meurtrier ?

Jean-Guy plongea la main dans la boîte renfermant les pièces à conviction, en sortit l'ensemble de stylos et les serre-livres, les posa sur la table devant lui. Sans un mot, Isabelle Lacoste les saisit et se mit à les manipuler.

Les agents du SCRS l'observèrent avec un intérêt mitigé qui, lorsqu'ils comprirent à quoi ils assistaient en réalité, se changea en stupéfaction.

Lorsque le dernier morceau fut en place, Lacoste plaça l'objet devant Mary Fraser. Ce fut Sean Delorme qui s'en empara pour l'étudier de plus près.

– C'est le percuteur ? demanda-t-il enfin.

– *Yes*, répondit Lacoste. Au cas où vous ne l'auriez pas remarqué, il s'agit d'une représentation assez fidèle d'une enquête pour meurtre. Toutes sortes de fragments à première vue sans lien et insignifiants qui, une fois réunis, forment un tout mortel. Nous ne pouvons pas résoudre une affaire si on nous cache systématiquement des informations.

– Comme la présence d'un grand canon maudit au sommet d'une colline, fit Beauvoir. Le petit frère de celui que nous avons découvert dans les bois.

Mary Fraser absorba ces propos sans se laisser démonter. Lacoste se dit que c'était parce que, pour elle, les secrets étaient aussi précieux que les informations. Elle était programmée pour ne révéler ni les uns ni les autres.

– Où avez-vous trouvé ça ? demanda Delorme en brandissant l'objet.

Devant le mutisme de Lacoste, il poursuivit :

– Quoi qu'il en soit, je m'en réjouis. Ce truc aurait pu causer de gros ennuis.

– *Big trouble*, reprit Beauvoir. Comme dans Big Babylone, peut-être.

– Vous trouvez ça drôle, vous ? demanda Mary Fraser.

Elle avait pris le même ton sec que l'institutrice de Jean-Guy, le jour où il avait atteint Gaston Devereau sur le nez avec une balle de base-ball. Il ne manquait que le « jeune homme » à la fin de la phrase.

– Vous savez comment on avait surnommé la bombe qui a détruit Hiroshima ? demanda Mary Fraser, confirmant l'image que Beauvoir se faisait d'elle. « Little Boy ».

Elle leur laissa le temps d'assimiler l'information.

– Little Boy a tué des centaines de milliers de personnes. Big Babylone ferait des ravages encore plus grands. Contrairement à vous, Gerald Bull connaissait l'histoire et savait qu'il en serait de même pour ses clients. Il était aussi conscient du pouvoir des symboles. Il appartenait à une tradition longue et fière : conférer à une arme un aspect encore plus menaçant en donnant l'impression de la minimiser.

– « Fière tradition » ? répéta Lacoste.

– Disons seulement « longue ».

Lacoste se dirigea vers la fenêtre.

– Si le canon est aussi dangereux que vous le dites, pourquoi ne pas avoir appelé l'armée ? L'armée de l'air ?

Elle leva les yeux.

– Des hélicoptères devraient patrouiller le ciel, et des soldats devraient monter la garde.

Elle se tourna vers les agents du SCRS.

– Où est tout le monde ? demanda-t-elle.

Sean Delorme sourit.

– Il vaut mieux éviter d'ébruiter notre découverte, vous ne pensez pas ? Plus l'arme est puissante, plus elle doit être entourée de secret.

– Plus le secret est grand, plus le danger l'est aussi, dit Lacoste. Vous ne pensez pas ?

Armand écouta Clara et Myrna, son visage trahissant la stupéfaction.

– Vous êtes sûre ?

– Non, pas vraiment, admit Clara. Il faudrait que je les revoie. Je comptais y aller.

– Allez voir l'inspectrice-chef Lacoste, dit Gamache. L'inspecteur Beauvoir et elle sont à la vieille gare. Surtout, n'en parlez à personne d'autre, quoi qu'il advienne. Le professeur Rosenblatt est-il au courant ?

– Non. Ça m'est venu seulement après coup.

– Tant mieux.

Clara se leva.

– Vous nous accompagnez ?

Ils sortirent ensemble du bistro.

– Non. Je veux voir quelqu'un d'autre.

– Vous voulez ? fit Myrna en suivant son regard.

– Disons plutôt que je « dois » le faire, concéda Armand.

Ils se séparèrent. Clara et Myrna franchirent le pont et croisèrent les agents du SCRS qui partaient. Gamache, lui, fit les quelques pas qui le séparaient du banc et s'assit à côté de Ruth et de Rose.

– Qu'est-ce que vous voulez ? demanda Ruth.

Rose eut l'air surprise.

– Je veux savoir pourquoi vous avez recopié les vers du poème de Yeats en apprenant qu'Antoinette avait été tuée.

La pluie avait cessé et l'eau perlait sur le bois du banc. Elle s'infiltrait dans la veste d'Armand et dans les jambes de son pantalon.

– Il se trouve que je connais ce poème et que je l'aime bien, répondit Ruth. Je vous ai souvent entendu le citer. À propos des choses qui se disloquent.

– C'est vrai. Mais vous avez choisi d'autres vers.

– Fuck, fuck, fuck.

C'était venu de Ruth ou de Rose. Impossible de savoir laquelle des deux avait parlé. Peu à peu, elles se fondaient en une seule créature, bien que, des deux, Ruth soit celle qui hérissait le plus facilement ses plumes.

– Vous ne dites pas tout ce que vous savez, dit Gamache.

– C'est exact. Je connais tout le poème par cœur. *Tournant, tournant dans la gyre toujours plus large/Le faucon ne peut plus entendre le fauconnier.* Au fait, c'est quoi, la gyre ?

– Aucune idée, admit Gamache. Je pense que j'ai cherché le mot dans le dictionnaire, autrefois.

Ruth contempla le ciel de la fin d'après-midi, au moment où les nuages se disloquaient et laissaient apparaître le soleil. Des corneilles, des merles et des moineaux, descendus en piqué, se posèrent dans le parc.

– Pas de vautours, au moins, dit-elle. C'est bon signe.

Il sourit.

– Ne vous en faites pas, dit-il. Vous allez vivre éternellement.

– J'espère bien que non.

Elle détacha un bout de pain et le jeta à la tête d'un moineau.

– Pauvre Laurent. Qui peut tuer un enfant ?

– Qui traîne la patte vers Bethléem ? demanda Gamache. Qui est la bête brute ?

Elle ne répondit pas. Avant qu'elle ait pu jeter un autre bout de pain, il lui agrippa la main et la retint, doucement mais avec fermeté, jusqu'à ce qu'elle lève les yeux vers lui.

– Yeats a intitulé ce poème « La seconde venue », dit-il en libérant le poignet maigre de Ruth. Il y traite de l'espoir, du renouveau. Mais seulement après une mort, après l'Apocalypse, après l'arrivée de la grande prostituée à Armageddon.

– Vous êtes complètement ridicule. Ne me dites pas que vous prêtez foi à ce mythe ?

– Je crois au pouvoir des images. Des symboles.

Il la dévisagea.

– Vous êtes au courant pour la gravure, n'est-ce pas ? Pour la grande prostituée sur le canon. C'est pour cette raison que vous avez noté justement les vers où il est question de la bête qui traîne la patte vers Bethléem pour naître enfin. C'est une référence à la prostituée.

La main délicate de Ruth se posa sur ses genoux. Elle tenait toujours le bout de pain.

Ruth avait le visage blême. Son regard, aiguisé, scrutateur, se perdait dans le lointain. Sa tête se pencha légèrement de côté. Elle tendait l'oreille, se dit Gamache, pour entendre la voix du fauconnier. Qui lui dirait quoi faire.

– Nous pouvons vous dire un mot ? demanda Isabelle Lacoste.

Jean-Guy était derrière elle et Clara derrière lui. Clara était allée au poste de commandement et, à l'instigation de Myrna, avait tout raconté. Myrna était rentrée à la librairie, mais les autres, debout sur la galerie, attendaient une réponse.

– Je vous en prie, madame Lepage.

Evie Lepage recula d'un pas pour les laisser entrer, surprise de trouver Clara en compagnie d'officiers de la Sûreté.

– Je ne voudrais surtout pas vous paraître grossière, mais…, commença Evie.

Clara, cependant, comprit que c'était précisément l'intention de la femme. Armée d'une hachette, à l'abri des regards indiscrets, Evie aurait répondu avec cet instrument plutôt qu'avec des mots.

– … j'ai beaucoup à faire. Vous pourriez repasser plus tard ?

– C'est toi qui as dessiné la grande prostituée sur le lance-missiles, dit Clara en sortant son téléphone et en faisant voir l'image à Evie. C'est ton œuvre.

– Quoi ?

– Je sais, dit Clara. Ils savent. Désolée, mais c'est moi qui leur en ai parlé. N'aggrave pas ton cas, surtout.

– La grande prostituée ?

Evie se pencha sur l'image qui brillait au centre de l'appareil de Clara.

– C'est sur le canon maudit caché dans les bois ? Celui que Laurent a trouvé ? Là où il a été trouvé ? Là où il a ét…

Elle s'interrompit, les yeux exorbités, le regard affolé.

Clara baissa le bras et ferma l'appareil.

– Oui, dit Lacoste.

Clara étudia la mère de Laurent. Elle s'y connaissait en visages. En humeurs. Elle s'efforçait de les reproduire dans ses tableaux. À première vue, ses œuvres étaient des portraits. En fait, elle peignait des couches de peau, chacune s'étirant pour créer une émotion différente, toujours plus profonde.

Si elle devait réaliser un portrait d'Evie Lepage, en ce moment, elle essaierait de rendre le vide, l'ahurissement. Le désespoir. Et là, à peine visible dans les profondeurs… Était-ce de la terreur que Clara décelait ? Le masque était-il trop serré, l'émotion trop forte ? Menaçait-il de se fissurer ?

Et si Clara exécutait un autoportrait ? Il y aurait de la colère et du dégoût avec, en dessous, de la compassion. Et, plus profondément encore, dans les ténèbres ?

Du doute.

– J'ai vu les dessins d'agneaux dans la chambre de Laurent, expliqua Clara. Ceux que tu faisais pour ses anniversaires. Dans les deux cas, il s'agit du même artiste. C'est indiscutable.

En voyant croître l'angoisse d'Evie, Clara sentit ses doutes grandir, se gonfler, déchirer de nouvelles couches de peau tendue. Puis le doute et la terreur se firent face, de part et d'autre de la cuisine.

– Tu n'y es pour rien, finalement, n'est-ce pas ? dit Clara.

Affirmant ce qui lui aurait sauté aux yeux si elle ne s'était pas laissé obnubiler par son propre génie.

– Cette image, fit Evelyn en gesticulant en direction du téléphone de Clara, est sur le canon ?

– Oui, fit Beauvoir.

– Qu'est-ce que c'est ? Vous avez bien dit « la grande prostituée » ?

– C'est une référence biblique, expliqua Clara. Tirée de l'Apocalypse. Certains pensent qu'il s'agit de l'Antéchrist. Du diable.

De tels propos auraient pu paraître mélodramatiques si deux personnes n'avaient pas déjà perdu la vie, y compris le fils de cette femme.

Evie agrippa le comptoir en formica derrière elle.

– Je peux revoir les dessins ? demanda Clara.

Ils suivirent Evie dans la maison déserte, gravirent les marches et entrèrent dans la chambre de Laurent. Là se trouvaient les dessins, appuyés aux livres, avec la brebis et le bélier qui, sur le monticule, veillaient sur leur petit. Les dessins progressaient, du premier, sur lequel était simplement écrit « *My Son* », à celui que Laurent avait reçu pour ses neuf ans. L'agneau grandissait. Et puis la série s'était arrêtée. L'agneau avait été sacrifié.

– Ce n'est pas toi qui les as dessinés, n'est-ce pas ? demanda Clara, qui y voyait clair à présent. C'est Al.

Evie hocha la tête.

– Je croyais te l'avoir dit, l'autre jour.

– C'est possible, mais j'étais si persuadée qu'ils étaient de toi que je ne t'ai pas vraiment entendue. Je n'ai jamais songé à Al.

– Vous saviez que votre mari avait participé à la construction du lance-missiles ? demanda Beauvoir.

– C'est impossible, répondit Evie. Al a horreur des armes, de la violence. Il est venu ici pour s'éloigner de tout ça. Il n'a rien à voir avec cette chose dans les bois. Pas lui.

Les officiers de la Sûreté ne lui dirent pas ce qu'ils savaient sur son mari. Que non seulement il était capable de violence, mais qu'il avait pris part à l'une des pires atrocités du siècle précédent.

– Où est votre mari ? demanda Lacoste.

– Dans les champs, répondit Evie. Il y passe tout son temps, maintenant.

Par la fenêtre de la chambre de Laurent, au-delà des figurines de Spider-Man, de Surperman et de Batman posées sur le rebord, ils virent l'homme imposant se pencher pour arracher des légumes.

Une minute plus tard, Clara vit les officiers de la Sûreté s'approcher de lui. Il se releva, s'essuya le front avec son avant-bras puissant, puis laissa ses deux mains tomber le long de son corps.

Ensuite, les officiers de la Sûreté l'entraînèrent vers leur voiture.

33

– Je le savais, admit Ruth.

– Et M. Béliveau aussi, dit Gamache. C'est pour cette raison qu'il a commencé à venir vous voir tôt le matin, quand il croit que personne ne le voit.

– C'est un homme bon, Armand, dit Ruth sur le ton de la mise en garde. Trop bon, peut-être.

– Il est bon pour garder des secrets, en tout cas.

– Écoutez, aucun de nous ne savait ce que ces gens fabriquaient dans les bois.

– Vous avez bien dû vous douter de quelque chose.

– Qu'ils construisaient le plus gros maudit lance-missiles à l'ouest du Jourdain ? Personne n'est assez fou pour imaginer un truc pareil. Même pas moi. Qui aurait pu croire ça ?

– Qu'avez-vous cru, alors ? demanda-t-il.

Elle exhala bruyamment, sans répondre.

Gamache se leva et s'éloigna.

– Où allez-vous comme ça, tête de nœud ?

Il continua de marcher.

– Face de pet, lança-t-elle.

Il ne se retourna pas.

– Armand ?

Il était déjà trop tard. La porte moustiquaire du magasin général fit un bruit métallique en s'ouvrant. Puis en se refermant. *Floc, floc.*

Elle entendit le grincement familier des charnières.

Hiiiii, floc.

Elle prit Rose dans ses bras et la serra contre sa poitrine. Se levant, elle se tourna vers la porte.

Celle-ci s'ouvrit de nouveau – *Hiiiii, floc* –, et les deux hommes s'avancèrent vers elle.

– Désolée, Clément. Je ne voulais pas…

L'épicier leva la main et sourit.

– Ça va, Ruth. Nous aurions dû parler plus tôt. C'est le moment.

Ils s'assirent, M. Béliveau d'un côté de la vieille poète et Armand de l'autre. Ils regardaient droit devant eux, tous les trois, comme s'ils attendaient l'autobus.

– Je ne me souviens pas de la date exacte, commença M. Béliveau sans qu'Armand l'y pousse. Ni même de l'année. Toi, Ruth ?

– Tout ce que je me rappelle, c'est que c'était le printemps. Au début des années 1980, je suppose. Je travaillais à mon premier recueil de poèmes.

– Le début des années 1980 ? Si loin ? s'étonna Armand.

L'épicier hocha la tête.

– Je crois, oui. Durant une partie de bridge chez Ruth, Guillaume Couture a lancé qu'il avait appris qu'un riche anglophone allait se faire construire une maison dans les bois, derrière Three Pines.

– Qu'en avez-vous pensé ?

– Rien du tout, répondit Ruth. Qu'aurait-il fallu penser ? Si on vous disait, à vous, que quelqu'un projette de construire une maison dans les bois, que penseriez-vous ?

– J'espérerais que le chantier ne serait pas trop bruyant, je suppose, dit Armand. C'est pour cette raison que M. Couture vous en a parlé, évidemment. Pour expliquer le vacarme et la présence d'inconnus. Et personne n'a remarqué que ce n'était pas un poêle à bois et un évier qu'on emportait dans la forêt ?

– Nous ne faisions pas attention. C'était loin, là-bas, dit-elle en gesticulant du côté de la forêt. Au pire, nous entendions des machines, exactement comme si on bâtissait une maison.

L'explication semblait douteuse, peu plausible. Impossible. Comment avait-on pu ne pas remarquer le transport d'un lance-missiles géant derrière le village ? Puis Gamache se souvint des propos du professeur Rosenblatt. Gerald Bull avait fait fabriquer le canon en pièces détachées, dans différentes usines des quatre coins du monde. Le résultat final était monumental, mais les composantes ne l'étaient peut-être pas. On les avait peut-être acheminées une à la fois avant de tout assembler sur place.

– Ce riche anglophone, vous l'avez rencontré ? demanda Armand.

– Une fois, dit M. Béliveau. Au magasin.

– Là où est le bistro, expliqua Ruth. Autrefois, c'était la quincaillerie.

– L'homme s'est présenté, ajouta M. Béliveau. Il n'était pas seul. Un autre type l'accompagnait. Son gestionnaire de projet. On a trouvé bizarre, tout de même, qu'il ait besoin d'un gestionnaire de projet pour une cabane en bois rond, même très grande. On s'est dit que c'était le genre d'excentricités que se permettrait un riche anglophone. Ils voulaient savoir si nous connaissions un artiste des environs.

L'épicier semblait mal à l'aise.

– Je les ai envoyés voir Ruth.

– Pourquoi Ruth ?

– J'ai paniqué.

– Vous avez paniqué ? s'étonna Gamache. Pourquoi ?

Clément Béliveau baissa les yeux sur ses grandes mains en frottant une tache imaginaire.

– Ils avaient quelque chose, ces types, dit-il à ses mains. Quelque chose de bizarre. Ils semblaient normaux, mais il ne fallait pas les regarder trop longtemps ni de trop près.

Il prit une pomme dans l'herbe. D'un mouvement exercé, il la cassa en deux. Il en tendit une moitié à Armand.

La chair était blanche, moelleuse, parfaite, et le cœur sombre, pourri.

– Dans mon métier, avec l'expérience, on finit par sentir quand les choses sont pourries, dit le vieil épicier. Même si l'extérieur est parfait.

Armand jeta un coup d'œil à la pomme, puis, pliant le bras, la lança de toutes ses forces.

– J'ai juste voulu me débarrasser d'eux, dit M. Béliveau en jetant sa propre moitié.

Il la regarda rebondir dans l'herbe, près de l'étang. Puis il se tourna vers Ruth.

– Depuis ce jour-là, je regrette de les avoir envoyés chez toi.

Ruth lui tapota la main.

– Tu es un homme bon, Clément. Ça ne changera jamais.

– Que voulaient-ils ? demanda Armand.

– Commander une œuvre d'art, répondit Ruth. Je leur ai expliqué que j'étais poète et leur ai demandé de filer. Mais ils ont refusé de s'en aller sans le nom d'un artiste local.

– Evelyn Lepage, dit Gamache.

– Evie ? fit Ruth. Non. Elle n'était encore qu'une enfant, à l'époque. C'était Al Lepage.

Gamache ferma un moment les yeux. « Évidemment, se dit-il. Evie aurait dû être exclue d'emblée. »

– Comment saviez-vous qu'il était artiste ? demanda Gamache. Il n'est pas plutôt musicien ?

– Dans son cas, c'est un bien grand mot. Il faisait aussi un peu de dessin, expliqua Ruth. Sur la pochette de son album, on voit certaines de ses œuvres.

– Lepage savait-il ce que ces hommes construisaient dans les bois ? demanda Armand.

– Difficile d'imaginer le contraire, non ? fit Ruth. Vous croyez qu'il a travaillé les yeux bandés ? Il pensait faire un petit cheval et il a fini avec un symbole de l'Apocalypse.

– Vous avez cité « La seconde venue » de Yeats, enchaîna Gamache sans relever. Comment avez-vous su que l'image que voulait Gerald Bull était celle de la grande prostituée ? Il vous l'a dit ?

Ruth secoua la tête.

– Pas lui, l'autre.

Gamache fronça ses sourcils dans un effort de concentration. Puis il se souvint.

– Le gestionnaire de projet ?

– Oui, dit M. Béliveau.

– Après notre première conversation, le gestionnaire de projet est revenu, continua Ruth. Il m'a proposé d'écrire quelques vers inspirés de l'Apocalypse. C'est lui qui a cité Yeats.

– *Et quelle bête brute, revenue l'heure,* commença Gamache.

– *Traîne la patte vers Bethléem, pour naître enfin ?* termina M. Béliveau.

– Je lui ai suggéré d'utiliser les vers de Yeats pour accompagner le poème, dit Ruth. Je ne pouvais pas faire mieux. Il a répondu qu'il voulait un texte unique. Des vers inspirés par la grande prostituée.

– Avez-vous été tentée ? demanda Gamache.

La question, en rien pertinente, lui avait échappé. Pure curiosité.

– C'est une image très puissante.

– C'est une image ignoble, répondit-elle. À cause d'elle, on s'est acharné sur les femmes pendant des siècles, et elle a servi de prétexte à des procès pour sorcellerie, à des tortures et à des mises au bûcher. Alors non, je n'ai pas été tentée. J'ai été profondément dégoûtée.

– Vous étiez toujours convaincue que l'œuvre d'art était destinée à la maison de quelqu'un ? demanda-t-il.

– Tous les goûts sont dans la nature. Certains préfèrent les fleurs couleur pastel, d'autres les images démoniaques. Qui suis-je pour juger ?

Cette déclaration fit sourciller même M. Béliveau.

– Clara et Peter n'habitaient pas encore Three Pines à l'époque. Mais quand Gerald Bull vous a demandé le nom d'un artiste, pourquoi ne pas lui avoir recommandé votre amie Jane Neal ? Elle vivait au village.

D'un geste, il désigna la petite maison en pierre voisine de celle de Clara.

– Jane était une artiste. Elle aurait sans doute été enchantée à l'idée d'avoir du travail.

– En tant qu'artiste, Jane était très secrète, répondit Ruth en se tournant vers Gamache.

Le défiant de la défier.

Armand s'en abstint. Il attendit. La suite.

– Ruth, fit doucement M. Béliveau. Nous devons tout lui dire.

– Je ne voulais pas entraîner Jane dans cette affaire, avoua-t-elle enfin.

– Pourquoi ? demanda Armand. Pourquoi avoir proposé Al Lepage, un homme que vous n'aimiez pas ? Pourquoi l'avoir choisi, lui, plutôt que votre meilleure amie ?

Ruth semblait prise au piège, désespérée, et Armand se demandait comment lui venir en aide.

– La vérité, Ruth. Dites-moi.

Voilà tout ce qu'il trouva à dire.

– Il avait l'air parfaitement normal, évidemment, dit-elle. Ils s'arrangent pour en avoir l'air, ceux-là, n'est-ce pas ? Mais il était comme la pomme de Clément.

– Gerald Bull ?

Ruth secoua la tête.

– Al Lepage ?

– Non.

Gamache réfléchit. Il regarda tour à tour Ruth et M. Béliveau.

– Le gestionnaire de projet ? demanda Armand.

– Oui, répondit Clément Béliveau. Il était petit, menu. À côté de Gerald Bull, il passait inaperçu. Mais quand on le regardait bien, quand on le regardait de près, ça se voyait. Ça se sentait, plutôt. Quelque chose clochait chez lui. À l'intérieur.

M. Béliveau soupira. Lourdement. La seule pensée de cet homme oppressait l'épicier.

– Et je l'ai envoyé chez Ruth, dit-il en posant sa grande main sur la main minuscule de la vieille femme. J'avais peur et j'ai voulu me débarrasser d'eux. De lui.

Il serra la main de Ruth.

– Je ne me suis jamais pardonné ma lâcheté.

– Mais qui était-il ? demanda Gamache.

– Vous le connaissez, répondit Ruth.

Gamache réfléchit, marmonna tout bas, les lèvres frémissantes. Il finit par secouer la tête.

– Je ne vois pas.

– Le troisième homme sur la photo, dit Ruth.

– Quelle photo ?

– Celle que vous m'avez montrée. Avec Gerald Bull et Guillaume.

– Celle-ci ?

Il tendit la main vers sa poche de poitrine et en sortit la vieille photo en noir et blanc prise à l'Atomium de Bruxelles.

Guillaume Couture, souriant, presque clownesque. Gerald Bull, taciturne.

Et l'autre. Qui baissait la tête, refusant de fixer l'objectif.

– *Croiserais-je ton regard et resterais-je là,/hiératique et muette,* déclama Ruth. *Tandis que le trottoir se casse en mille morceaux/ et que le ciel tombe.*

Gamache la dévisagea.

– J'ai écrit ces vers après son départ, dit-elle en désignant la photo d'un geste. Après m'être débarrassée de lui. J'ai fait la même chose que toi, Clément. Je leur ai jeté Al Lepage en pâture dans l'espoir qu'ils le prendraient, lui, et me laisseraient tranquille. J'aurais fait n'importe quoi pour me débarrasser de lui. Après le départ de Gerald Bull, le gestionnaire de projet est revenu. Seul. Il a cogné à ma porte et m'a demandé si je pourrais écrire quelques lignes pour accompagner le dessin de la grande prostituée. Je lui ai répondu que c'était impossible. Je lui ai dit que je n'étais pas vraiment poète. Que c'était un mensonge que je me racontais à moi-même.

Ses mains tremblaient à présent. M. Béliveau en tenait une, Armand l'autre.

– Quand il est parti, je suis montée à l'église Saint-Thomas, poursuivit Ruth en se tournant vers la chapelle recouverte de bardeaux.

– J'ai prié pour qu'il ne remette jamais les pieds ici. Je suis restée là et j'ai pleuré de honte. À cause de ce que j'avais fait. Puis j'ai écrit ces mots, assise sur un banc, et j'ai été dix ans sans écrire un seul autre vers.

Gamache baissa les yeux sur la photo en noir et blanc. Il lui sembla, à cet instant, que le troisième homme, redressant la tête, le regardait en face.

Croiserais-je ton regard et resterais-je là,/hiératique et muette.

Le visage d'Armand se vida de son sang et ses mains se glacèrent. Il comprit de qui il s'agissait.

Tandis que le trottoir se casse en mille morceaux/et que le ciel tombe.

– C'est John Fleming, dit-il tout bas.

– Oui, fit Ruth, sa main froide serrant la sienne. La bête brute.

34

Sur la table de conférence du poste de commandement, dix agneaux s'alignaient devant Al et Evie Lepage.

– La gravure est de vous, dit Isabelle Lacoste. Vous saviez que le canon était là. Qu'avez-vous fait, monsieur Lepage, quand votre fils, en rentrant à la maison, vous a fait part de sa découverte dans la forêt ? Un canon géant avec un monstre dessus. Nous avons cherché une personne, une seule, capable de gober une histoire aussi rocambolesque. Et nous l'avons trouvée. Vous. Vous l'avez ramené sur place ? Vous avez tué votre fils pour protéger votre secret ?

Al posa sur eux un regard ébahi, ses yeux bleus écarquillés par la terreur.

– Vous saviez que, à cause de la gravure, on finirait par remonter jusqu'à vous dès que le canon serait découvert, insista Lacoste. Et que nous commencerions à poser des questions. Que nous découvririons votre identité. Et vos actions.

Evelyn se tourna vers son mari.

– Al ?

Assis face au couple, Gamache attendit la réponse.

Lorsque les véhicules s'étaient arrêtés devant la vieille gare, il était assis sur le banc avec Ruth et M. Béliveau.

Il s'efforçait d'assimiler la nouvelle. John Fleming était passé par Three Pines. En qualité de gestionnaire de projet de Gerald Bull, qui plus est. La tête dans un léger brouillard, il vit Beauvoir et Lacoste sortir de la voiture en compagnie d'Al Lepage, tandis que Clara et Evie descendaient de la camionnette. Cette dernière courut jusqu'à son mari.

Après un moment d'hésitation, Clara rentra chez elle à pied.

Gamache se retourna vers Ruth et M. Béliveau.

– Quand vous avez envoyé John Fleming le voir, saviez-vous qui Al Lepage était vraiment ?

La question ne s'adressait à personne en particulier, mais ils hochèrent tous deux la tête.

– Vous l'aviez aidé à franchir la frontière.

C'était une affirmation et non une question. Une fois de plus, ils hochèrent la tête.

– C'était en 1970, dit M. Béliveau. Nous faisions partie du mouvement pacifiste. Nous aidions des objecteurs de conscience à traverser la frontière. On nous a parlé d'un cas un peu particulier.

Ruth gardait le silence, ses lèvres minces pratiquement invisibles.

– Vous étiez contre ? demanda Gamache.

– Disons que j'étais ambivalente. Je n'arrivais pas à décider si Frederick Lawson était une victime de la guerre ou un psychopathe.

– Un conflit, dit M. Béliveau en esquissant un mince sourire. Ta guerre civile personnelle.

S'il avait osé faire une telle affirmation, comprit Armand, Ruth l'aurait aussitôt remis à sa place, toutes griffes dehors. De la part de M. Béliveau, elle l'avait encaissée sans broncher.

– Parce que je n'avais pas de certitude et qu'il n'avait pas été condamné, je ne me suis pas sentie capable de refuser, expliqua Ruth. Mais je n'étais pas obligée d'aimer ça. Ni surtout de l'aimer, lui.

– Un facteur qui a joué, c'est que nous n'avions pas la télévision, à l'époque. Le signal n'atteignait pas la vallée, expliqua M. Béliveau. Nous avions lu des reportages sur les atrocités dans les journaux et vu des photos. Mais nous n'avons vu les films d'archives que des années plus tard.

– Si vous aviez vu des images filmées du massacre de Son My, demanda Armand, auriez-vous aidé Frederick Lawson à se réfugier ici ?

– On ne le saura jamais, pas vrai ?

M. Béliveau balaya du regard les montagnes recouvertes d'arbres.

– Nous lui avons trouvé une pension au village. Là où il y a aujourd'hui le gîte, dit-il en désignant la propriété d'Olivier et de Gabri. Nous lui avons trouvé du travail dans les boîtes à chansons des environs.

– Il a changé de nom, poursuivit Ruth. Personne d'autre ne savait qui il était ni ce qu'il avait fait. Que nous.

– Le moment venu de jeter quelqu'un en pâture au loup, vous avez donc pensé à lui ? fit Armand.

– Est-ce bien nécessaire, monsieur ? demanda M. Béliveau.

– Laisse, Clément. C'est la vérité, après tout.

Ruth se tourna vers Armand.

– Al Lepage ou Frederick Lawson, appelez-le comme vous voudrez, était déjà damné. Ce que je ne savais pas, c'est que, en agissant de la sorte, je me damnais, moi aussi.

– C'est faux, Ruth, dit M. Béliveau.

– Si, pourtant. Nous le savons tous les deux. Je l'ai sacrifié pour me sauver.

– *Qui t'a fait du mal, un jour,/des blessures si profondes, irréparables,* fit Gamache, citant le poème le plus célèbre de Ruth.

– Irréparables, répéta Ruth.

Elle se tourna vers Gamache et esquissa un quasi-sourire.

– J'ai déjà été gentille, vous savez. Et bonne. Peut-être pas la plus gentille ni la meilleure, mais quand même.

– Vous l'êtes encore, madame, dit Armand en caressant Rose. Au fond.

Il se leva et s'excusa. Lacoste et Beauvoir devaient être mis au courant. Il entra dans le poste de commandement au moment où Lacoste alignait les dix dessins d'agneau au centre de la table, devant les parents de Laurent.

Armand croisa son regard et elle s'approcha, suivie de Beauvoir.

– Je viens d'avoir une discussion avec Ruth.

– Nous vous avons vus, dit Beauvoir. Elle et vous avec M. Béliveau.

– Elle savait pour le dessin de la grande prostituée. C'est elle qui a recommandé Al Lepage.

Il leur fit part de ses découvertes et sortit de sa poche de poitrine la photo en noir et blanc des trois hommes.

Les yeux d'Isabelle et de Jean-Guy allèrent de la photo familière à Gamache. Dans l'expectative.

– Gerald Bull avait un homme avec lui, à l'époque où il était ici pour travailler au Projet Babylone. Un type qu'il présentait comme son gestionnaire de projet.

Gamache tapota la photo.

– Celui-ci. Ruth l'a reconnu.

Son doigt atterrit sur le troisième homme. Celui qui détournait la tête, les yeux baissés.

– Oui ? fit Lacoste en se penchant pour mieux voir.

Beauvoir étudia la photo, lui aussi. Il s'était interrogé sur l'identité du troisième homme. Ses soupçons s'étaient portés sur le professeur Rosenblatt. Sauf qu'il n'arrivait pas à reconnaître le contour du visage, le front et le menton de l'homme sur la photo dans ceux du vieux scientifique. Même si on tenait compte de trente années de nourriture, d'alcool et de soucis, il ne s'agissait pas de Michael Rosenblatt.

– Qui est-ce, patron ? demanda Beauvoir.

Isabelle Lacoste leva les yeux et croisa le regard de Gamache.

– Mon Dieu, c'est John Fleming, dit-elle d'une voix à peine audible.

– Voyons donc, fit Beauvoir en laissant entendre un grognement de dédain.

Gamache, lui, ne rit pas. Il ne corrigea pas Lacoste.

Jean-Guy regarda de plus près et se remémora la couverture du procès, tenu des années plus tôt. John Fleming était un homme à la fois dépourvu de traits distinctifs et complètement inoubliable.

Et voilà qu'il refaisait surface. Maintenant que Jean-Guy savait, c'était l'évidence même. Et pourtant…

– Comment est-ce possible ? demanda-t-il.

– Je ne sais pas, avoua Gamache en remettant la photo dans sa poche. Ce que je sais, c'est qu'il a chargé Al Lepage de créer la grande prostituée.

Ils observèrent le couple qui attendait calmement.

– Pourquoi n'assisteriez-vous pas à l'interrogatoire, patron ? proposa Lacoste.

Armand s'assit en face d'Al Lepage. Il examina les yeux bleu foncé, les épaules puissantes, le visage usé et hâlé. La barbe grise et broussailleuse de Lepage conservait quelques traces de sa teinte orange vif d'autrefois. Ce jour-là, elle n'était pas retenue par un élastique. L'homme avait un air farouche, sauvage. Avec ses longs cheveux dénoués, il aurait pu passer pour le chaînon manquant. Presque humain, mais pas tout à fait.

Sauf les yeux, vifs et intelligents.

Al Lepage semblait presque soulagé. Telle une bête de somme, tombée à genoux, toujours bâtée, mais qui n'irait pas plus loin. Au bout de sa route.

Et Lacoste lui avait demandé sans détour s'il avait tué son fils pour garder son secret. Il avait créé la grande prostituée et, à présent, elle l'entraînait vers son propre Armageddon. Découverte, elle avait guidé les enquêteurs vers Al Lepage, puis vers Frederick Lawson, puis vers un village vietnamien victime d'un massacre.

Pendant un moment, Al Lepage prit un air terrifié. Puis son expression sembla se réfugier derrière sa barbe et Gamache se demanda si c'était la raison d'être de celle-ci : elle créait un grand masque hirsute derrière lequel Frederick Lawson, le meurtrier de masse, se dissimulait.

– Quoi ? Quoi ? fit Lepage en promenant son regard de l'un à l'autre, ahuri. Moi, faire du mal à Laurent ? Jamais je n'aurais…

– Nous savons, vous et moi, que c'est faux, dit Beauvoir en toisant l'homme d'un air mauvais.

Lepage, dont la respiration était courte et haletante, regarda Beauvoir, Lacoste et enfin Gamache.

– Bon, j'admets avoir réalisé la grande prostituée. Ils m'ont offert beaucoup d'argent. Comment aurais-je pu refuser ?

Il les étudia dans l'espoir, aurait-on dit, de trouver chez eux une forme d'approbation.

– Mais je ne savais rien à propos du canon. Je hais les…

Il s'interrompit et les examina de nouveau.

– Vous alliez dire que vous haïssez les armes, n'est-ce pas ? fit Beauvoir.

Il lança son téléphone sur la table et, d'instinct, la grande main de Lepage l'empêcha de tomber par terre. Il regarda l'image brillante.

– C'est votre gravure ? demanda Lacoste.

Lepage hocha la tête.

– Comme vous pouvez le constater, continua-t-elle, elle se trouve sur le canon. Le gros canon à côté duquel Laurent a été tué.

– Je ne comprends pas, dit Al Lepage. J'admets être l'auteur du dessin. Ils m'ont passé une commande très précise, mais ils ne m'ont pas dit ce qu'ils comptaient faire du résultat et je ne leur ai rien demandé.

– Vous n'avez pas remarqué l'énorme lance-missiles que vous avez utilisé comme support ? demanda Beauvoir. Vous deviez prendre pas mal d'acide, à l'époque. Je sais que vous pensez pouvoir vous tirer d'affaire, mais c'est exclu. Ne nous faites pas perdre notre temps, et n'aggravez pas votre cas.

Beauvoir jeta un coup d'œil à Evelyn, qui observait son mari d'un air hébété.

– Commencez par le commencement. Parlez-nous du canon et de la gravure.

La tête hirsute se souleva et s'abaissa deux ou trois fois, en signe d'assentiment ou de désespoir.

– C'était il y a longtemps, dit enfin Lepage. Deux hommes sont venus me voir à la pension et m'ont demandé si j'accepterais une commande. J'ai cru qu'ils voulaient parler d'une chanson. J'ai dit que j'étais d'accord. Puis ils m'ont appris qu'ils voulaient un dessin et ils ont précisé combien ils étaient prêts à payer. Ils m'ont fourni un papier spécial. Un des hommes a dit qu'il serait de retour dans quelques semaines. Le dessin, lorsqu'il est revenu, a semblé lui plaire. J'ai acheté la ferme avec l'argent et je n'ai jamais revu l'homme en question.

– Vous avez dessiné sur du papier ? dit Lacoste. Pas sur le canon ?

– Je ne savais rien du canon, répondit Lepage. Je n'aurais jamais accepté de faire une chose pareille, même pas pour une fortune.

– Comment s'appelaient ces hommes ? demanda Lacoste.

– C'était il y a trente ans, dit Lepage. Je ne me souviens pas.

Lacoste jeta un coup d'œil à Gamache. Devant lui, la photo était posée à l'envers sur la table. Il la fit glisser vers elle et elle la tendit à Al Lepage.

– Vous reconnaissez quelqu'un ?

Lepage étudia l'image, mais Gamache eut l'impression qu'il se demandait plutôt ce qu'il devait dire. Admettre.

– Celui-ci, dit-il en montrant Gerald Bull. Et l'autre, là. C'est lui qui est venu chercher le dessin et me payer.

Il désignait John Fleming.

Gamache écouta bien les mots, mais aussi le ton. Lepage semblait rester à la surface de ses sentiments, énoncer des faits neutres. Et pourtant, sa gravure de la grande prostituée empestait la souffrance et le désespoir. Rien à voir avec de simples lignes tracées sur une feuille de papier ou un canon. Chacune de ces lignes venait d'un lieu marqué par l'horreur. Gamache devinait sans mal lequel.

– Vous ne vous êtes pas demandé pourquoi quelqu'un tenait tant à avoir une représentation de la grande prostituée ? demanda Lacoste.

Al Lepage garda le silence, mais ils l'entendirent haleter, tel un homme poursuivi.

– Si vous l'aviez rencontré, vous ne poseriez pas cette question.

– Qu'est-ce que ça veut dire ? fit Beauvoir.

– C'était le genre d'homme qui serait attiré par une telle image.

– Comme vous, dit Beauvoir.

Il tourna son ordinateur pour permettre à Lepage de voir l'écran, puis il appuya sur une touche et, avec la rangée d'agneaux en arrière-plan, des actualités filmées commencèrent à jouer.

Beauvoir, Lacoste et Gamache ne voyaient pas les images, mais ils constatèrent leur effet. Evelyn Lepage se couvrit la bouche. Al Lepage ferma les yeux pendant un moment, puis les rouvrit avec effort. Des sons, si infimes qu'ils auraient pu être produits par un bébé, s'échappaient de sa gorge.

Jean-Guy avait mis les commentaires du journaliste en sourdine. Ainsi, les Lepage n'avaient droit qu'aux images, dont le silence accentuait la force.

Les agneaux encadrés d'Al Lepage faisaient dos aux officiers de la Sûreté, et Gamache lut les mots écrits derrière les petits tableaux. Laurent, 2 ans, Laurent, 3 ans, et ainsi de suite. Ce fut toutefois le premier qui retint son attention.

« *My Son* », avait-il écrit. Tout simplement. Avec un cœur. *My Son.*

Son My.

Cet homme avait-il tué de nouveau ? Son propre fils, cette fois, puis Antoinette Lemaître ? Pour protéger son secret ? Sacré secret et sacré crime, en vérité.

– Al ? demanda Evie lorsque le film se termina sur une image figée. Pourquoi nous montrent-ils ça ?

– Elle n'est pas au courant ? fit Beauvoir.

Al secoua la tête et se tourna vers elle. Il lui prit la main et la regarda dans les yeux. Si familière. Et pourtant si inattendue. L'avoir trouvée si tard dans sa vie, être tombé amoureux. Avoir obtenu sa main.

– Je ne suis pas un objecteur de conscience, Evie, lui dit-il doucement. Et je ne m'appelle pas Al Lepage. Je m'appelle en réalité Frederick Lawson. J'étais simple soldat dans l'armée. J'ai déserté.

Le regard de sa femme alla de lui à l'écran avant de revenir vers lui.

– Non, fit-elle. Dis-moi que ce n'est pas vrai.

Elle le regardait fixement, scrutait son visage. Puis ses yeux se posèrent de nouveau sur le tas de cadavres empilés sur le sentier, les champs vert vif derrière eux et les petits agneaux à l'avant-plan. Sa main se détacha de celle de son mari.

Personne ne bougeait, personne ne parlait. Le silence était total et absolu, comme si quelqu'un avait appuyé sur « Pause ». Puis il fut fracassé par un cri.

– Noooooon !

Il avait jailli d'elle, à la manière d'une chaudière qui explose, et elle se mit à lui marteler la poitrine. Sa bouche n'avait plus de mots, elle n'émettait que des sons. Des hurlements.

Lacoste fit mine de se lever, mais elle se ravisa.

Lepage ne fit rien pour se défendre, sauf fermer les yeux. Il donna même l'impression d'aller au-devant des poings de sa femme, d'accueillir les coups avec satisfaction. Sous les yeux des officiers de la Sûreté, la vie d'Evelyn Lepage se désagrégea. Armand plissa les yeux, ne souhaitant pas être témoin d'une scène si privée, si intime, si pénible. Mais il dut quand même l'observer.

Il se demanda si le petit Frederick Lawson avait, comme Laurent, couru dans les bois. Avec une branche en guise de fusil. Jouant au soldat. Affrontant l'ennemi. Se sacrifiant, accomplissant des actes magnifiques et héroïques.

Gamache était certain d'au moins une chose. Le petit Frederick Lawson n'avait pas pointé une branche et massacré les habitants d'un village rempli de vieillards, de femmes et d'enfants. Comment l'un était-il devenu l'autre ? Comment un garçon de neuf ans qui caresse des rêves d'héroïsme devient-il un homme d'une vingtaine d'années qui commet des atrocités ?

Evelyn ne s'arrêta de marteler la poitrine de son mari que quand elle fut épuisée.

– Tu as fait ça ? murmura-t-elle.

– Oui.

Il tenta de lui prendre de nouveau la main, mais elle le repoussa.

– Ne me touche pas ! Va-t'en !

– J'étais différent, à l'époque, dit-il d'une voix suppliante. C'était la guerre, j'étais jeune. Le commandant du peloton a dit que c'étaient des Viêt-cong.

– Les bébés aussi ? demanda-t-elle d'une voix presque inaudible.

– Je n'ai pas eu le choix. C'était stratégique. Ils représentaient l'ennemi.

Sa voix s'éteignit et, avec elle, la litanie, la liturgie, le récit qu'il s'était raconté à lui-même, jour après jour, jusqu'à temps d'y croire. Jusqu'à ce que se produise le miracle. La transsubstantiation. Le moment où Frederick Lawson était devenu Al Lepage. Le troubadour. Le raconteur. Le jardinier bio et le hippie vieillissant. L'objecteur de conscience.

Jusqu'au jour où le mensonge était devenu la vérité.

Puis les fantômes qui le pourchassaient avaient fini par le rattraper, malgré la frontière et les années.

Il n'avait pas réussi à échapper à Frederick Lawson, après tout. Pas de deuxième chance. Pas de renaissance. Un jour, son passé était venu frapper à sa porte et lui avait commandé une gravure. En plongeant son regard dans ces yeux morts, Frederick Lawson avait compris que ce joli village lui avait offert un sanctuaire, mais pas le pardon.

– Il y avait une petite fille…

Al Lepage se tut et Gamache crut qu'il ne pourrait pas aller plus loin. Espéra qu'il ne pourrait pas aller plus loin. Lepage, cependant, se ressaisit, épaula de nouveau son fardeau et continua.

– Elle ne devait pas avoir plus de dix ans. Elle s'est agenouillée devant moi, sur le sol, les bras écartés. Elle n'a rien dit. Pas un mot, pas un son. Pas de supplications, pas de larmes. Pas de peur. Aucune. Tout ce que j'ai vu dans ses yeux, c'était de la pitié.

« De la pitié », songea Armand. C'était l'expression que Lepage avait prêtée à la grande prostituée. L'émotion que Gamache n'avait pas réussi à nommer. Ce n'était ni du mépris, ni de l'arrogance, ni de l'amusement. C'était de la pitié. Pour l'enfer à venir.

Là résidait la racine de la gravure. Le pourrissement.

Mais Al Lepage n'avait pas encore terminé.

– J'étais seul, dit-il d'une voix détachée, remplie d'étonnement. J'aurais pu la laisser partir.

Jean-Guy se leva soudain. Son visage était déformé par la rage, et il semblait sur le point de la déverser à torrents sur Lepage. D'un pas titubant, il se dirigea plutôt vers les toilettes en renversant une corbeille à papier et en heurtant un bureau au passage.

Lepage leva les yeux de l'écran et regarda Gamache en face.

– Mais je ne l'ai pas fait.

35

Après un repas essentiellement silencieux, Armand se retira dans son bureau et ferma la porte.

Jean-Guy et Reine-Marie s'assirent dans le salon, devant un feu qui dansait, crépitait et diffusait une douce chaleur.

Ils échangèrent quelques banalités, mais Reine-Marie côtoyait les homicides depuis assez longtemps pour savoir qu'il y a un temps pour parler et un temps pour se taire.

Une voix leur parvint du bureau.

– Il est au téléphone, dit Jean-Guy en abaissant son journal.

– Je l'espère, dit Reine-Marie, et elle vit Jean-Guy sourire. Est-ce que ça va? Quand vous êtes rentrés, je vous ai trouvés un peu pâlots, tous les deux.

– On entend et on voit parfois des choses qu'on aurait préféré ne pas savoir, dit-il. Et qu'on ne peut jamais oublier.

Elle hocha la tête. Jean-Guy avait téléphoné à Annie en rentrant. Quant à Armand, il l'avait serrée fort dans ses bras et était allé prendre une douche. Il s'était produit quelque chose. Elle savait qu'Armand lui en parlerait, tôt ou tard. Ou peut-être pas. L'information irait peut-être rejoindre les autres dans la pièce verrouillée à double tour.

– Excusez-moi, fit Jean-Guy, quelques minutes plus tard, après que le bureau fut redevenu silencieux.

Il frappa et entra sans y avoir été invité.

– Chef? fit-il en refermant la porte derrière lui.

Gamache était assis dans son fauteuil grand et confortable, devant sa table de travail, une boîte-classeur ouverte sur le sol, un dossier sur ses genoux. La bibliothèque qui se dressait derrière lui contenait non seulement des livres, mais aussi des photos des siens, à des âges différents. Gamache, cependant, tenait l'une d'elles à la main.

C'était une photo de ses petites-filles, Florence et Zora, dans un minuscule cadre en argent sterling.

Gamache regardait la photo, qu'il tenait dans une main, tandis que l'autre s'était portée à son visage. Comme pour retenir les sentiments cruels, déchirants. Mais ils parvenaient à s'échapper par ses yeux. Rougis et luisants.

Il les ferma, d'abord doucement, puis hermétiquement.

Jean-Guy se laissa tomber lourdement dans le fauteuil d'en face et porta à son tour les mains à son visage pour cacher son chagrin.

Les deux hommes restèrent là un long moment, sans un mot, sans un bruit. En fait, on n'entendait qu'une sorte de râle, de loin en loin.

Enfin, Beauvoir entendit le son familier d'un mouchoir en papier qu'on sort de la boîte.

– Mon Dieu, soupira Armand.

Jean-Guy baissa les mains et passa instinctivement son bras sur son visage humide avant de prendre à son tour un mouchoir en papier.

Les deux hommes s'essuyèrent les yeux et se mouchèrent avant d'échanger un regard.

Armand fut le premier à sourire.

– Bon, ça va mieux, maintenant. C'est une étape nécessaire, de temps en temps.

– C'est pour ça que vous êtes venu ici, patron ? fit Jean-Guy.

Il prit un autre mouchoir et se demanda combien de larmes avaient été versées en présence de ces livres, tandis que le monde ne voyait qu'un visage calme et déterminé.

– Non, répondit Armand en laissant entendre un petit rire. J'ai été pris par surprise. Je suis venu à cause d'une tâche que je remets depuis un certain temps. Après ma discussion avec Ruth, je ne peux plus me défiler.

– Laquelle ?

– Je me rends à l'USD demain matin. Je dois rencontrer John Fleming.

Gamache parla comme s'il s'agissait d'un rendez-vous quelconque, mais il n'arriva pas à donner le change. La main qui tenait le mouchoir humide trembla légèrement jusqu'à ce qu'il serre le poing.

– Je vois, dit Beauvoir.

Il voyait effectivement. À propos de l'affaire Fleming, il en savait un peu plus long que le commun des mortels. Il avait suivi le procès et entendu les rumeurs qui couraient au quartier général de la Sûreté. Et il avait eu vent d'un procès secret. Un procès dans un procès. L'inspecteur-chef y avait été mêlé. Jean-Guy, cependant, ignorait à quel titre.

– Qu'est-ce que vous lisez ? demanda-t-il d'un ton exagérément enjoué en désignant le dossier posé sur les genoux de Gamache. Ça concerne un tueur en série ?

À la mine sombre de Gamache, il comprit qu'il avait dépassé les bornes en posant la question et en tentant, de manière inopportune, de détendre l'atmosphère.

– Oui, répondit Gamache en refermant le dossier sur lequel il posa une lourde main avant de se tourner vers Jean-Guy. Pourquoi es-tu sorti quand Lepage a commencé à parler du massacre de Son My ?

– L'accablement, répondit Beauvoir. J'ai eu peur d'être malade ou de me ruer sur lui. Le sentiment que quelque chose de terrible allait se produire. Je n'arrive pas à croire qu'on puisse faire des choses pareilles. Puis cette petite fille…

Laissant sa phrase en suspens, il se frotta de nouveau le visage.

Il souhaitait de tout cœur se confier à cet homme, sans réserve, et il faillit y arriver. Puis, au dernier moment, il se retint.

– Qu'a vraiment fait Fleming, patron ? Que savez-vous que nous ignorons ?

Gamache sentait le dossier sous sa main, mais il ne le regarda pas.

Tout de suite en rentrant, il était descendu dans la pièce fermée à clé au fond du sous-sol. Au fil de ses nombreuses enquêtes, il avait croisé des tas de choses inutilisables, non pertinentes. Les secrets des autres, leurs hontes, parfois même leurs crimes.

Il les mettait sous clé dans des dossiers au sous-sol, où il les gardait et les protégeait. Et, au besoin, allait les chercher. Le reste du sous-sol était vivement éclairé ; cette pièce, en revanche, n'était équipée que d'une ampoule nue, suspendue au plafond. Elle oscilla légèrement lorsque Armand tira sur la chaînette. De la poussière et des insectes morts mouchetaient l'ampoule. La lumière révéla des boîtes disposées avec soin. On aurait dit un mur de briques. Et, coincée tout au fond, se trouvait celle qu'il cherchait.

Après l'avoir débarrassée de la poussière et des toiles d'araignée, il l'emporta dans son bureau. Puis il prit une longue, une très longue douche. Il mangea. Ce n'est qu'après qu'il était revenu auprès de la boîte qui attendait sur le sol, d'un air innocent.

En soulevant le couvercle, Gamache s'attendait presque à entendre un cri perçant. Bien sûr, le silence persista, à peine rompu par les murmures réconfortants de Reine-Marie et de Jean-Guy dans la pièce voisine.

Fermant un moment les yeux, il se blinda, ouvrit le premier dossier et se mit à lire. Pour se rafraîchir la mémoire. Et alors les cris débutèrent. Ils ne venaient pas de la boîte. Au contraire, ils résonnaient dans la tête de Gamache, où des images et des sons du procès de John Fleming, qu'il y avait mis sous clé, explosèrent soudain.

Il revit les images et imagina les sons. Les cris et les supplications.

L'une des victimes de John Fleming était-elle restée agenouillée devant lui sans implorer sa pitié ? Sans crier de terreur, sans appeler sa mère, son père, son Dieu ? À le regarder plutôt avec pitié ?

– Je ne peux rien te dire que tu ne saches déjà, Jean-Guy. John Fleming a tué sept personnes en sept ans. Une personne de tous les groupes d'âge, par tranche de dix ans. Une femme dans la vingtaine, un homme dans la trentaine, et ainsi de suite. Il a été difficile à coincer : les meurtres semblaient sans lien entre eux et ils étaient espacés de plus d'un an.

Beauvoir remarqua que le chef avait évité de parler des victimes de moins de vingt ans. Il y en avait eu, pourtant.

– Les corps n'ont été trouvés qu'après son arrestation, dit Gamache.

– Il y a autre chose, patron. Qu'est-ce que c'est ? murmura Jean-Guy. Dites-moi.

Son beau-père, il le voyait bien, en avait très envie.

– C'est en rapport avec ce qu'il leur a fait, non ?

– Sept, répondit Gamache. Il y en a eu sept. À l'époque, je n'ai pas saisi l'importance du chiffre. Personne ne l'a saisie. Maintenant, je comprends.

– Quoi ? Que comprenez-vous ?

– *Sur les bords des fleuves de Babylone, nous étions assis et nous pleurions.* Babylone, Jean-Guy. La putain de Babylone. La grande prostituée.

– Oui ? fit Jean-Guy.

En prononçant le mot, il vit Gamache reculer et fermer la porte. Jean-Guy, apparemment, n'avait pas eu la bonne réaction.

– John Fleming a commis ses crimes au Nouveau-Brunswick, dit Gamache d'une voix de nouveau toute professionnelle. Et on l'a emmené au Québec où, s'est-on dit, il aurait droit à un procès plus équitable. On l'a envoyé à l'Unité spéciale de détention, où il séjourne depuis.

Jean-Guy vit la main de Gamache se serrer sur le mouchoir. Lui-même se leva et hocha la tête.

– J'aimerais vous accompagner, demain.

Gamache se leva à son tour.

– Merci, mon vieux, mais je pense qu'il vaut mieux que j'y aille seul.

– Bien sûr, dit Jean-Guy.

Le lendemain matin, Jean-Guy Beauvoir attendait près de la voiture avec deux tasses de café au lait achetées au bistro, sans oublier deux chocolatines.

– On se rend à Mordor, d'accord, mais rien ne nous empêche de profiter du trajet, dit-il en ouvrant pour Armand la portière du côté passager.

Dans l'allée, Gamache rectifia la position de son sac sur son épaule et se tourna vers Reine-Marie.

– Tu étais au courant ?

– Que Jean-Guy a l'intention de t'accompagner depuis le début ? demanda-t-elle. Non, je suis aussi sidérée que toi.

De toute évidence, elle était tout sauf étonnée.

– Je me suis trompée, Armand, dit-elle en lui prenant la main.

Elle tritura la simple alliance en or après l'avoir examinée pendant un moment.

– Quand tu as dit croire à l'existence d'un lien entre Fleming et Bull, j'ai rejeté cette idée. J'en suis désolée. J'aurais dû te faire confiance.

– Il ne faut jamais croire aveuglément, ma belle, dit-il. Tu as bien fait de me remettre en question. Mes propos semblaient déments. Comment aurais-tu pu te douter qu'ils étaient en réalité la preuve de mon génie ?

Elle rit et secoua la tête.

– Si le passé est garant de l'avenir, tu as raison.

Armand jeta un coup d'œil à Beauvoir, qui les observait.

– Mieux vaut que j'y aille, sinon il risque de manger les chocolatines.

– Deux croissants ont déjà disparu en quelques minutes à peine, dit-elle. Alors dépêche-toi.

– Je peux dire quelque chose pour te dissuader ? demanda Gamache à Beauvoir en s'approchant.

– Vous n'aurez qu'à essayer pendant que je conduis.

– Très bien, Frodon. Mais n'oublie pas que c'était ton idée.

Beauvoir sortit de Three Pines, amusé à l'idée d'être Frodon. Il espéra que Gamache était Gandalf et non Samsagace.

– Vous pensez qu'Al Lepage était au courant pour le canon ? demanda-t-il au bout de quelques kilomètres.

– Je ne sais pas. Je me suis posé la même question. Je suppose qu'il aurait été risqué d'admettre un inconnu sur le chantier du Supercanon pour y ajouter une gravure. Gerald Bull aurait-il vraiment fait une chose pareille, après toutes les précautions qu'il avait prises ?

– L'agent Cohen a effectué quelques recherches. Il existe un papier qui permet de transférer un dessin ou des caractères pour les graver. Al dit peut-être la vérité.

– Hum, se contenta de dire Gamache.

C'était un matin radieux et ils faisaient route vers le soleil. Jean-Guy mit ses lunettes fumées ; Gamache, lui, préféra abaisser le pare-soleil.

– J'ai fini de lire la pièce, dit Beauvoir en se servant du rétroviseur pour jeter un coup d'œil au sac posé sur la banquette arrière.

– Et ?

– Je l'ai trouvée remarquable, à condition d'oublier qui l'avait écrite. Je me suis laissé prendre par l'intrigue, les personnages. La pension, la logeuse, les pensionnaires. Leurs vies. J'ai ri. Certains passages sont si drôles que j'ai failli faire sous moi. Et puis je m'en suis voulu à mort.

– Pourquoi ?

– Parce que John Fleming est l'auteur de cette pièce, répondit Beauvoir. Et parce que, quand je riais, une partie de moi se demandait s'il était si mauvais que ça, au fond. S'il n'avait pas changé.

Jetant un bref coup d'œil à Gamache, Jean-Guy le vit hocher la tête.

– Vous aussi ? demanda-t-il.

– Non. Mais j'en sais plus long que toi sur lui.

– Pourquoi avez-vous hoché la tête, dans ce cas ?

– Parce que c'est ce que Fleming cherche. Il s'immisce dans l'esprit des gens pour s'évader de sa cellule. C'est pour cette raison, entre autres, que je voulais aller là-bas seul, aujourd'hui.

– Parce que vous êtes immunisé, patron ?

– Non. Je suis aussi vulnérable que toi. Mais, au moins, un seul de nous aurait eu Fleming dans sa tête. Il est déjà dans la mienne. Le mal est fait.

– Mais ça pourrait être pire, dit Beauvoir. C'est pour cette raison que je suis ici.

Au bout de deux heures, ils virent l'établissement pénitentiaire se dresser au centre de la plaine stérile. On avait défriché la forêt. Le sol avait été nivelé, rasé. Tout évadé serait repéré et intercepté avant d'atteindre la civilisation.

Sauf que personne ne s'échappait de cet endroit. Il était impossible d'en sortir sans une aide du dehors et, à l'extérieur, personne ne souhaitait le retour des prisonniers.

S'ils existaient, les zombis vivaient derrière ces murs. Des hommes qui, à une autre époque, auraient été exécutés à cause des crimes qu'ils avaient commis. Les meurtriers de masse, les meurtriers en série, les psychopathes et les fous criminels étaient là chez eux. Ils menaient une demi-existence en attendant la mort. Ironiquement, beaucoup d'entre eux attendaient longtemps, très longtemps, la Faucheuse.

Beauvoir se gara et, pendant un moment, ils contemplèrent les murs sinistres, les tours de guet et l'unique porte minuscule, pareille à un trou.

– C'est ici que travaillait Adam Cohen ? demanda Beauvoir.

– Oui. C'est ici que je l'ai rencontré.

Jean-Guy n'avait jamais été impressionné outre mesure par l'agent Cohen, mais l'inspecteur-chef Gamache s'était attaché à lui. Et Beauvoir comprenait désormais pourquoi. Quiconque pouvait travailler dans un endroit pareil et préserver son humanité – sans parler de la sorte de naïveté dont Cohen faisait preuve – méritait le respect.

– C'est un garçon qui cache des choses, dit Jean-Guy en sortant de la voiture.

– Absolument, dit Armand. Je pense que c'est le cas de tous les hommes réunis ici. La question est de savoir ce qu'ils cachent.

– Et l'agent Cohen ? demanda Beauvoir. Que cache-t-il ?

– Je n'en suis pas encore certain, répondit Gamache. J'en suis encore à essayer de découvrir ce que tu caches, toi.

Beauvoir s'immobilisa et dévisagea son beau-père.

– C'est-à-dire ?

– Ne te mets pas sur la défensive, fit Gamache en souriant. Tout ce que je veux dire, c'est que certains camouflent leur côté sombre et d'autres leur lumière. Quant à toi, mon ami, c'est un croissant que tu as à l'intérieur.

Jean-Guy s'esclaffa et la porte s'ouvrit. La coïncidence fut si saisissante que, pendant un bref instant de folie, il crut à l'existence d'un lien de cause à effet.

Puis ils pénétrèrent dans le lieu maudit.

36

Armand Gamache regardait intensément John Fleming.

Tout au long du trajet en voiture, durant la longue marche dans le corridor vert institutionnel bordé des deux côtés par des gardiens lourdement armés, à travers les miasmes de désinfectant qui piquent les yeux, les claquements et les fracas métalliques et les cris de mort, il avait mis au point son plan d'attaque.

Regarde l'homme dans les yeux. Montre-lui que tu n'es ni dégoûté, ni écœuré. Montre-lui que tu ne sens rien.

« Un simple élément parmi d'autres dans une liste de choses à faire. Une personne de plus à interroger dans une affaire de meurtre. Rien de plus.

Rien de plus.

Rien de plus », se dit Gamache en prenant place dans la salle d'interrogatoire. Jean-Guy se positionna près de la porte, à côté du gardien armé, où Gamache pourrait le voir, mais pas Fleming.

Devant Fleming, Gamache sentit ses projets, ses questions, sa stratégie lui glisser entre les doigts. Cette réflexion elle-même disparut bientôt dans les égouts, au centre d'un tourbillon.

C'était plus qu'un trou : son esprit était vide. Quittant du regard les yeux de Fleming, il se concentra sur les mains de l'homme. Si blanches. L'une posée sur l'autre.

Puis des égouts sortit en rampant une image, suivie d'une autre, et il vit les crimes que ces mains pâles avaient commis. Avec un effort qui lui causa une douleur physique, Gamache leva les yeux.

Croiserais-je ton regard et resterais-je là,
hiératique et muette.
Tandis que le trottoir se casse en mille morceaux
et que le ciel tombe.

Il ne voyait plus que la bête aux sept têtes. Pas sous forme de gravure. Ni sous forme de métaphore. La créature créée par John Fleming. Armand Gamache connaissait un détail qu'ignoraient le tribunal, les policiers, les procureurs ayant participé au procès de Fleming. Même ses propres avocats.

Il savait à quoi pensait Fleming quand il avait commis ses crimes. La grande prostituée qui avait provoqué non seulement la fin du monde, mais aussi la damnation éternelle.

Gamache, la respiration hachée, percevait le léger sifflement que faisait l'air en passant dans sa gorge.

En face de lui, la bouche de John Fleming se retroussa légèrement. Comme une lame.

Gamache soutint son regard et s'imagina Reine-Marie, leurs enfants, leurs petits-enfants, Henri et leurs amis. Le brouhaha qui règne à Noël. Les moments de détente devant l'âtre. Les heures passées à danser lors des noces d'Annie et de Jean-Guy à Three Pines. Il se remémora des soupers chez Clara, des apéritifs au bistro, des moments passés sur le banc du village.

Ces souvenirs musclés repoussèrent les premiers et les enfouirent dans leur propre enfer. Assis dans une pièce stérile, Armand Gamache sentit le parfum des roses dans le vieux jardin, entendit des rires dans le parc du village. Il goûta sur sa langue le café au lait bien chaud, éprouva sur sa peau la fraîcheur d'une bruine matinale.

– Je suis ici, commença-t-il d'une voix forte, pour vous parler de Gerald Bull et du Projet Babylone.

Il fut récompensé par un clignement d'yeux. Un moment d'incertitude. De circonspection.

John Fleming n'avait pas prévu une telle entrée en matière.

– Je vous connais. Vous étiez à mon procès, dit Fleming. Vous restiez là, à observer. Ça vous a plu ? Vous aimez regarder ?

Gamache resta impassible, mais, du coin de l'œil, il vit Beauvoir remuer et comprit que Fleming avait perçu le mouvement, lui aussi. Une réaction subtile. C'était en plein ce qu'il cherchait.

Gamache venait d'entendre la voix de l'homme pour la première fois. Fleming n'avait pas témoigné lors de son procès. Armand fut surpris par la douceur de cette voix. On y décelait un léger défaut d'élocution. Réel ? Fabriqué de toutes pièces, question de paraître plus humain, plus vulnérable ?

D'instinct, les gens baissent leur garde en présence d'un boitillement, d'une maladie, d'une imperfection chez un de leurs semblables. Pas par compassion. Parce qu'ils se sentent supérieurs. Plus forts. Ces personnes, savait Gamache, ne faisaient pas toujours de vieux os. Cet instinct les servait mal.

– Que voulez-vous savoir ? demanda Fleming.

– Je veux savoir comment vous êtes devenu gestionnaire de projet.

– M. Bull cherchait quelqu'un pour coordonner les travaux au jour le jour. Pas un scientifique. Ils ont beau être méticuleux, ces types-là n'arrivent pas à se faire une vue d'ensemble. Moi, oui.

– Mais comment Bull a-t-il entendu parler de vous ? demanda Gamache, conscient que Fleming avait éludé la question.

– Le bouche à oreille.

– À l'intérieur de certains cercles, dit Gamache. Qui vous a recommandé ?

– Un client satisfait parmi d'autres. Je travaillais pour une agence spécialisée dans la discrétion.

– Laquelle ?

– Je crains que vous ne m'ayez pas écouté. Je viens de prononcer le mot « discrétion ». Ça vous dit quelque chose ?

– Pourquoi ne pas me donner le nom ? demanda Gamache.

– Pourquoi tenez-vous à le savoir ? En quoi est-ce important ?

– Avant, je n'étais pas certain, dit Gamache. Mais je commence à me poser des questions.

Les deux hommes se dévisagèrent.

– Parlez-moi de la grande prostituée.

Cette fois, Fleming réagit. Ses lèvres se serrèrent, ses yeux se plissèrent. Puis le sourire fin comme un fil de rasoir réapparut.

– Je me demandais quand on viendrait m'interroger à ce sujet.

Fleming observa Gamache comme s'il était son invité et non le contraire.

– Et la réponse ?

– Qui êtes-vous ? demanda Fleming.

Depuis qu'il s'était assis, il n'avait pas bronché d'un millimètre. Ses mains, sa tête, son corps tout entier restaient parfaitement immobiles. On aurait dit un mannequin. Aux yeux de Gamache, il ne semblait même pas respirer.

Qu'un clignement d'yeux. Et le sourire. Et la voix douce, imparfaite.

– *Et quelle bête brute, revenue l'heure,* commença Gamache sur le ton de la conversation, *Traîne la patte vers Bethléem, pour naître enfin ?*

Détecta-t-il, de l'autre côté de la table, un infime mouvement d'inquiétude ?

Se penchant, Gamache murmura :

– Voilà qui je suis.

– Comment se fait-il que vous soyez au courant pour la grande prostituée ? demanda Fleming.

– Laquelle ? riposta Gamache.

Une fois de plus, Fleming cligna des yeux. Il hésita.

« Il a besoin de réfléchir, se dit Gamache. Preuve que je suis entré dans sa tête. » L'idée n'était pas entièrement réconfortante.

– De toute évidence, on a trouvé le canon, dit Fleming.

– De toute évidence, répéta Gamache.

Il attendit.

– Où ça ? demanda Fleming.

– Où vous l'avez laissé, naturellement. Il n'est pas vraiment mobile, n'est-ce pas ?

– Dites-moi où vous l'avez trouvé, insista Fleming.

Il se méfiait. Il avait détecté quelque chose chez Gamache. Une légère hésitation, peut-être. Une altération de son teint blême, de sa respiration ou de son rythme cardiaque. Cet homme était un prédateur doté des sens aigus que requiert une vie passée à traquer. Et à tuer.

La seule façon d'arrêter un prédateur, savait Gamache, c'était de lui opposer un plus grand prédateur. Lui-même n'avait pas survécu à sa carrière de chasseur d'assassins en se montrant doux et faible.

– Nous avons trouvé Baby Babylone à Highwater, dit-il avec désinvolture. Ou, du moins, ce qui restait du canon. L'autre était dans la forêt. Quant à la grande prostituée, elle était difficile à manquer. Nous avons eu une petite conversation avec Al Lepage.

Il laissa à Fleming le temps de digérer cette information.

– J'avais pourtant dit à Bull qu'il était le maillon faible, laissa enfin tomber Fleming. Mais Bull avait confiance en lui.

– M. Bull avait également confiance en vous. Comme quoi son instinct n'était pas infaillible, fit Gamache. En l'occurrence, le maillon faible, c'était M. Bull lui-même.

Fleming l'étudia. S'efforçant, crut comprendre Gamache, de déterminer par quel moyen tailler son interlocuteur en pièces. Peut-être pas physiquement, mais sur le plan intellectuel, émotif.

Gamache ne quittait pas Fleming des yeux, mais il avait conscience de la présence de Beauvoir, près de la porte, de son expression angoissée. Manifestement, il appréhendait la suite.

– Oui, concéda Fleming. Bull avait une bonne tête sur les épaules, mais un ego démesuré et une grande gueule. Trop de gens avaient eu vent du Projet Babylone. Bull commençait même à laisser entendre que Big Babylone avait été construit.

Fleming secoua légèrement la tête. L'effet était déconcertant : on eût dit le mouvement d'un pantin en bois bon marché.

– Baby Babylone n'était pas vraiment un secret, n'est-ce pas ? fit Gamache. À dessein. Nous étions tous au courant.

L'emploi stratégique du « nous » n'échappa pas à Fleming.

– C'était mon idée, dit-il. Construire le canon au sommet d'une colline, l'orienter vers les États-Unis. L'entourer de « secret ».

Ses mains d'une blancheur spectrale avaient dessiné des guillemets dans les airs.

– Pour que tous les yeux se tournent vers lui, dit Gamache d'un ton admiratif. Plutôt que vers l'autre. Le vrai. Et on a dit que Gerald Bull était le génie de l'opération.

Les mots étaient empreints de sarcasme et Fleming rougit.

– Vous avez vous-même été dupé, non ?

Gamache souleva les mains et les laissa retomber sur la table en métal froid, semblable à une table d'autopsie.

– Vous ne savez pas vraiment qui je suis, n'est-ce pas ? fit-il.

C'était comme jouer avec une grenade. Le gardien posté près de la porte serra son arme plus fort et même Beauvoir recula un peu.

– Personne ne savait pour Big Babylone, dit Fleming. Personne. On a cru que le canon d'Highwater était le seul ; devant son échec, on a cru que nous avions échoué.

– Vous avez donné raison à vos détracteurs, renchérit Gamache. Le Projet Babylone était voué à l'échec. Ils ont ri et sont passés à autre chose. Quant à vous, vous avez tranquillement construit le vrai canon.

C'était, Gamache devait l'admettre, génial. Un gigantesque *legerdemain*, un tour de passe-passe qui avait fonctionné à merveille. Ils avaient réussi à cacher le plus grand lance-missiles de l'histoire parce que tout le monde regardait du mauvais côté. Jusqu'à ce que l'ego de Gerald Bull prenne le dessus.

– Évidemment, le véritable génie était Guillaume Couture.

– Vous êtes au courant ? s'étonna Fleming, qui évaluait et réévaluait son visiteur. Oui. Nous allions faire fortune grâce à M. Couture.

– Puis Gerald Bull a mis toute l'entreprise en péril.

Gamache sortit la photo de sa poche. Ce n'était pas prévu. En fait, il avait prévu le contraire. Mais il n'y avait qu'une façon de soutirer des informations à Fleming, et c'était de lui laisser croire qu'il savait déjà.

Il lissa la photo sur la table en métal et la fit pivoter vers Fleming.

Fleming haussa les sourcils et ses lèvres se retroussèrent une fois de plus. Jeune, cet homme avait peut-être été séduisant, mais son charme avait disparu, rongé non pas par l'âge, mais par ses actions.

Gamache tapota la photo.

– Elle a été prise à l'Atomium de Bruxelles, peu de temps avant que Bull soit assassiné.

– C'est une supposition.

– Vous n'aimez pas les suppositions ?

– Je n'aime pas l'incertitude.

– C'est pour cette raison que vous avez tué Gerald Bull ? Parce qu'il était devenu incontrôlable ?

– Je l'ai tué parce qu'on m'a demandé de le faire.

« Ah, songea Gamache. Voici un élément d'information. »

– Vous n'auriez peut-être pas dû me faire cette confidence, dit-il. Vous ne craignez pas d'être le prochain sur la liste, maintenant que le canon a été découvert ? À votre place, je serais inquiet.

Il était conscient de courir un risque.

Mais puisqu'il était dans la tête de Fleming, autant y faire des remous.

Voyant la peur se peindre sur le visage du prisonnier, il se rendit compte que ce loyal agent de la mort avait peur d'elle, lui aussi. Ou peut-être redoutait-il moins la mort que l'au-delà.

– Qui êtes-vous ? demanda de nouveau Fleming.

– Je pense que vous savez qui je suis, répondit Gamache.

Il s'aventurait en terrain inconnu, désormais. Au-delà de la tête de Fleming et même de la caverne qui avait autrefois abrité son cœur. Dans l'âme sombre et atrophiée de la créature.

Il connaissait la biographie de Fleming. Un homme qui allait à l'église, un croyant qui craignait tellement Dieu qu'il avait fini par l'abandonner. Pour se jeter dans les bras d'un autre.

C'est pour cette raison qu'il avait créé la grande prostituée. Une forme de tribut.

Sauf que Gamache se rendit compte que ses pensées le trahissaient. Une fois de plus, des images des horribles offrandes de Fleming explosèrent dans sa tête. Gamache chassa furieusement ces images. En face de lui, Fleming, qui l'observait attentivement, découvrit ce que Gamache avait tenté désespérément de cacher : son humanité.

– Pourquoi êtes-vous ici ? grogna Fleming.

– Je suis venu vous remercier, mais aussi vous mettre en garde, répondit Gamache.

Il s'efforçait de reprendre l'avantage.

– Ah bon ? Me remercier, vraiment ? s'étonna Fleming.

– Pour vos services et votre silence, dit Gamache.

Il vit la créature hésiter.

– Et la mise en garde ?

La voix de Fleming avait changé. Plus la moindre trace du défaut d'élocution. Désormais, la douceur avait fait place aux sables mouvants. Gamache avait touché une corde sensible. Seulement, il ignorait laquelle.

Vite, il se remémora toute l'affaire. Laurent, le lance-missiles, la grande prostituée. Highwater. Ruth et M. Béliveau. Al Lepage.

Quoi d'autre, quoi d'autre ?

Le meurtre de Gerald Bull. Que Fleming avait avoué. Gamache avait écarté cet aveu en le rayant de sa liste.

Fleming le dévisageait, prenait conscience du fait que Gamache était un imposteur, qu'il avait la trouille.

L'esprit de Gamache s'emballa. Guillaume Couture, le véritable père du Projet Babylone. Y avait-il autre chose ? Gamache cherchait fébrilement. Qu'oubliait-il ?

Quel avertissement pouvait-il bien donner ? Que pouvait un homme enfermé ?

Et la lumière se fit dans son esprit.

– *Elle était assise et elle pleurait*, dit-il.

Il vit Fleming blêmir.

– Pourquoi avez-vous écrit cette pièce, John ? Pourquoi l'avez-vous envoyée à Guillaume Couture ? À quoi pensiez-vous, petit homme ?

Gamache sortit le texte de son sac et le laissa tomber sur la table en métal avec fracas.

Fleming déplia une main et caressa la page de titre du bout d'un doigt semblable à un ver de terre. Il prit un air rusé.

– Vous ne savez pas pourquoi je l'ai écrite, n'est-ce pas ?

– Si je ne le savais pas, je ne serais pas ici, non ?

– Si vous le saviez, vous n'auriez pas besoin d'être ici, répondit Fleming. Je me suis dit que la pièce plairait à Guillaume Couture. Il m'a remis les plans, vous savez. Il ne voulait plus entendre parler du Projet Babylone. Je me suis dit qu'il était poétique que le seul indice sur l'emplacement des plans se trouve auprès du père qui les avait abandonnés. Vous l'avez lue ?

– La pièce ? Oui.

– Et ?

– Elle est magnifique.

La réponse étonna Fleming, qui étudia son visiteur de plus près.

– Et très dangereuse, ajouta Gamache en posant sur la pièce, pour la mettre hors d'atteinte, une main qui ne tremblait pas.

Vous n'auriez pas dû l'écrire, John, et vous n'auriez surtout pas dû l'envoyer à M. Couture.

– Elle vous fait peur, n'est-ce pas ? fit Fleming.

– C'est pour cette raison que vous l'avez écrite ? répondit Gamache. Pour tenter de nous faire peur ?

Il toucha la pièce du bout du doigt, comme si c'était de la merde.

– Une mise en garde, en quelque sorte ?

– Un rappel.

– De quoi ?

– Que je suis encore là et que je sais.

– Que savez-vous ?

Gamache regretta ces mots tout de suite après les avoir prononcés. Mais il était trop tard. Il avait déambulé dans le noir et il venait de tomber du haut d'une falaise.

Son seul espoir, c'était d'obliger Fleming à se poser des questions, lui laisser croire qu'il en savait plus que lui. Qu'il était l'un d'« eux ». Avec cette question, il s'était trahi.

Le gardien s'adossa au mur et Beauvoir blêmit. La personnalité de Fleming était si forte que Gamache sentit comme un direct à l'estomac. Il fut retenu par le dossier de la chaise. Sans lui, il eut l'accablante impression qu'il serait tombé. Jusqu'en enfer.

Armand Gamache avait déjà côtoyé la malveillance. Celle d'hommes et de femmes qui avaient tenté d'exorciser leurs démons en les apaisant. En leur jetant des crimes infâmes en guise de sacrifices. Naturellement, ils n'en étaient que plus monstrueux.

Dans ce cas-ci, c'était différent. Si le Projet Babylone avait un équivalent fait de chair et de sang, c'était John Fleming. Une arme de destruction massive. Sans raison ni conscience.

– Qui êtes-vous ? dit Fleming.

Il promena son regard sur Gamache, son visage, sa gorge, sa poitrine. Ses cheveux, ses vêtements, ses mains. Son alliance.

– Vous n'êtes pas policier. La loi les oblige à s'identifier. Vous n'êtes pas journaliste. Un professeur qui prépare un livre sur moi ? Non, pourtant. Votre intérêt n'est pas universitaire, n'est-ce pas ?

Ses yeux sondèrent Gamache en profondeur.

– C'est personnel.

Fleming se cala sur sa chaise et Gamache comprit qu'il avait perdu.

Mais ce n'était pas terminé. Pas pour John Fleming, du moins. Pour lui, la partie ne faisait que commencer. Il inclina la tête d'un côté, de façon presque coquette. Un geste grotesque.

– Vous avez réussi à entrer ici. C'est donc que vous avez de l'influence.

Il regarda autour de lui avant de se concentrer de nouveau sur Gamache. Il l'examina, comme un papillon épinglé sur un bout de carton.

– Vous avez vieilli, mais vous n'avez pas encore l'âge de la retraite.

Les yeux de Fleming se posèrent sur la tempe de Gamache.

– Vilaine cicatrice. Récente, mais pas tout à fait nouvelle. Et pourtant, vous avez l'air en forme. Voire robuste. Nourri aux grains. Élevé en liberté.

Il avait beau rire de Gamache, le tourner en dérision, celui-ci ne réagissait pas.

– Ce n'est pas votre santé physique qui est en cause, n'est-ce pas ? fit Fleming en se penchant vers l'avant. Ce sont les nerfs. Vous n'en pouviez plus. Vous êtes brisé. Il s'est passé quelque chose et vous n'avez pas été assez fort. Vous avez laissé tomber ceux qui comptaient sur vous. Vous avez couru et vous vous êtes caché, comme un enfant. Probablement dans ce village. Comment s'appelle-t-il, déjà ?

« Ne t'en souviens pas, pria Gamache. Ne t'en souviens pas. »

– Three Pines, dit Fleming en souriant. Bel endroit. Très joli. Une sorte de rocher que le temps contourne sans le traverser. Un lieu en dehors du monde. C'est là que vous vivez ? C'est ce qui vous amène ? La grande prostituée est venue troubler votre cachette ? Elle a entaché votre paradis ?

Fleming marqua une pause.

– Je me souviens d'une femme qui s'assoyait sur son perron et se prétendait poète. Heureusement pour elle que plein de mots riment avec *fuck*.

Il se souvenait de Three Pines. Plus encore, les moindres détails étaient gravés dans sa mémoire.

– Je ne suis pas le seul prisonnier dans cette pièce, n'est-ce pas ? demanda Fleming. Vous êtes enfermé dans ce village. Vous êtes un homme d'âge mûr qui attend la fin. Restez-vous éveillé, la nuit, à vous demander ce qui va arriver maintenant ? Vos amis commencent-ils à se lasser de vous ? Vos anciens collègues vous tolèrent-ils tout en gloussant dès que vous avez le dos tourné ? Votre femme perd-elle son respect pour vous, tandis que vous serrez les barreaux en la regardant de l'intérieur de la prison de vos jours ? L'avez-vous entraînée avec vous dans votre cellule ?

John Fleming le scrutait. Triomphant. Il avait taillé Gamache en pièces, en fin de compte. L'avait éviscéré. L'homme qui se tenait devant Fleming avait été étripé, et ils le savaient tous les deux.

Fleming palpitait, émettait des ondes de malveillance inédites pour Gamache.

– Mary Fraser, dit Gamache à voix basse.

Sentant une légère hésitation chez la forte personnalité en face de lui, il poussa son avantage.

– Elle est à Three Pines, ajouta Gamache. Avec Sean Delorme.

Il jeta les mots à la tête de Fleming, et son corps suivit. Faisant fi du martèlement dans sa tête, il se leva, se pencha, les mains à plat sur la table en métal froid, et ne s'arrêta que quand il fut à quelques centimètres de Fleming.

Celui-ci se leva à son tour et combla l'infime espace qui les séparait. Son nez toucha celui de Gamache. Dans un simulacre d'intimité, son haleine fétide envahit la bouche de Gamache.

– Je m'en fous, murmura Fleming.

Par sa réaction, Fleming avait toutefois confirmé qu'il savait de qui il s'agissait. Jusque-là, ce n'était qu'un coup de dés de la part de Gamache.

– Ils savent tout, dit celui-ci.

– C'est faux, répondit Fleming.

Bien que trop rapproché de l'homme pour voir son sourire, Gamache le sentit.

– Sinon, vous ne seriez pas ici. Vous avez trouvé le canon, mais vous n'avez pas encore le plus important. Et je suis le seul à pouvoir le trouver.

– Les plans, dit Gamache. Vous les avez pris à Bull quand vous l'avez tué à Bruxelles.

Au vu de la réaction de Fleming, Gamache comprit qu'il se trompait. Il réfléchit en vitesse en s'efforçant de ne pas se laisser distraire par le visage de l'autre qui touchait le sien. Il le regarda dans les yeux, leurs cils presque entremêlés.

Et alors Gamache recula, regagna son côté de la table.

– Non, dit-il. M. Bull ne les avait pas. Il n'en avait pas besoin. C'étaient les plans de Couture. Ils n'ont jamais quitté le Québec.

– Vous brûlez, dit Fleming d'une voix chantante en parodiant une partie de cache-cache entre enfants.

Il se rassit à son tour.

– C'est ce qui vous amène, n'est-ce pas? dit-il à Gamache. Vous avez le canon, mais pas les plans. C'est drôle, non? Ce petit village compte beaucoup de cachettes et il a énormément de choses à cacher. Je me demande si c'est le paradis ou autre chose. À quoi ressemblerait l'enfer? Un lieu où règnent le feu et le soufre, ou encore un endroit magnifique, dans une clairière ou une vallée ? Un lieu qui vous attire en vous promettant la paix et la sécurité avant de se transformer en prison. La grand-mère enjouée, prête à vous mettre sous clé.

Fleming étudia Gamache.

– Je sais où sont les plans. Vous allez peut-être les retrouver sans moi. Mais peut-être pas. Ou encore…

Fleming s'interrompit et sourit.

– Pendant que vous retournez la moindre pierre, quelqu'un d'autre risque de tomber sur les plans du Projet Babylone. Et alors ?

– Qu'est-ce que vous voulez ? demanda Gamache.

– Vous savez ce que je veux. Et vous allez me le donner. Sinon, votre présence ici n'a pas de sens.

– Vous m'avez pris pour un autre, dit Gamache. Quelqu'un que vous attendez depuis des années. Quelqu'un qui vous terrifie.

Il jeta un coup d'œil à la photo en noir et blanc des pères du Projet Babylone. Deux hommes morts et un troisième enfermé à perpétuité. Sauf que, ce jour-là, à Bruxelles, il y avait quelqu'un d'autre, comprit Gamache. Impossible qu'il en soit autrement.

– Qui a pris cette photo ? demanda-t-il.

Fleming se cala sur sa chaise et croisa les bras sur sa poitrine. Un changement s'était produit. Ses doigts serraient fort les os de ses bras. Le sourire sardonique était forcé.

Gamache avait trouvé un filon.

– Vous avez contribué à la création du Projet Babylone, insista-t-il. À la demande de quelqu'un qui tenait à ce que vous ayez Gerald Bull à l'œil. La personne qui a pris cette photo. Celle qui était avec vous tous à Bruxelles. Mais vous leur avez menti, n'est-ce pas, John ? Vous leur avez parlé d'Highwater, mais pas de l'autre canon. Vous avez éliminé Bull lorsqu'il est devenu trop dangereux, qu'il s'est mis à parler, à laisser entendre qu'il y avait un autre lance-missiles. Puis vous avez volé les plans et vous les avez cachés. Croyez-moi,

John, vous n'avez que faire de la liberté. À l'extérieur de ces murs, vous ne tiendriez pas une journée. Vous avez la poliomyélite et la prison est votre poumon d'acier.

– Vous pensez qu'ils me feraient du mal ? demanda Fleming. Je suis leur création. J'ai fait ma propre grande prostituée, mais ils m'y ont obligé. Ils ont eu besoin de moi pour accomplir ce qu'ils n'osaient pas faire.

– Ils n'ont pas besoin de vous. Ils vous ont jeté au rebut, vous laissent moisir ici.

– Justement, répliqua-t-il en souriant. La moisissure n'a plus beaucoup de prise sur moi.

Gamache sentit l'odeur du pourrissement.

– Si je suis l'enfant, à quoi ressemblent les parents ? Si je suis la branche, imaginez les racines.

Ce fut comme si les mots étaient murmurés à l'oreille de Gamache, portés par une haleine chaude et fétide.

– Toute chose a une raison d'être, dit Fleming. N'est-ce pas ce que vous croyez ? J'ai une raison d'être. Vous aussi. Rentrez dans votre joli petit village avec ses nombreuses cachettes et méditez un peu là-dessus. Et, ensuite, je veux que vous reveniez me sortir d'ici. Je vous donnerai les plans d'Armageddon avant de disparaître. Vous n'entendrez plus jamais parler de moi. Vous avez dit que j'attendais quelqu'un et vous aviez raison. Je vous attendais, vous.

Gamache se leva. C'était terminé.

37

Jean-Guy aurait voulu parler, mais il ne trouvait pas les mots. Il se contenta donc de rouler pendant que Gamache regardait par la fenêtre.

Le chef avait un jour évoqué le comportement des gorilles qui se sentent menacés. Ils s'affrontent, tentent d'obliger l'ennemi à baisser les yeux. De temps en temps, cependant, ils tendent la main pour toucher le gorille en face d'eux. Afin de s'assurer qu'ils ne sont pas seuls.

Sans quitter la route des yeux, Jean-Guy tendit la main et toucha l'épaule de Gamache.

Armand se retourna et lui sourit.

– Ça va ? demanda Beauvoir.

– Et toi ? Moi, au moins, je savais à quoi m'attendre.

– Vraiment ?

– Non, admit Armand en esquissant un sourire fatigué. C'est ce que je croyais, mais rien ne nous prépare à une telle confrontation. Nous avons au moins appris un certain nombre de choses. C'est Fleming qui a tué Gerald Bull.

– Sur l'ordre d'une tierce partie. La fameuse « agence ». Son identité ne fait aucun doute, j'imagine. Il veut sûrement parler du SCRS.

Gamache hocha la tête d'un air distrait.

– Peut-être. Probablement. Il est évident qu'il connaît Mary Fraser et Sean Delorme.

– L'un ou l'autre était-il à Bruxelles ? demanda Beauvoir. La photo a-t-elle été prise par Fraser ou Delorme, juste avant que l'un d'eux ordonne l'assassinat de M. Bull ?

– Je me posais la même question, bien qu'il existe d'autres possibilités.

– Le professeur Rosenblatt, dit Beauvoir.

Le vieux scientifique à la périphérie de tant d'événements passés et présents. Beauvoir se tourna brièvement vers Gamache, dont les yeux se plissèrent, comme s'il s'était engagé dans un sentier bien différent de celui qu'ils suivaient.

– Y aurait-il quelqu'un d'autre, patron ?

– Il y a effectivement quelqu'un d'autre, Jean-Guy. Une autre possibilité.

Beauvoir passa en revue tous les suspects en âge d'avoir été sur le terrain au début des années 1990.

– M. Béliveau ? fit-il. Il semble très renseigné. Et que savons-nous de lui, au juste ? À part Ruth, personne ne connaissait même son prénom.

– Je ne pensais pas à lui, répondit Gamache. Je songeais plutôt à Al Lepage.

Aussitôt, Beauvoir saisit la logique du raisonnement. En fait, c'était si évident qu'il se demanda comment il avait pu passer à côté.

Avec l'aide de Ruth et de M. Béliveau, Frederick Lawson avait traversé la frontière en douce. Par la suite, il avait pu s'établir au pays, refaire sa vie, devenir Al Lepage, se marier. Comment un déserteur sur le point d'être jugé aurait-il pu accomplir un tel exploit sans la bénédiction du gouvernement ou de l'une de ses agences ?

Tel était donc le prix de son admission au Canada ? De temps à autre, on confiait à Al Lepage le sale boulot du gouvernement ?

Lacoste avait laissé Lepage rentrer chez lui, mais elle avait chargé des agents de le surveiller, vingt-quatre heures sur vingt-quatre.

– Pardon, fit Gamache en sortant son téléphone de sa poche.

Sans doute avait-il vibré. Jean-Guy, en tout cas, n'avait rien entendu.

Gamache vérifia qui l'appelait, puis répondit.

– Madame la directrice générale, fit-il.

– Si je comprends bien, vous n'êtes pas seul, Armand, commença Thérèse Brunel. J'ai du nouveau.

– Oui ?

Au ton de la voix de son interlocutrice, Gamache comprit qu'il n'avait sans doute pas gagné le gros lot.

– Je viens de recevoir un coup de fil du producteur délégué du bulletin de nouvelles nationales de la CBC.

Gamache retint son souffle, se blinda.

Beauvoir lui jeta un coup d'œil. Le chef était alerte, tendu.

– Je vous écoute.

– C'est en plein ce que vous pensez, dit-elle. Ils sont au courant pour le canon.

– Que savent-ils, au juste ?

– Ils sont au courant pour le Projet Babylone et Gerald Bull. Ils savent que le canon se trouve quelque part au Québec. C'est pour cette raison qu'on m'a téléphoné.

– Ils ne connaissent pas son emplacement précis ?

– Pas encore. Ils vont retenir la nouvelle jusqu'au bulletin radiophonique national de dix-huit heures. D'ici là, ils risquent de tout savoir. Et la nouvelle aura l'effet d'une bombe. Les journalistes vont se ruer sur cette affaire. Tôt ou tard, ils vont tout savoir. À partir de la diffusion, vous disposerez au mieux d'une journée, peut-être de quelques heures seulement.

– Vous pouvez les bâillonner ? demanda-t-il.

– Vous savez ce qu'il en coûte de censurer la presse, Armand. J'ai présenté une demande d'injonction urgente, mais les juges répugnent à en accorder. Je pense qu'il vaut mieux supposer que la nouvelle va être diffusée.

Gamache consulta sa montre. Il était déjà treize heures trente.

– Ils savent pour Guillaume Couture ? demanda-t-il.

– Non, mais vous avez mis seulement quelques heures à faire le lien. Ils y parviendront bien assez tôt. Dès que la nouvelle sera rendue publique, un des habitants du village va parler. En fait, il est sidérant que rien n'ait encore transpiré.

«Three Pines sait garder les secrets», songea Gamache. Celui-ci, toutefois, serait bientôt éventé.

– Merci, dit-il en raccrochant. Arrête la voiture, s'il te plaît.

Jean-Guy se rangea sur le côté. Gamache sortit et, une main sur la voiture, se pencha, comme s'il s'apprêtait à vomir.

Jean-Guy contourna le véhicule en vitesse.

– Ça va?

Gamache se redressa et reprit son souffle. Puis il s'éloigna sur l'accotement de la petite route.

– Que s'est-il passé? demanda Jean-Guy en se lançant à ses trousses.

Il s'arrêta sur un signe de Gamache, qui avait besoin d'un instant de répit.

Jean-Guy n'avait entendu qu'un côté de la conversation, mais c'était suffisant.

Gamache, le visage blême, hagard, se tourna vers lui.

– Dans quatre heures, le bulletin de nouvelles nationales de la CBC annoncera la découverte du canon.

– Merde.

Beauvoir sentit son estomac se soulever à son tour. Comme Gamache, il comprenait les implications. Peu après l'annonce du scoop, la nouvelle serait partout: Internet, médias sociaux, médias conventionnels. NPR, CNN, BBC, Al Jazeera. La découverte du canon de Gerald Bull retentirait aux quatre coins du monde.

– Ils ne savent pas encore où il est, dit Gamache. Ils ne sont pas au courant pour Three Pines. J'ignore s'ils savent pour Highwater. Mais ils vont tout déterrer. Et alors…

«Ce sera un vrai pandémonium», songea Jean-Guy.

En proie à un léger vertige, il étudia son beau-père.

– Mon Dieu, vous n'envisagez tout de même pas de…

L'expression de Gamache confirma que c'était exactement ce qu'il envisageait.

– Vous feriez libérer Fleming ? fit Beauvoir, à peine capable de proférer les mots.

– Nous devons trouver les plans avant la diffusion. Les journalistes et les badauds seront le cadet de nos soucis. Les marchands d'armes, les mercenaires, les services du renseignement, les groupes terroristes et les dictateurs corrompus du monde entier seront bientôt au courant. Ce ne sont pas des opportunistes empotés. On aura affaire à des personnes intelligentes, motivées et impitoyables. Et elles vont débarquer ici. Doux Jésus, Jean-Guy. Si des marchands d'armes mettent la main sur les plans avant nous… Te rends-tu compte des conséquences ?

– Avec des si, on va à Paris ! cria Jean-Guy. Ce ne sont que des suppositions. Mais si on laisse Fleming sortir de son trou, on sait avec certitude ce qui va arriver. Il va tuer encore. Et encore.

– Ne me parle pas de ce dont Fleming est capable. Tu n'en sais rien. Moi, oui.

– Alors dites-moi, pour l'amour du ciel !

– Il a créé la grande prostituée ! hurla Gamache.

– Oui, la gravure, je sais.

– Non, dans la réalité. Il a transformé ses victimes en grande prostituée.

Jean-Guy recula, s'éloigna de Gamache. Des mots qui avaient jailli de sa bouche et des images qu'ils suscitaient. De ce que Fleming avait fait. De sévices si atroces qu'on les avait gardés secrets.

– Ohhhhh, fit Beauvoir.

Le son lui avait échappé, comme si son âme, flétrie, s'échappait de son corps.

– Les enfants ?

– Les sept victimes, sans exception, répondit Gamache en se penchant de nouveau, les mains sur les genoux.

Beauvoir s'agenouilla. Devant lui, Gamache s'efforçait de reprendre son souffle. Il était loin de se douter du fardeau que cet homme transportait depuis si longtemps. Des images qu'il avait sans doute vues. La rumeur avait couru d'un enregistrement. Gamache avait pris place dans cette salle d'audience pour épargner cette horreur aux autres citoyens. Un sacrifice consenti pour le bien commun.

Gamache se redressa et, raidi, se tint debout, dominant et résolu.

– S'il y avait un autre moyen, Jean-Guy…

– Vous ne pouvez pas le laisser sortir, je vous en supplie.

Beauvoir, toujours à genoux, leva les bras vers Gamache.

– Ça ne servirait à rien. Il vous a probablement menti. Il ne sait peut-être même pas où sont les plans.

Beauvoir se leva, en colère à présent.

– De trop près, vous n'avez rien vu. Il s'est joué de vous, il vous a mis des idées dans la tête.

– Tu crois que je ne suis pas au courant ? cria Gamache. Tu crois que je ne sais pas qu'il mentait probablement et que, même s'il connaît la cachette, il refusera sans doute de nous l'indiquer ? Je suis au courant.

– Pourquoi le faire, dans ce cas ? Pourquoi même envisager cette possibilité ?

– Que se passera-t-il si nous laissons Fleming là où il est et qu'un autre marchand d'armes découvre les plans ?

Il dévisagea Beauvoir, le mit au défi de discuter. De venir le retrouver là où il se tenait, au centre du tourbillon.

À trois mètres l'un de l'autre, les deux hommes se fusillaient réciproquement du regard.

– Tu crois, grogna Gamache, que j'ai envie de libérer Fleming ? De l'emmener à Three Pines ? Rien qu'à l'idée, j'en suis malade. Mais nous n'aurons peut-être pas le choix. Fleming risque de ne pas nous dire où sont les plans. Et oui, il risque de s'échapper. Mais je ne sais pas où sont les plans.

Toi non plus. Dieu sait pourtant que j'ai tout fait pour les retrouver.

– Et il est probable que Fleming n'en sait pas plus que nous. Il aurait raconté n'importe quoi pour sortir de ce trou.

– Il sait peut-être. La possibilité existe. Il représente peut-être notre seul espoir.

Beauvoir le dévisagea d'un air consterné.

– Quoi ? Vous fondez vos espoirs sur cette créature ? Et si ses prochaines victimes étaient Mme Gamache, Annie ou vos petites-filles, vous montreriez-vous aussi cavalier ?

– Cavalier ? C'est comme ça que tu me vois ? Et si les plans sont découverts, combien de maris et de femmes, d'enfants et de petits-enfants périront ? Des dizaines, voire des centaines de milliers. Plus personne ne sera en sécurité.

L'équation était grotesque, et Gamache donna l'impression d'être sur le point de s'évanouir. Il envisageait de se faire le complice d'un massacre, pour le bien de l'humanité.

Mary Fraser s'était trompée à propos de Gamache. Il l'avait déjà fait et, au besoin, il le referait. Condamner quelques personnes à une mort certaine pour en sauver plusieurs. Ces décisions avaient fini par l'anéantir et il avait rampé jusqu'à Three Pines dans l'espoir de se guérir. Mais pas, apparemment, pour se cacher.

Beauvoir ouvrit la bouche, la respiration haletante, les yeux exorbités.

– Annie est enceinte, Armand.

Les mots mirent un moment à franchir les défenses de Gamache, à se frayer un chemin au milieu de son émoi. Mais alors ses épaules se relâchèrent, son visage s'adoucit.

Et il comprit.

– Mon Dieu, murmura-t-il. En quelques enjambées longues et rapides, il parcourut la distance qui les séparait et prit dans ses bras l'homme qui sanglotait.

– Nous allons retrouver les plans, répéta-t-il encore et encore jusqu'à ce que Jean-Guy finisse par se calmer. Nous allons les trouver.

Il ne voyait toutefois pas comment.

Armand prit le volant pour donner à Jean-Guy le temps de se ressaisir et de parler du nouveau bébé. Et d'Annie.

– Ne dites rien à Mme Gamache, s'il vous plaît, dit Jean-Guy. Annie me tuerait. Elle tient à le faire elle-même.

– Promis, mais dépêchez-vous. Reine-Marie est très rusée et elle risque de me tirer les vers du nez.

Pendant qu'ils discutaient de cette heureuse nouvelle, Armand réussit presque à oublier l'endroit d'où ils venaient et le travail qui les attendait. Au bout de quelques kilomètres, ils sombrèrent de nouveau dans le silence.

Gamache rejoua dans sa tête l'interrogatoire de Fleming, s'efforça de se souvenir des moindres détails.

– Fleming a admis qu'il connaissait Mary Fraser et Sean Delorme, dit-il.

Beauvoir hocha la tête. Jean-Guy réexaminait lui aussi la rencontre avec Fleming, pressé par le temps et par la certitude que le détenu était encore plus monstrueux qu'il l'avait craint.

– Il a dit quelque chose, fit Armand. Quelque chose qui m'a semblé important, sur le coup, et que je me suis promis de me rappeler, mais ça m'est sorti de l'esprit.

– Encore une fausse piste, dit Beauvoir. Fleming s'est sans doute rendu compte qu'il en avait trop dit et a enterré l'aveu sous un gros tas de merde.

– Mais qu'est-ce que c'était, au juste ? insista Gamache.

Ils se creusèrent les méninges. Al Lepage ? Bruxelles. L'agence. Qu'avait dit Fleming, déjà ?

Jean-Guy fut le premier à mettre le doigt dessus. C'était venu d'Armand et non de Fleming.

– La pièce, dit-il. Vous l'avez évoquée, puis vous l'avez posée sur la table. Vous vous souvenez ?

– C'est ça, dit Gamache. Il m'a demandé si je l'avais lue.

– Vous avez répondu qu'elle était magnifique et il a semblé surpris. Puis il a dit quelque chose.

Beauvoir tendit la main vers la banquette arrière et sortit du sac le manuscrit crasseux et défraîchi.

– Il a touché le texte et il a ajouté que, si vous l'aviez compris, vous n'auriez pas eu besoin de venir lui parler.

– Oui, oui, confirma Gamache. Nous n'aurions pas eu besoin de venir lui parler parce que nous aurions eu la réponse.

– L'endroit où se cachent les plans se trouve donc dans cette pièce maudite ! s'écria Beauvoir en baissant les yeux sur *Elle était assise et elle pleurait.* Vous avez lu la pièce. Je l'ai lue. Je ne me souviens de rien qui concerne des plans, des documents ou autre chose de caché. Vous ?

Gamache réfléchit, sonda sa mémoire. L'action de la pièce se déroulait dans une pension. Le personnage principal était une nullité qui gagnait constamment à la loterie. Chaque fois, il perdait tout l'argent et aboutissait dans ce lieu. Puis il gagnait de nouveau. Et, une fois de plus, il perdait tout. C'était insoutenable et, en même temps, finement observé, perspicace et très drôle.

– Le billet de loterie n'était ni caché ni perdu, non ? demanda Beauvoir.

Gamache secoua la tête.

– Non, il le gardait sur une chaîne qu'il portait autour du cou. Tu te souviens ? Là où la croix se trouvait autrefois.

– Merde. Quoi d'autre, quoi d'autre ? Quelqu'un perd-il une clé, un gant ou autre chose ?

Beauvoir ouvrit le manuscrit et le feuilleta au hasard, de plus en plus frénétiquement.

– Téléphone à Isabelle, dit Gamache. Parle-lui du bulletin national de dix-huit heures et demande-lui de réunir toutes les photocopies de cette pièce.

– Mary Fraser et Sean Delorme en ont une, lui rappela Jean-Guy, tandis que le téléphone sonnait.

– Qu'on les laisse tranquilles, dit Gamache. S'ils ont lu la pièce de Fleming, la référence leur a échappé à eux aussi. Gardons-les dans l'ignorance.

Beauvoir joignit Lacoste, la mit sur haut-parleur et l'informa de la situation.

– Pour la CBC, j'étais déjà au courant, dit-elle. Le professeur Rosenblatt sort d'ici. Il a reçu un coup de fil d'un journaliste à propos du Supercanon. Pour savoir qu'il est un spécialiste de Gerald Bull, ils ont déjà dû faire pas mal de recherches.

– Que leur a-t-il dit ? demanda Beauvoir.

– Selon lui, il s'est contenté d'affirmer qu'il a pris sa retraite depuis longtemps et que M. Bull était de l'histoire ancienne. On l'a interrogé sur la découverte du Projet Babylone et il a répondu que c'était une éventualité peu probable puisque le canon n'avait jamais été construit et que, dans le cas contraire, il n'aurait pas pu tirer.

– On l'a cru ?

– Pas un seul instant, répondit Lacoste. Le professeur craint même d'avoir envenimé la situation en niant ce que les journalistes savent déjà.

– À ce stade-ci, dit Beauvoir, je vois mal comment la situation pourrait encore se détériorer.

– La bonne nouvelle, c'est que, pour le moment, ils ne semblent pas savoir où se trouve le canon, et mon petit doigt me dit qu'ils vont d'abord se concentrer sur Highwater. Qui sait ? Ils vont peut-être s'arrêter là.

Ils savaient que c'était impossible.

– Tu vas récupérer toutes les photocopies de la pièce ? Sauf celle des agents du SCRS. Qu'ils la gardent, eux.

– Je demande à Cohen de s'en occuper.

– Non, lança Gamache. Pas lui. Vous pouvez faire appel à quelqu'un d'autre ?

– Oui, répondit-elle avec prudence. Mais je peux savoir pourquoi ?

– J'aimerais que l'agent Cohen reste au poste de commandement. Ça ne vous embête pas trop ? Je vous expliquerai.

Ils raccrochèrent et Beauvoir fixa le téléphone, sans oser se tourner vers son beau-père. Il savait pourquoi Gamache avait tenu à ce que Cohen reste derrière. Il s'apprêtait à prendre une terrible initiative.

38

– C'est de la folie.

Après une pause remplie de tension, Isabelle Lacoste ajouta :

– Monsieur. Même si nous réussissions à faire sortir Fleming de l'USD et à l'emmener ici… Ce serait comme lâcher la peste sur le monde.

– Il nous reste, commença Gamache avant de consulter l'horloge sur le mur de la gare, trois heures et cinq minutes avant que la nouvelle se répande comme une traînée de poudre. Ce sera le point de non-retour. Il faut deux heures pour aller jusqu'à l'USD. L'agent Cohen doit se mettre en route tout de suite.

– Je sais lire l'heure, patron, dit Lacoste. Ce que je me demande, c'est si vous avez perdu la raison. Je comprends l'équation, je vous le jure. Mais je suis d'accord avec l'inspecteur Beauvoir. Il est plus que probable que Fleming mente. Qu'il n'ait absolument aucune idée de l'emplacement des plans. Et alors quoi ? Des marchands d'armes risquent quand même de mettre la main dessus avant nous, et John Fleming, une fois qu'il se sera évadé, fera certainement d'autres victimes. Parce qu'il va s'évader, c'est certain. Et vous savez très bien qui sera sa première victime.

Elle jeta un coup d'œil à l'agent Cohen, qui les observait du fond de la pièce. Elle baissa le regard et feignit de chasser une saleté sur son pantalon.

– Il n'y a pas d'autre solution, dit Gamache.

– Fleming obtient ce qu'il veut, dit Lacoste.

– Et nous obtenons ce qu'il nous faut, riposta Gamache. Vous savez ce qui va se produire si quelqu'un trouve les plans du Projet Babylone avant nous. Par comparaison, Fleming aura l'air d'un personnage de bandes dessinées.

Il se tourna vers l'agent Cohen.

– Si je pouvais entrer là-bas, je n'hésiterais pas. Mais seul Adam peut le faire. Il y a travaillé pendant dix-huit mois. Il connaît l'USD, il connaît les gardiens et le système. Je n'y consens pas de gaieté de cœur, mais c'est lui qui peut accomplir cette tâche. Il n'y a pas d'autre moyen, Isabelle.

Gamache essayait de dissimuler sa frustration. Pendant des années, des décennies, il avait consulté son équipe, mais c'était toujours lui qui avait eu le dernier mot. À présent, il devait obtenir l'accord d'Isabelle Lacoste.

– Vous envisagez de faire sortir John Fleming de l'USD? demanda Adam Cohen en venant vers eux. Désolé, mais je vous ai entendus.

Ils se tournèrent vers le jeune homme et Gamache s'approcha de lui.

– Vous croyez en être capable?

Cohen réfléchit, puis il hocha la tête.

– Je pense que oui.

Il semblait à la fois résolu et dévoré par l'envie de fuir. Il avait les yeux exorbités, les pupilles dilatées, le teint plus gris que blafard. On aurait dit un homme qui, prêt à se jeter du haut d'un précipice, espère que des ailes lui pousseront par miracle.

– Pardonnez-moi de poser la question, monsieur, mais vous êtes bien certain que ce soit une bonne idée?

– Nous devons juste savoir si c'est faisable, dit Gamache d'un ton rassurant. Aucune décision n'a encore été prise.

– John Fleming, commença Cohen, n'est pas…

Il chercha la bonne formulation.

– … une personne normale.

L'euphémisme était si extrême qu'il en était presque comique. À la vue du masque de terreur sur le visage du jeune homme, cependant, nul n'aurait eu envie de rire.

– Laissez-moi l'accompagner, dit Beauvoir. On ne peut pas l'envoyer là-bas tout seul.

– Désolé de vous interrompre de nouveau, fit Cohen en s'immisçant une fois de plus dans leur conversation. Il y a une lacune dans la sécurité de l'USD. On nous prépare à faire face aux émeutes et aux tentatives d'évasion, mais pas aux entrées par effraction. C'est peut-être faisable. À condition de recourir à une personne qu'ils connaissent, en qui ils ont confiance. Quelqu'un qui ne risque pas de leur causer des ennuis. Moi. Seul.

Les mots du jeune homme affirmaient une chose, tandis que ses yeux les suppliaient de le contredire. De ne pas l'envoyer là-bas, et surtout pas tout seul.

– Excusez-nous, dit Lacoste à l'agent Cohen avec une courtoisie exagérée avant d'entraîner les autres au fond du poste de commandement. Nous devons arrêter une décision.

Elle dévisagea Beauvoir, puis Gamache. Elle jeta un coup d'œil à l'agent Cohen, puis à l'horloge.

– Bon, c'est d'accord. Cohen se dirige vers l'USD. Comme vous l'avez dit, il en a pour deux heures, et il nous reste un peu plus de trois heures avant la diffusion. À propos de Fleming, rien ne nous oblige à décider tout de suite. Au moins, l'agent Cohen sera en position.

Gamache et Beauvoir hochèrent la tête. Isabelle Lacoste se dirigea vers Adam Cohen.

– C'est une mission non sanctionnée, dit-elle. Vous ne devez l'accepter qu'en connaissance de cause. Même si vous réussissez, que Fleming sort de sa cellule et qu'il la réintègre sans encombre, nous serons tous congédiés et sans doute traduits en justice. C'est clair ?

– Mon oncle tient un comptoir à poutine, dit-il. Je pense que je pourrais nous y trouver du travail.

Il avait parlé avec un tel élan de sincérité que Beauvoir se demanda s'il plaisantait. Et ne sut s'il fallait rire ou pleurer. Ou lui dire toute la vérité. Soit qu'il risquait de perdre beaucoup plus que son emploi.

L'inspectrice-chef Lacoste rédigea une lettre d'autorisation, l'imprima sur du papier à en-tête de la Sûreté et la tendit à l'agent Cohen. Ils l'accompagnèrent jusqu'à la voiture.

– Si vous n'avez pas eu de mes nouvelles avant dix-huit heures, vous devez entrer dans l'USD, compris ? précisa l'inspectrice-chef Lacoste. À l'instant où la nouvelle concernant Gerald Bull sera diffusée par la CBC.

– Oui, monsieur. Maman. Madame.

– Doux Jésus, murmura Beauvoir.

– Ça ira, mon garçon, lança Armand. Ne dites rien à Fleming. Ni votre nom, ni votre destination. Rien du tout. Il va essayer d'engager la conversation. Ignorez-le.

Il tendit la main.

– *Shalom Alekhem.*

Adam Cohen sembla étonné, mais ravi. Il serra la main de Gamache.

– Que la paix soit avec vous, monsieur. Comment se fait-il que vous connaissiez cette expression ?

– J'ai été élevé par ma grand-mère juive, répondit Gamache.

– *B'ezrat hashem,* dit Cohen avant de lâcher la main de Gamache et de monter dans la voiture.

Ils le regardèrent s'éloigner.

– Qu'est-ce qu'il a dit ? demanda Beauvoir.

– Avec l'aide de Dieu, répondit Gamache.

– Je ne crois pas que Dieu ait grand-chose à voir avec tout ça, dit Lacoste avant de se tourner vers les deux hommes.

– Si la pièce révèle l'endroit où les plans sont cachés, nous devons l'examiner, attentivement et vite.

– J'y ai réfléchi, dit Gamache. Jean-Guy et moi l'avons déjà lue sans rien remarquer.

– Vous avez besoin d'un regard neuf, dit Lacoste. Vous voulez que je m'y mette ?

– Non, je veux que tout le village la lise, dit Gamache. Une pièce est faite pour être jouée.

– Nous allons monter la pièce? fit Beauvoir. Pourquoi pas? C'est tout à fait envisageable. Maman va fabriquer les costumes. On n'a qu'à utiliser la grange d'oncle Ned.

– Du calme, Andy Hardy, fit Gamache. Je veux parler d'une simple lecture. Nous avons besoin que d'autres lisent pendant que nous écoutons.

– Ce n'est pas une mauvaise idée, admit Lacoste. Mais ça va prendre du temps. Une heure et demie au moins avant de tout mettre en branle. Il sera presque dix-huit heures. Si vous vous trompez…

– Si je me trompe, dit Gamache, nous aurons l'agent Cohen sur place.

– Ça peut marcher, dit Lacoste. Les histoires finissent bien, en général, non?

Gamache laissa fuser un rire bourru.

– Toujours.

D'un pas rapide, il se mit en route vers le village.

– Je pense qu'il faut organiser la lecture chez moi. C'est plus intime. Je vais réunir des personnes de confiance. Quoi? Qu'est-ce qu'il y a?

Ayant remarqué l'hésitation de Lacoste, il s'arrêta.

– En qui pouvons-nous avoir confiance? demanda-t-elle.

– C'est-à-dire?

– Laissez-moi vous poser une question, dit-elle. Si une personne était débarquée à Three Pines il y a trois semaines et vous avait trouvé en train de marcher avec Henri ou de prendre le frais sur la galerie avec Mme Gamache, aurait-elle su qui vous êtes et ce que vous avez fait?

Il eut un léger sourire. L'argument se tenait.

Qui aurait su que Myrna n'avait pas toujours tenu une librairie et qu'elle avait autrefois été une éminente psychologue montréalaise ? Qui aurait su que la femme à la crinière infestée de restes d'aliments était une grande artiste ?

Combien d'habitants de Three Pines en étaient à leur deuxième ou à leur troisième acte ? Les humains avaient des profondeurs insoupçonnées, mais aussi des intentions et un passé cachés.

En qui pouvait-on avoir confiance ?

Jean-Guy avait soulevé des doutes à propos de M. Béliveau. Il semblait improbable qu'il ait quoi que ce soit à cacher. Mais était-ce plus farfelu que de croire que l'homme paisible qui promenait son berger allemand aux oreilles invraisemblables avait gagné sa vie en pourchassant des assassins ? Ou que le jardinier bio à la forte carrure était un criminel de guerre ?

– Laurent a été tué par un des villageois, lui rappela Lacoste. Antoinette aussi. Il y a ici quelqu'un qui n'est pas qui il prétend.

– Encore une fois, déclara Gamache, nous n'avons pas le choix. Nous avons besoin d'aide. De leur aide.

D'un geste, il désigna le village.

Il attendit, prêt à agir. Dès que l'inspectrice-chef Lacoste eut hoché sèchement la tête, il traversa le pont à grandes enjambées.

– Je vais chercher les textes, dit Beauvoir. Tu viens ?

Isabelle Lacoste était encore immobile. Elle croisa son regard et secoua la tête.

– Non. Le chef et toi, c'est largement suffisant.

Elle jeta un coup d'œil à son ordinateur, où l'économiseur d'écran faisait tourner des photos de Laurent et d'Antoinette.

– J'ai du travail ici. Cherchez les plans ; moi, je vais chercher le meurtrier. Nous nous sommes laissé distraire par le canon. Une fausse piste de plus, et je suis tombée dans le panneau.

– Pas complètement, dit Beauvoir. Laurent a été tué non pas parce qu'il était qui il était, mais bien parce qu'il avait trouvé l'arme ; quant à Antoinette, elle a été assassinée parce que son oncle en était le concepteur. Le canon est au centre de tous les événements.

– C'est vrai, mais nous nous sommes concentrés sur la recherche des plans et nous avons perdu le meurtrier de vue. Il est ici quelque part, dit Lacoste en tapotant le dossier sur son bureau. Mary Fraser affirme que nous ne comprenons pas son monde et elle a raison. Le monde que nous comprenons, c'est celui-ci. J'aurais dû m'y consacrer depuis le début. Je dois revenir à la base. Les indices recueillis par la police scientifique, les interrogatoires. Qui sait, on finira peut-être par aboutir au même endroit.

– *B'ezrat hashem*, dit Beauvoir.

Il se mit en route, tandis que Lacoste entreprenait sa lecture.

Plusieurs sentiers conduisaient à la vérité.

Armand se rendit d'abord à la librairie. Là, il trouva Ruth, Myrna et Clara et les invita à venir chez lui. Il resta vague et elles étaient curieuses. Arrimage parfait.

Il mit ensuite le cap sur le bistro, où il tomba sur Brian qui prenait une bière avec Gabri. Il était tout juste passé seize heures. Après un moment d'hésitation, Gamache les invita tous les deux. Brian, s'il était un suspect, constituait aussi leur principal atout. Il connaissait la pièce sur le bout de ses doigts.

– Venez avec Olivier, lança Armand par-dessus son épaule en se dirigeant en hâte vers la porte du bistro.

Il était sur le point de sortir lorsqu'il aperçut le professeur Rosenblatt qui lui faisait signe.

– Que se passe-t-il ? demanda-t-il lorsque Gamache arriva près de sa table.

À voix basse, il ajouta :

– C'est lié au reportage de la CBC ?

Gamache s'en voulut à mort. Obnubilé par la pensée de ceux qu'il voulait inviter, il avait oublié de vérifier si des indésirables se trouvaient dans la salle. Rosenblatt était bel et bien un professeur à la retraite. Les vérifications l'avaient confirmé. Gamache, cependant, était loin d'être convaincu qu'il n'était pas autre chose. De la même façon que Mary Fraser et Sean Delorme étaient presque assurément des archivistes. Et beaucoup plus.

– Je peux vous aider ? demanda le vieux professeur.

– Non, merci. Je pense que nous avons ce qu'il nous faut.

Rosenblatt l'étudia, puis se tourna vers les clients du bistro qui bavardaient au-dessus de leurs consommations.

– Ces gens ne se doutent pas de ce qui va leur arriver lorsque l'existence du canon sera rendue publique.

– Nul ne peut prédire l'avenir, dit Gamache.

Réponse volontairement banale. Il était pressé de sortir et n'avait pas de temps à consacrer à une conversation aux accents ésotériques.

– Oh, je crois que certains d'entre nous en sont capables. Non ?

Le ton de Rosenblatt obligea Gamache à modifier son attitude et à accorder toute son attention au scientifique.

– Que voulez-vous dire ?

– Certains sont capables de prédire l'avenir dans la mesure où ce sont eux qui le façonnent, dit Rosenblatt. Je ne veux pas parler des bonnes choses. On ne peut pas obliger quelqu'un à nous aimer, par exemple, ni même à nous apprécier. Mais on peut faire en sorte qu'il nous déteste. Nous ne sommes jamais certains d'obtenir un poste que nous convoitons, mais nous pouvons nous arranger pour être congédiés.

Il reposa son cidre et regarda Gamache bien en face.

– Nous ne sommes jamais sûrs de gagner une guerre, mais nous pouvons en perdre une.

Parfaitement immobile, Gamache examina le scientifique et s'assit.

– Combien de gens commettent l'erreur de croire que les guerres se gagnent avec des armes ? fit Rosenblatt en souriant pour lui-même. En réalité, elles se livrent avec des idées. Le camp qui a le plus d'idées, les meilleures idées, l'emporte.

– Dans ce cas, pourquoi tuer la personne qui a des idées? demanda Gamache. Si je vous suis bien, il est ici question de Gerald Bull. On a cru qu'il était le génie de l'opération, ce qui lui a valu plusieurs balles dans la tête.

– Vous connaissez la réponse. Pour empêcher les autres de retenir ses services. L'avoir avec vous ne vous assurait pas la victoire. Mais l'avoir contre vous, dans le camp ennemi, vous promettait une défaite certaine.

– Et quand avez-vous compris que vous vous étiez trompé? poursuivit Gamache.

– Moi?

– Façon de parler, monsieur.

– Naturellement.

– Lorsqu'il est apparu clairement qu'on avait éliminé la mauvaise personne? insista Gamache. Que Gerald Bull n'était pas l'homme d'idées? Qu'il n'était qu'une simple façade?

– Alors un problème se pose. Un gros problème. Un énorme problème. Qu'il faut régler.

– Êtes-vous en train de dire ce que je pense? demanda Gamache.

Jamais Rosenblatt n'était venu aussi proche d'admettre qu'il avait été impliqué dans la mort de Gerald Bull. Et davantage.

– Je ne dis rien du tout. Je ne suis qu'un vieillard qui n'arrive même plus à se vêtir convenablement, dit Rosenblatt en baissant les yeux sur sa tenue débraillée.

– Vous ne vous définissez pas par les habits que vous portez, monsieur, dit Gamache. Ils ne sont qu'un costume. Peut-être même un déguisement.

– Heureux que vous voyiez les choses ainsi.

Rosenblatt sembla amusé. Puis il prit un air grave.

– Vous pensez que j'ai été mêlé à toute cette affaire? Je suis resté ici à me demander ce qui arriverait si on découvrait les plans. À toutes ces vies perdues. Je pense que seuls les très vieux hommes sont conscients du drame que représente une mort prématurée.

Il se pencha vers Gamache.

– Je n'aurais jamais pu m'associer à une entreprise pareille.

– Sauf peut-être pour sauver encore plus de vies, risqua Gamache.

– C'est peut-être à ça que servent les vieillards : prendre des décisions que les jeunes ne peuvent pas prendre.

Il observait Gamache de près.

– Ne devraient pas avoir à prendre. Je suis assez vieux pour être votre père. Je regrette de ne pas l'être. Peut-être alors me feriez-vous confiance. Je n'ai pas eu d'enfants.

– Et David ? Votre petit-fils ?

Devant le silence de Rosenblatt, Gamache hocha la tête.

– Un personnage fictif ?

– D'après mes observations, on se méfie moins des grands-pères, admit Rosenblatt. J'ai donc inventé David de toutes pièces. J'ai parlé de lui si souvent que je peux presque le voir. Il est maigre, avec des cheveux foncés, et il sent le savon Ivory et la gomme balloune. Je lui en donne dès que sa mère a le dos tourné. Certains jours, il me semble plus réel que des êtres de chair et de sang.

Michael Rosenblatt baissa les yeux sur ses mains.

– Le canon maudit que vous avez trouvé dans les bois est réel, mais mon petit-fils ne l'est pas. Dans quel monde vit-on ?

Armand jeta un coup d'œil à l'horloge, qui égrenait inexorablement les secondes.

– Il y a une chose que vous devez savoir. Ce matin, je me suis entretenu avec John Fleming.

Ce fut au tour de Rosenblatt de se pétrifier.

– Je sais qu'il a travaillé avec Gerald Bull, dit Gamache. Je sais qu'il est venu à Three Pines. Je sais qu'il a été à Bruxelles avec M. Bull et Guillaume Couture. Et je sais qu'il a tué Gerald Bull. Mais je crois aussi que ce n'était pas son idée.

Une fois de plus, Gamache produisit la vieille photo des trois hommes, la trinité des damnés.

– Je vous ai déjà montré cette photo. On y voit M. Bull, M. Couture et John Fleming. Mais il y avait un autre larron, ce jour-là, n'est-ce pas? Celui qui a pris la photo et ordonné la mort de Gerald Bull.

– Ce n'était pas moi.

– Peut-être que oui. Peut-être que non.

– Peu importe ce que vous croyez. C'était il y a longtemps. Ce qui est fait est fait. Terminé.

– Rien n'est terminé, lança sèchement Gamache en baissant le ton.

On aurait dit un grognement.

– La situation actuelle découle directement de la décision prise ce jour-là. La guerre n'a pas été gagnée; elle est entrée en dormance. Et, maintenant, elle se réveille.

– Vous devez comprendre…, commença Rosenblatt.

– Je n'ai que faire de vos justifications. Ce qu'il me faut, ce sont des réponses claires. Qui était avec eux, ce jour-là? Qui a pris cette photo? Vous? Qui est derrière cette histoire?

– Ce n'était pas moi, dit Rosenblatt. Je vous le jure. Si j'avais quelque chose à vous dire, je le ferais. L'idée que ces plans puissent tomber entre de mauvaises mains me rend malade.

– John Fleming est en route, dit Gamache en s'efforçant d'adopter un ton normal. Il vient ici.

Il reprit la photo et se leva.

– Quoi?

– Si nous n'avons pas retrouvé les plans avant dix-huit heures, on l'emmènera ici. Et tout sera révélé au grand jour. Les plans et tout le reste.

– Vous ne pouvez pas faire ça, dit Rosenblatt d'une voix haletante. C'est un monstre.

– Oui. Un monstre créé par l'homme. Qui en a eu l'idée?

39

Ils s'assirent en demi-cercle dans le salon des Gamache. Par chance, la pièce n'exigeait pas une imposante distribution. Quelques pensionnaires, la logeuse et le propriétaire de la quincaillerie voisine.

– Vous voulez que nous lisions cette chose à haute voix? demanda M. Béliveau en tenant le texte comme s'il avait été écrit avec de l'urine.

– En fait, elle me plaît, cette idée, dit Gabri.

– Tu m'étonnes, fit Clara.

– Non, c'est vrai. Grâce à mon expérience des planches…

Ici, il marqua une pause, les mettant au défi de proférer une remarque désobligeante. Pour une raison inexplicable, leur silence lui sembla encore plus vexant.

– … je sais que les mots prennent une signification toute nouvelle lorsqu'ils transcendent la page grâce à un acteur de talent.

– Si seulement on en avait sous la main, dit Ruth.

– Bah, on n'a rien à perdre, dit Olivier.

– Modère un peu ton enthousiasme, dit Myrna.

Gamache et Beauvoir savaient que c'était faux. Ils avaient à perdre le bien le plus précieux. Le temps. Lorsqu'ils termineraient leur lecture de la pièce de Fleming, il serait dix-sept heures trente. Ils n'auraient le temps de rien d'autre.

Armand leur avait expliqué en termes très généraux la raison de leur présence sous son toit. Ils s'étaient réparti les rôles et avaient commencé à lire avec Gamache et Beauvoir comme spectateurs.

Certains, comme Ruth, se contentaient de lire, tandis que d'autres, dont Clara, s'investissaient dans leurs personnages.

Gabri, qui s'était laissé convaincre de jouer le rôle masculin principal, lança des regards courroucés à Clara lorsqu'il apparut clairement qu'elle avait des talents cachés.

L'autre révélation fut M. Béliveau qui, au début, manquait singulièrement de naturel, mais qui, inspiré par la performance sans retenue de Clara, se montra à la hauteur. Dès le deuxième acte, il les fit tous crouler de rire dans la peau du propriétaire de la quincaillerie qui avait tout, sauf ce que les autres personnages voulaient. Du lait. Tous les personnages entraient à la quincaillerie et demandaient du lait.

Cette quête devenait le leitmotiv de la pièce.

Le mystère de l'emplacement des plans, cependant, resta entier.

Lorsque le dernier mot fut prononcé et que le silence descendit, ils se tournèrent vers Armand et Jean-Guy, penchés dans leur fauteuil pour mieux saisir l'expression ou le mot qui leur révélerait la réponse.

Il n'y avait plus de mots. Ils étaient arrivés au bout de la pièce.

Gamache sortit de sa poche son téléphone, qui rendait fidèlement compte de l'heure.

Dix-sept heures vingt-trois. Encore trente-sept minutes.

Il se tourna vers Brian.

– Alors ?

– Désolé, mais rien ne m'a sauté aux yeux.

– Et vous ? demanda Gamache aux autres.

Tous secouèrent la tête.

Gamache se leva et les remercia sincèrement.

– Vous devez savoir quelque chose, dit-il.

Ils avaient débattu de l'opportunité de leur parler du reportage imminent de la CBC, mais avaient décidé qu'ils seraient bien assez tôt au courant.

– La CBC est sur le point d'annoncer la découverte du canon de Gerald Bull, dit-il.

Ils furent étonnés, mais pas choqués outre mesure.

– Qu'est-ce que ça veut dire ? demanda Myrna.

– Eh bien, ils ne savent pas encore où il est.

Il lut le soulagement sur leurs visages.

– Mais ce n'est qu'une question de temps. Lorsque la nouvelle se répandra, tout le monde va débarquer ici.

– Tout le monde ? fit Myrna. Qui ça, « tout le monde » ? Les journalistes, évidemment, mais qui d'autre ?

– Des personnes qui cherchent les plans, répondit Gamache. C'est pour cette raison que je vous ai demandé de venir ici : nous devons les trouver d'abord. Vous venez de lire la pièce, la plupart d'entre vous pour la première fois. S'il vous vient une idée, prévenez-moi sans tarder. Et, naturellement, vous ne devez en parler à personne. C'est capital. Jean-Guy ?

Il invita Beauvoir dans son bureau et ferma la porte.

Gabri mit le cap vers le gîte et Olivier vers le bistro, sans doute occupé à cette heure.

Brian aida Reine-Marie à débarrasser les tasses à café vides, tandis que Clara et Myrna remettaient les meubles en place et que Ruth restait les bras croisés.

– Je peux vous l'emprunter ? demanda M. Béliveau avec une politesse excessive.

Il désignait Ruth.

– Pas la peine de leur poser la question, dit Ruth en se levant. Je ne sais même pas qui elles sont, ces deux-là.

– Nous avons pour politique de ne pas reprendre la marchandise vendue, lança Clara en guise d'avertissement.

– Et elle était déjà cassée quand nous l'avons trouvée, ajouta Myrna en prenant une chaise.

Ruth les foudroya du regard et M. Béliveau prit un air perplexe avant de hocher la tête.

– Je sais, dit-il enfin. J'étais là quand c'est arrivé.

Perplexes à leur tour, Clara et Myrna assistèrent au départ des deux vieux villageois.

Dans l'embrasure de la porte de la petite bibliothèque, tout au fond du gîte, Gabri regardait.

Ce qu'il voyait n'avait rien d'extraordinaire, et pourtant il était fasciné.

Mary Fraser lisait.

Rien de plus. Assise, elle baissait les yeux sur ses genoux. Non pas sur un livre, mais sur un manuscrit. Le manuscrit.

La scène n'avait absolument rien de remarquable. Sauf pour l'intensité avec laquelle Mary Fraser se concentrait.

Bien calé dans le fauteuil à oreillettes, Sean Delorme l'observait, l'étudiait pendant qu'elle étudiait la pièce.

Puis il leva les yeux et regarda Gabri. Ensuite, il se leva et se dirigea vers lui d'un pas lent, délibéré.

Et, devant cet homme à l'aspect jusque-là terne et banal qui s'avançait vers lui, Gabri recula d'un pas. Delorme n'était pas armé, son visage n'avait même pas l'air menaçant. Pourtant, Gabri sentit son cœur s'emballer. Sean Delorme s'arrêta près de la porte et les deux hommes se regardèrent de part et d'autre du seuil.

Puis Delorme, lentement, sans rien dire, poussa sur la porte, qui se referma avec un déclic. Il y eut un autre bruit. Celui du verrou qu'on tirait.

Gabri fixa la porte en bois. La dernière image de la petite bibliothèque explosa dans sa mémoire. Les yeux sombres de Delorme et, derrière lui, Mary Fraser qui continuait de lire. Comme si sa vie en dépendait.

Du bureau, Beauvoir téléphona à Lacoste au poste de commandement.

Elle confirma que Cohen était arrivé à l'USD.

– Il attend dans sa voiture.

– Bien.

Voilà tout ce que Beauvoir trouva à dire, même s'il était loin de se sentir « bien ».

– Du nouveau dans les dossiers ?

– Non, toujours rien, dit-elle.

Elle s'y remit après avoir raccroché. Comme pour la pièce, elle avait la réponse juste sous ses yeux, se dit-elle. Il suffisait de la trouver.

Elle avait examiné et réexaminé les notes. Les interrogatoires. Les preuves recueillies pour les deux meurtres.

Antoinette Lemaître avait été tuée par quelqu'un qu'elle avait invité chez elle ou par un intrus qu'elle avait surpris sous son toit. Une personne qui connaissait le Projet Babylone et qui savait Brian à Montréal. Qui savait que son oncle était Guillaume Couture et que M. Couture avait été le principal concepteur de Gerald Bull. Une personne qui savait peut-être qu'il était le véritable architecte du Projet Babylone.

Une personne qui croyait les plans cachés dans cette maison. Une personne qui les cherchait peut-être depuis des années.

Le canon ne pouvait plus être vendu. Il était trop tard. Pour les plans, c'était une autre paire de manches.

Lacoste s'arrêta.

« Voilà que je me laisse distraire une fois de plus par ces plans maudits », se dit-elle en poussant un long soupir.

Mais, quand même, elle s'était approchée de la réponse avant de bifurquer. À quel moment s'était-elle égarée ?

« Bon, se dit-elle. Mets de côté le meurtre d'Antoinette et reviens au premier, celui de Laurent. »

Elle était dans le bistro lorsque le garçon était arrivé avec une autre de ses histoires ridicules, fruit d'une imagination trop fertile.

Isabelle Lacoste essaya de se souvenir de ce qu'il avait dit et fait.

Laurent était entré en courant, avait foncé vers leur table et s'était mis à déblatérer, annonçant à la cantonade qu'il avait découvert un énorme canon dans les bois. Avec un monstre dessus.

Devant l'indifférence générale, il avait tiré sur le bras de Gamache pour l'obliger à le suivre.

Le chef l'avait plutôt ramené chez lui en voiture. Laurent l'avait bombardé de nouvelles histoires concernant le canon, les monstres ailés, les invasions d'extraterrestres et d'autres produits de son imagination féconde.

Le lendemain, Laurent était mort.

À qui d'autre avait-il fait part de sa découverte ? À ses parents. À son père. Ce dernier était le seul à savoir que ce n'était pas une chimère, bien que Lepage ait soutenu qu'il ignorait ce que M. Bull et les autres avaient construit. Un mensonge de plus de la part d'un homme dont la vie était une pure fabrication ? Avait-il tué son propre fils pour le faire taire, sachant que, si on découvrait le canon et, du coup, la gravure, on risquait de poser des questions et de démasquer Frederick Lawson ?

Est-ce ainsi que les choses s'étaient passées ? Ou Laurent était-il tout simplement tombé sur un tiers dans les heures qui avaient suivi son raccompagnement par Gamache ? Une personne qui savait qu'il disait la vérité. Une personne qui avait demandé à Laurent de lui faire voir le canon et qui l'avait tué sur place avant de déposer son cadavre au bord de la route pour laisser croire à un accident.

Elle omettait un détail. En interprétait mal un autre. Quelque chose, en tout cas, lui échappait.

C'est alors que Beauvoir téléphona pour dire que la lecture de la pièce n'avait rien donné. Le découragement la gagna. Ce n'était pas leur dernier espoir, mais c'était le meilleur.

Elle reprit le dossier et recommença sa lecture.

Puis elle s'obligea à s'interrompre. Elle connaissait l'affaire par cœur et elle venait de se rafraîchir la mémoire. Le moment était venu de se servir de sa tête. Isabelle Lacoste referma le dossier, retourna sa chaise et regarda par la fenêtre. Elle se força à ne rien faire. Sauf la chose la plus importante. Réfléchir.

Gabri avait téléphoné du bistro et demandé à Gamache de l'y retrouver. Beauvoir était resté seul dans le bureau.

Jean-Guy n'avait pas eu l'intention de fouiner, mais, dès qu'il fut seul, ses yeux se posèrent sur les papiers étalés sur la table de travail de Gamache. Des lettres. Des propositions. Des piles de propositions. Dans la première, l'ONU l'invitait à diriger sa section policière, qui s'intéressait tout particulièrement à Haïti.

Pour une raison qu'il ne sut s'expliquer, Jean-Guy se sentit accablé. L'île était chère au cœur de Gamache. C'était une affectation qui requérait de la diplomatie, de la patience et du respect. Et la maîtrise du français. Former la police locale dans cette nation en ruine serait un travail dangereux, mais gratifiant. Parfait pour le chef.

Puis Beauvoir se ressaisit et reprit le script dans une ultime tentative d'y déceler quelque chose. Une tentative désespérée.

Il semblait de plus en plus probable que Fleming avait menti, au moins au sujet de la pièce. Probablement aussi à propos des plans.

Les mots dansaient devant les yeux de Jean-Guy et il n'assimilait rien du tout. Il lisait et relisait le même passage. C'était comme le cauchemar récurrent dans lequel il devait s'enfuir, mais se révélait incapable de courir.

Il regarda fixement les mots et ordonna à son esprit de se calmer. Mais il ne pensait qu'à Annie et au bébé, à un monde dans lequel le canon maudit tombait entre les mains d'un fou. Et un autre fou était en cavale, désormais, libéré par eux.

Jean-Guy s'obligea à fermer les yeux. Et, du fond de son esprit, il tira un souvenir récent de la pièce lue par Clara et Myrna, Mme Gamache et Brian et Gabri. Ruth et Olivier et M. Béliveau. Les voix familières l'avaient endormi, comme autrefois celle de sa grand-mère lui lisant l'histoire du chandail de hockey à l'heure du coucher.

Lentement, les scènes s'animèrent, les personnages prirent vie devant lui. Beauvoir pouvait les voir. Les pensionnaires. Le quincaillier. Plus vrais que nature. Drôles, touchants et étonnamment humains.

John Fleming décrivait un groupe de personnes à qui était offerte une deuxième chance. Un radeau de sauvetage. Sauf qu'elles ne s'en rendaient pas compte parce que ces offrandes ne prenaient pas la forme qu'elles désiraient.

Elles espéraient un buisson ardent, un éclair déchirant le ciel. Un gros lot.

Jean-Guy songea à Three Pines. Aux voyageurs qui tombaient sur le village par hasard. Ils s'arrêtaient au bistro pour se soulager et prendre une bouchée. Ils buvaient leur café au lait et mangeaient leur pain au chocolat en consultant leurs cartes. Sans jamais lever les yeux ni regarder autour d'eux.

Et puis, ils repartaient, remontaient sur leur radeau et reprenaient la mer. Et ils s'éloignaient. À la recherche de l'emploi, de la personne ou de la grande maison qui les sauverait.

De temps en temps, cependant, l'un d'eux levait les yeux. Regardait autour de lui. Et constatait qu'il était arrivé à destination. Qu'il avait rallié le rivage.

Jean-Guy, assis au bistro, sur le banc ou sur la galerie de la maison des Gamache avec Annie, avait vu cette expression à quelques reprises sur de nouveaux visages. C'étaient des occurrences rares, mais impossibles à manquer et inoubliables. Ce n'était pas de la joie, ce n'était pas du bonheur. Pas encore. C'était du soulagement.

Cet élan, il savait le reconnaître parce que lui-même s'était échoué sur le rivage. Ici.

Jean-Guy ouvrit les yeux et se redressa.

Dans le gîte, Armand Gamache regardait par la fenêtre. Posément, Gabri lui avait dit avoir vu Delorme et Fraser dans la bibliothèque, avec la pièce de Fleming.

– Je n'ai encore jamais vu personne lire de cette façon, dit-il. Elle était concentrée et il veillait sur elle. Un vrai pit-bull.

– Sean Delorme ? s'étonna Gamache.

– Je sais, dit Gabri. C'est pour cette raison que je me suis dit que vous deviez être informé. Il n'était pas du tout content que je les aie vus.

Gamache avait une conscience aiguë des secondes qu'égrenait l'horloge posée sur le manteau de la cheminée derrière lui. Et de Michael Rosenblatt, assis dans un coin. Coincé.

Quelqu'un avait parlé aux agents du SCRS de l'importance de la pièce et Gamache devinait sans mal de qui il s'agissait.

Il parcourut le village des yeux. Au prix d'un gros effort, il fit le vide dans son esprit et entendit de nouveau les voix des villageois lisant la pièce de Fleming. Il se tenait immobile devant la fenêtre, les mains jointes derrière le dos, les yeux clos.

– Doux Jésus, murmura-t-il au bout de deux ou trois minutes. Ce serait donc ça ?

Mary Fraser leva les yeux du texte. Le sang afflua à son visage avant de redescendre.

Elle se sentait étourdie, sur le point de défaillir.

– Que se passe-t-il ? demanda Delorme.

– Doux Jésus, bredouilla-t-elle. Ce que je peux être idiote.

Elle souleva le manuscrit resté sur ses genoux, comme pour l'offrir à Delorme, mais elle le conserva.

– Fleming est venu ici, dans ce village.

– Nous étions au courant, dit Delorme.

– Le cadre de la pièce, c'est Three Pines, dit-elle, tout excitée. Ce détail nous a échappé parce que le village a changé. Pas beaucoup, mais assez pour qu'on ne le reconnaisse pas d'emblée.

Jean-Guy allait décrocher le téléphone lorsque l'appareil sonna. Avant qu'il ait pu dire « allô », Gamache lança :

– L'action de la pièce se situe à Three Pines, dit-il.

– Je viens tout juste de m'en rendre compte, dit Jean-Guy. À l'époque du séjour de Fleming, le gîte était une pension. C'est le cadre de la pièce. Mais alors ? Ça ne nous dit pas où sont les plans. Dans la pièce, aucun objet n'est perdu.

– C'est vrai, mais chaque personnage cherche quelque chose, et ils se rendent tous au même endroit pour le trouver. Tu te souviens ?

– Le lait, fit Beauvoir. La quincaillerie.

– Aujourd'hui le bistro.

– J'arrive.

Gamache prit Olivier et Gabri à part, conscient des regards de Rosenblatt posés sur eux, mais il s'en moquait, désormais. Ça n'avait plus d'importance. Il n'y avait plus de « désormais ».

Il était dix-sept heures quarante.

– Quand vous vous êtes établis, le gîte était une pension, n'est-ce pas ?

Les deux hommes hochèrent la tête, attentifs, alertes. Le ton pressant d'Armand ne leur avait pas échappé.

– Et le bistro était une quincaillerie ?

– Oui, confirma Olivier.

– De toute évidence, vous avez effectué des rénovations majeures, poursuivit Gamache. Vous avez trouvé des choses dans les murs, sous les parquets ?

« S'il vous plaît, mon Dieu, s'il vous plaît », songea-t-il.

– Et comment ! fit Gabri. Nous avons mis toutes les pièces à nu. Les murs étaient isolés avec de vieux journaux et des écureuils momifiés.

– Les papiers, demanda Gamache d'une voix nette et posée. Où sont-ils ?

– Nous les avons rangés dans le coffre à linge que vous voyez là-bas, dit-il en désignant le coffre en pin posé devant la cheminée.

Il servait de table basse et de pouf depuis des années.

– Nous avons toujours projeté de les lire, dit Gabri en emboîtant le pas à Gamache. Certains sont très vieux.

Beauvoir, arrivé sur les entrefaites, les rejoignit devant le meuble.

– Ils ont trouvé des papiers pendant les rénovations, expliqua Gamache en s'agenouillant devant le coffre. Ils sont tous là.

– Laissez-moi vous donner un coup de main.

Ils levèrent les yeux sur le professeur Rosenblatt.

– S'il vous plaît, dit le vieux scientifique.

Gamache et Beauvoir échangèrent un rapide coup d'œil et Gamache hocha la tête. Ils vidèrent sur le tapis le contenu du lourd coffre en bois. Dans l'âtre, derrière eux, le feu marmottait et crépitait. On aurait dit qu'il sentait la présence d'objets inflammables.

Gabri et Olivier se joignirent à eux sur le sol et le professeur Rosenblatt s'installa sur le canapé. Ils se séparèrent les piles.

– Doucement, ordonna Gamache. Pas de panique. Soyez attentifs. Il est possible que les plans soient déguisés. Examinez chaque feuille des deux côtés, mettez-la de côté et passez à la suivante…

Déjà, ils avaient entrepris le tri de la montagne de documents.

Le téléphone sonna et Olivier alla répondre.

– Pour vous, dit-il en tendant le combiné à Jean-Guy.

– Prenez un message.

– Le message, c'est « Allez vous faire foutre », dit Olivier en reprenant sa recherche. Inutile de préciser de qui il vient. Elle veut boire un Lysol avec vous.

Au bout d'une minute environ, Gamache se tourna vers Beauvoir.

– Je pense que tu devrais aller la voir.

– Je me faisais justement la même réflexion, dit Beauvoir en se levant.

– Qui ? demanda Rosenblatt en mettant de côté un numéro de la *Gazette de Québec* datant de 1778.

– Ruth, répondit Gabri.

– Il va aller l'aider à faire du ménage ? Maintenant ?

Olivier haussa les épaules.

– Continuez de chercher, ordonna Gamache, à genoux devant le coffre à linge renversé.

Il sentait le feu dans son dos et le tic-tac de l'horloge au-dessus de sa tête.

40

– Qu'est-ce qu'il y a? demanda Beauvoir en prenant place à côté de Ruth dans son salon.

M. Béliveau était installé en face d'elle sur une chaise de parterre qui lui semblait familière parce qu'elle lui avait autrefois appartenu.

La maison de Ruth était meublée d'objets qu'elle qualifiait de « perdus ». En l'occurrence, ils avaient plutôt été « trouvés » chez d'autres.

– Je sais où sont les plans, dit-elle.

– Où ? demanda-t-il.

Elle se pencha et tapota le manuscrit, posé sur une planche qui reposait à son tour sur une pile de livres trouvés dans la librairie de Myrna.

– La pièce ? fit Jean-Guy. Nous étions déjà au courant.

– Pas la pièce, couille molle. Ça.

Elle tapait sur la couverture, tandis que Jean-Guy, frustré, écarquillait les yeux.

– Pour l'amour du Christ, fit-il, où voulez-vous en venir, au juste ?

Mais alors il vit ce qu'elle indiquait. Non pas la pièce elle-même, mais son titre.

– *Elle était assise et elle pleurait* ? demanda-t-il. Vous pensez que le titre fournit la clé ?

– C'est une référence à Babylone, non ? répondit Ruth. Et que voudrait immortaliser Fleming ? Quelle est la chose qui lui procurerait le plus de plaisir ?

– Un moment de désespoir, dit M. Béliveau.

– Je ne vous suis pas, avoua Beauvoir.

– Il est venu me demander de l'aide et je l'ai envoyé voir Al Lepage, dit-elle. J'aurais fait n'importe quoi pour me débarrasser de lui.

Beauvoir écoutait en hochant la tête. Il n'y avait rien de nouveau dans ce qu'elle lui racontait. Pourquoi se répétait-elle ? Une fois de plus, elle tapota le titre.

Elle était assise et elle pleurait.

– Pourquoi a-t-il donné ce titre à sa pièce ? demanda-t-elle. Nous venons de la lire. Pas la moindre trace d'une femme qui s'assoit pour pleurer. D'ailleurs, personne ne s'assoit pour pleurer. Alors pourquoi ce titre ?

Gamache parcourut le fouillis qui recouvrait le sol du bistro. Partout, de vieux journaux et magazines. Mais pas de plans.

Un détail lui avait échappé. Lequel ? Il était dix-sept heures cinquante et ils n'étaient toujours pas plus avancés. Les plans du Projet Babylone restaient introuvables.

Il regarda la pièce, la pièce maudite, qu'il avait jetée sur un des fauteuils du bistro. Fleming avait-il menti ? C'était de plus en plus probable.

Elle était assise et elle pleurait. Elle était assise et elle pleurait.

C'était, il devait en convenir, un drôle de titre. Dans la pièce, personne – ni homme ni femme – ne s'assoyait pour pleurer. Personne ne pleurait debout non plus. Personne ne pleurait, point final.

Sur les bords des fleuves de Babylone, nous étions assis et nous pleurions. C'était la citation biblique exacte. « Nous » et non « elle ». Fleming avait donc mal cité. Comme il connaissait la Bible, il l'avait forcément fait exprès. Dans un but précis. Gamache se souvint d'avoir vu Fleming caresser la pièce du bout du doigt. Sauf qu'il ne touchait pas que la couverture. Il avait frotté les mots en disant : « Vous ne savez pas pourquoi je l'ai écrite, n'est-ce pas ? Si vous le saviez, vous n'auriez pas besoin d'être ici. »

C'était le titre et non la pièce.

Elle était assise et elle pleurait.

Gamache s'obligea à s'asseoir dans le fauteuil, la pièce sur les genoux. Olivier, Gabri et Rosenblatt l'observaient.

– Allez-vous faire quelque chose ? demanda Gabri. Avez-vous renoncé ?

– Chut, fit Olivier. Il fait quelque chose. Il pense.

– Ahhh ! s'exclama Gabri. C'est donc comme ça qu'on fait.

« Que faut-il en comprendre ? » se demanda Gamache en s'isolant du reste du monde.

Fleming avait caché les plans, puis il avait écrit la pièce. Une pièce dont l'action se situait à Three Pines. Gamache plissa les yeux. Tous les personnages cherchaient la même chose.

Du lait. À la quincaillerie. Ils s'y rendaient tous pour en trouver. En vain, évidemment. Où en trouverait-on, alors ?

Gamache se leva et se dirigea vers la porte.

– Mon magasin ? s'étonna M. Béliveau. Vous pensez qu'il a caché les plans dans mon magasin ?

– Où trouver du lait, sinon ? demanda Beauvoir en se dirigeant vers la fenêtre.

Il vit Gamache devant la porte du bistro. Il regardait vers le magasin général de M. Béliveau.

Mais alors Armand Gamache se détourna.

Jean-Guy suivit le regard du chef. Au-delà du magasin de M. Béliveau, du parc du village, des trois pins géants et de la maison de Clara, jusqu'à celle de Jane. Le regard de Gamache s'immobilisa sur la maison de Jane Neal, à présent déserte.

La meilleure amie de Ruth. Au lieu de recommander Jane comme artiste, elle avait jeté Al Lepage dans la fosse aux lions.

– Ruth, demanda Jean-Guy. Après avoir parlé à Fleming, êtes-vous allée chez votre amie Jane ? Lui avez-vous parlé de tout ça ?

Gamache détourna les yeux de la maison de Jane et les posa sur celle de Ruth, de l'autre côté du parc.

Il vit un mouvement à la fenêtre. Jean-Guy.

Ruth avait voulu parler à Beauvoir de toute urgence, mais préférait que les autres ne sachent pas pourquoi. D'où l'allusion au Lysol dans son message.

Ruth.

Qui, pour se sauver, avait trahi quelqu'un d'autre. Ruth. Qui avait dû faire face à une terrible vérité. Elle était lâche.

Elle aurait dénoncé les Juifs cachés dans son grenier.

Elle aurait soufflé des noms à McCarthy.

Pendant l'Inquisition, elle aurait montré des hérétiques du doigt pour s'éviter le bûcher.

Et, en apercevant les croix se dressant sur une colline lointaine, elle aurait presque certainement chuchoté « Gethsémani » à l'oreille d'un Romain.

Après, elle se serait assise et elle aurait pleuré.

– Non, je ne suis pas allée chez Jane, dit-elle. J'avais trop honte. J'ai eu besoin d'être seule.

– Vous êtes donc restée ici ? dit Jean-Guy. Vous avez tiré les rideaux, vous avez verrouillé la porte et vous êtes restée chez vous.

– Au début.

– Et après ?

– Mon Dieu, fit M. Béliveau. Il a dû voir.

– Voir quoi ? demanda Jean-Guy.

Les yeux de Gamache poursuivirent leur mouvement panoramique, avec urgence désormais. La colline. La vieille école. Au-delà.

Et puis son regard s'immobilisa. Et Armand Gamache se mit à marcher. Puis à courir.

– L'église, dit Beauvoir. Vous êtes montée à Saint-Thomas. Et Fleming a vu.

Il sortit de chez Ruth en courant. Gamache était déjà au pied du large escalier de bois. Il gravit les marches deux à deux. Beauvoir arriva au moment où Gamache ouvrait avec brusquerie la grande porte de la petite église.

– Où trouve-t-on du lait? demanda Gamache en se tournant brièvement vers Beauvoir.

– Dans une église, répondit Jean-Guy. On ne doit pas interpréter le lait de la pièce au sens littéral.

– C'est une métaphore. Le lait désigne la bonté et la guérison.

Gamache balaya des yeux les rangées de bancs, l'autel tout simple, les murs nus. C'était plus une chapelle qu'une église.

– Et le pardon, ajouta Beauvoir. On n'en trouve pas à la quincaillerie, mais on a des chances d'en trouver ici. Ruth est venue ici après avoir trahi Al Lepage. Pour demander pardon en priant. Pour chercher du lait.

– John Fleming était pratiquant. Il aimait sa relation avec un Dieu qu'il raillait et tournait en dérision, expliqua Gamache. Il l'a suivie ou il est venu tout seul. Conscient du mal qu'il lui avait fait, il a voulu célébrer son triomphe.

Ils entendirent un mouvement derrière eux. Ruth et M. Béliveau venaient d'arriver.

– Où étiez-vous assise? demanda Gamache à Ruth.

– Là-bas, fit-elle en montrant du doigt. Près des garçons.

Les « garçons », c'étaient les soldats de la Grande Guerre immortalisés par le vitrail. Ils marchaient dans la boue et le chaos. On n'avait pas affaire à un monument civil destiné à célébrer la gloire des guerres. Ils étaient jeunes, ils étaient loin de chez eux et ils avaient peur.

Mais l'un des jeunes hommes, s'étant tourné, regardait les fidèles. Et, sur son visage, on lisait autre chose que la peur.

Le pardon.

Sous la fenêtre étaient écrits les noms des morts de Three Pines. Les garçons qui n'étaient jamais revenus dans la vieille gare, n'avaient jamais retrouvé les parents qui les attendaient.

Et, sous les noms, les mots *They Were Our Sons*.

Ruth s'était assise dans la lumière filtrée par leurs corps. Et elle avait pleuré.

Puis, après son départ, quelqu'un était sorti de l'ombre.

Gamache se mit à genoux et poussa le banc d'un côté. Beauvoir vint le rejoindre. Ensemble, ils tirèrent sur les larges lattes.

Et là, dans un long tube en métal, ils trouvèrent ce qu'ils cherchaient. Les plans d'Armageddon cachés dans la chapelle consacrée à saint Thomas. L'incrédule.

Gamache consulta sa montre. Il était dix-huit heures.

41

– Bonsoir. Je m'appelle Susan Bonner et voici le téléjournal de dix-huit heures.

À cause du martèlement dans sa tête, Adam Cohen entendait à peine les mots.

– En manchette ce soir, une découverte ahurissante en Estrie, au Québec.

Il vérifia son téléphone. À l'intérieur de l'établissement, toutes les communications étaient bloquées, mais les gardiens utilisaient un code que Cohen avait déjà programmé. Cinq barres, mais pas de messages.

Fermant les yeux pendant un instant, Adam Cohen mobilisa ses forces, sortit de la voiture et se mit à marcher, d'un pas résolu, vers la petite porte au milieu du mur épais.

– En manchette ce soir, une découverte ahurissante en Estrie, au Québec.

– Merde, dit Isabelle Lacoste.

Sur son ordinateur, le bulletin jouait en lecture continue.

Il était dix-huit heures et ce fut encore pire qu'ils l'avaient craint. La CBC ignorait l'emplacement exact du Supercanon de Gerald Bull, mais elle avait réussi à cerner la région.

On exploita l'histoire à fond. Un journaliste raconta la vie improbable de Gerald Bull ainsi que le mystère de sa mort. Dans un autre reportage, le Projet Babylone et Saddam Hussein étaient évoqués. La rencontre de deux fous.

Trois, savait Lacoste. Trois fous.

– Je vous ai entendu arriver, dit Fleming de sa voix douce, imparfaite.

Il détailla le jeune homme qui se tenait devant lui.

– Vous travailliez ici comme gardien, n'est-ce pas ?

Adam Cohen se rappela la mise en garde de Gamache. Surtout, ne rien dire à Fleming. Ne pas engager la conversation.

– Il a besoin de vêtements de rechange ? demanda l'un des cinq gardiens qui avaient accompagné Cohen.

– Non, répondit celui-ci. Nous n'en avons pas pour longtemps. Il sera de retour avant minuit.

– L'heure à laquelle je me changerai en citrouille ? fit Fleming en se laissant menotter et ligoter. Ou quelque chose du genre.

– Tu es bien sûr de vouloir faire ça ? demanda l'un des gardiens.

Il avait été l'ami d'Adam Cohen à l'époque où il travaillait à l'USD. Celui que Cohen était allé trouver avec son autorisation. Parce que cet homme, il le savait, aurait confiance en lui.

Et il ne s'était pas trompé. L'autre avait accepté sans rouspéter la lettre de la Sûreté autorisant Cohen à emmener Fleming.

Fleming observa cet échange, promena ses yeux de reptile d'un homme à l'autre, sentant peut-être qu'un parfum de trahison flottait dans l'air.

Jean-Guy s'arrêta en glissant un peu. Il avait négocié le virage et sprintait sur le pont pour rejoindre le commandement et dire à Lacoste de rappeler Cohen.

– Où allez-vous ? lança-t-il à Gamache.

Au tournant, celui-ci avait continué de courir, les plans à la main, en direction du bistro.

– Nous devons nous assurer que ce sont bien les plans, lança Gamache en les brandissant sans ralentir.

– C'est marqué « Projet Babylone », patron. Qu'est-ce qu'il vous faut de plus ?

– Highwater. Encore une fausse piste, peut-être.

Beauvoir regarda la vieille gare derrière, puis Gamache devant.

– Merde, dit-il en se lançant aux trousses de Gamache.

Dans le bistro, Gamache fonça vers le professeur Rosenblatt, installé sur le canapé, près du feu.

– Vous les avez trouvés ? demanda le vieux scientifique en se levant.

– Nous l'espérons.

Gamache ouvrit le tube et en sortit le rouleau. Il s'assit et déroula le document sur le coffre à linge. Rosenblatt s'approcha, se pencha.

– C'est bien ça ? demanda Beauvoir.

Rosenblatt ne répondit pas. En bourdonnant, il suivait du doigt les lignes du schéma.

« Allez, allez », songea Beauvoir. Derrière eux, l'horloge posée sur le manteau de la cheminée indiquait dix-huit heures six. En arrière-plan, il entendait le bulletin de Radio-Canada. Le service d'information en français diffusait également la nouvelle au sujet de Gerald Bull et du Projet Babylone.

« Olivier et Gabri sont sans doute dans la cuisine, songea Beauvoir. À écouter. Eux et le reste de la planète. »

– Ce sont les plans ? demanda-t-il avec insistance.

Adam Cohen suivait le long corridor à côté de son ami. Il se sentait malade et se demanda si c'était la grippe ou un effet de l'accablante puanteur des désinfectants ou des souvenirs que cette odeur ravivait en lui. Des dix-huit longs mois qu'il avait passés dans ce trou immonde à surveiller des psychopathes.

Était-ce la pensée de ce qu'il s'apprêtait à faire qui lui retournait l'estomac ? Ou l'explication était-elle plus simple ? Moins héroïque ? La peur, une peur ordinaire, profondément ancrée, en voie de se transformer en terreur ?

Derrière Cohen, précédé et flanqué de deux gardiens lourdement armés, John Fleming traînait ses pieds entravés. Les chaînes produisaient un fracas métallique auquel se mêlait l'air qu'il fredonnait. Un vieil hymne.

By the waters of Babylon...

L'agent Cohen s'avançait, les yeux rivés sur le panneau rouge vif annonçant la sortie. Il serrait son téléphone dans sa poche. Le suppliait de se réveiller, porteur d'un message.

Le professeur Rosenblatt étudia une page, la suivante et encore la suivante. Examina les schémas, s'arrêta un moment pour réfléchir avant de poursuivre.

– Je vois comment ils ont réussi à corriger le problème de la trajectoire, juste ici, fit-il en pointant un diagramme du doigt.

– Sont-ils authentiques ou non ? demanda Gamache, à bout de patience.

Rosenblatt se redressa et hocha la tête.

– Je pense que oui.

– Pardonnez-nous de vous interrompre, dit une voix de femme.

En se retournant, ils virent Mary Fraser et Sean Delorme dans l'embrasure de la porte.

– Nous vous avons vus venir de l'église. Est-ce bien ce que je pense ?

Gamache enroula les plans.

– Oui.

Mary Fraser sembla sincèrement soulagée. Puis elle tendit la main.

Pendant un moment, Gamache crut que c'était une offre de paix. Une poignée de main pour sceller la conclusion d'une trêve. Peut-être même pour les féliciter d'avoir réussi là où elle avait échoué.

Puis il vit son visage et comprit qu'elle ne proposait rien du tout. Elle exigeait.

Gamache tendit le rouleau à Beauvoir et, sans un mot, passa devant Mary Fraser pour se diriger vers le téléphone du bar. Il consulta sa montre.

Dix-huit heures vingt.

Il avait composé les premiers chiffres du numéro de Lacoste au poste de commandement lorsque se fit entendre le petit déclic familier.

Il se figea, puis, en se retournant avec lenteur, vit Delorme qui brandissait une arme.

Du coin de l'œil, il constata que Jean-Guy, les bras en l'air, s'était rapidement rendu. Mais pas avant de s'être éloigné de lui de quelques pas.

– Vous feriez mieux de reposer le téléphone.

Gamache regarda Mary Fraser.

– Vous n'êtes pas avec le SCRS, en définitive ?

– Décidément, vous ne comprenez rien à notre monde. Et le moment est mal choisi pour vous fournir des explications.

Elle ressemblait encore à Mary Poppins. Même sac surdimensionné, même sourire doucereux.

– C'est vous qui avez pris la photo, dit Gamache. De Gerald Bull et de M. Couture. Avec John Fleming. Vous étiez le quatrième membre du quatuor de Bruxelles.

Elle s'approcha à quelques pas de lui, presque avec insouciance. Elle savait qu'il n'était pas armé. Elle n'avait rien à craindre d'Armand Gamache.

Elle hocha la tête.

– Vous avez compris pas mal de choses, monsieur Gamache. J'étais jeune, évidemment. Et maintenant, je rachète les erreurs du passé. Les plans, je vous prie.

Beauvoir baissa la main qui tenait le rouleau.

– Non, pas ça ! s'écria le professeur Rosenblatt en s'avançant.

Delorme et Fraser se tournèrent vers lui. Beauvoir profita de cet instant de distraction pour étirer le bras derrière lui. Il tenait les plans au-dessus des flammes.

Delorme braqua son arme sur lui, mais Gamache se glissa entre lui et son gendre.

– Non, fit-il en écartant les bras.

Le geste était si inattendu, la séquence d'événements si rapide, que Delorme hésita.

– Vous devrez nous tuer d'abord, dit Gamache. Vous êtes prêts à aller jusque-là ?

– Si vous êtes prêts à mourir, nous sommes prêts à tirer, répondit Mary Fraser. Le sacrifice de quelques-uns en échange de la survie du plus grand nombre. Vous vous souvenez ?

– Vous vous faites une idée passablement tordue du bien commun, dit Beauvoir. Laissez-moi vous éclairer. Voilà un exemple probant.

Il laissa tomber le rouleau dans l'âtre à l'instant où le professeur Rosenblatt se plantait devant Gamache. Derrière lui, Armand entendit le sifflement que firent les plans du Projet Babylone en s'enflammant.

– Merde ! s'écria Delorme.

Repoussant le professeur, il fonça vers le foyer, mais Gamache et Beauvoir s'emparèrent de lui et l'obligèrent à lâcher son arme.

L'échauffourée ne dura qu'un instant, le temps que les plans soient réduits en cendres. Beauvoir immobilisa Delorme, tandis que Gamache balayait la salle des yeux.

Mary Fraser s'était élancée, puis elle s'était arrêtée en constatant qu'il était trop tard. À présent, elle regardait fixement le professeur Rosenblatt, qui s'était penché pour ramasser l'arme.

Gamache se tourna aussi vers lui, et il y eut une sorte d'arrêt sur image. Il dura le temps d'un soupir, d'une éternité. Le vieux scientifique tenait l'arme et les dévisageait. Et eux le dévisageaient.

Et alors il tendit l'arme à Gamache.

– Bon, c'est fini, dit Gabri en sortant de la cuisine. Presque tout le bulletin de nouvelles a été consacré à ce maudit canon.

Il s'arrêta et Olivier, qui le suivait, le heurta par-derrière. Il allait protester lorsqu'il comprit la situation.

Mary Fraser se tourna vers eux, puis vers Gamache. Le visage blême, elle tremblait de rage.

– Vous n'avez aucune idée de ce que vous avez fait.

Détachant les yeux de Gamache, elle étudia tour à tour Beauvoir et le vieux scientifique.

– Gabri a raison, dit Beauvoir. C'est terminé.

Libérant Delorme, il le poussa vers Mary Fraser.

– Vous êtes un imbécile, déclara-t-elle. Rien n'est terminé. Ça ne fait que commencer.

– Vous n'allez pas les arrêter? demanda Rosenblatt, tandis que les agents du SCRS se dirigeaient vers la porte.

– Qu'ils partent, dit Gamache en fonçant vers le téléphone du bar. Nous avons plus important à faire.

Il composa le numéro de Lacoste.

Pour la première fois depuis des décennies, John Fleming sentit sur son visage la plénitude du soleil, sans l'ombre des barreaux et des barbelés et des tours de guet.

« Il se fait tard, plus tard que le jeune agent le pense », songea Fleming en le suivant vers la voiture banalisée.

Fleming avait toujours su que ce jour viendrait. Su qu'il retrouverait un jour la liberté. Il le sentait dans ses os. Il avait longtemps attendu. Tout prévu. Et, à présent, il mettrait son plan à exécution.

Il épiait le dos du jeune homme, entendait les hautes herbes se balancer dans le pré et devinait dans l'air frais du soir le parfum de la pinède voisine. Ses sens, endormis depuis des années, étaient plus aiguisés, plus aigus que jamais.

Il détectait même l'odeur musquée de la peur qui imprégnait l'uniforme de Cohen. Fleming absorba le tout, avidement, pendant qu'il avançait vers la voiture en se traînant les pieds.

Fraser et Delorme venaient à peine de franchir la porte lorsque Gamache entendit Lacoste décrocher. Il parla sans même la saluer.

– Nous avons les plans. Appelez Cohen. Arrêtez-le.

Dans le poste de commandement, Lacoste raccrocha et appuya sur la touche de composition abrégée. Et entendit la première sonnerie. Puis la deuxième.

– Un moment, dit Cohen en arrivant près de la voiture, alors que le gardien était sur le point d'installer le détenu sur la banquette arrière.

Il sortit son téléphone.

Toujours rien.

Cohen le remit dans sa poche et fit signe à son ami de procéder.

Lacoste essaya de nouveau, cette fois en composant elle-même le numéro, avec minutie.

Le téléphone de Cohen sonna. Et sonna.

Après la cinquième sonnerie, elle raccrocha. L'appel n'avait même pas été dirigé vers la messagerie vocale.

Elle essaya d'envoyer un texto, qui lui fut promptement retourné.

– Et alors ? demanda Gamache lorsque, peu après, lui, Beauvoir et un professeur Rosenblatt à bout de souffle entrèrent dans le poste de commandement.

– Rien.

– Comment ça, « rien » ? demanda Beauvoir.

– Il ne répond pas, expliqua-t-elle. Et mon texto m'est revenu.

– Qu'est-ce que ça veut dire ? demanda Beauvoir.

Gamache, lui, croyait comprendre.

John Fleming fut installé sur la banquette arrière du véhicule sécurisé, menotté, les jambes et les bras entravés.

Le gardien tira sur les contentions pour en éprouver la solidité.

– Il est à toi, fit l'ami de Cohen en lui tendant les clés. Tu dois me signer une décharge.

Il donna son propre téléphone à Cohen et lui indiqua où signer.

– C'est nouveau, ces gadgets ? demanda Cohen en s'exécutant.

– On les a reçus après ton départ, je suppose. Appareils et réseau réservés. À l'épreuve des pirates informatiques.

Sur la banquette arrière, Fleming sourit. On peut se prémunir contre tout, sauf, évidemment, la trahison.

– Merci, fit Cohen en serrant la main de son ami. Je serai de retour dans quelques heures.

– Il n'y a pas le feu.

– La transmission est bloquée, diagnostiqua le professeur Rosenblatt.

– Qu'est-ce que ça veut dire ? demanda Gamache.

– Votre jeune agent ne se rend peut-être même pas compte qu'il ne reçoit pas ses messages. Les barres sont allumées, et tout semble normal, ce qui est bien le cas. Sauf que les messages ne passent pas.

– On peut contourner le problème ? demanda Lacoste.

– Impossible. Rien à voir avec les logiciels. C'est matériel. Il faudrait qu'il se serve d'un de leurs appareils.

– Téléphonez à l'USD, dit Gamache. Rappelez-le.

Cohen démarra la voiture, mais conserva son pied sur le frein.

Il avait déposé son téléphone dans le porte-tasse.

– En route, fit Fleming. Qu'est-ce que vous attendez ?

Saisissant son appareil, Cohen décida de téléphoner à l'inspectrice-chef Lacoste pour confirmer. Il fit le numéro et vit à l'écran le mot *Composition*.

Puis le message suivant : *Connexion impossible.*

« Naturellement, songea-t-il. Elle se trouve à Three Pines. Où il n'y a pas de service de téléphonie cellulaire. »

– Allez, allez, fit Fleming. Vous perdez du temps. Votre patron ne sera pas content.

Cohen déposa l'appareil et la voiture avança. Pour s'arrêter aussitôt.

– Quoi encore ?

Cohen reprit son appareil et composa le numéro du téléphone fixe du poste de commandement.

Composition. Composition.

Connexion impossible.

Bizarre.

– On perd du temps, là, dit Fleming. Chaque minute compte. Vous le savez.

Sa voix douce et imparfaite trahissait une légère angoisse.

Dans le rétroviseur, l'agent Cohen vit les yeux brillants, le visage avide, affamé. Puis il jeta un coup d'œil à son appareil. Les cinq barres étaient allumées. Il était raccordé au réseau. Pourtant, aucun message ne s'affichait. Pas un seul. Toutes origines confondues. En plus de quarante-cinq minutes.

Il se souvint ensuite du nouvel appareil de son ami.

Avec des mains si tremblantes qu'il faillit laisser tomber le téléphone, il pianota, passa en mode utilitaire, retira le code de l'établissement pénitentiaire, entra le sien et vit l'appareil se mettre à clignoter.

Il vibra, la lumière rouge clignota. Et une sonnerie retentit.

Sur la banquette arrière, John Fleming, témoin de la scène, se mit à tirer, à tirer sur les chaînes qui le retenaient au véhicule.

Le standard mit Lacoste en communication avec la salle des gardiens. Le téléphone sonna et on décrocha à l'instant même où son appareil indiquait un appel entrant.

Elle raccrocha, appuya sur une touche et, pendant un moment, elle entendit, assez fort pour que Gamache, Beauvoir et même le professeur Rosenblatt, assis devant le bureau voisin, l'entendent aussi…

Un cri strident.

Gamache blêmit et écarquilla les yeux, tandis que le hurlement inhumain remplissait le poste de commandement.

– Chef?

Ils entendirent la voix du jeune homme qui s'efforçait de se faire entendre malgré le cri.

– C'est vous? hurla Cohen.

– Où êtes-vous? répondit Lacoste sur le même ton.

– Je ne vous entends pas. J'ai Fleming.

– Demi-tour, cria Lacoste. Nous avons les plans. Demi-tour.

Ils n'entendaient plus que le cri strident. Qui se transforma en grognement.

Celui d'une bête brute.

– Adam? cria Gamache en se penchant vers le téléphone. Vous m'entendez?

Et alors…

– Je vous entends, monsieur Gamache. Je le ramène.

42

– Que va-t-on faire du Supercanon ? demanda Reine-Marie. Maintenant que les plans ont disparu ?

Ils étaient réunis au bistro : les Gamache, Lacoste, Jean-Guy, Clara, Myrna, Brian, Ruth et M. Béliveau. Assis dans un fauteuil confortable, le professeur Rosenblatt sirotait un grand verre de cognac.

Olivier avait verrouillé la porte en présentant ses excuses aux autres clients :

– Désolé, c'est une réception privée.

Le soleil était depuis longtemps couché, et la soirée, déjà avancée. Ils étaient assis autour du foyer, dont leurs visages reflétaient le rougeoiement.

– Il va être démonté et emporté, répondit l'inspectrice-chef Lacoste.

– Pour être rassemblé ailleurs ? demanda M. Béliveau.

– Peut-être, répondit Gamache. Sans les plans, par contre, ce ne sera pas une mince tâche. Et, hélas, le percuteur semble avoir disparu de nouveau.

Beauvoir et Lacoste le regardèrent, puis détournèrent les yeux.

– Le percuteur ? s'étonna Brian. Où est-il passé ?

– Aucune idée, répondit Armand en souriant.

– Mary Fraser et Sean Delorme, fit Myrna. Ils ne font pas partie du SCRS ?

– Je ne sais pas qui sont ces deux-là, avoua Lacoste.

– Je suis certaine qu'ils n'iront pas loin, dit Clara.

– C'est-à-dire ? fit Lacoste.

– Vous allez les arrêter, non ?

– Pourquoi ?

Clara semblait abasourdie.

– Eh bien, pour avoir menacé de tuer le professeur, Armand et Jean-Guy, pour commencer.

– Il est vrai que Delorme a sorti son arme, admit Armand. Mais il ne s'en est pas servi. Et personne n'a été blessé. Pour le reste, ils n'ont rien fait de mal.

– Ça ne suffit pas ? demanda Gabri.

– Il faut savoir choisir ses batailles, dit Beauvoir. Dans le cadre d'un procès, il faudrait expliquer Bull, les plans…

– Et ce qui t'a poussé à les jeter dans les flammes, poursuivit Gamache.

Il savait, lui, pourquoi Beauvoir l'avait fait. Il avait été mû par l'instinct paternel. Jean-Guy aurait préféré mourir plutôt que de voir son enfant naître dans un monde où sévissait le monstre de Gerald Bull.

– En les laissant prendre le large, vous jouez un jeu dangereux, décréta le professeur Rosenblatt.

– Nous vivons dans un monde dangereux, dit Armand. Même les garçons de neuf ans le savent.

– Mais, mais…, bafouilla Clara.

– Ils ont tué Antoinette, dit Brian. Et Laurent. Il n'y a pas d'autre explication possible. Ils l'ont pour ainsi dire admis en menaçant de vous tuer, vous aussi, pour mettre la main sur ces maudits plans.

Il désigna l'âtre, où les plans ne subsistaient même plus à l'état de cendres. Le Projet Babylone s'était volatilisé.

– Mais comment Mary Fraser et Delorme ont-ils su que Laurent avait découvert le canon ? demanda Gabri. Ils n'étaient pas ici. Il a fallu qu'on les prévienne.

– C'est vrai, dit Brian. Ils étaient à Ottawa. Quelqu'un du village a dû leur téléphoner pour leur parler de Laurent. D'où, sans doute, la journée qui s'est écoulée entre le moment où Laurent a trouvé le canon et celui où il a été tué. Ils ont dû faire la route pour trouver le garçon.

– Oui, c'est ce que nous avons cru, nous aussi, dit Lacoste.

– Vous avez changé d'avis ? fit Reine-Marie.

– Le canon est venu tout compliquer, dit Lacoste. Lorsque Antoinette a été tuée et que nous avons découvert le lien entre son oncle, Gerald Bull et le Projet Babylone, l'affaire a pris une dimension insoupçonnée. Sauf qu'on m'a appris que le meurtre, au fond, est toujours une affaire humaine, le plus souvent très simple.

Elle se tourna vers Gamache, qui la remercia d'un geste de la tête.

– Pendant que vous lisiez la pièce, cet après-midi, j'ai repris toute l'affaire depuis le début. Tout a commencé ici, comme vous le savez, quand Laurent est entré en courant.

Elle montra la porte et ils revirent le garçon, couvert de poussière, de fragments d'écorce et de lichen. Excité par sa découverte, il criait, ouvrait ses bras maigres, essayant désespérément d'illustrer l'énormité de sa découverte.

Un canon géant. Dans les bois. Avec un monstre dessus.

S'il s'était agi d'un autre enfant ou d'un adulte, ils l'auraient peut-être écouté.

Mais c'était Laurent Lepage. Un garçon qui pourfendait des dragons, enfourchait Pégase et repoussait des armées d'envahisseurs pour protéger le village.

Et il avait récidivé le lendemain. Un nouveau jour, de nouvelles aventures, un nouveau récit de dangers énormes et d'exploits héroïques toujours plus grands.

À six ans, c'était drôle. À sept, lassant. À huit, irritant. À neuf, c'en était trop. Mais c'était dans sa nature, ainsi que son père l'avait dit, et Laurent était incontrôlable.

– Personne ne l'a cru, continua Lacoste. En apparence, du moins. Mais, en réalité, une personne l'a cru. Une personne qui savait qu'il disait vrai. Le lendemain, cette personne l'a suivi, sachant que Laurent retournerait sans doute auprès du canon. Le garçon n'a pas manqué de le faire. En partie pour revoir l'engin, en partie pour récupérer une cassette appartenant à son père que, dans son énervement, il avait laissée sur place. La personne en question a tué Laurent et a déposé son cadavre au bord de la route pour laisser croire à un accident.

Une fois de plus, Lacoste se tourna vers Gamache.

– Nous n'avons pas cru le garçon, poursuivit-elle. Nous avons conclu à un accident. Nous nous trompions.

– Je ne l'ai pas cru, moi non plus. Mais sa mort ne m'a pas semblé accidentelle. En fin de compte, c'est un objet simple et humain qui nous en a fourni la preuve. Une question que vous avez soulevée tous les deux, dit Gamache en se tournant vers Gabri et Olivier, qui écoutaient avec attention.

– Son bâton, dit Olivier.

– Oui. L'assassin ne connaissait pas bien Laurent. Ne savait pas qu'il ne se séparait jamais de cet objet. Il aurait dû se trouver près de son cadavre.

Plus encore que « mort » et « meurtre », le mot « cadavre » remua Armand. Il prit un moment pour se ressaisir.

– Le bâton n'était pas avec lui, continua Reine-Marie pour venir en aide à son mari.

– Qui a tué Antoinette, dans ce cas ? demanda Brian. La même personne ?

– La question nous ramène au Projet Babylone, répondit Lacoste.

– De toute évidence, l'assassin d'Antoinette savait que Guillaume Couture était son oncle, fit Jean-Guy en reprenant le fil du récit. Et savait qu'il avait travaillé avec Gerald Bull. Il ne savait pas nécessairement que M. Couture était l'architecte du Projet Babylone, mais il s'en doutait peut-être. Depuis longtemps déjà, on entendait dire que Gerald Bull était plus doué comme vendeur que comme scientifique. Comme on n'a pas retrouvé les plans dans l'appartement de Bruxelles ni dans les autres lieux associés à M. Bull, la plupart des services du renseignement et des marchands d'armes ont abandonné la partie en concluant que le Projet Babylone était un échec et que son créateur était à la fois délirant et mort. Mais certaines personnes soupçonnaient Gerald Bull d'avoir dit la vérité. C'était peut-être même plus que de simples soupçons. Pourquoi ? Parce que cette personne vivait dans les environs au moment de la construction. Et donc, quand Laurent a découvert le canon, cette personne l'a cru. Et a compris que les plans du Projet Babylone, s'ils existaient, se trouveraient dans l'ancienne maison de Guillaume Couture.

Pendant le récit de Jean-Guy, d'abord Myrna, puis Reine-Marie et enfin les autres s'étaient tournés vers la seule personne qui correspondait à cette description. La seule qui vivait à Three Pines à l'époque de la construction du canon. Et qui se trouvait dans le bistro lorsque, trente ans plus tard, Laurent l'avait trouvé.

M. Béliveau.

L'épicier demeurait parfaitement immobile, en apparence indifférent aux regards, aux preuves qui s'accumulaient contre lui.

– L'autre possibilité, c'est qu'il s'agissait d'une personne de l'extérieur, poursuivit Armand Gamache. Une personne qui ne connaissait pas nécessairement Gerald Bull, mais avait eu vent du Projet Babylone. C'était, après tout, un secret de Polichinelle, de plus en plus d'informations ayant filtré après la mort de Bull. Le Projet Babylone et son créateur étaient devenus des objets de curiosité, des contre-modèles. Mais pour certains, comme l'a dit le professeur Rosenblatt, cette question était devenue une obsession. Et si Gerald Bull avait dit la vérité, après tout ? Les plans vaudraient des centaines de millions de dollars. Et enfin, après des années de patiente recherche, cette personne, toujours aux aguets, entend quelque chose de significatif. Un petit garçon a trouvé un gros, un énorme canon. Dans les bois. Pas très loin de la maison de Guillaume Couture.

– Voulez-vous dire que cette personne a cherché le Projet Babylone pendant trente ans ? demanda Clara.

Isabelle Lacoste se pencha vers l'avant, comme les autres, réunis en cercle. Attentifs, absorbés par le récit.

– De quoi les humains sont-ils capables pour le pouvoir ? demanda-t-elle. Pour l'argent ? Certains passent leur vie à chercher de l'or, convaincus qu'ils finiront par trouver un filon. Certains passent tout leur temps libre dans leur sous-sol à fignoler une invention. Certains passent des jours et des nuits devant une machine à sous, persuadés que la prochaine pièce leur vaudra le gros lot. D'autres consacrent leur existence tout entière à l'écriture d'un livre ou à la recherche d'un remède contre le cancer.

Elle se tourna vers Gamache et Beauvoir.

– Nous avons des collègues qui, à temps perdu, enquêtent sur des crimes vieux de plusieurs décennies. Des personnes parfaitement rationnelles développent des manies dévorantes. Et le Projet Babylone avait tout pour attirer l'attention. Une richesse et un pouvoir inimaginables. Ça vaut dix ans, voire des décennies, de travail ? Peut-être pas pour vous ni pour moi. Mais pour certains, oui. La vie de celui qui trouverait ces plans serait changée à jamais.

– La seule condition, poursuivit Beauvoir : être prêt à prendre quelques vies au besoin.

Les yeux jusque-là rivés sur M. Béliveau se tournèrent. Vers la personne qui avait admis avoir consacré des années de sa vie à l'étude de Gerald Bull. Avait même connu le personnage. Avait aussi connu Guillaume Couture. Avait sans doute compris que Couture était le véritable architecte du Projet Babylone et peut-être aussi qu'Antoinette était sa nièce.

Et vivait à proximité.

Michael Rosenblatt les regarda, assez futé pour comprendre le sens de leurs expressions. Assez futé aussi pour se rendre compte que les faits étaient contre lui.

– Mais il s'est placé devant Armand, dit Reine-Marie en prenant la main de son mari. Pour le protéger. Il n'aurait jamais fait une chose pareille si c'était lui qui avait tué Laurent et Antoinette.

– *Thank you*, madame, dit le vieux professeur.

Armand, sans rien dire, se demanda si c'était bien vrai. Il était heureux que Delorme n'ait pas fait feu, mais il aurait dû. Dès que les plans s'étaient envolés en fumée, il aurait dû tirer.

Il s'en était abstenu.

– Qui a tué Laurent et Antoinette ? demanda Reine-Marie. Le savez-vous ?

– Nous attendons un complément d'informations, dit Lacoste. Nous avons des soupçons.

– Moi aussi, dit Ruth. Je vous soupçonne de n'avoir aucune idée de l'identité du coupable.

– Nous allons le trouver, dit Lacoste à Brian. Croyez-moi. Ce n'est qu'une question de temps.

Brian se leva, las et découragé.

– Moi, je pense que ce sont les agents du SCRS qui ont fait le coup. Et vous les avez laissés filer. Je rentre au gîte. J'ai besoin d'être seul.

Le professeur Rosenblatt se leva.

– Avec votre permission, je vous accompagne. À condition qu'on m'y autorise, évidemment.

Lacoste hocha la tête.

– Je n'ai pas tué Antoinette Lemaître, déclara le professeur Rosenblatt en balayant leurs visages des yeux, un à un. Et je n'ai pas tué cet enfant.

Armand accompagna le professeur et Brian jusqu'à la porte.

– Vous venez avec nous ? demanda Brian.

– Non, répondit Gamache. Nous en avons encore pour au moins deux heures : nous attendons le retour de l'agent Cohen.

Brian se tourna de nouveau vers l'intérieur du bistro et, le temps d'un éclair, son visage trahit une expression que Jean-

Guy connaissait bien. Celle d'un homme lessivé que la marée dépose sur le rivage.

Puis Brian sortit, suivi par Rosenblatt, qui resta un moment sur la terrasse pour s'entretenir avec Armand. Par la fenêtre, les villageois virent les deux hommes conférer, leurs têtes rapprochées, la main d'Armand sur le bras de Rosenblatt.

– Il le remercie, dit Myrna. De s'être placé devant l'arme.

– Tu penses ça, toi ? fit Ruth.

Puis le professeur Rosenblatt se mit en route vers le gîte aux lumières scintillantes.

– Vous lui laissez une longueur d'avance ? demanda Ruth lorsque Armand eut repris sa place.

– C'est-à-dire ?

– Il a sauvé votre vie. Il vous a sauvés tous les deux, précisa-t-elle en regardant tour à tour Gamache et Beauvoir. Et vous lui donnez une chance de s'enfuir.

– Vous pensez vraiment que nous laisserions un meurtrier s'échapper ? demanda Lacoste.

– Vous avez bien laissé partir les supposés agents du SCRS, dit Ruth. Tout indique que c'est la nouvelle politique de la Sûreté.

– Si j'ai laissé un meurtrier s'évader, je devrai assumer les conséquences, n'est-ce pas ? dit Armand en soutenant le regard impitoyable de la vieille poète.

– Je me demande si vous en seriez capable, dit-elle en se levant. Il est tard et je suis fatiguée.

Elle regarda M. Béliveau et lui tendit la main.

– Tu me raccompagnes ?

Marque publique d'amitié et de confiance. De folie aussi, peut-être. Après tout, l'homme figurait toujours parmi les suspects.

– Bien sûr, répondit l'épicier.

Il jeta un coup d'œil à Isabelle Lacoste qui, après un moment d'hésitation, hocha la tête.

M. Béliveau posa la main de Ruth sur son bras et ils sortirent du bistro.

Armand les vit traverser le parc du village et disparaître derrière les trois hauts pins.

Quelques minutes plus tard, dans les ténèbres qui enveloppaient le village, une silhouette plus sombre surgit. Fugitive, elle aurait pu passer inaperçue si Gamache n'avait pas été là à guetter.

– Excusez-moi, dit-il en se relevant.

Il fit signe à Lacoste et à Beauvoir, à qui le mouvement n'avait pas échappé non plus.

– Ne bougez pas d'ici, s'il vous plaît, dit-il en regardant tour à tour Reine-Marie, Clara, Myrna, Olivier et Gabri.

– Pourquoi ? demanda Gabri en se levant.

En voyant l'expression des autres, il se rassit lourdement.

43

Courir, courir, trébucher. Courir.

Un bras levé pour repousser les branches souples qui lui cinglaient le visage. Dans le noir, il ne vit pas la racine. Il tomba, ses mains ouvertes s'enfonçant dans la mousse et la boue. Son arme lui échappa, rebondit et roula hors de sa vue. Les yeux exorbités, affolé à présent, il fouilla à tâtons dans les feuilles mortes et pourrissantes.

Il entendait des pas derrière lui. Des bottes qui martelaient le sol. Fort. Il pouvait presque sentir la terre tanguer à leur approche, tandis que, à quatre pattes, il écartait les feuilles mortes.

– Allez, allez, supplia-t-il.

Et alors ses mains couvertes d'égratignures et de crasse se refermèrent sur la poignée de l'arme et, se relevant, il se remit à courir. Penché. Haletant.

Il réussirait à les semer dans les bois. Il connaissait ces bois mieux que quiconque. Mieux qu'eux.

Sa main s'enfonça dans la poche de son blouson déchiré et boueux. Ses doigts aux jointures éraflées jusqu'à l'os et couverts de sang cherchèrent. Et ils trouvèrent l'objet. Il était en sécurité.

Lui-même ne l'était pas. Ses poursuivants gagnaient du terrain, se rapprochaient de lui. Il n'arrivait pas à les semer.

Il s'arrêta. Se retourna. Dégaina son arme. Visa les deux hommes et la femme qui le pourchassaient. Quand ils furent tout près, si près qu'il ne pouvait pas rater la cible, il appuya sur la détente.

Armand et Isabelle et Jean-Guy sortirent du bistro et, sans faire de bruit, traversèrent rapidement le parc du village jusqu'à la maison des Gamache en ayant soin de rester dans l'ombre des pins.

Se hissant sur la pointe des pieds, Jean-Guy jeta un coup d'œil par la fenêtre du bureau et s'accroupit de nouveau.

– Il n'est pas là, chuchota-t-il.

– Il l'a trouvé ? demanda Lacoste.

– Un seul moyen de le savoir, répondit Gamache.

Il fit signe à Beauvoir de se diriger vers l'arrière, tandis que Lacoste et lui, penchés, couraient le long de la galerie jusqu'à la porte de devant.

Isabelle Lacoste sortit son arme et ouvrit la porte lentement, avec précaution. Puis elle entra. Balaya la pièce des yeux. Vide. Elle fonça vers le bureau, tandis que Gamache s'engageait dans le couloir en direction d'une des chambres.

Dans le bureau, Lacoste ouvrit le tiroir de la table de travail, le referma et alla retrouver Gamache dans le salon.

– L'arme de Beauvoir n'est plus dans sa chambre, dit-il.

– Le percuteur du canon a aussi disparu, fit-elle en désignant le bureau d'un geste.

La porte s'ouvrit et Jean-Guy lança :

– Il est dans les bois. Je l'entends.

Ils sortirent en vitesse, quelques pas derrière Jean-Guy, qui fonçait entre les arbres. Il se força à ralentir et à tendre l'oreille. Pour s'assurer qu'ils étaient toujours sur la bonne voie. Il faisait nuit noire, mais l'homme qui courait dans la forêt automnale, au milieu des feuilles mortes et desséchées, se déplaçait avec beaucoup de bruit. Et c'est le bruit qu'ils pourchassaient.

C'était une poursuite à tête baissée. Inutile de cacher qu'ils étaient à ses trousses. C'était une course, engagée dans les bois sombres. Ils étaient aux trousses de l'homme qui avait tué Laurent. De l'homme qui avait tué Antoinette Lemaître.

De l'homme qui, grâce au percuteur volé, ferait des millions de victimes.

Devant eux, le coureur s'interrompit. Pas eux. Ils poursuivirent, foncèrent tout droit vers l'arme brandie.

Il les avait dans sa mire. Il attendit d'être sûr de ne pas pouvoir rater sa cible et appuya sur la détente.

Rien. Il essaya de nouveau. Déjà, il était trop tard : Isabelle Lacoste le plaqua au sol, aussitôt suivie de Beauvoir.

Armand Gamache, quelques pas derrière les agents plus jeunes, sortit son téléphone et activa l'application lampe de poche. La lumière révéla le visage de l'assassin, de l'homme qui avait passé des décennies à chercher, tel un pirate convoitant un trésor, telle une sangsue assoiffée. Le Projet Babylone, quand il avait fini par le retrouver, n'avait apporté que la mort.

Dans le halo de lumière se trouvait Brian Fitzpatrick.

44

Adam Cohen était de retour. Assis près du feu, dans le bistro, il pelait l'étiquette de sa bouteille de bière. On lui avait proposé un bon cognac, et il en avait pris une gorgée parce que Gamache tenait un verre de cette boisson, qui lui avait semblé délicieuse. Le liquide avait l'aspect du sirop d'érable, mais il goûtait la térébenthine.

Ils avaient le bistro à eux seuls. Il était tard. Olivier et Gabri avaient fait le ménage avant de sortir et de remettre la clé à Gamache. Ils n'auraient qu'à verrouiller en sortant.

Il ne restait plus que les membres de la Sûreté qui buvaient, mangeaient des chips et des noix mélangées.

Jean-Guy jeta une bûche de bouleau dans le feu et des braises explosèrent avant de s'élever dans la cheminée. Ils regardèrent, fascinés.

– Mais pourquoi le revolver n'a-t-il pas tiré ? demanda Adam Cohen. Brian vous avait droit devant lui.

– Tout indique que, là aussi, le percuteur manquait, expliqua Lacoste. Nous savions que Brian n'était pas armé, et nous nous sommes dit qu'il se rendrait chez les Gamache dans l'espoir de trouver une arme. L'inspecteur a donc délibérément laissé son revolver dans sa table de chevet.

– Pourquoi ne pas plutôt avoir enlevé les balles ?

– Il risquait de vérifier, répondit Beauvoir. Mais personne ne songe à regarder si le percuteur est en place.

– C'est un truc que nous avons appris de Guillaume Couture, dit Isabelle Lacoste. Il a retiré le percuteur du Supercanon pour la même raison. Pour que personne ne puisse s'en servir.

– Il avait une conscience, en fin de compte, dit Gamache. Mais il a fallu que Gerald Bull se fasse descendre pour qu'il se rende compte qu'il ne s'agissait pas d'un simple boulot, d'un défi ou d'un problème à régler le plus élégamment possible. Sa création aurait pu faire des centaines de milliers de victimes.

– Les plans étaient introuvables, dit Jean-Guy. Il a peut-être cru que Bull les avait détruits. Ou encore il a soupçonné Fleming de les avoir volés.

– Et s'il soupçonnait Fleming, il a sans doute jugé préférable de ne pas l'affronter, dit Isabelle.

– Pourquoi ? demanda Cohen.

– Vous l'auriez fait, vous ?

Le jeune agent secoua la tête. Après sa propre rencontre avec John Fleming, il avait le teint blafard, l'air sonné.

– L'unique façon de mettre Big Babylone hors d'état de nuire, expliqua Isabelle, était de retirer le percuteur. M. Couture l'a apporté chez lui et s'est arrangé pour lui donner l'aspect de deux objets distincts. Il en a parlé à Antoinette, mais elle n'y a pas fait très attention jusqu'au jour où Laurent a trouvé le canon, puis a été tué.

– Et Brian, dans tout ça ? demanda Cohen. Comment a-t-il découvert M. Couture, le Projet Babylone et Antoinette ?

– Il nous a raconté qu'ils étaient ensemble depuis dix ans, répondit Beauvoir. Ils se seraient donc rencontrés en 2005. Que s'est-il passé, cette année-là ?

– Guillaume Couture est mort, dit Lacoste. Antoinette a emménagé dans la maison de son oncle et la notice nécrologique a été publiée dans le journal des anciens de McGill. Fitzpatrick était un ancien lui-même. Il admet avoir reconnu Gerald Bull sur la photo.

– Mais comment avait-il entendu parler de Gerald Bull ? insista Cohen. Il n'était pas physicien.

– Non, mais il était opportuniste, répondit Lacoste. L'histoire de M. Bull le fascinait. Ce soir, au cours de son interrogatoire, Brian a admis avoir entendu parler de Gerald Bull et du Projet Babylone pendant qu'il faisait des relevés dans la région pour un cours de géodésie. Quelques publications obscures contenaient des références à Baby Babylone et, à force de creuser, il a trouvé de vagues allusions à un autre lance-missiles projeté par Bull. Plus imposant, plus puissant.

– Et valant un sacré paquet d'argent, ajouta Beauvoir.

– Au début, chercher le site secret des essais de Gerald Bull était un jeu, un passe-temps, dit Lacoste. Puis c'est devenu une obsession.

– Et quand il a vu la notice nécrologique et compris que M. Couture avait non seulement travaillé avec Bull, mais été assez proche de lui pour avoir séjourné avec lui à Bruxelles, Brian a décidé de débarquer et de faire la connaissance de la seule proche parente de Couture encore vivante.

– Antoinette, dit Cohen. Il y a dix ans.

– Il nous a tout avoué, dit Lacoste. Maintenant que les plans ont disparu et que le canon a été découvert, il n'a plus de raison de continuer.

– Mais comment avez-vous su que c'était Brian Fitzpatrick qui avait tué Laurent et Antoinette ? demanda Cohen.

– C'était très simple, en fin de compte, répondit Isabelle Lacoste. J'ai passé en revue les dépositions, les preuves et l'enchaînement des événements, et quelques faits m'ont sauté aux yeux. Le tueur était forcément dans le bistro le jour où Laurent y était entré. Il avait cru à cette histoire de canon. Du coup, le nombre de suspects avait singulièrement diminué. Il fallait aussi qu'il s'agisse de quelqu'un qui ne connaissait pas bien le garçon. Sinon, il n'aurait pas laissé le bâton derrière. Enfin, il fallait que cette personne sache qu'Antoinette serait seule, ce soir-là. Qui remplissait toutes ces conditions ? Peu de personnes, en fait.

– Mais une seule savait que Brian passerait la nuit à Montréal, dit Beauvoir. Et c'était Brian lui-même. Il était dans le bistro lorsque Laurent y est entré en courant.

– C'est de Brian que nous tenons la plupart de nos informations à propos d'Antoinette, en particulier sur la nuit du meurtre, poursuivit Lacoste. Dans la plupart des cas, c'étaient des mensonges. Y compris le fait qu'elle attendait des visiteurs. Ce qu'il ignorait, en revanche, c'est que, au lieu d'assister à la soirée organisée par Clara, elle avait décidé de transporter les effets de son oncle au théâtre. De les éloigner le plus possible.

– Et, ajouta Beauvoir, Antoinette a profité d'une absence de Brian au lieu de lui demander son aide : c'était un autre indice.

– Vous pensez qu'elle le soupçonnait ? demanda Cohen.

– Je n'en suis pas certain, mais c'est possible. Ce qui est sûr, en tout cas, c'est que Brian a créé et attisé la controverse au sujet de la pièce de théâtre. C'est lui qui nous a dit qu'elle était l'œuvre de Fleming. Et il a continué de soutenir sa production, alors que tous les autres s'étaient désistés.

– Il a misé sur la controverse et la distraction, dit Beauvoir.

– Un tueur profite du chaos pour se cacher, déclara Cohen.

La remarque fit sourire les enquêteurs de la section des homicides.

– Je me suis laissé obnubiler par une idée préconçue, avoua Lacoste. J'étais persuadée que le tueur était lié à Gerald Bull, d'une manière ou d'une autre. Qu'il avait participé au Projet Babylone à titre de scientifique, de marchand d'armes ou d'agent du renseignement. Par la force des choses, de telles personnes auraient plus de cinquante ans aujourd'hui. Je n'ai jamais songé que le tueur pouvait être beaucoup plus jeune, obsédé par la recherche du canon. C'est lorsque j'ai éliminé toutes les données accessoires pour me concentrer sur les faits que la confusion s'est dissipée.

– Brian affirme qu'il n'avait pas l'intention de tuer Antoinette, dit Beauvoir. Il prétend que, en rentrant, elle l'a trouvé en train de fouiller la maison. Pendant la dispute, elle est tombée et s'est cogné la tête.

– Vous le croyez ? demanda Cohen.

– C'est plausible, répondit Lacoste. Mais je pense qu'il aurait fini par la tuer, de toute façon. Il n'avait pas le choix. Pour la même raison qu'il a tué Laurent. Pour la faire taire.

– Il devait fouiller la maison en douce depuis des années, dit Beauvoir. C'est ainsi qu'il est tombé sur la pièce de Fleming. Et qu'il a accepté un poste d'arpenteur dans la région. Prétexte idéal pour chercher le canon. Il admet être passé à quelques mètres du lance-missiles, mais l'avoir raté à cause du camouflage.

– Lorsque Laurent a fait irruption dans le bistro, il avait pratiquement renoncé, dit Lacoste.

– Vous le soupçonniez, monsieur ? demanda Cohen à Gamache, qui s'était contenté d'écouter en silence.

– Pas au début. Je trouvais toutefois bizarre que Brian, contrairement aux autres, ne soit pas dérangé par la pièce de Fleming. Il a dit que c'était par loyauté envers Antoinette, mais c'était plus que ça. Il s'en moquait. Pour lui, c'était un outil, une boule puante lancée dans cette affaire. En l'occurrence, il aurait dû mieux étudier la pièce. La clé qu'il cherchait, celle pour laquelle il avait tué, se trouvait justement dans l'objet qu'il avait traité avec désinvolture. La pièce de Fleming. *Elle était assise et elle pleurait.*

– Je crois comprendre que Fleming n'a pas été enchanté à l'idée de regagner l'USD, fit Beauvoir.

Devant l'expression de l'agent Cohen, il regretta aussitôt son ton presque badin.

– C'était horrible, dit Cohen.

Même ses lèvres avaient pâli et Beauvoir se demanda si le jeune homme ne risquait pas de se lever avec des cheveux blancs, le lendemain matin.

– Je n'ai jamais été partisan de la peine de mort, mais, tant que Fleming sera en vie, je ne me sentirai pas en sécurité.

– Il vous a menacé ? demanda Gamache.

– Non, mais…

Le jeune agent blêmit encore.

– … j'ai commis une erreur, monsieur.

– Ce n'est rien, dit Gamache.

– Mais vous ne comprenez pas, dit Adam.

– Si, je comprends. Ce qui est fait est fait. N'y pensez plus.

Ils échangèrent un regard et le jeune homme hocha la tête.

– Brian a donc tout avoué ? demanda Cohen en abandonnant le sujet de Fleming.

– Il aurait difficilement pu nier, fit Gamache. Nous avons retrouvé sur lui le percuteur qu'il avait pris dans mon bureau.

– C'était dangereux, non ? fit Cohen. Et s'il avait réussi à s'enfuir ?

– C'était une copie, dit Lacoste. Le vrai est en sécurité dans un coffre fermé à clé. Nous avons dû lui forcer la main. Nous n'avions pas de preuves suffisantes contre lui. Il fallait le pousser à s'incriminer.

– Vous lui avez donc laissé croire que vous aviez volé le percuteur, dit Cohen à Gamache.

Ce dernier hocha la tête.

Le jeune agent Cohen prit une gorgée de bière, puis tendit la main vers les chips et en porta une à sa bouche. C'est alors seulement qu'il se rendit compte qu'il s'agissait de chips de pomme.

Il jeta un coup d'œil à l'inspectrice-chef Lacoste et à l'inspecteur Beauvoir. Ses supérieurs. Et à M. Gamache. Et il contempla le plafond aux poutres solides, les larges planches du sol, les imposants foyers en pierres des champs du bistro. Il jeta un coup d'œil par la fenêtre, où il ne vit que leur propre reflet.

Et il se sentit enfin en sécurité.

45

Isabelle Lacoste et Adam Cohen gravirent les marches du gîte. Gabri avait laissé la lumière de la galerie allumée et, naturellement, la porte était déverrouillée.

– Vous avez dit avoir commis une erreur avec Fleming, fit Lacoste. Laquelle ?

Adam Cohen se mordit la lèvre et vit Gamache et l'inspecteur Beauvoir marcher côte à côte, tête basse, en direction de la lumière qui brillait chez les Gamache. Mais alors les deux hommes s'arrêtèrent, firent demi-tour et gagnèrent le parc du village.

– J'ai mentionné son nom, dit Cohen.

Isabelle mit un moment à comprendre ce que Cohen voulait dire. À son tour, elle regarda les deux hommes suivre le périmètre d'un pas lent.

Dans son excitation, Adam Cohen avait lâché le morceau au téléphone. Il avait prononcé son nom. M. Gamache. Et John Fleming, sur la banquette arrière, l'avait forcément entendu.

– À propos du professeur Rosenblatt, dit Jean-Guy. Que lui avez-vous dit, ce soir, sur la terrasse ? Vous l'avez remercié ?

– Non. Je l'ai mis en garde.

– À quel propos ? Il s'est mis dans la trajectoire d'un éventuel projectile. Il a sauvé votre vie et sans doute la mienne aussi. Il m'a fourni l'occasion de jeter les plans dans les flammes. D'empêcher les agents du SCRS ou je ne sais qui de mettre la main dessus.

– Je me demande si c'est bien vrai.

– C'est-à-dire ?

– À mon avis, le professeur Rosenblatt ne fait rien qui ne soit mûrement réfléchi. Il a compris, je pense, qu'il était trop tard pour récupérer les plans. Il s'est placé devant l'arme parce qu'il savait que Delorme, s'il risquait de nous tirer dessus, ne ferait pas feu sur lui.

Gamache gardait des événements un souvenir d'une parfaite netteté.

Lorsque Michael Rosenblatt s'était placé devant lui, l'arme braquée sur sa poitrine, Gamache avait eu le sentiment très net que le scientifique ne courait aucun danger.

Pendant cette fraction de seconde, alors que les plans se consumaient, Delorme aurait dû tirer. Mais il ne l'avait pas fait. En tuant Gamache et Beauvoir pour des plans presque certainement disparus, il aurait déclenché une chasse à l'homme internationale. Et donc le professeur Rosenblatt avait eu la seule réaction possible dans les circonstances. Il s'était placé devant l'arme non pas pour sauver Gamache ou Beauvoir, mais bien pour sauvegarder ce qui pouvait encore l'être.

– Vous pensez que Rosenblatt est des leurs ? Un agent du SCRS ou un truc du genre ?

– Un truc du genre.

À ses yeux, Michael Rosenblatt n'était pas un assassin, mais il le croyait capable de tuer. Il savait en tout cas que Rosenblatt connaissait Mary Fraser et Sean Delorme beaucoup mieux qu'il le laissait entendre.

Qui, après tout, les avait fait venir à Three Pines ? Qui leur avait parlé de la découverte du Projet Babylone ?

C'était en gros ce que Gamache avait dit au scientifique à la retraite lorsqu'ils s'étaient séparés sur la terrasse. Il lui avait aussi dit qu'il l'aurait à l'œil.

– Vous me croyez toujours impliqué dans cette affaire ? avait demandé Rosenblatt.

– Je pense que vous en savez beaucoup plus que vous le laissez entendre.

Rosenblatt l'avait étudié avec attention.

– Nous sommes dans le même camp, Armand. Vous devez me croire.

– Vous le jurez ? avait demandé Gamache. Sur la tête de votre petit-fils ?

Rosenblatt avait souri et Gamache avait entendu un petit grognement d'acquiescement.

– Oui.

Puis toute trace d'amusement avait disparu.

– Vous devez savoir, dit Rosenblatt, que l'horloge ne s'est pas arrêtée. Elle a simplement été reculée.

Armand Gamache l'avait regardé s'éloigner, certain d'avoir sous les yeux la source d'où étaient issus Mary Fraser, Sean Delorme et John Fleming.

Par cette soirée automnale froide et tonique, Jean-Guy et Armand arpentaient en silence le parc du village.

– Admettons que le professeur Rosenblatt n'ait pas couru de risque en se plaçant devant le revolver. Vous, en revanche, vous avez mis votre vie en jeu, patron.

Beauvoir s'arrêta et se tourna face à son beau-père.

– Merci.

– Je connais peu de gens qui auraient eu le courage de jeter ces plans au feu, mon vieux. C'est l'une des plus belles choses que j'aie vues de ma vie. Et n'oublie pas que je suis un homme qui a vu le Manneken-Pis.

Beauvoir laissa entendre un rire, puis un son plus ténu, plus profond, qu'il étouffa aussitôt.

– Tu es un homme courageux dans un pays courageux, Jean-Guy. Un homme de ta qualité doit transmettre son courage à ses enfants.

Ils marchèrent encore un moment en silence. Par choix, pour Gamache ; par nécessité, pour Jean-Guy, encore incapable de prononcer une parole.

– Merci, dit-il enfin.

Le silence retomba.

En passant devant le gîte, Gamache vit une ombre devant une fenêtre. Un vieil homme se préparait à se mettre au lit. Où il rêverait peut-être d'enfants et de petits-enfants et d'amis. D'un bon feu de foyer, d'un bon livre, d'une conversation paisible. De la vie qu'il aurait pu avoir.

Le lendemain matin, une fourgonnette de police sombre s'avança jusqu'à la frontière avec les États-Unis, à Richford.

Une femme et un homme en uniforme du bureau du juge-avocat général des États-Unis se tenaient de l'autre côté de la barrière, flanqués de membres de la police militaire.

En attente.

La fourgonnette s'arrêta à une vingtaine de mètres, le moteur tournant au ralenti. Les officiers, nerveux, échangèrent un regard, firent passer leur poids d'un pied sur l'autre.

La porte de la fourgonnette glissa et un homme de forte carrure, aux cheveux gris broussailleux, en sortit. Puis il se retourna et tendit la main pour aider une vieille femme à descendre. Ensuite, ce fut au tour d'un vieux monsieur de grande taille.

Les deux vieillards marchèrent de part et d'autre d'Al Lepage. Leurs pas cadencés, leurs visages solennels. Ils ramenaient l'homme. Mettaient un terme à l'affaire.

La barrière se souleva, mais, juste avant que l'homme traverse, Ruth l'arrêta.

– Je suis désolée, dit-elle. C'est moi qui t'ai envoyé John Fleming.

– Je sais.

– Non, tu ne sais pas. Il me terrifiait et j'ai voulu me débarrasser de lui. Je te l'ai envoyé pour me sauver.

Al Lepage scruta Ruth Zardo.

– J'aurais pu me débarrasser de lui, moi aussi. C'est ce qui nous différencie. Vous avez vu le mal et vous l'avez rejeté. Moi, je lui ai ouvert la porte.

Al Lepage jeta un coup d'œil aux officiers qui l'attendaient. Puis il se tourna vers l'homme et la femme qui, autrefois, l'avaient sauvé. Il serra la main de M. Béliveau, puis croisa le regard de Ruth.

– Vous permettez ? demanda-t-il.

Elle fit signe que oui et il l'embrassa sur la joue.

– Je n'ai pas le droit de vous demander une chose pareille, mais je vous serais reconnaissant de veiller sur Evelyn. Elle ne se doutait de rien.

Ensuite, il franchit la frontière et redevint Frederick Lawson.

Avant d'accompagner Al Lepage à la frontière, ce matin-là, Ruth partit faire une course.

Serrant Rose dans ses bras, elle se rendit chez Clara. À l'intérieur, elle trouva Clara là où elle était certaine de la trouver. Assise sur le canapé tout en ressorts et en bosses qui sentait les peaux de banane et les cœurs de pomme, elle regarda Clara qui examinait le portrait de Peter, posé sur le chevalet.

– Qui t'a fait du mal, un jour, des blessures si profondes, irréparables ? demanda Ruth.

– Le vers de ton poème ? fit Clara en se tournant sur son tabouret.

– Je te pose la question. Qui t'a fait du mal, Clara ? dit Ruth en désignant le chevalet d'un geste. Qu'est-ce que tu attends ?

– Ce que j'attends ? répéta Clara. Rien.

– Pourquoi es-tu bloquée, alors ? Comme les personnages de cette maudite pièce. Tu attends d'être sauvée par quelqu'un, par quelque chose ? Tu attends que Peter te dise que tu as le droit de continuer sans lui ? Tu cherches du lait au mauvais endroit.

– Je veux juste peindre, dit Clara. Je ne veux pas être sauvée, je ne veux pas être pardonnée. Je ne veux même pas de lait. Je veux juste peindre.

Ruth s'extirpa avec difficulté du canapé.

– Je l'ai fait, moi.

– Quoi ?

– J'ai répondu à la question. J'ai été des années sans pouvoir écrire une seule ligne. Tout ce temps, j'ai cru que c'était à cause de John Fleming. Mais je me trompais.

Clara vit Ruth et Rose s'éloigner en se dandinant. Elle n'avait rien compris aux propos de la vieille folle. Puis, assise devant la toile, elle avait peu à peu saisi.

Qui pouvait causer de tels torts ? Qui connaissait tous les points faibles, la position des lignes de faille ? Qui pouvait provoquer de telles hémorragies internes ?

Clara se tourna vers le portrait de Peter.

– Je suis désolée, dit-elle en regardant son visage décoloré. Pardonne-moi.

Avec soin, elle posa la toile contre un mur et en plaça une autre, vierge, sur le chevalet.

Elle comprenait désormais les raisons de son blocage. Elle tentait de peindre le mauvais tableau. S'efforçait de se racheter en transformant la peinture en pénitence.

Clara saisit son pinceau et contempla la toile vierge. Elle ferait le portrait de la personne qui lui avait fait du mal, un jour, causé des blessures profondes, irréparables.

Elle se mit à peindre, à grands traits assurés. Elle exprimerait la rage, le chagrin, le doute, la peur, la culpabilité, la joie, l'amour et, enfin, le pardon.

Ce serait le tableau le plus intime, le plus difficile de sa vie.

Ce serait un autoportrait.

Assise dans sa cuisine, Evelyn Lepage contemplait la cuisinière au gaz. S'efforçait de mobiliser la force de l'allumer. Mais tous les os de son corps avaient fini par se dissoudre. Elle ne pouvait plus bouger. Ni pour sauver sa vie, ni pour y mettre fin.

Par la fenêtre, elle vit une voiture s'arrêter. Et deux vieillards en sortir.

– Nous t'emmenons à la maison, Evie, dit la vieille femme d'une voix fluette, de l'autre côté de la porte.

Le ton était si doux que cette petite voix en était presque méconnaissable.

– À condition que tu veuilles bien vivre avec une vieille poète détraquée et sa cane.

Le combiné à l'oreille, Jean-Guy contemplait le village paisible par la fenêtre du bureau des Gamache. Puis, se détournant, il posa les yeux sur les papiers empilés avec soin sur la table de travail de son beau-père.

Toutes ces offres. La réponse à la question de l'*après* était là.

Puis, au bout du fil, on décrocha.

– Oui, allô ? fit la voix enjouée d'Annie.

– Vas-tu me raconter ce qu'a fait John Fleming, Armand ? demanda Reine-Marie, au moment où ils terminaient la vaisselle du déjeuner.

Armand déposa le plat et s'essuya les mains avec la serviette.

– Les crimes de John Fleming sont chose du passé. C'est fini, terminé.

Elle l'étudia avec attention.

– Vraiment ?

– Oui. Mais si, après ce coup de fil, tu tiens encore à tout savoir sur Fleming, je te raconterai.

Reine-Marie, en se retournant, vit Jean-Guy qui, dans la porte, lui tendait le combiné. Elle l'accepta, perplexe, et écouta.

Et, devant les deux hommes, les rides du visage de Reine-Marie se transformèrent et ses yeux se remplirent d'émerveillement. La pensée de John Fleming, du Supercanon et de la grande prostituée s'évanouit, chassée par une force infiniment supérieure.

Reine-Marie regarda Jean-Guy, subjugué par l'émotion. Elle se tourna vers Armand, qui souriait, les yeux brillants. Puis elle s'assit à la vieille table en pin et elle pleura.

Note de l'auteure

Gerald Bull a bel et bien existé: c'était un scientifique, un concepteur d'armes canadien. Je suis tombée sur son histoire remarquable au milieu des années 1990, à l'époque où j'animais une émission d'affaires publiques à la radio de la CBC. Mon producteur de l'époque, Allan Johnson, a mentionné un homme qui avait construit, à la frontière des États-Unis, dans les Cantons-de-l'Est, un canon géant appelé Baby Babylone. C'était, a-t-il dit, le plus gros « sacripant » (Allan est un grand journaliste au riche vocabulaire) de lance-missiles au monde. Et il était tourné vers les États-Unis.

On croyait que Gerald Bull construisait ce lance-missiles, appelé Projet Babylone, pour le compte de Saddam Hussein, le dictateur irakien qui préparait alors une guerre régionale.

Selon des comptes rendus, Baby Babylone avait été construit, mais ne fonctionnait pas. Bref, c'était un échec. Gerald Bull, cependant, ne s'est pas laissé démonter. Selon des rumeurs répandues au sein de la communauté des armements, le Projet Babylone comportait deux lance-missiles, et non un seul. Baby Babylone avait un frère appelé Big Babylone, un lance-missiles si massif que l'autre, par comparaison, aurait semblé minuscule. Et tous les problèmes rencontrés par Baby Babylone avaient été résolus.

Big Babylone fonctionnerait. Il propulserait des missiles dans l'orbite terrestre basse. L'Occident s'est alarmé. Il ne fallait pas qu'une arme de cette nature tombe dans les mains d'un dictateur instable.

Au début de 1990, Gerald Bull a été assassiné à Bruxelles. Cinq balles à la tête – et pourtant, sa mort, à l'instar de sa vie, est entourée de mystère. On n'a jamais retrouvé ses assassins, bien que, selon la rumeur, il a été éliminé par des agents du Mossad, le bras armé d'Israël.

À l'époque, la vie de M. Bull, son œuvre et sa mort étaient en quelque sorte des secrets de Polichinelle, peu connus, il est vrai, à l'extérieur d'un cercle d'initiés. Avec le temps, de nouvelles informations ont filtré.

Là où nous vivons, dans les Cantons-de-l'Est, au Québec, de nombreuses personnes se souviennent de l'homme, et plusieurs ont travaillé à la construction du lance-missiles géant. En fait, Del, le mari de mon adjointe, Lise, nous a emmenées sur le chantier de Baby Babylone, toujours clôturé et fermé par des chaînes.

Le pouvoir de l'homme était tel que, encore aujourd'hui, les habitants du coin répugnent à parler de lui ou de son canon.